何建明

红色三部曲

何建明 著

雨花台

1519名英烈者的生命之歌

中央党校出版集团 大有书局

序

"主义"与信仰的祭坛

雨花石是斑斓的，因为它有一座用"主义"和信仰垒起的祭坛——雨花台。

自然形成的雨花台和被当作刑场的雨花台，一直到了1949年4月23日人民解放军解放南京那天起，便成了中国人民心目中永远巍然屹立的一座不朽丰碑与精神圣地。

从黑暗中走出来的南京人民，从这一天起，就开始了一件庄严而神圣的事——修建革命先辈用鲜血与生命凝成的烈士陵园。

这就是今天我们所看到的雨花台。

"共产主义是不可抗御的！"

"星星之火可以燎原！"

"死难烈士万岁！"

这三句话，是1950年7月1日当日刊发在《新华日报》上的毛泽东主席的手书。

在同日的这份报纸上，还刊发了唐亮等南京市、华东局领导的《先烈们永垂不朽！》《学习先烈们为人民服务的精神》等纪念专文及专题报道。

7月2日，南京市党、政、军领导，烈属代表，以及各民主党派、各人民团体代表数百人来到雨花台，为兴建人民革命烈士墓，举行隆重的奠基礼。典礼由南京市军管会副主任唐亮主持，朱启銮致哀词。

哀词这样说：

……中国共产党与爱国人士，为着推翻帝国主义、封建主义、官僚资本主义的压迫和统治，求得民族独立、人民解放，数十年来抛头颅、洒热血，前仆后继，不屈不挠地与内外敌人进行残酷的搏斗，无数中国人民的优秀儿女在斗争中壮烈地流尽了最后一滴血，他们为着新中国的诞生，慷慨地贡献出自己的生命，这是中华民族的光荣史迹。

……

我们今天代表南京市的各界人民、南京的中国共产党和各民主党派来追悼我们的先烈。我们一定要牢牢地记着：国民党反动派对中国人民是这样残暴，我们的胜利是经过无数曲折艰难的道路才得到的，我们中国人民为着全国的解放，曾付出了多么高的代价！现在革命胜利了，我们一定要继承先烈的遗志，像先烈一样爱护我们的祖国和人民，我们一定要为建设新中国的不朽事业鞠躬尽瘁……

我们今天代表南京市的人民、南京中国共产党和各民主党派来追悼我们的先烈。我们一定要好好学习先烈对革命事业的无限忠诚，和他们至死不屈、临难不辱、大义凛然的精神。他们的革命意志是如此坚贞，任何力量都不能摧毁。现在革命已在全国范围胜利了，但这不过是万里长征的第一步，前途的困难是很多的，我们一定要像先烈一样，对革命事业要有无限忠诚，全心全意为人民服务，不为威屈、不为利诱，要以这样的精神与行动来纪念先烈、学习先烈。

我们今天代表南京市的人民、南京的共产党和各民主党派来纪念我们的先烈。我们一定要牢牢地记着：我们今天的胜利是无数先烈用生命换取来的，先烈用自己的鲜血和头颅给我们铺平了道路。我们要饮水思源，绝不能丝毫忘了创造这份胜利的艰辛。为着永远纪念在南京牺牲的二十万先烈，并以此鼓舞生者、教育后代，我们决定在雨花台建造一个烈士陵，这是一件极有意义的工作，也是一件光荣的任务，我们必须积极地参加这一工作，并把它很好地完成。

为人民解放事业而光荣牺牲的先烈永垂不朽。

之后是隆重的奠基仪式：一块高0.8米、宽0.3米的碑耸立在公众面前，碑面上写着“人民革命烈士墓奠基纪念”及“南京市各界人民敬立”、“一九五〇年七月一日”。

1952年5月1日，在雨花台主峰，建成革命烈士奠基纪念碑，碑高6.8米，碑的正面，有用紫铜铸造的毛泽东主席手书“死难烈士万岁”六个大字。1952年12月20日，在烈士牺牲最多的北殉难处、东殉难处和西殉难处分别建成纪念标志。在北、西两个烈士殉难处各竖立牌坊一座，牌坊上面有用紫铜铸造的“革命烈士殉难处”七个大字。在东殉难处竖立碑坊一座，碑高3.8米、宽1.22米、厚0.7米，碑面有用紫铜铸造的“革命烈士殉难处”七个大字。

从此以后，南京雨花台成为全国闻名的革命烈士纪念地，直到今天，雨花台烈士陵园无论从规模到内容、到品质都今非昔比……然而最主要的是它让全国人民就此知道了，这里有成千上万自中国共产党成立之后牺牲的我们熟悉的和并不知晓的那些英烈的感人事迹。他们用自己的生命之血染红了党旗和国旗，并让所有人在祖国的怀抱之中，享受着幸福的甜美和阳光的温暖……

2014年12月，习近平总书记在视察江苏时指出，在雨花台留下姓名的烈士就有1519名。他们的事迹展示了共产党人的崇高理想信念、高尚道德情操、为民牺牲的大无畏精神。要注意用好用活丰富的党史资源，使之成为激励人民不断开拓前进的强大精神力量。

这就是我们为什么要有一部较为完整的《雨花台》。

目 录

第一章 关于他和中共一大…… / 001

第二章 “一号烈士”之谜 / 047

第三章 1927，风里溅着血…… / 081

第四章 四一二反革命政变，周恩来连失数员大将 / 119

第五章 牺牲在与孙中山“对话”之中 / 138

第六章 1928 年的秋风特别肃杀 / 166

第七章 曲曲折折所诱发的悲情 / 211

第八章 中央特科队员魂祭金陵城 / 219

第九章 16 岁的小烈士独放其美 / 230

第十章 “我身上的磷：希望它燃烧起来！” / 302

第十一章 “共舞台”血溅雨花台 / 349

第十二章 爱和鲜血浇灌的信仰之花 / 363

第十三章 政治局委员是硬汉 / 422

第十四章 省委书记的名字叫“保尔” / 437

第十五章　“老天”与《沙家浜》原型人物　/ 458

第十六章　旋律奋扬中的“北平五烈士”　/ 476

第十七章　黎明前如此黑暗、如此悲壮　/ 514

第十八章　那飘扬的丁香和斑斓的雨花石　/ 579

后记　致敬烈士　/ 598

参考书目　/ 602

第一章
关于他和中共一大……

1921年7月，夏季，上海。

现在已经认定在这个月的23日这一天，在法租界的望志路106号（今兴业路76号）的“李氏公馆”内，中国共产党第一次全国代表大会（简称“中共一大”）代表李汉俊的胞兄李书城家，13位分别从北京、长沙、武汉、济南、广州和上海本地来的青年共产党员先后跨进这座位于石库门弄堂的李氏家中。他们是：上海的李汉俊、李达，北京的张国焘、刘仁静，湖南的毛泽东、何叔衡，湖北的董必武、陈潭秋，山东的王尽美、邓恩铭，广东的陈公博、包惠僧和旅日留学生周佛海。除此之外，还有两名来自共产国际的代表马林和尼克尔斯基。

“嘎吱——”随着“女主人”王会悟轻轻地掩上石库门建筑的双叶木门，一楼客厅内便传来了一阵低沉的声音：“好，现在我们开会……”

这个在夏天开启的会，虽然是在悄无声息中召开的，也只有十几个人参加，但是它正式宣告了中国共产党的成立，并从此揭开了中华民族史上最耀眼的历史性一页。

说起中共一大和中国共产党建党史，许多人的目光总会聚焦到出席会议的13个人身上。其实，关于中国共产党的建党史和中共一大，还有许多鲜为人知的史实。简单地说，中国共产党建党的关键性人物，并没有参加党的一大，这里说的是陈独秀和李大钊，这两人是中国共产党的主要创始人，然而他们由于当时各自的公务缠身而没能出席一大。此外，还有一位建党的重要参与者、原本的一大代表，却也没能参加一大，他就是邓中夏。

南京雨花台牺牲的烈士中，邓中夏是最接近中共一大的人物之一。参与建党和筹备一大的邓中夏，这位革命英烈、中国工人运动领袖和青年领袖，已经有无数书报介绍过他，然而我觉得他是一个可以用这样几句话概括的人：革命激情四射、赤胆忠心干事、从不计较得失，是一位为理想而将生死置之度外的本色共产党人。

南京雨花台的每一位烈士，都有可歌可泣的事迹。毫无疑问，邓中夏与中国共产党最初的历史渊源最深、也最近，而他在每一次历史关头所呈现的革命者形象，也总让人难忘——

理想者与理想者在一起，碰撞出的一定是理想火花。1916年，两位湖南学子一起在同一位老师那里，产生了理想的碰撞，所产生的革命火花结成了他们青春时代的红色友谊。这两位青年就是毛泽东和邓中夏。他们的老师叫杨昌济。

毛泽东与邓中夏虽不在长沙的同一所学校，但因为杨昌济是他们共同的老师，常聚会于老师的家中，所以两位英俊青年总在岳麓书院后门的爱晚亭内谈古论今，常“英雄所见略同”。

也同是因为老师的推荐，两人先后到了北京大学。他们都在这里第一次接触到了马克思主义，认识了革命领袖李大钊等人，从此皆成为与中国共产党命运相连的历史性人物。

二十来岁的邓中夏，常常穿着蓝色长衫，脖子上系着一条紫色围巾，浑身散发着青春的朝气。1918年，北大主体建筑红楼在沙滩落成之后，邓中夏有时便穿着笔挺的西装和飘逸的风衣，皮鞋总是擦得锃亮，往日的小平头也开始变成了长发。他善于演讲，口才出众又热情洋溢，充满鼓动性；因此我们印象中的五四运动时期的青年形象，其实就是按邓中夏的形象塑造出来的，或者说之后的许多文艺作品中的五四青年形象，几乎就是依照邓中夏的形象而来：英俊、潇洒、活泼、坚强，充满激情……

北大红楼诞生之后的校园内，一座并不大的两层建筑，就是图书馆。这是座现在看起来很平常的房子，我原来工作的单位——《中国作家》杂志社与它距离仅有30多米，当时它已成为《红旗》杂志社图书资料室，我每天也会进去翻翻资料。然而，就是在这座位于沙滩北街2号院内的小房子里，100多年前，它汇聚了后来影响中国命运的诸多伟大人物。邓中夏和后来当了每月拿8块大洋薪水的临时图书馆助理员的毛泽东，经常在此探讨他们共同的导师李大钊所引领的"如何走俄国人的路"等问题。

1919年1月1日，北大校园内的学生们高举着一本名为《国民》的杂志，争相传阅着，那封面上一位对未来饱含希望的青年凝神沉思、眺望远方的形象，是青年徐悲鸿照着3个多月前在由邓中夏、许德珩发起的一个近似全国性的学生救国会上邓中夏激情演讲时的样子所绘的画。那封面上的青年的精神状态，正是五四运动前夜的中国青年的形象，也是邓中夏作为那个时候的中国青年领袖的形象。《国民》杂志便是他和学生救国会的同学们一起创办的第一份爱国杂志。

风暴的前夜，是呐喊的疾书。邓中夏在1919年2月至4月的3个月时间里，为出版的3期《国民》杂志撰写了8篇文章。他以大量事实、犀利笔锋，向全国人民系统地揭露了日本帝国主义收买北洋军阀、控制我国军事和财政大权、侵占我国领土的罪行，为北大进步学生和广大爱国人士认清形势、觉悟革命，做了舆论准备。而在这个时间里，邓中夏作为主要发起者，做了一件十分重要的事情：成立平民教育讲演团。这是邓中夏从毛泽东那里学到的经验，即走"工农相结合"的道路，用他们当时的话说，这是面对民族危亡之势而采取的第一个"直接行动"。

平民教育讲演团发起之初共有39位成员，邓中夏、张国焘、许德珩等都在其中。邓中夏身先士卒，带领成员们到北京的市民中传授知识、开设学习读书班。李大钊和蔡元培都支持这一行动。邓中夏后来把这个平民教育讲演团带到了北京长辛店铁路工人那里。而正是他的这一开启性的实践，使长辛店后来成为中国工人运动的发源地。邓中夏的平民教育讲演团，也慢慢演变成工人半工半读的工人补习学校，实际上是马克思主义中国工人运动的宣传地。其中，邓中夏是最卖力的人，他除了在北大上课，每周都要有两次去补习学校给工人讲课。后来，他也因此成为中国工人运动的领袖。

当年长辛店的一位工人回忆邓中夏给他们上课的情形时这样说：

> 邓先生一上讲台，生气勃勃。他穿着一件清洁整齐的浅蓝色的布衫，挽起袖口，边讲边写。他的声音洪亮，讲完一段书，他的头发衣襟上落了很多的粉笔面，他一点也不知道，嘴角出了白沫，嗓子有点哑了，才从我们给他预备的茶碗里喝一口白水，水里早已落下了一层粉末，他连看也不看一眼，即咽了下去。这种忘我的教学精神，真真令人起敬。他的面颊白皙红润，眼睛特别光亮有神，讲到可恨的人或是极不平凡的事件时，他的白洁的牙齿咬住下嘴唇，握拳怒视，光芒四射。那种勇敢坚强、不屈不挠的战斗神情，充满教室，教室内镇静严肃，吸引住全体同学，都怒目相视，发生了共鸣共感。忽而铃声一响，知是下课了，先生仍继续讲下去，必将这一段故事讲完，仿佛描绘了一幅胜利的图象（像），使人深刻的（地）印在脑海里了……

工人喜欢听邓中夏的课，邓中夏更爱与工人在一起。后来他所在的北京共产主义小组在向党的一大提交的报告中这样说：

我们决定在长辛店创办劳动补习学校，训练两千铁路工人。这所学校看来是我们接近工人的一个途径，我们和工人之间逐渐产生了亲密友好的感情；我们不止一次地向工人提出鼓舞他们的重要建议，结果，我们看到，认为必须提出各种阶级要求，像增加工资、缩短工时、要求成立工会等思想，在工人中间已不断增长起来。后来，他们成立了拥有三百四十至三百五十人的铁路工人工会。

我们教工人什么呢？我们经常不断地向他们说，他们遭受他们的厂主资本家的掠夺，不得不过着牛马般的生活；其次，向他们介绍外国工人运动史。我们不断地向他们指出组织起来的意义和方法，时常给他们讲课，教他们识字。同时，还教他们习惯于用文字来表达自己的思想，让他们写出关于家庭生活和日常生活情况以及工厂里发生的一切不公平事件的书面报告……

长辛店工人补习学校可以说是中国进步知识分子探求中国革命道路的一次伟大实践，它对日后中国共产党从事和选择革命方向起到了重要作用。邓中夏的这一创造性工作，也因此被载入中共党史。

如今世界不太平，重重压迫我劳工。
一生一世做牛马，思想起来好苦情。

北方吹来了十月的风，惊醒了我们苦弟兄。
无产阶级快起来，拿起铁锤去进攻。
红旗一举千里明，铁锤一举山河动。
只要我们团结紧哪，冲破乌云满天红！

邓中夏和长驻补习学校的教员吴容沧还编了歌曲给工人唱。这些通俗易懂的革命道理，如星星之火开始在工人的心底燃烧起来……

这一年的“五一”国际劳动节，在邓中夏的指导下，长辛店工人第一次举行纪念“五一”大会，并宣告成立工会。这应该是中国工人运动史上的第一次活动，所以现场的工人欢声雷动，又是舞狮、又是击鼓，还在晚上组织了庆祝会和看戏活动。邓中夏也被现场的工人兄弟们的革命情绪所吸引，当晚住在一个工人家里。那一天夜晚，他激动得长夜难眠，于是起来写诗，那首《游工人之窟》的长诗就这样从他笔下滑出——

……好啊！
曾几何时，
劳动学校有这么可喜的成绩。
……
世界不是劳动的艺术品吗？
没有劳动，就没有世界。
海之外已奔腾澎湃起来了，
海之内呢？
诚实的辛苦的工人们！

是的，“海之内”的世界难道一直不“奔腾澎湃”吗？不，不，只是机会未到！邓中夏自然没有想到，一件马上要“奔腾澎湃”的事情正在等待着他和他的同学们……

“中夏，不好了！刚才蔡校长告诉了我一件事……”5月2日上午，许德珩匆匆找到刚从长辛店回校的邓中夏，把他从蔡元培那里获悉的“巴黎和会”上的事“倒了一通”：英、美、法三国通过私底下的交易，竟然将同为第一次世界大战“战胜国”的中国排斥在外，秘密通过了一个“决议”，声称“所有在青岛至济南铁路之德国权利，均为日本获得，并继续为其所有”。

“这是屈辱条约，我们中国坚决不能答应！更不能在和约上签字！”邓中夏一听，义愤填膺，当天下午即与许德珩一起邀集《国民》杂志社在各校的代表召开会议。会议通过了邓中夏的提议，决定于3日傍晚在北大法科礼堂召开全体学生大会，并邀请北京各大中专学校代表参加。

3日晚的学生大会其实就是五四运动的一次“预备会”，校长蔡元培不仅亲自参加，而且首先发表演说：“巴黎和会的情势，对我国极为不利。列强对日本要在山东夺取我许多权益之无理要求，有认可之意，而我政府将被迫在和约上签字。倘不幸而如此，国家前途不堪设想！”

“同学们，这等事我们能答应吗？”蔡元培说到此处，高声地问他的学生。

“不答应！”

“坚决不答应——！”

“对，我们是绝对不会答应的！”邓中夏跳到台上，接过校长的话，慷慨激昂地挥动着手，说：“我们要外争国权、内除国贼，要求政府拒绝在和约上签字，废除‘二十一条’。我们要抗议！我们要拿实际行动反对帝国主义！我们要立即组织游行示威！”

“对，我们要游行示威！”

“拿实际行动反对帝国主义——！”北大学生和北京其他各校的代表纷纷响应。也就是在这次会上，邓中夏、许德珩等倡议第二天即5月4日（也正好是星期天），到天安门广场举行北京学界大示威游行。

这就是后来演变成的伟大的五四运动。在这当口，冲锋在最前的是北大学生，而他们的背后是北大的那几位具有进步思想的大教授，他们是李大钊和积极支持游行的校长蔡元培等。

5月4日上午，北京十几所大学学生游行队伍开始向天安门进发。游行队伍的总指挥是傅斯年，邓中夏是走在最前面的先锋队旗手和领队，许德珩和另一位学生代表黄日葵负责中途的队伍。途中，游行队伍遭到北洋政府教育部次长和北洋政府派出的军警的阻拦。邓中夏、傅斯年、黄日葵等出面与教育部代表辩论，最后队伍冲破军警阻挠，抵达天安门。午后一点半左右，北京其他学校的学生也到达了，3000余人的游行“大军”汇聚在一起，“国民大会”在现场宣布召开，邓中夏等纷纷站出来演讲，声讨帝国主义列强和北洋反动政府。顿时，天安门广场上口号声此起彼伏……

革命的口号声，就是反帝的行动和心声。在震天动地的口号声中，学生们的游行队伍开始按计划路线向东交民巷的美、英、法和中国外交部驻地进军，也就有了火烧赵家楼、痛打卖国贼章宗祥的壮烈场景。而在这些场景里，用后来敌人的话说，“都有邓中夏的身影”。这也证明了邓中夏是五四运动不可抹杀的组织者、领导者和冲在最前面的先锋队员之一。

五四当天，30多名学生被捕。邓中夏等人当晚再次召开北大学生会，决定全体罢课，营救同学，同时成立全国第一个学生组织。由此，一场伟大的爱国运动的烈火熊熊燃起，势不可当，席卷全国，震惊世界。

五四运动催生了中国共产党，这是许多中共领袖说过的话。在这其中，邓中夏始终如一面猎猎飘扬的战旗，鲜明而富有激情地走在所有进步青年和广大知识分子的前面……他在营救北京同学时游行中也被敌人逮捕。出狱后，他又被北京学联派到上海指导学生和工人组织罢课、罢工活动。在他的指导下，上海成立了全国学生联合会，声援北京的学生运动。

1919年的那个夏天，邓中夏如同他的名字一样，成为中国青年运动中的重要旗手而在京沪两地乃至全国的学生中影响广泛。革命的斗争，使他理所当然地受到正在接受马克思主义洗礼的中国共产党的两位主要创始人陈独秀、李大钊的赏识与重用。

1919年7月的一天，李大钊把邓中夏叫到自己位于图书馆的小办公室内，告诉他，革命需要青年，更需要一个全国性的青年组织，现在他们正在筹备一个组织。“你要参加，而且要主事。”李大钊这样交代他。

“叫什么名？”邓中夏欣然点头，又问。

“少年中国学会。言‘少年’，一是人生从少年开始知世懂事，二是可避过反动政府对我们的过度关注；但它一定是我们从事传播马克思主义之学说、唤起青年知识分子爱国反帝觉悟的组织……”李大钊说。

“明白！”其实，关于这一组织，邓中夏不是不知道，因为在五四运动之后各种进步组织蓬勃兴起，在蔡元培校长的鼓励下，北大学生中各种学术活动本来就十分活跃，而在五四运动的推动下，学生组织就遍地开花。但现在是李大钊出面正式邀请，所以少年中国学会便于1919年7月1日正式宣布成立，发起人是李大钊和王光祈。它吸收的对象，一是向往俄国十月革命的进步青年，二是因反对日本侵占山东而回国的一部分留学生，三是国内从事爱国运动的一些受到政府及少数学校排斥的进步学生。显然李大钊在其中有保护青年学生之任务。邓中夏详细了解情况后，马上答应了李大钊之邀。根据李大钊的建议，学会宗旨确定为“本科学的精神，为社会的活动，以创造‘少年中国’”，信条为“奋斗、实践、坚忍、俭朴”。

少年中国学会是由李大钊发起、邓中夏实际领导的一个在中国共产党成立之前诞生的全国性进步青年学会，在当时影响很大、人数也多，北京、南京及海外都有分会，并且有自己的学会刊物《少年中国》。在李大钊、邓中夏的努力下，学会团结了一大批进步的青年才俊。毛泽东、张闻天、蔡和森、向警予、恽代英、李达、赵世炎、黄日葵、侯绍裘、缪伯英、许德珩、高君宇、朱自清、杨钟健、舒新城、田汉等都是其中的主要成员。而因为这一组织的庞大和重要，也导致了原本是中共一大代表而且是大会筹备人的邓中夏没有参会而去了南京开少年中国学会大会。这是后话。

有一种情况今天的我们鲜少知道，当时的中国，在同一个革命的进步阵营里，许多人同时担任着几个重要组织的主要角色。比如李大钊，他既是少年中国学会的发起人，也是马克思主义研究会的主要负责人，同时还是诸多进步组织的主要参与者和协调人，因此李大钊的相当一部分工作，会派给他的几个得力学生。组织能力强、革命热情高、忠诚可靠的邓中夏自然成为李大钊的重要助手。而五四运动之后，北洋政府对学生进步运动和出头露面的人是很警惕的，抓捕的事常有发生，一些人就很害怕，比如张国焘，虽然他也是五四运动中的学生会负责人、李大钊身边的重要学生骨干，但张国焘显然面对反动政府的追捕心里很紧张。1920年夏天的一段时间里，他基本躲在上海，那个时候他有机会与正在上海的陈独秀见面，这也使得他后来成为中共一大的重要角色。

邓中夏则一直在革命的一线忙碌。尤其是李大钊最新、也是最重要的秘密组织——“亢慕义斋”的活动，邓中夏需要经常出面主持和具体操办。

现在我们知道了，当时李大钊在北大图书馆里专门设立的这个外人听起来无法明白的组织“亢慕义斋”，原来就是北京共产主义小组的隐身。“亢慕义斋”是英文“Communism”（共产主义）的音译。

出研究室入监狱
南方兼有北方强

这是一副当初挂在“亢慕义斋”门口的对联，它表达了“室友”们不畏艰险、投身革命的决心和“南陈北李”相约建党的含义。当时的共产主义小组是中共最早的秘密组织，这是中国共产党早期组织的基本形态。

最初发展党员没有章程，也不可能像现在由组织来认定和研究发展对象，完全是一种依靠革命同志之间相互信任的契约式承诺。曾经看到一则真实的故事：新中国成立后，组织部门要给毛泽东办理“组织档案”，需要填写有关“何时入党”、“介绍人是谁”等内容。于是就问毛泽东：主席什么时候入的党呀？毛泽东想了想，回答说：是1920年8月。我看到过放在中央档案馆的毛泽东入党表格上填的入党时间：1920年8月。

在北京，原本李大钊是想主要在教员中发展中共党员的，后来发现有些问题。据后来成为周恩来入党介绍人的张申府（时任北大讲师）回忆：“从上海回京后，我把和陈独秀谈的情况告诉了李守常（即李大钊），当时北京只我和李守常两个党员。我们一致认为要发展党员。”

李大钊先后发展了张国焘、邓中夏、罗章龙、张太雷、何孟雄、刘仁静、高君宇等人入党。

在1920年的春天，北京仍寒风呼啸。一天下午，李大钊把邓中夏等学生叫到自己在图书馆的小办公室内，告诉他们“北边”来人了，是列宁的“社会主义苏维埃”派过来的，想与大家讨论建党的问题。此时李大钊的这个小办公室，其实是他的马克思主义研究会的聚会地。那些围绕在他身边的进步青年经常在此秘密分享学习马克思主义的经验体会，同时讨论中国社会形势和革命的出路。

邓中夏和其他进步同学在这里见到了一位鬈发的俄国人，他叫维经斯基，据说是俄共（布）代表。

“先生，这俄国人怎么找到您的呀？”对这位突然从俄国来的“陌生人”，邓中夏有些担心，悄悄问李大钊。

“是我们学校的俄文系教授柏伟烈介绍的……”听李大钊这么一说，邓中夏和几个同学就放心了。因为俄籍教授柏伟烈是他们都熟悉的，而且也知道此人与李大钊关系不一般，许多马克思主义读物，包括那本李大钊要求邓中夏他们都要读的《共产主义ABC》英文本就是由柏伟烈带到北大图书馆的。既然是柏伟烈介绍的，大家自然便很相信维经斯基了，更何况，随维经斯基一起来的还有一位中国翻译，他叫杨明斋。这样的接头便显得比较自然和不唐突。

维经斯基在前一天就同李大钊进行了交流。他认为中国在五四运动之后出现的社会形势和革命情况，已经具备成立共产党的条件，建议中国成立共产党组织后，早日加入共产国际。他说："这是中国革命的当务之急。"接见邓中夏等五四运动的进步青年学生代表也是维经斯基提出来的。

在与维经斯基见面后，包括李大钊在内的这些马克思主义追随者，才第一次真切地知道了俄国十月革命和列宁的社会主义及共产国际等的真实情况，而这对在黑暗中寻找革命方向的中国进步知识分子来说，是何等的重要。用邓中夏的话说："马克思主义给我们指示出达到共产主义社会的步骤、手段和方法，应有尽有了。"现在只等中国革命的共产党人去实践和为目标奋斗了！

维经斯基的北大之行持续了近一个星期。他每天下午在李大钊的图书馆小办公室内与李大钊、邓中夏等一起开谈话会，回答中国同志的相关问题。在最后一次座谈时，维经斯基说："你们这些人，只是几颗革命种子。今后要努力耕耘，将来一定会开花结果。"而且在此次会议上，维经斯基代表共产国际宣布了一件对中国革命和李大钊、邓中夏等人来说格外重要的事。维经斯基说："经过这几天时间的了解，参加座谈会的人，你们都是信仰共产主义的中坚分子，拥护俄国十月革命和列宁领导的苏维埃政权，积极参加当前中国的革命斗争实践的先进分子，所以我以共产国际的代表身份宣布，邀请参加座谈会的人成为共产党员。"

就这样，在维经斯基离开北京、带着李大钊的信件去上海与陈独秀见面商谈筹备成立中国的共产党组织之后，1920年10月，李大钊和张申府、张国焘发起成立了中国共产党北京小组，后来改称"中国共产党北京支部”。邓中夏、张太雷、罗章龙、何孟雄、刘仁静、缪伯英等15人成了小组成员。这批北京地区最早的中共党员，在党内的分工是：李大钊为共产党小组组长（后称支部书记），张国焘分管组织与交际，邓中夏分管学生运动和青年工作，罗章龙分管宣传工作。北京共产党小组超过一半的成员是“北大人”。

五四运动前后到参加中国共产党的这一段时期的邓中夏，就是一团革命火焰，走到哪儿，哪儿就被他点燃革命火焰。而他本人就是一名最早接受马克思主义的进步知识分子和坚定信仰共产主义的革命者。

杨东莼是中共早期与邓中夏并肩战斗的共产党人，跟随邓中夏进行学生运动和工人运动的北大学生。他这样评价和回忆邓中夏：

> 他是李大钊同志最亲密的战友，五四前后，他即不懈地钻研马克思主义。
>
> 他是最健谈的，谈时热情奔放，滔滔不绝。从不骄傲自满，最善于倾听人家的意见，也最善于接受人家的意见。他常说，一个人的能力有限，见闻不广，没有大家的力量，任何事情都是不能办好的。
>
> 在长辛店办补习学校时，没有桌椅板凳，中夏首先倡议用自己的力量解决。他拿出几块钱，许多工人接着也出了一些钱或者拿来几张破烂桌椅，就这样把学校和俱乐部办起来了……他讲话能够有的放矢，动人心弦，深深地感染、吸引着群众。在这所学校里，吃的是窝窝头，中夏同志甘之如饴，我却难以下咽。晚上躺在土炕上，他睡得很自在，我却嫌脏怕臭，翻来覆去老是不落实……

杨东莼后来自己找到了“原因”，是因为邓中夏把自己的情感投入了工人群众之中，而自己还有小资产阶级思想在作怪。而且，“他最注意的是寻找志同道合的朋友。尤其是比他年龄小些的青年知识分子，他更重视。他从来不以长者自居，也从来不以先知先觉者自居，而是用寻师访友的谦虚态度，找青年朋友们谈心。谈话时，他的态度那么亲切和蔼，使你无拘无束，并有一见如故之感；他的感情是那么诚挚热情，使你不自觉地深深受到他的感染；他分析问题是那么富有逻辑性，使你感到他为你带来了真理……"。这就是成为中国共产党党员之前和之初的邓中夏，一个充满朝气、自己是青年又同时是青年朋友和青年引路人的邓中夏。

邓中夏有记日记的习惯，而且是用墨笔写，字体遒劲有力。在入党之前，他已经写了12本日记。他这样说："日记不是写给别人看的，而是记载自己思想变化和工作学习情形的一本账。既是一本账，到时候就得算一算，这样才能够督促自己不断进步。既然为了算账而记账，就必须记得真实，就必须不间断地记……"

他用"记账"的方式激励和要求自己的革命人生和革命工作，将每一件事、每一个细节、每一天都实实在在地记载在自己的"账本"上，并且随时检查"账本"。

邓中夏，一个在五四运动时期的北大学生领袖和青年共产党人的鲜明形象：信仰坚定，热情真挚，努力勤奋，又严于律己。

100多年前的1921年夏，中国共产党在上海召开第一次全国代表大会，这一重大历史性事件，标志着中国共产党的成立，为根本改变中国各族人民被剥削、被压迫的状况，实现民族独立、人民解放和国家富强，为实现共产主义的远大理想，开始了不屈不挠、艰苦卓绝的斗争历程。

而中国共产党为什么在上海成立，这跟当时三个客观因素有直接关系：一是上海是中国最大的城市，工人阶级的队伍占全国产业工人的一半以上；二是中国共产党的主要创始人之一的陈独秀当时在上海，并聚集了一批拥有初步共产主义思想的知识分子；三是上海与北京、广州相比，有着自然条件上的天然优势——北京“皇城”，反动政权的势力很强，对中国共产党开展活动造成客观上的困难会很多，广州为革命中心地，但那是资产阶级革命的中心，无产阶级在那里闹革命，未必是好事，所以上海是中国无产阶级革命在当时的最佳地址。同时还有一个重要原因是：那时革命的知识分子在上海聚集最多。中国知识分子最早接受和了解马克思主义及社会主义多数是从留学日本所获，而上海是到日本最近的城市，许多从日本留学回国的知识分子，多数留在上海。作为当时的“东方巴黎”，上海城市大，三教九流都有，各种文化混杂一起，开放程度也相对高些，所以成立中国共产党，更便于隐蔽和“浑水摸鱼”——这不是贬义，而是客观条件下的正确选择。

维经斯基持李大钊的信，到了上海见到陈独秀。双方进行了多次交谈，对在中国建党达成许多共识。陈独秀后来也承认，俄国人的帮助加快了中国革命的步伐和中国共产党的建立。

在中国共产党建党阶段，陈独秀一方面与北边的李大钊商量党用什么名称的问题，一方面在上海首先与李汉俊、陈望道等骨干商量成立中国第一个共产主义小组，另一方面通过各种已经建立起来的进步组织与私交、师生关系等，向长沙的毛泽东，武汉的董必武、陈潭秋以及山东济南的王尽美、邓恩铭等发出各种形式的指令，敦促他们在所在地成立“共产主义小组”。而在同一时间，陈独秀安排了一件同样十分重要的事：委托陈望道翻译《共产党宣言》。陈望道为此悄然回到老家浙江义乌，在1920年的春天里，躲在自己家的柴房内，奋笔疾书，一鼓作气，翻译出了第一部中文版的《共产党宣言》。翻译过程中，他母亲看儿子如此埋头用心，悄悄在案头上放了粽子和红糖。第二天母亲进柴房，问儿子粽子的味道怎么样。陈望道一边依然埋头写着，一边连连点头，说着：“蛮好吃的，很甜！”母亲走近一看，儿子的嘴上怎么全是墨水啊？问他怎么回事。陈望道这才发现自己蘸的不是红糖，而是墨水啊！于是“真理的味道是甜的”这一典故就这样传开了。

陈独秀在安排好上述事宜时，时任广东省省长的陈炯明假借革命名义邀他到广州出任广东省教育厅厅长一职。陈独秀考虑再三后决定接受，他想的另一层意义是：当时的广州是革命中心，孙中山也在那里，因此欣然赴任。在离开上海时，陈独秀把建党的事交代给了李汉俊等人，把《新青年》则交给了陈望道。不承想因为《新青年》的事，陈独秀得罪了好友胡适，因为胡适认为把《新青年》交一个不认识的人办，还不如把它重新弄到北京办，而陈独秀认为自己交给陈望道这样的人办是不会错的。陈独秀和胡适这回交情伤得不轻。

2014年中国文史出版社出版的由冯资荣、何培香合编的《邓中夏年谱》74页至75页指出：1921年1月，邓中夏代表中国共产党北京支部赴沪，参加了中共上海支部召开的座谈会，讨论共产国际大会的几个决议文件。他会晤了上海小组的李达、李启汉、李汉俊、林伯渠等人，并与他们交换了意见。根据林伯渠回忆，在上海霞飞路渔阳里的一栋公寓——应该是陈独秀居所里，李大钊、陈独秀、李达、邓中夏等人在那里以打麻将为名，商讨组建中国共产党一事。可见，邓中夏不仅是中共建党的见证人和参与者，还是一名重要的具体执行者。通常是，当时重大问题由陈独秀和李大钊商定，再由邓中夏、张国焘、李启汉、李汉俊和李达等人具体去做。

1921年3月，李大钊著文公开呼吁创建工人阶级政党。李达回忆，在1921年6月向各地共产主义小组发信，要求他们每个小组推荐两位代表到上海开会。差旅费由上海会务组负责——这在当时是很重要的一件事，否则有的代表可能因为没钱到上海而不能出席会议。那时通信是绕着弯的，各地党小组的回信首先到了在书店工作的沈雁冰（茅盾）手里，然后再转到一大筹备处的李汉俊、李启汉手里。

中共一大13名代表中为什么没有陈独秀和李大钊两位最重要的建党人，过去一直是个谜。现在我们从史料中获悉，原来当时陈独秀赴广州任教育厅厅长因时间不长，就要离开去上海似乎不太适合，于是他就派了个人代表包惠僧参加。李大钊在北大主持图书馆等工作，据说当时有个工程项目需要他主事，也不能参加一大。所以，北京小组的两个代表经大家推荐分别是张国焘和邓中夏。这两人都是五四运动的学生领袖，张国焘在五四运动后在上海待的时间较长，与陈独秀有过不少单独接触，故被推荐为北京小组的代表之一。邓中夏不用说，是公认的“实干派”，能力又强，工作干得又多，革命的理论水平和实践经验又多，是理想的代表，更何况对于陈独秀、李大钊的建党思想与理念，邓中夏也很清楚。

但是选举代表结束后，到底何时开会其实当时是未定的，这样在7月份召开的中共一大，与邓中夏早已定下的两个重要活动发生“碰车”了：一是少年中国学会年会，二是重庆讲学。

“上海的会你可以不参加，但事件还是要你张罗的呀！”李大钊对邓中夏吩咐道。

“学生一定认真做好了。”邓中夏向李大钊保证。他就是这样的一个人，只要是革命工作，从不计较个人得失；革命工作不分分内分外，只要可能，都全力以赴去做好。到了5月底，上海方面已经确定在7月下旬召开一大，邓中夏掐掐手指一算，自己肯定出席不了了，于是向李大钊报告情况，获得重新推荐另一名代表的意见后，迅速与小组成员商议。一开始大家推荐罗章龙，可罗章龙也说自己有事跑不开。最后邓中夏建议，就让最年轻的19岁党员刘仁静参加吧。大家都同意了。于是北京出席一大的代表确定为张国焘和刘仁静。但邓中夏仍然忙着一大的事。根据会议通知要求，中共一大会议的第一项内容就是各地小组报告各地建党和党组织开展活动以来的情况。北京方面本来决定由邓中夏起草报告并代表北京小组在会议上发言。现在邓中夏虽然不去参加一大，可报告的事还是由他来完成。据《邓中夏年谱》一书的记载，6月18日，他受李大钊嘱托，带着刘仁静，两人躲到偏僻安静的北京西山碧云寺的一间厢房住了下来，开始了为期一周的起草一大报告的工作。6月28日，他和刘仁静、黄日葵等北大的几位少年中国学会代表乘南下的火车，一路心情愉悦地到了国立东南大学，出席了少年中国学会的年会。

7月4日，少年中国学会年会结束，上海的一大还没有召开，邓中夏立即赶赴上海，到了法租界白尔路389号的博文女校。这是中共上海支部为了隐蔽而特意给外地代表安排的住宿地与一大会议筹备处。在此，邓中夏代表北京小组向大会筹备处递交了《北京共产主义组织给中共一大的报告》，同时与上海几位筹备一大的同志一起商讨了会务的议程和会议文件。

包惠僧后来回忆道："中国共产党举行第一次全国代表大会于上海……会议之前，各地代表都到达上海，住在法租界打铁浜博文女校楼上，毛泽东同志也住在这里。邓中夏同志当时应重庆各中学夏令营学术讲习会之约，定期前往讲学，不能参加我们的会议，但是他在博文女校同各地代表同住了三四日，他同每一个代表都交换过工作意见。"这对会议的成功举行起到了很大的作用。

可以看出，邓中夏虽不是一大代表，但他却把一大作为自己的重要工作在一一检查落实。正如李大钊嘱托的那样，他承担起了不是代表的大会筹备总务角色，细致而周到地利用时间为一大召开做贡献。他还与上海的一大代表李达夫人王会悟一起查看会场，对会务人员座位、会场安全和共产国际代表的座位都给予了具体的指导性安排。

"好了，现在我可以放心地去重庆讲学了！"看完会场和检查完一切会议议程及文件后，邓中夏长长地舒了口气，满脸笑容地对王会悟说道。

1921年7月23日，开天辟地的中国共产党第一次全国代表大会在上海望志路106号的一栋石库门建筑内举行，13位一大代表以及2位共产国际代表马林和尼克尔斯基共15人参加大会。这座房子的主人叫李书城，是一大代表李汉俊的"本家兄弟"。那些日子李书城带家人到外地去了，中共秘密会议在此举行，从此也让这所李公馆名扬天下……

后面的事情，中国共产党人都知道，现在常见的中共党史通常也从这儿开始。

中共一大召开的那些日子，邓中夏在重庆讲学，传播革命道理。每到一处，他那充满激情的演讲，如熊熊燃烧的火焰，点亮了长江、嘉陵江两岸那一颗颗期待摆脱黑暗、争取民族解放和自由的心——

“中国要有出路，就必须起来革命！革命需要勇士，年轻的学生就是革命的先锋和勇士——你们，就是中国的希望，就是中国的未来！”

“革命的曙光已经在东方冉冉升起了——”

在雨花台数以万计的烈士中，邓中夏是唯一与中共一大擦肩而过的人物。而从上面的纪实中，我们也可以看到他是一个异常忙碌的人。

在浩瀚的革命大潮中，邓中夏是一位永远拥有如“夏日一般”革命烈焰的工作状态与工作干劲的青年。他对同志总是充满春天般的温暖、对革命工作犹如烈日般炽热地投入，而对自身则变得越来越不在乎……

中国共产党成立之后，中国社会主义青年团的活动也在继续进行。1921年11月26日，邓中夏和罗章龙、刘仁静、何孟雄等28人在北大二院北楼开会恢复了北京社会主义青年团组织，邓中夏被推荐为负责人，并创办了《先驱》刊物，这是我党和我团的一个重要宣传阵地，邓中夏为此呕心沥血。在北京青年团成立6个多月后的1922年5月，他代表北京青年团出席在广州召开的中国社会主义青年团全国代表大会，蔡和森、俞秀松等5人当选执行委员，施存统为团中央书记。邓中夏因中央对他另有安排，于是在广州出席团代会后，回到上海参加了中共二大，并当选中央执行委员。他的新头衔是“中国劳动组合书记部总部主任”，主抓全国工人运动。

根据共产国际和列宁的意见，中国革命将重点放在城市和工人运动上，邓中夏显然承担了中国共产党建党初期最重要的工作担子。京汉铁路大罢工就是在他手中拉开序幕的。这一写入中国工人运动史的伟大事件，震动了当时的反动军阀吴佩孚，引得反革命的屠刀到处乱砍。中央考虑工人运动和青年团的工作重心应在上海，故将邓中夏调离北京。从此邓中夏开始了他在中国共产党的革命中心——上海和广州等地的革命生涯。

他更忙了，既是中国工运领袖，又是青年团负责人，还曾兼任中共上海地区书记之职。同志们称他是革命的一门“邓大炮”，他到哪个岗位、哪个地方，哪里的革命声响就犹如大炮轰鸣……

在每一次走进烈士纪念馆时，看着邓中夏的照片和塑像，我都会久久地凝望，凝望他的每一个细微表情和挺拔的身姿，尤其是那双燃烧着火焰般的眼睛……无数次在烈士纪念馆内，我会收住脚步，缓缓地回过头，再一次凝望他的神情，端详他的英姿，而每一次做这样的动作，我都会有种神奇的感觉——他就像活生生地站在我面前，对我滔滔不绝地演讲他的“劳动论”、“工人阶级”和“工运”……

他的模样是那样英俊，目光里充满了智慧和青春的激情。他就是这样一位典型的东方美男子，尤其是穿着潇洒的皮夹克和留着胡子的模样儿。然而，所有与他共过事的中共党员和革命者，都会被他那天才般的口才与炽热的真诚所感染、所吸引，进而对他生出崇拜之情！

是的，邓中夏毫无疑问是中国工人运动的先驱者，著名的北京长辛店工人讲习班和二七大罢工、上海五卅运动、省港工人大罢工等，都留下了他的身影。

他就是一门“大炮”，一门瞄准反动军阀政权和帝国主义堡垒猛烈开火的革命大炮，所到之处，无不让敌人威风扫地、让旧势力宛如秋风落叶。

我看到过敌方后来写的材料中这样评说邓中夏：

共党对工人运动之工作，起于1921年，该共党鉴于学生之过

> 激情绪与行动，渐趋普遍之低落，不比“五四”时之兴盛，同时，因共青团代表参加莫斯科中“东方被压迫民族大会”之结果。第三国际亦指出中国之共产主义运动必须注重工人运动方能发展。时邓中夏、张国焘、罗章龙等，自告奋勇，发起劳动组合书记部之组织，为研究如何进行工人运动之总机关，结采（果）由张国焘、罗章龙等负责进行创设工人子弟学校，以便接近工人，同时由邓中夏、何孟雄、颜昌颐等，各谋得一交通部稽查员之职，以便向北方各大铁路活动。故邓中夏等名为交通部稽查员，而暗地里到处鼓吹劳工神圣、阶级斗争等。至1923年“二七”大罢工失败时，邓中夏等之稽查员被交通部发觉他们为捣乱员后，北政府即下令通缉，邓中夏亦不得不离开北方而逃避至沪。
>
> ……当邓中夏“逃沪”时，亦即为共产党中央及其中央所属各总机关迁沪之际。其时，邓中夏即为青年团中央常委并为《劳工周刊》及《中国青年》之编者。邓中夏本为活动分子，但其写作工（功）夫亦不差，可是他在写文章时嗜吸纸烟，成为一般共产党人之趣谈，曾有人记述他在有一天晚上为《中国青年》写稿时，自七时半至夜一时止，共吸九包大仙女牌，并且是只用过一根火柴……

这是敌人的描述。而那些曾经与他并肩战斗的同志们这样评价上海的邓中夏的工作状态：“他开始来的时候，一副北大青年领袖的气势和派头，西装笔挺，皮鞋锃亮，风衣飘飘，走路有风……但是后来投入工作之后，我们看到他总是像忘了自己似的。在工厂，他与工人一起时，什么都不讲究，随地一坐，聊起来；饿了，随手抓起工人们的剩菜剩饭吃起来。他是理论家，写文章、起草文件时，是那样专注，抽烟很厉害，烟星火掉在衣服上也不理会，以至经常可以看到他的衣角和裤腿上一个个烟灰洞孔……累了的时候，他会在工人工作的机车旁打个瞌睡。可一旦到了开会时，他又那样激情亢奋，挥舞的拳头和身姿特别感染人、教育人！正如他写的文章中号召大家的：我可敏畏的青年呵，‘到民间去！到工厂去！’这是我们唯一的使命！”

“革命就是他的使命！奋斗就是他的天职！”同志们这样评价他。

“五卅后之省港罢工，为共产党中心工作之一，故派邓中夏为罢委党团书记，而在形式上为该会特别顾问，实则一切号令均由邓中夏与黄平审确陈延年而后发，黄系粤人，谙粤语兼长数国语言，故对外一切由黄负责，奔走于省港之间，内则由邓中夏主持全责，邓中夏与黄平任此工作经一年之久，使省港罢工建有特殊成绩，共党认邓、黄二人于该党有特殊勋者，亦即由此也。”

敌特的档案里还有对他在广东省港大罢工中的评述。而我比较感兴趣的是邓中夏在中共建党初期创办的中共第一个“革命熔炉”上海大学的那些激情往事：

> 看，敌人也注意到了：
>
> “当1923年发起上大时，邓中夏即以青年团资格为筹备人，该校成立后，邓中夏为总务长，校长名系于右任，而于氏不常到校，故实际上大多数校务工作都是邓中夏负责，有关教务方针，亦系邓中夏与恽代英、施存统、瞿秋白、蔡和森诸人审定而施行。”
>
> 唉，评价真不低！但确实也是事实。

这里说的“上海大学”与现在的上海大学是两码事。它简称“老上大”，成立于国共合作初期的1922年，其前身是私立东南高等专科师范学校，校址在闸北区青云路青云里（今青云路167弄内）。当时该校规模小，学生包括附中在内也才一百六十来人，且多数是安徽籍寄宿生。

五四运动浪潮中，该校学生走出校门，看到外面的世界，尤其是看到其他学校的规模与教学水平，觉得自己的学校根本不像样，于是开始起来造反。校长王理堂竟然在这种情况下带着学生缴的学膳费独自去了东京留学。学生们知道后更是义愤填膺，学生陈荫楠等联合几位骨干同学，决定推荐他们认可的新校长、推翻旧校长。

“大家觉得应该推荐哪位名家来当咱们的新校长？”热血青年不知天高地厚，努力畅想他们心目中的“大校长”……最后有三位当时的风云人物光荣入选，他们是：五四运动的旗手、中国共产党的主要创始人、《新青年》主编陈独秀，同学们认为他应该是首位人选；第二位是章太炎，德高望重的教育家，能请章老出来，一定可以办成一所著名大学；第三位是当时发表“教育救国”而一举名上加名的于右任。

“做梦去吧！”一些老师和其他同学听说有人想找这三位大人物来当校长，就差没笑掉牙。

“为什么不行？现在都在讲革命、革命！可还没有一所革命大学，我们就不能请高人来办一所真正的革命大学吗？”年轻人就是敢想敢说，而且有真行动——几位骨干学生怀揣梦想，开始到处寻找这三位大人物的影踪，结果发现：陈独秀来去行踪不定，根本找不到，同学们那时还不知道陈大教授还是中国共产党的总书记，找不到他是在情理之中。章太炎倒是不爱动，但他住在苏州，而且对办学校没多少兴趣。同学们打听到于右任在上海的黄河路大铁滨那儿住，比较容易找到。不过怕吃闭门羹，学生们打听到于右任先生与邵力子先生关系不一般。相比而言，找邵力子就没费多大劲。

“办所革命大学是大好事呀！孙中山先生一直有这个愿望啊！”邵力子一听认为此非说说笑话，乃是好事一件。不过，要想动员于右任出来担此重任，怕是有些困难。

试试吧。邵力子到于右任住处如此这般一说，于右任大为感慨，道：“仲辉，你我都是中山先生的追随者，而创办一所启蒙国人革命思想的学府乃是良策一方。可要说让我来当校长，怕当之有误人之嫌啊！”

“仲辉”是邵力子的字。早在上海复旦大学的前身复旦公学求学时，邵力子与于右任便成莫逆之交，后来两人一起创办《神州日报》。孙中山领导的革命风潮涌动时，邵力子随于右任一起到东京去见孙中山，并共同加入中国同盟会，从此开始鼓吹革命。辛亥革命成功后，邵力子与叶楚伧在上海创办《民国日报》，此报成为当时国民党左派的进步阵地。该报因抨击北洋军阀、宣传民主思想，备受军阀当局的迫害，经营极其困难。邵力子竭力支撑，备尝艰苦，有时甚至自己出钱购买纸张，使《民国日报》得以出版。他一手开辟的《觉悟》副刊，对新文化运动起到了重要促进作用。1920年，陈独秀到上海组织马克思主义研究会，并筹建中国共产党，邵力子是其中重要成员之一，也是中国共产党最早的一批党员（邵力子在前两年也加入了国民党）之一。拥有国共双重身份的邵力子后来退出中共组织，在国民党担任很多重要职务，如国民革命军总司令秘书长、宣传部部长等，新中国成立后一直是重要的民主党派负责人。这是后话。

此时，他游说于右任出任校长，有一份重要的责任是中国共产党也十分期待建立一所培养革命人才的学校。邵力子知道于右任与李大钊是留日的同学，在劝说于右任出任校长一职时，就在党内征求过陈独秀和李大钊的意见。两位认为于右任先生是一所国共合办的革命大学校长的合适人选。“仲辉，你就去当副校长。”陈独秀算是把一份重要的责任交给了邵力子。

“过谦了！过谦了！我们党内同志都赞成你出任此职，并且认为非你莫属！”邵力子这时也趁机把中共的意见转达给了于右任。

“真是这样啊？”于右任听后有些吃惊道。

“是这样。”邵力子便将李大钊和陈独秀的意见如此这般地复述了一遍。

于右任欣然开怀道：“那就去学校看看？”

“去看看！”

其实，此时的学校更期待新校长到任，因为两股不同势力斗争已经到了白热化阶段，连校牌都被砸了好几次。期待改良的那一派学生听说于右任可能愿意赴任的消息后，便在学校内外墙上贴出欢迎标语和彩旗了。于右任一听这事，更不能不去看一看了。

1922年10月23日，于右任在邵力子的陪同下，乘了一辆雇来的车子到达学校。当时天正下着雨，于右任刚到校门口，学校的同学们就手执欢迎旗，列队欢呼迎候，乐声和鞭炮声顿时大作。许多同学甚至激动得直接跳跃起来，此时他们的身上和脸上挂满了雨水……这一幕让于右任感动得直呼：“此等学生可教也！可敬也！”

在欢迎大会上，学生们请于右任讲话。他上台动情地说：“刚才见同学们在雨中的那种精神，很是感动。我小时候做过小鞭炮竹，当时就想造炸弹、地雷，想把旧中国、旧世界炸个粉碎！今天，看到同学们如此追求和奋进的状态，令我万分感慨，所以我在这里向你们表示：我愿意与你们一起，建一所真正的、中国第一所革命大学校！”

同学们一听，三呼“万岁”。

于右任趁热打铁道：“我有这个信心！因为我特邀身边的这位大才子、著名人士邵力子一起管理建设这所学校！我还要请当今中国所有进步的革命家、教育大家到学校来给大家当教授、当老师！甚至还有想法——请孙中山先生来讲课——”

“中国万岁！”

“革命万岁——”

被学生们奉为“革命伟人、共和元勋、言论界之前驱、教育界之先进”的于右任这番话一出，犹如一把烈焰，将这座原本已经枯朽的学校燃烧得通红、通红……

“上海大学”——当日，书法家出身的于右任豪情满怀地写下这四个字后，一所在中国现代历史上产生过重要影响、造就了一大批优秀革命者的大学校从此诞生。

“守常，这事你一定要帮忙啊！”于右任与邵力子分别出任上海大学正、副校长一事很快在社会上传开，因此时正值李大钊和孙中山洽谈国共合作的“蜜月”时期，一日，于右任得知李大钊来到上海，便赶忙约他到四马路同兴楼京津茶馆，专门宴请故友。席间说到创办上海大学一事，于右任便向李大钊提出请求。

“自然！右任兄能出任该校校长，乃我国民一大幸事，我党一定有力出力、有人出人！”李大钊爽快答应，并说从中国革命需要出发，上海大学除了开设一般大学有的课程外，还应该侧重开办社会科学系，并且将其列入学校重点学科，为国民革命培养骨干。

“是！办校最关键的是师资！守常在京师人脉广泛，又是中共要人，一定要给我推荐几位得力的教育大梁啊！”于右任恳切道。

李大钊微笑着点点头，捋捋胡子，然后用手指蘸了点水，在桌子上写下几人的名字，问道：“如何？”

“太好了！简直不敢想啊！”于右任立刻站起身，连连给比自己小几岁的李大钊拱手作揖，“谢谢！太谢谢了！”

“我们现在是一家人，一家人不说两家话。造一批有用的革命人才是最主要和最根本的事，守常和中国共产党当倾力而出！”李大钊这样表示。

1922年10月23日，《民国日报》上刊登了一则《上海大学启事》：“本校原名东南高等专科师范学校，因东南两字与国立东南大学相同，兹从改组会议议决变更学制，定名上海大学，公举于右任先生为本大学校长。”

一块比豆腐干大不了多少的广告，也许是“名人效应”的原因，竟让报名入学者络绎不绝。另外，共产党方面也正好在这个时候将那些因具有革命思想而被学校开除或休学的、其他学校的进步学生招到上海大学。所以不到半年，原址上的上海大学已经无法满足教学需要，于是搬到了位于公共租界西摩路132号的新校舍（现陕西北路），开始了它辉煌灿烂的“上大五年”（于1927年被背叛革命的蒋介石集团以“赤色学校”的借口封闭、解散）。

“养成建国人才，促进文化事业”，这是当时于右任亲笔写下的上大办校宗旨。

开学后，学生们一看自己的老师阵营，简直兴奋得乐开了花——

五四运动的学生领袖、著名工运活动家、《中国青年》主编邓中夏（当时化名“邓安石”）出任学校总务长兼授伦理学课程，主持学校日常工作，是实际上的上大校长。

在邓中夏和中共中央领导的支持下，当时的上大可谓英才济济，老师有：蔡和森（教授社会发展史）、张太雷（主讲工人运动史）、恽代英（教授帝国主义侵略中国史）、任弼时（教俄文，并主讲青年运动课）、施存统（中国社会主义青年团第一书记，教社会运动史、社会思想史）、沈雁冰（即茅盾，教授中国文学史）、高语罕（中共早期党员，主讲黑格尔哲学）、蒋光慈（主讲苏联文学）……还有一批兼职讲课的教授如彭述之、田汉、俞平伯、朱自清、萧楚女、丰子恺、周建人、李季、沈泽民、杨贤江、胡朴安、李春蕃、周越然、侯绍裘等。

孙中山、陈独秀、李大钊、吴玉章、李立三等也都到上大讲过课。那时红极一时的国民党阵营里的“革命分子”汪精卫、戴季陶等自然也登过讲台。

如此师资阵营，没有哪所大学可与之相比。之所以称上大是第一座革命熔炉，其一是因为它成立时，中国还没有一所专门为培养革命人才成立的学校；其二，该校的主要师资和日常工作基本上是由中国共产党的领袖级骨干在主持和领导。而走进这所学校的学生中有相当多的是我们后来都比较熟悉的人物：有如王稼祥、杨尚昆、秦邦宪（博古）等后来中国历史上的重要政坛人物；有如阳翰笙、施蛰存、戴望舒、丁玲、袁牧之等文化名人。

受命出任上海大学总务长的邓中夏，对创办上海大学极为重视，而且倾注了他全部所能。17岁进入北京大学的他，受校长蔡元培的“教育救国”思想影响很深。后来接受马克思主义后，他更明白了教育要救中国，必须先对国人的思想进行启蒙。所以到了上大后，邓中夏亲自制定了《上海大学章程》，明确上大的宗旨是“养成建国人才，促进文化事业”，按照国共合作办革命学校的宗旨，把社会科学和革命文艺作为重点，同时聘请各界著名人士进校任教或讲课。在他主导下，上大的社会科学课程又与一般的大学不同，注重的是以马克思主义理论武装学生。他特别强调“读活的书”。

“什么是活的书？了解中国社会，寻找拯救中国社会和民众的方法，就是活的书，就是我们上大同学要最最认真读的书！”邓中夏这样说。

于是，在他的这套革命教育思想引领下，陈独秀、李大钊、蔡和森、李立三等中国共产党人进入学校，上了讲台。那十月革命的烽火，那巴黎公社的云烟，那二七大罢工的传奇……让学生们听得津津有味、热血沸腾。一时间，学校出现了这样的景象：“课堂里是殚精竭虑的讨论，街头巷尾是如火如荼的讲演，舞台上是民族的血泪魂灵的活动，刊物与传单成堆地从印刷所的机器中吐出……”

“社会科学研究会”“社会问题研究会”“文艺研究会”“春风文学会”等学术研究会和社团，也在学校纷然并起。

如此不出一年时间，上大的名声迅速传扬。1923年报考该校的学生不但有来自四川、云南、广西、贵州、湖南、安徽等地的青年，甚至还有从南洋、日本、苏联等异国他乡归来的华侨青年。

“学生如潮涌来，旧校舍无法满足。”1924年2月22日，上海大学迁入西摩路的新楼房。这时的邓中夏立即着手学校建制，对原有的系科做了重大调整，在大学部分设三个院：社会科学院、自然科学院和文艺院。同时还增设中学部（开办高中班和初中班）。如此一来，上海大学便真正成了一所系科齐全的全国闻名大学。

作为一位职业革命者，邓中夏想到了“革命火种”不应该仅仅在校园，“应当传播到更广阔的天地”。于是他根据在北京长辛店办劳动补习学校的经验，结合大上海工业和商业发达的特点，决定依托上大，创办平民夜校和工人夜校。这一举措可以说是“点燃上海民众革命之火的伟大创举”。

第一期上大平民夜校报名的人数是450人，结果前来听课的竟多达560人！第二期、第三期的人更多……一时间，“到上大去念书”，成了上海市民的热门话题。加之工人夜校的开设，上大成了革命者和上海民众向往的圣地。后来成长为上海工运领袖的刘华等就是在这个时候接受马克思主义教育并加入中国共产党的。

先进思想的传播和文化知识的提高，让工人和学生们看到了自我解放和无产阶级革命的希望与前景，许多人主动加入中国共产党和社会主义青年团的队伍。此时，中共上海地下组织不断扩大，由一大时在编的1个小组，增至4个支部，而上海大学是中共上海地下组织的“第一支部”，共有11名党员。这个支部有邓中夏、瞿秋白、恽代英、张太雷等，他们都是党中央和团中央的领导人，他们后来又都成了革命烈士……

正是他们的伟大人格和共产党员的品质，深深地影响和激励了上大的学生走上了坚定的革命道路。

后来成为女革命家的杨之华（瞿秋白的妻子）曾这样回忆“为人师表”的邓中夏：

> 他是我们的总务长。他的头发很黑，眉毛浓而长，眉心很宽。当他抬起头来看人的时候，两眼闪闪发光。他精神饱满，做事机智果断，使学校的生活紧张而有秩序。他常常喜欢讲李卜克内西和卢森堡的故事给我们听。他是我们敬爱的一位有魄力、有毅力的革命者。

对无产阶级革命者来说，李卜克内西和卢森堡就像后来的全世界游击队员所崇拜和热爱的古巴革命家切·格瓦拉一样。

是的，真正的革命者，
委身于他理想中的事业。
……
在革命中，
他们往往为自己选择最暴露、最危险、最容易被命中的位置。
结果正如我们所看到的，当黎明还没有到来，
他们已经在黑暗中扑倒。
在这个倒下的队列里，
我们记住了一个人：
罗莎·卢森堡……

是的，将来胜利之日，
我们可能活着，
可能已死去。
但我们的纲领是永存的，
它将使全人类获得解放！（李卜克内西语）

讲演台上，邓中夏声情并茂的演讲与朗诵，打动了无数上大学生的心灵。而被列宁称为“革命之鹰”的女革命者卢森堡与马克思战友李卜克内西的英雄形象，已经深深地烙印在了同学们的心中。

后来，他们中的许多人，也成了卢森堡式的中国女英雄和李卜克内西式的中国勇士。

因为是国共合作办校，所以在办校过程中，曾经出现以中国共产

党人为代表的革命左派与国民党右派势力的尖锐斗争。虽然共产党人居多数派，但以英语系主任何世桢和中学部主任陈德征为首的少数右派势力仗着旧校残余的安徽帮裙带关系，企图将学校的革命思想传播与马克思主义教育主体压制和抹杀。邓中夏联合在校的中共力量，力排干扰，坚持革命真理，使得右派势力最后以失败告终。这一方面让上大这所革命熔炉的烈焰燃烧得更加旺盛，另一方面也让国民党反动势力对邓中夏更加怀恨在心。

从1923年4月到1925年4月，在邓中夏作为职业革命家和优秀教育家管理上大的两年里，他和其他中共领袖们将此大学造就成革命大本营。五卅前他奉中共中央之命离开上大，然而正因他在校时创立的平民夜校、工人夜校及上大本校的革命教育，在震惊中外的五卅反帝运动中冲锋在最前列的和牺牲最多的都是上大人。第一位牺牲在街头的中共党员黄仁是上大学生，第一位牺牲在帝国主义强盗枪口下的工人党员顾正红是上大工人夜校生，第一位牺牲的工运领袖刘华是上大培养的优秀干部……据统计，五卅反帝运动中被反动政府和帝国主义巡捕抓捕的就有130多人是上大人。

上大的革命史中，邓中夏的名字一定是排在最前列的。

他的领袖品质和共产党人坚持信仰和真理的骨气，影响和浸润了他的学生和学生的学生……

在上海这座中国共产党诞生的伟大城市的史诗篇章中，邓中夏的名字如日月光辉，永远不会熄灭。

我一直在想：邓中夏为什么一直在中国共产党人和解放了的中国人民心目中永远活着？看过他所做的工作、所投入的革命热情与真挚的干劲，以及展现的无与伦比的能力，才知道这样的人为什么连敌人都对他怀有敬意。

在完成建党、建团和全国总工会等重要组织的领导工作之后，邓中夏几乎做过党认为所有需要由杰出的人去做的工作、要处理的难事，他从来都是毫无条件地去勇敢和无私地承担起来，而一经他组织领导，那条战线上的工作就会有新起色，就会大变样。也正是因有这样的党内少有的天才加实干家，当以蒋介石为首的反革命集团在1927年背叛孙中山旨意，与中国共产党分道扬镳之后，国民党血腥屠杀无产阶级革命者和共产党人，白色恐怖几乎使每一座革命烽火曾经熊熊燃烧的城市血流成河。在这样的形势下，所有党的重要岗位，尤其是在上海、广州这样的地方，中国共产党组织的破坏程度异常惨烈。后来竟然出现这样的情况：每一任重要领导岗位的赴任，就意味着牺牲。陈独秀的大儿子陈延年、二儿子陈乔年，就是因为赴任江苏省委书记和组织部部长之职，两兄弟相隔不到一年，都牺牲在敌人的屠刀下。此时，邓中夏受命于危难之时，出任中共中央秘书长，不仅组织召开了具有划时代意义的八七会议，之后又先后出任广东省委书记和江苏省委书记。这两个省委是当时中共中央领导下最重要的两个省委。邓中夏的几位前任，均因被叛徒出卖而遭敌人残害。邓中夏并没有因此退缩，继续努力地开展艰苦的工作，拓展我党地下斗争的空间。在领导广东省港工人罢工过程中，邓中夏不幸再度被捕，后经各方营救被港英警察“驱逐出港”。

1928年，邓中夏到莫斯科出席中共六大后留在共产国际任中共代表等职。在新的岗位上，邓中夏一如既往地拼命为革命工作。可以说，那一段时间也是邓中夏的黄金岁月，他在党内的职位和社会影响力如日中天。然而即使在位高权重之时，他依旧始终保持着在北大和建党前后的那股热血青春的干劲和朝气，那种真挚而平和的为人，正如时任他俄文翻译的冀朝鼎所言：

中夏同志具有非常高尚的品质，这种品质表现在他对同志、对敌人、对工作、对学习和对生活等各个方面。他对同志极为诚恳，关怀备至，态度和蔼，从无疾言厉色；对敌人和坏人坏事，则十分憎恨，不顾一切地进行坚决的斗争；对工作，他有高度的革命责任感，因而极端负责、一丝不苟；对学习，他几乎手不释卷，知识异常渊博，但又态度谦虚；对生活，他非常艰苦朴素，除有抽香烟的嗜好外，吃的穿的都不考究；对待复杂问题，能够深入思考，具有思想家的风度；对困难，他从不畏惧，从不退缩，在任何情况下都能保持乐观态度。

在莫斯科工作期间，由于邓中夏与瞿秋白等坚决反对王明打压俞秀松等革命同志而与王明“结下一仇”，从此在党内的处境急转直下，变得越来越艰难。

1930年7月，邓中夏在莫斯科与妻子和幼儿告别，踏上了回祖国的旅程，之后他再没有见到儿子。党曾经在邓中夏牺牲后多次在苏联寻找，然而再没有找到他的儿子斯提尔·邓（钢铁邓战士）。这是后话。

回到国内后，中央派邓中夏到洪湖革命根据地任红二军政委兼湘鄂西苏区特委书记。当时红军部队正在执行李立三“左”倾冒险错误路线，即进攻中心城市，“争取一省或几省的首先胜利”。邓中夏分析形势后反对这种冒险行为。后来，王明发信给红二军团，要求立即撤销邓中夏的职务，并令其马上离开红二军。

邓中夏的命运从此陷入人生的低谷。无职无权回到位于洪湖的旧所里，他怀着对党和人民军队所面临的严峻形势的忧虑，足不出户，不分昼夜地用旧式账簿纸疾笔书写下了一份长达数十万字的《中国共产党史稿》。可惜的是，邓中夏在离开洪湖时将这份宝贵的党史稿交给了当地的一名负责同志，表示“希望将来能有转交中央或者是出版的机会”。可惜的是，此人在战斗时将行李连同邓中夏的这部极其珍贵的党史稿全都丢失了。后来，邓中夏得知此事，顿足叹惜道：“唉，再也没有机会写出这样的东西了啊！”

作为我党、我青年团和工人运动的创建人和创始人之一的邓中夏，在洪湖根据地红二军团政委的岗位上撤职后，王明不给他任何一点出路，邓中夏无奈以多个化名身份，潜回上海，因为此时他妻子在上海工作，他要靠妻子养活。作为职业革命家的邓中夏，此时什么工作都没有，连吃饭都得靠妻子的那点工资度日。妻子李惠馨从莫斯科回国后在中共中央保密电台工作。后邓中夏生病卧床，需要她住在一起照顾，可王明不批准。李惠馨申述道："只要邓中夏还是共产党员，他就是我的丈夫，我就要和他在一起。"于是李惠馨被迫调离工作岗位，只能到一家日本纱厂当工人，两人仅靠她一个月7块钱的工钱维持生活，而其中还有3块钱要交房费。邓中夏的生活几乎到了饥寒交迫的地步，然而他仍然坚信组织和共产主义，从没动摇过对党的忠诚。

老共产党员、南京大学原校长匡亚明曾与邓中夏有过交往，他在1972年时曾这样回忆自己亲眼看到的邓中夏遭到王明"左"倾教条主义错误打击的情况：

……甚至在沪东区委，当时曾一度担任区委书记的陈伯阳（苏北人），也竟敢以轻蔑的态度对待邓中夏同志，甚至有一次在邓中夏和我都参加的区委会议上，以"领导"自居，嬉皮笑脸地用冷嘲热讽的口气当场说邓中夏同志是"老右倾机会主义"。邓中夏同志当时以无产阶级革命政治家的风度泰然置之，不屑计较。……而邓中夏同志则正是毛主席所教导的那样："不惜牺牲自己个人的一切，随时准备拿出自己的生命去殉我们的事业"，在敌人屠刀下壮烈牺牲了。他的名字将永远铭刻在用马克思主义、列宁主义、毛泽东思想武装起来的世代革命人民的记忆里！

匡亚明进而讲述了自己与邓中夏的几件印象深刻的事：

最初认识邓中夏同志是在1927年秋，那时我担任青年团上海沪西区委书记。在团江苏省委召开的一次传达“八七”会议精神的会议上，做传达报告的就是邓中夏同志。这次会议是在上海原法租界于右任的公馆召开的。于右任的儿子叫于武，是青年团员。于右任常住南京，所以通过于武的关系利用他家住房作会场（具体地址已记不起）。邓中夏当时约三十多岁（当时见到党内三十多岁的人就已觉得年纪很大了），留了胡子，化装成一个“绅士”的样子。邓讲话逻辑性很强，尤其在解答问题时善于抓住问题的核心，简明扼要地进行剖析和论证。所以初次相见，印象很深刻。……

邓中夏同志是中国共产党早期的党员之一，很早就是党的中央委员，一直担任党的重要负责工作。就我个人前后对他的接触和了解，他不论“在上”还是“在下”，都是真正以一个普通劳动人民身份出现、以一个普通共产党员身份出现，始终保持勤勤恳恳、认真负责、谦虚谨慎、勿骄勿馁的作风的。只有真正像毛主席所教导的“以革命利益为第一生命，以个人利益服从革命利益”的人，才能真正做到像他那样“在上”不骄，“在下”不馁。因为党的工作本来没有也不应有“上下”、“高低”、“贵贱”之分，只有性质不同的分工之别。而在邓中夏同志身上，正是充分体现了这个伟大而平凡的无产阶级品格的。

1933年春夏间，有一次在一个同志处遇到了邓中夏同志。他热情地和我握手，告诉我他在江苏省互济会工作。我告诉他我当时在上海工联工作。临别时他问我，有钱吃饭吗？我说，还有十多个铜板，够吃一顿阳春面的。他立即从口袋里把仅有的四毛钱（两枚双角银币）掏出来塞给我，说，他今晚有地方吃饭，这钱给我好好吃一顿夜饭。这种事情在当时秘密工作的艰苦条件下是同志间相互照顾的表现，原是极平常的。但这一次难忘的四毛钱，却成了我们永诀的遗念，则是极不寻常的了啊！

匡亚明也是位铁骨铮铮的老共产党人，能够如此直言和肯定地对邓中夏做出如此深情而直白的评价，其本身就表现出了一名正直共产党人的胸襟。

同样的一位老共产党员，被同志们称为“传奇女革命家”的帅孟奇，1932年在上海任江苏省妇女部长时，有一天因为纪念“三八”妇女节的一篇文章写得不够好，她听说上海沪东区委宣传部有个干部写作能力很强，便去找那个干部帮忙。哪知接头时一看，是她早年革命时就崇拜的、大名鼎鼎的邓中夏，因为帅孟奇后来也到了莫斯科学习，知道邓中夏是赤色职工国际中央执行局委员、中共驻共产国际代表，我们党的高级领导干部！

“邓老师，您为什么会在这儿？”帅孟奇吃惊地问。

邓中夏听出她话里的意思，笑笑，说：“共产党员嘛，哪里需要就到哪里。”40多年后的帅孟奇已经是中国共产党中央纪律检查委员会的重要领导之一，她在对干部做报告时专门讲到了邓中夏，说她格外敬佩邓中夏在逆境中依然忠诚党、服从党、维护党、一心一意工作的高贵精神和品质。

1932年初，邓中夏的妻子李惠馨在上海再次怀孕，但因为日本纱厂有规定，女工不得怀孩子，李惠馨便被开除了。原本就靠她7块钱一个月工资生活的邓中夏夫妇，生活到了极度困难之境，妻子由于劳累和缺少基本的营养，腹中的胎儿早产。无奈之下，邓中夏只能将婴儿送给不认识的人，而此时的邓中夏仍在党组织的最基层工作着。面对痛失亲骨肉、整天泪流满面的妻子，邓中夏深情地劝慰道：“阿妹，我们都是革命者，就是要吃尽这世上的苦中苦呵，我们能被这痛苦吓倒吗？我们都是党的战士，绝对不能为了个人的爱而放弃对集体的爱，需要的话，我邓中夏会把自己的一切都交出去的！”

面对这样的丈夫，妻子只有流泪，只有默默地反过来替他擦眼泪。妻子知道，丈夫的内心有更多的痛苦，可他从不外露，他认准党的事业才是世上最重要、最值得去爱的。

她因此也爱这样的丈夫，这样的男人。

“来，我们一起唱首歌吧！”昏暗的小阁楼里，邓中夏搂着虚弱的妻子，一起轻轻地哼唱着他们在莫斯科时最喜欢的一首苏联歌曲：

清晨的天空升起旗帜
仿佛生命迈出重要的第一步
你听：这个国家上空掠过的
是猛烈进攻的狂风

战斗又重新开始
胸怀忧虑的心情
我们就是年轻的列宁
年轻的十月军团向前进

让每个乡村都听到这声音
父亲们，请你们信任我们
我们会继续取得新的胜利
新的战士正在奋起冲锋

不要等待上帝发慈悲
生活对正义没有怜悯
朋友们，我们在生命中
选择了唯与正义同行……

邓中夏本不该受如此深重的伤和痛，然而身为共产党人和革命者的他，仿佛要把所有共产党人和革命者所要经受的苦与痛，都留在他一个人身上磨砺和考验。

他的才华、他的能力，以及他的伟大人格，让正直的党内同志深感惭愧，当然也感到奋进的动力，因为做一个邓中夏式的人，是光荣的行和高贵的德。一个人的德行决定了一个人的生命价值。

邓中夏在革命生涯中最低潮的时候被敌人抓捕。他从洪湖根据地回到上海当了一段时间的“无业游民”后，党内一些曾经的老战友将他介绍到了相对外围的革命组织——全国赤色互济会工作。这是中共领导下的外围组织，它的任务是借社会力量，帮助和营救那些被敌人抓捕或残害的革命者以及帮助他们的家属与子女安度生活。邓中夏恢复了一个党内职务：在这个互济会里任党团书记，对外他是互济会主任。他与刘少奇同志的妻子何宝珍（一位后遭敌人屠杀在雨花台的革命烈士）假扮成夫妻，在上海复兴中路附近嘉善路口居住。

即使这样，敌人还是很快发现邓中夏、何宝珍他们一直在营救那些爱国者和革命者，于是特务机关不断派员来盯梢。邓中夏与何宝珍不得不经常搬家。通常是晚上搬家，第二天一早又开始投入工作。凭借在大革命前后国共合作时的社会关系，邓中夏很快联络到了宋庆龄、何香凝、史良等著名人士为互济会出谋划策，一起参与那些“重案”的营救和反对日本帝国主义侵略中国的活动。由于邓中夏的卓越组织才能和广泛的社会资源，互济会的工作人员越来越多，在上海的影响力也日益扩大。这更让敌人将其视为眼中钉。邓中夏曾在上海工作很长时间，许多社会名流和普通工人都认识他，于是有人劝他尽量不要公开露面。邓中夏则说：“我们要善于隐蔽，但不能为了安全而失去与群众的联系。假如我们不与群众联系在一起，我们便毫无作为，敌人也用不着害怕我们，我们也就失去了一个革命战士的作用。”他是天才理论家，又当过中共中央高级领导，没有人能够说得过他。

他依然义无反顾地投身到与敌人争夺革命者生命和尊严的战斗一线中……

1933年3月28日，中华全国总工会上海执行局书记罗登贤、中华海员工会党团书记廖承志等在山西路碰面时，遭叛徒出卖被捕，邓中夏立即写下《告全国民众书》，要求敌方放人，同时又与何宝珍四处奔波，大力开展营救活动。就在此时，反动宪警盯上了他们。

一日，何宝珍被捕，并一判就是15年，从上海押到南京。

邓中夏悲愤欲绝，双目喷出怒火。那个时候，国民党监狱关押在上海的“犯人”竟达上万人，其中共产党人占了相当大的比例，还有参加抗日活动的爱国人士，这两种人被称为“政治犯”。为了争取释放这些“政治犯”，邓中夏不顾个人安危，采用多种方法，对法租界第二特区法院看守所里关押的3000多名“犯人”的状况进行了调查，并以这个看守所全体犯人的名义，写出《反对压迫、要求改良待遇宣言》，广为散发。邓中夏用铁的事实，无情揭露国民党反动派的法西斯行径，自然让反动宪警对他的行踪格外密切关注。而此时，以王明为代表的“左”倾教条主义错误仍在疯狂地推行，命令邓中夏“五一”节在市中心搞“飞行集会”，这显然是把革命力量暴露在敌人面前。结果，一场纪念“五一”的活动，又让包括江苏省组织部部长黄励在内的60多名革命同志被捕……邓中夏欲哭无泪，不顾个人安危，再发动各界人士，亲自出面抗议国民党反动统治的卑劣行为。

正当抗议和营救工作进入关键时刻，邓中夏被捕了！

这一天是1933年5月5日，邓中夏到上海法租界环龙路底骏德里37号3楼亭子间，找互济会援救部部长林素琴研究营救黄励等60人的计划。接头是有暗号的，邓中夏见门上的记号没有变动，以为安全，便敲门进去，结果被一群租界的巡捕抓获，同时被抓捕的还有林素琴。

巡捕在林素琴的房间内发现了不少中共文件和一些进步报刊、油印传单，于是便怀疑邓中夏是她的上级。一进巡捕房，他们就给邓中夏来了个“下马威”，将他打得遍体鳞伤，逼他交代自己的真实身份。邓中夏一口咬定自己叫“施义”，是位教师，访友来的。法租界巡捕房一无所获，便只好将他扣押待审。

扣押那几日里，邓中夏利用草纸写了一张字条，道：“我因冤枉被捕，请史良律师速来巡捕房和我见面。并请代付送信人大洋二元。施义。”

史良与邓中夏熟悉，一接到这纸条她便付了送信人二元大洋，然后马上到巡捕房，一看是邓中夏，便知道如何处理了。她从手包中掏出两枚银圆，悄悄递给看守。那看守心知肚明地走开了。

史良和邓中夏立即商量对策。“你没有证据在他们手里是关键。再者，什么都不要承认！”

邓中夏笑笑，点点头：“明白了。”

第一次开庭。国民党政府江苏省高等法院设在法租界的第三分院法庭提审“施义”。

审判长按惯例询问一遍后，又问：什么职业？

邓中夏：“以前当当教员，现在没职业。”

“几时加入共产党？”

“没有。”

“看你像共产党的大官。那你在共产党机关工作？”

“不是。我从不知道共产党啥机关。”

“你怎么认识那个女的？”

“她丈夫和我是朋友，在汉口当兵，这回托我带信给她……”

审判长突然问：“你从哪儿来的？”

邓中夏镇静回答：“江华。”

“坐船还是什么？途经啥地方？到了上海住在哪里？几号门牌？”

邓中夏处变不惊，一一回答。

第一次庭审毫无结果，对邓中夏非常有利。

第二次庭审中，国民党上海公安局派大员来当庭要求“押解”邓中夏。由于宋庆龄、何香凝、鲁迅等著名人士参与营救，结果依然对邓中夏十分有利。

然而没有想到的是，在第三次庭审中，另一位“被告”林素琴却被国民党上海公安局“押解”走了，并且立即押解到了南京。

祸根由此种下。

反动当局不傻。他们虽无“施义”任何把柄，却看到了如此强大的“后援”队伍，于是他们从“侧门入室”，抓住林素琴做足文章。果不其然，在严刑毒打下的林素琴把“施义”的真实身份和盘托出——“邓中夏，哎呀呀！果真是个共党的大人物呀！”国民党特务机关得到林素琴的口供后，兴奋得立即向蒋介石报告。

“弄过来再说！”蒋介石跟着兴奋不已，马上命令不惜代价将邓中夏“押解”到南京。

法租界巡捕房本来就与蒋介石集团在对付共产党的问题上一直“穿一条裤子”。在国民党上海公安局和上海警备司令部花费十几万大洋后，9月5日下午，又一次庭审开始。这回庭审官不再询问邓中夏，而是向他宣读了上海公安局的一份“押解”公文。庭审官宣读公文的声音刚落，只见一群武装人员一拥而上，把邓中夏两手紧铐，强行将其推上早已停在法庭门外的一辆黑色警车……

1933年9月5日晚，国民党上海公安局龙华看守所的一号牢房内，几个得意忘形的特务装模作样地对新“犯人”进行身份核实。

“叫什么？姓什么？干什么的？”

“邓中夏，中共中央委员，曾任红二军团政委。还想问什么？”邓中夏知道自己身份已暴露，干脆来个痛快的，“你们这些狐群狗党，要枪毙我吗？够条件了吧？”

这一顿反问，还真让国民党特务们相互看看，挥挥手，“算了算了！”“哐当”一声就把牢房门关了。

第二天深夜，一列开往南京的火车在铁道线上飞驰着。最后一节车厢内有十几个宪兵把着两头，中间就是被他们押解的邓中夏。为了以防万一，宪兵将邓中夏和另一位互济会沪东区原主任马乃松铐在一起。

马乃松还年轻，有些害怕和紧张。邓中夏看出来了，便跟他聊了起来："有些人觉得死是那样可怕，但对一个革命者来说，在参加革命的时候，就应该考虑到，为什么而死，是不是死得其所，死得其时。""革命总是要付出代价的。我们要准备随时为共产主义事业献出一切。""我这个人，目标太大，敌人是不会放过的，为党牺牲是光荣的。野火烧不尽，春风吹又生。牺牲一个邓中夏，会有千百个邓中夏站起来的。""记住，革命终归是要胜利的。你还年轻，要学得坚强些。将来你出去后，要好好工作，不要辜负党对你的培养，做一个可靠的革命者。"

这一夜的聊天，对年轻的马乃松影响极大，后来他出狱后更加坚定了自己的共产主义信仰，一直忠诚地为革命工作。

然而邓中夏的命运则不一样了，正如他自己所预料的。他开始被关在秦淮河边的国民党南京宪兵司令部看守所。这个分为甲、乙、丙三类牢房的看守所，其中的甲所是专门关"政治犯"的。

邓中夏被关进甲所11号牢房。二十来平方米的牢房内，关押着十几个"犯人"，拥挤不堪又阴暗潮湿。

"你是邓中夏？"突然，"犯人"中有人看着邓中夏胸前的牌子，吃惊地问。

"是啊，我是邓中夏！"邓中夏也不禁吃惊地看着问他话的"犯人"，"郑绍文！你怎么也在这儿？"

"是、是，可以公开叫你的名字吗？"那个叫郑绍文的人又警惕地轻声问邓中夏。

邓中夏点点头，说："他们都知道我的真实身份了。"

"原来是这样啊！"

郑绍文不是别人，就是邓中夏在离开洪湖革命根据地准备到上海之前，把自己写的《中国共产党史稿》交给的那个人。当听到郑绍文亲口告诉他书稿在被敌人追捕途中丢失时，邓中夏长叹一声，无奈地摇摇头，说了那句“再也没有机会写出这样的东西了啊”。

按照牢房不成文的规矩，新进来的人只能挨着尿桶睡，等有人再进来才能依次往里移。

“难友们，这位新来的难友，你们知道他是谁吗？”郑绍文向牢房内的人说，“他是我们的老领导、老党员邓中夏。他不仅参加了我们党的建党工作，还是红二军团的政委，中央委员呀！对革命事业有很大的贡献。为了表示对这位革命前辈的尊敬，我提议：大家帮帮忙，请他睡上铺。你们同意吗？”

“哎呀，是邓中夏！邓政委！邓老师呀！”

“同意！同意！请上铺来！上铺来……”

难友一听说他是邓中夏，好一阵热闹和欢呼。

“很早就听说邓中夏的大名了！没想到在这儿见到了真人！”

邓中夏笑着说：“在监狱见面，是共产党人的光荣。大家能在这里相聚，也是一种光荣，是革命者的光荣啊！”

这一天的晚饭，是邓中夏入牢房的第一顿，他发现郑绍文竟然给他端上一碗白米饭和一盘炒菜。“怎么回事？”邓中夏惊讶地问。

郑绍文解释：“这叫包饭，关在里面的同志听说你来了，大家凑钱叫外边饭铺送来的。”

“你们……”邓中夏一下子哽咽了。他知道这是同志们的心意，不好拒绝，便宣布“只这一次，下不为例”，并随即将牢房中一位身体瘦弱的难友硬拉到身边，说：“我们一块吃！”

邓中夏的名头太大，他的到来对牢房里的其他共产党人也是一种鼓励。同时鉴于当时革命形势极为复杂，叛党分子随时都有，而敌人常常利用那些背叛革命的人，令其暂时伪装起来，混入队伍中，然后逮捕更多更重要的人物，因此，已经在同一监狱里的地下党组织一开始对邓中夏的详细情况也不了解。一日，放风时，陶铸悄声问郑绍文：“‘老大哥’的表现怎么样？”“老大哥”显然是大家对邓中夏的尊称，因为从党员的资历讲，没有一个可以同邓中夏相比的。

“很好。精神很好！”郑绍文如实说。

陶铸放心了，说：“你回去跟他说，支部同志都很关心他，问他有什么打算。”

郑绍文回去跟邓中夏一说，邓中夏马上明白了陶铸的意思，激动地从床上跳起来，极其郑重地说：“这个问题提得好！一个革命领导者到了这个时候，同志们应该关心他的政治态度。请告诉同志们，我邓中夏化成灰也是中国共产党党员！”

邓中夏从来都是个言行一致的人。敌人对他的用刑也是超级“豪华”，施用过各种手段，企图摧毁他的革命意志。敌人多次将他打得皮开肉绽，然而他始终不屈。一次难友看他的双手黑乎乎的，又有血迹黏着皮肉，便问他受了什么刑。

“电刑。”

“疼死了吧？”

“也还好。”

邓中夏咬咬牙关，强作笑颜。

先上毒刑，是蒋介石和特务们想出的招，因为邓中夏是中共的理论家，文人出身，所以先让他吃点苦头。然后是“软化法”，搬出国民党中央特委大员顾建中、季源溥、王恩庆等“要员”，来探望邓中夏。

“邓先生无论在中共，还是在我们国民党，都是德高望重之大员，我们都很敬佩。你也是委员长赞赏的人才，只要你点一下头，愿意跟我们合作，就别再吃这番皮肉之苦了嘛！而且肯定是不会亏待你的，厅长、校长一类的官随先生挑……”

“我是革命者，早已把生命献给革命事业。你们那种只会吮吸人民血汗的官，是人干的吗？快把你们那套收起来吧，再不许侮辱我邓中夏！”

一个回合碰了一鼻子灰，又换几个“要员”来“开导”。这回是国民党的中央委员方治出面了。他酸酸地又似乎是推心置腹地对邓中夏说：“你是共产党的老前辈了，现在受莫斯科回来的那些小辈的欺压，我们都看不惯，为你抱不平！中共现在已经不是政党了，成了打家劫舍的盗匪，愈来愈错，日暮途穷！你这样了不起的政治家，何必为他们做牺牲嘛！”

邓中夏听完方治的话，两眼喷火地盯着他，一字一句地告诉对方：“我要问问你，一个害杨梅大疮到第三期已无可救药的人，是否有权利去讥笑那些偶感伤风咳嗽的人？我们共产党从不掩盖自己的缺点和错误。我们也很有自信力。我们自己敢于揭发一切缺点和错误，也能克服缺点和错误。我们懂得，错误较诸我们的正确主张，总是局部的、有限的。你们呢？背叛革命、屠杀人民，犯了人民不能饶恕的罪恶。你们还有脸来说别人的缺点和错误，真是不知人间羞耻事啊！”

“好、好，我说不过你！你等着好果子吃吧……”方治灰溜溜地逃出牢房。他身后是邓中夏和难友们爽朗的笑声。

敌人是不会放过邓中夏的，这也是邓中夏意料之中的事。所以他在监狱里，除了抓紧时间看些他认为必须看的书外，就是给难友们讲“党课”。

“参加革命，加入党的同志们，除了争取胜利之外，还必须要考虑可能的失败，甚至是牺牲，这也是革命的重要问题……”针对监狱里一些人面对死亡和敌人的种种威胁，自然而然地流露出惧怕情绪，邓中夏因势利导，用李大钊、李启汉和刘华等他熟悉的、牺牲了的战友的事例，给大家鼓劲。他说：“共产党人被捕后要有骨气，要坚强，在任何情况下不能失去气节。”

“一个人如果为了个人升官发财而活，那是苟且偷生的活，虽活犹死。一个人如果能为最多数的中国民众的利益活、为勤劳大众的利益而死，虽死犹生。人只有一生一死，要生得有意义，死得有价值。”邓中夏的这些话，被难友们牢牢地记在心头，并一直激励着他们后面的人生道路，甚至一代又一代地被传承了下来。

敌人软硬兼施，也没有让邓中夏动摇分毫。剩下的只有一种办法——极刑。

“同志们，我快要到雨花台去了，你们继续努力奋斗吧！最后的胜利，终将属于我们！属于我们从加入中国共产党的那一刻就立下的誓言——！”

“哒哒哒……”1933年9月21日凌晨，南京城下着小雨。雨花台在晨雨中还处在半朦胧状态，卑鄙无耻的国民党宪兵怕邓中夏的形象再一次震骇他们肮脏的灵魂，于是在黯淡的灯光下就将邓中夏押上囚车，驶向雨花台刑场，将一阵沉闷的、罪恶的子弹，射向年仅39岁的中共中央委员、中国工人和青年爱戴的邓中夏……

他倒下了，倒在血泊之中，倒在雨花台上。他的鲜血化成片片彩云，飘荡在中国20世纪的天空之上……

他是牺牲在雨花台上的唯一一位参加过中国共产党一大筹备工作的英烈、中国共产党最早的党员。

第二章
“一号烈士”之谜

其实他是我党早期潜伏于敌人心脏的重要的军事人才之一，中共三大代表。早在1923年，毛泽东就曾代表党中央向他特别交代：“……打仗时，应设法保存实力。”……牺牲前，他是以蒋介石为总司令的北伐军总司令部警卫团少将团长。

金佛庄，让我们记住你的名字吧！

走进雨花台烈士纪念馆大厅，第一个见到的烈士就是他——金佛庄。一个陌生的名字，一位常常被讲解员一带而过的烈士：“这位烈士牺牲得早，公开身份又是国民革命军少将团长，所以有关他的事迹很少……”

于是乎，几乎没有人记住金佛庄烈士。但我不甘，从第一次到南京雨花台烈士纪念馆，我就对身着军装的他默默地产生了兴趣，这或许是同为军人出身的缘故，或者我潜意识里感觉一个任职于北伐军总司令部之中的重要人物，怎么可能那么“简单”呢？

一次怀疑，二次怀疑……后来经过多方证实与调查，我不再怀疑了：雨花台的“一号烈士”果真是一位非凡人物！

1921年中国共产党在上海召开一大，当时浙江还没有成立中共组织。1922年，浙江第一个中共组织杭州党小组成立，金佛庄是这个小组3名党员之一。而此时，中共党员在全国的总数也才195人，更没有像金佛庄这样拥有保定军校毕业的背景和北洋政府军浙江首脑夏超的警卫营营长之职务的中共党员。难怪乎，参加完在广州召开的中共第三次全国代表大会后，作为中共中央委员的毛泽东，代表党中央出席并指导中共上海地方兼区执行委员会的第六次会议时，专门密令金佛庄“如果所带的一营在上阵打仗时，应设法保存实力”。可见，党对金佛庄所寄予的希望有多大!

1924年春，第一次国共合作正式实施，黄埔军校筹备创建。中共从实际控制的上海大学和各地中共骨干中抽调人员赴广州协助创建黄埔军校。

“金灿兄，现在我受组织之命向你传达指令：派你去广州参加筹建黄埔军校……”中共上海地方兼区委书记、浙江省党组织负责人、杭州党小组组长徐梅坤（后名徐行之）突然有一天找到金佛庄，秘密通知他道。

“马上就要动身？”

“当然。”徐梅坤点点头。

两人在西湖边接头之后，金佛庄回到营部，简单收拾后，辗转千里，到了广州。

“你就是两进保定陆军军校又考上厦门大学的金佛庄先生？！”正忙着筹备黄埔军校的国民党财政部部长、被孙中山任命为黄埔军校筹备委员会主任、后改任军校首任党代表的廖仲恺先生，一见前来报到的由中共中央及毛泽东推荐来的教官金佛庄竟然是位军事素质高又仪表堂堂的青年，便格外高兴：“坐坐，请坐下！”说着又给前来报到的金佛庄倒上一杯茶。

金佛庄报到之时，正是黄埔军校筹备工作最忙碌的时候，除了建校，还有招生。当时国民党因为没有地方组织，所以除了广东之外，连招生的“广告”都发不出去，各省军阀互不买账。孙中山生怕黄埔军校首次招生“流产”，便让廖仲恺找到中共中央总书记陈独秀，希望借共产党之力，帮助招生。后来尴尬的局面很快被打破。比如在上海，就由中共中央委员毛泽东和恽代英亲自出面秘密挂起了黄埔军校“招生办”，为首期黄埔军校输送了许多优秀学生，如后来成为人民解放军军事大家的徐向前、陈赓等，也有成为国民党名将的宋希濂、杜聿明等。

黄埔军校的招生特别严，除了要考政治、作文和数学3门课程，还有对年龄、身体等方面的要求，而且还要进行初试、复试。复试则必须在广州大帅府黄埔军校筹备处由专门的教官和招生办工作人员按统一的标准进行。

那天金佛庄与廖仲恺首次见面时，廖仲恺办公室的外面就是学生复试点。这时突然从外面传来一阵嚎哭声，随即又响起一个慷慨激昂的声音——

“凭什么不让我参加国民革命？革命是每个年轻人的义务！个子矮怎么着？拿破仑的个子也不高，不一样驰骋疆场吗？总理孙中山的个子也只有一米六八，校党代表廖仲恺先生更矮嘛！国民革命怎么能以貌取人呢？”

“你、你这是对总理和党代表的不敬！”

“我说的是实话，这怎么叫不敬？我看呐，孙中山先生的主张为什么得不到实现，就是因为你们这些人让许多热血青年报国无门！”

“闭上你的臭嘴——”

外面这一来一去充满火药味的对话，室内的廖仲恺和金佛庄听得一清二楚。金佛庄心想：也不知哪个考生竟敢如此直呼总理和党代表个儿矮……他借机偷偷瞟了一眼正在向玻璃窗外看“热闹”的廖仲恺，以为作为大人物的廖仲恺一定会迁怒于那个不识抬举的考生。哪知廖仲恺接下来的做法让金佛庄大为感动和感叹。

“走走，到外面看看出了啥事……”廖仲恺朝金佛庄一挥手，便出了门。

廖仲恺一看，那个大嗓门的考生是个小矮个儿，看上去也就一米五八、五九的模样。一问，他是浙江宁波来的，名叫胡宗南。

“党代表，他除了个子不够条件外，年龄也超过了好几岁，已经29岁了……”教官见廖仲恺出现，赶紧报告。

“噢，个子似乎比我廖某还矮那么一点点儿，年龄嘛，倒是比我年轻好几岁……你真的很想跟随孙中山先生革命？”廖仲恺和颜悦色地将那个嚷嚷了半天的考生从上到下打量了一遍，问道。

“报告长官：我胡宗南跟定孙中山先生革命到底，就是死了也不后悔！”那位叫胡宗南的考生如此说。

“好，这位同学，现在我批准你参加考试，并且愿为你担保入学！”“是！谢谢长官——！”刚才还在哭鼻子的胡宗南这回激动得又哭了起来。后来成为国民党重要军事将领的胡宗南在黄埔军校“靠哭鼻子入学”的事一直在国民党军队里流传。

不过廖仲恺处事的这一幕，让金佛庄对廖仲恺格外敬重起来。

“来来，我们言归正传。”重新回到办公室的廖仲恺对新报到的金佛庄说，“我们学校的委员长蒋介石先生也是你们浙江人，刚才那位考生也是浙江人，你也是浙江人。浙江才俊多啊！请用10分钟时间说说你这3年中跨两个高等学校的传奇吧！”廖仲恺笑眯眯地盯着眼前这位年轻英俊的浙江军事才俊说道。

“这算是党代表的考试吧？！”金佛庄整整军服，端坐后肃容道：“后生佛庄自小出身贫寒，家父是一位农忙时务农、农闲时行医的乡村郎中，在东阳横店四乡一带稍有半分名气，但收入仍不能支撑有四男二女的小家。佛庄是长子，为了少给家里添负担，从小就由叔公代养着。6岁时入本乡老贡生金洪锦先生的私塾念书。金先生去世后，又跟随老秀才吕松贵先生课读。吕老先生见我好学，文章写得还算好，老人家十分喜欢我，亲自给我取了学名‘金灿’和字号‘辉卿’，意思是希望我日后前程远大，光辉灿烂……”

“哈哈……你这位先生有远见、有远见嘛！这不，年岁轻轻，已经是营长大人了嘛！”廖仲恺这时拿金佛庄开起玩笑来。

“听说你后来是在东阳中学毕业的？”廖仲恺又问。

“是的。我们东阳中学在当年很有名。我的同班同学有个叫严济慈的，他特别聪明，我们一直在班上比赛，看考试谁是第一名。他很了不起，不像我偏政治和社会学，他专攻科学，是国立东南大学第一届理科毕业生，毕业证都是第一号的。现在他在法国留学当科学家呢！”

“你同班同学严济慈的大名我听说过……现在来说说你、你自己嘛！”廖仲恺慈祥地拉回这位浙江年轻军人的话头，颇有兴趣地想听其“个人传记”，“说说后来为什么去读陆军军校了，中间又转到厦门大学学习了呢？”

金佛庄见大名鼎鼎的国民党元老、军校党代表如此平易近人，便打开了话匣子：“这要感谢袁大头袁世凯，他签订‘二十一条’卖国条约一事传到我们东阳中学后，我就决定不再跟严济慈拼数学了，我决心舍去研究科学，转为从军报国去！就这样，1918年中学毕业后，我就考进了保定陆军军官学校，是学校的第八期学员……”

“嗯，那是我们中国第一所真正意义上的正规军事学校，可惜它的办校宗旨并不是为了我中华民族复兴，而是为反动的统治阶级服务的，所以我们的孙中山总理要办一所为自己革命事业服务的军校。这不，你们这些保定陆军军官学校毕业生就有许多才俊被招到我们这儿来了！说，往下说，说你自己的！”个头矮小的廖仲恺右手支着下颌，仰着头，双眼盯着风华正茂的金佛庄，满眼欣赏地说。

“后来、后来我去了保定，当了一名军官候补生……”金佛庄说。他上了一段时间的课后，发现北洋军阀队伍里很黑暗，于是也对从军报国的道路产生了怀疑。1919年爆发的五四运动，更使他的精神受到猛烈的冲击，思谋另找出路。1920年，直皖军阀开战，军校一度停办，他转而考进厦门大学，改为研究教育与文学，以求改造社会。在厦门大学读书，虽然得以自由接触、探索各种新的学说和思潮，但生活上却困难得多，不像在军校那样一切都享受公费，学费和生活费都要靠家庭负担。父母无力供给，只能靠亲朋好友共同帮衬，这样勉强维持了一年。囿于现实，保定军校重新复课后，金佛庄于1921年10月3日离开厦门，乘海轮去天津，转道北京，重返保定军校求学。

“听说你第二次返回保定军校后，痛改前非，埋头刻苦地学习与钻研哟？！”廖仲恺理了理小胡子，目光炯炯地这样问。

金佛庄一愣，心想：不愧是党代表，对我以前的事了如指掌呵！于是便答道：“是，是，佛庄不才。以前只是井底之蛙，并不知中国之概全，只凭鼠目寸光，赌气离开了军校。这回重返，便开始珍惜时光，不能再虚度年华了！所以就不敢怠慢每一天……”

“听说你在保定那里边学边思考，而且还写下了洋洋万言的《佛庄日录》……不知可否让仲恺一学？”廖仲恺这话让金佛庄顿时脸色绯红，不好意思起来。

“党代表羞煞吾也！羞煞吾也！那都是旧学堂时的低级谬念，不值一看！不值一看！”金佛庄忙不迭地从斜挎的书包中拿出一卷用小楷写的书文，毕恭毕敬地递给廖仲恺，“这是我来广州时，准备发在《新建设》杂志上的另一篇谬文，因为说的是军官的问题，所以想请党代表校正……”

“《军官的心理》……嗯，这个好！这个好！中山先生创办本军校，就是为了培养我党军事人才，而军事人才，其心理品质其实胜于军事素质。你的这篇鸿文，我一定花上3天工夫，好好学习，然后我们另找时间一起交流交流……”廖仲恺接过书卷，有些迫不及待地起席而别。

金佛庄赶忙紧跟其后，并连声道：“岂敢岂敢，还请党代表劳神指教，佛庄我在此洗耳恭听……”

“你等着！”廖仲恺一阵风似的走了，留下身后的金佛庄心潮澎湃。因为自当年弃笔从军后一直在寻找革命报国之路上徘徊而未见曙光，如今在广州黄埔军校特别是党代表廖仲恺先生身上看到了革命的曙光，他怎能不激动？其实，拥有中共党员身份的金佛庄也清楚并听说了，现在的这所由孙中山先生亲自创办的新型军校，不仅是孙中山与中共负责人李大钊一起商议创办的，而且中共派出了重要的建党人之一的张申府协助孙中山负责黄埔军校的筹建和招生工作。张申府在黄埔军校开学之后担任第一任政治部副主任，张申府本人还是周恩来的入党介绍人，而且周恩来后来出任黄埔军校政治部主任一职也是由张申府向孙中山和蒋介石推荐的。金佛庄来黄埔军校报到时，已经深深感受到这所军校不仅具有国共两党合作的标杆意义，同时，军校的教学方式完全按照苏联红军军事学校的方式进行，革命的色彩和革命的朝气处处皆是，这令金佛庄的内心格外兴奋和激动，他感觉自己终于找到了革命的归宿地。

想想过去几年寻找革命之路的曲折，金佛庄越加珍惜眼前的每一天、每一刻……而在保定陆军军官学校后期的那些日子以及毕业后的峥嵘岁月里，他与共产党接触并成为其中一员的往事，更是历历在目——

那应该从金佛庄重返保定陆军军官学校算起。在这段时间里，他接触了学校中一些革命的进步师生，通过他们也开始看到了如北京出版的《晨报》，还有上海的《国民日报》、《建设》及《民国日报》的副刊《觉悟》等进步报刊，这些报刊上已经有不少介绍辩证唯物主义和马克思主义理论的文章。这让金佛庄有了一个全新的探求革命的方向，于是他结合自己的人生观察，挥笔写下以“手段与目的”为主题的《佛庄日录》，记载了自己比较、寻求人生真谛的探索过程。

保定陆军军官学校，虽说是一所北洋政府主持的军校，但由于它在一定程度上对学员管理比较开放，所以进步的组织包括共产党组织和青年团组织等也在进步的青年学员中发展对象。

1922年，具有共产主义信仰的金佛庄，被正式吸收为中国社会主义青年团团员。从此，这位青年军人有了自觉投身于中国早期共产主义运动的革命意识和精神。那时党组织和团组织在保定陆军军官学校是保密的，所以金佛庄从改造社会、救国救民的宗旨出发，与校内40多名志同道合的同学组织了“壬戌社”（金佛庄他们是1922年毕业的学校第八期学生，这年正好是农历壬戌年），他们希望通过这个组织，罗致各省革命军人同志，以谋中国之革命。

1922年7月，金佛庄从保定陆军军官军校第八期步兵科毕业，先在上海闸北淞沪护军使属下当见习排长。在上海的日子对金佛庄来说异常重要，因为这是中国共产党的诞生地。金佛庄来到上海之时，正值中国共产党刚刚成立才一年，革命的形势则蓬勃兴起，相信马克思主义和社会主义的进步势力在上海特别有市场，进步的《新青年》《建设》等报刊几乎每期都能让人看到革命的理论文章。中共上海组织在青年中培养和发展工作也做得非常活跃。金佛庄作为受过正规训练的军事人才，自然也格外受到党团组织的重视。因为他是浙江人，在上海当了很短时间的见习排长后，旋即被分配到浙江陆军部队当见习军官，并在浙军第二师陈仪部下任排长。

“金佛庄同志，现在我宣布，经中共中央批准，从今天起，你正式成为中国共产党党员！现在我们一起向党旗宣誓……”

“牺牲个人，努力革命，阶级斗争……”

“……服从党纪，严守秘密，永不叛党！”

在庄严的镰刀与锤子的红旗下，金佛庄满怀激情地紧握拳头，用心声向他心向的党宣誓，而也在同一时刻，他决意把自己的一生全部献给中国共产党。

“你现在是军队的营长，我们党要夺取革命胜利，武装斗争是必由之路，将来你的作用会比任何一般的中共党员更大，所以要学会在军队中保存实力，发展自己的同志……”金佛庄的入党介绍人，时任中共江浙区委书记的徐梅坤这样对他说。

其实，那个时候整个浙江省也只有3个党员，除了徐梅坤和新发展的金佛庄外，仅有一位。他们三人既是浙江省的中共党组织成员，也是中共杭州支部的党组织成员。这时的金佛庄，不仅在杭州警备团里任营长，还兼任新闻记者，是《嘉言报》主笔。

1923年夏，中国共产党第三次全国代表大会在广州召开。这是中国共产党与孙中山领导的国民党“蜜月”期的开始。广州作为当时的革命中心，金佛庄作为杭州支部的代表出席中共三大会议，第一次见到了陈独秀和毛泽东等他心目中崇拜的中共领袖级人物，内心更加坚定了共产主义信仰。也就在此次会议结束之后不久，毛泽东代表中共中央亲自向他传达了“保存实力”的重要指令，理由是：他是当时100多个中共党员中，仅有的几个在军队中服役的军官之一，且金佛庄的资格堪称最老，他既是保定陆军军官学校的毕业生，又是有实权的杭州警备一营营长。

在1923年时的中国共产党，如果有一个营的军队，意味着这是一支潜在的巨大的军事力量啊！所以中共对金佛庄怀有特别的厚望。后来中共上海地方兼区执行委员会也专门派员密令金佛庄：“相机开展反战宣传，如果所带的一营在上阵打仗时，应设法保存实力。”这是再一次重复毛泽东和中共中央给予金佛庄的“特别指令”。一句话：金佛庄是中共的“秘密武器”，保存实力是第一位！

可见在建党初期的中共领袖心目中，金佛庄是个被暗藏的特殊人物。党寄予他千斤重任。

果不其然。1924年初，当孙中山领导的国民党第一次全国代表大会在中共帮助下召开之后，孙中山听从李大钊和共产国际负责人的话，将党的纲领确定为“联俄、联共、扶助农工”的三大新政策，令中国革命阵营和整个革命形势为之一振。

金佛庄在开会中，深切感受到无产阶级革命的意义，他内心的热血早已被李大钊、毛泽东等革命领袖所激荡和燃烧……此时的他，作为旧军校毕业生，在思考建设军队中的根本问题，即军队军官的素质。“言军队素质，军官的素质是根本。军官的素质，其实军事素质比起心理素质是次位的，军人特别是军官，他的心理素质好坏才是关键。一个军队的素质好不好，关键是军官的心理素质问题。”他提出了一个重要的理论观点，正是在这一观点下，他有了许多自己独到的见解，甚至被中共早期领导人，以及孙中山、蒋介石和廖仲恺等人所看重。

《军官的心理》可以被认为是中国第一部关于新型军事观的军官心理理论著作，是金佛庄在学习马克思主义唯物辩证法之后，针对旧中国军队的问题进行阐述的一部重要著作。正是这部著作，使他在日后的军队工作、黄埔军校任职及战争战斗中显现了天才般的军事才能，受到孙中山、蒋介石等人的赞赏。当然，中共党组织对金佛庄的军事才能更是看在眼里、喜在心头，因为当时的中共缺少来自一线并有打仗经验的军事人才。

金佛庄在《军官的心理》一文中指出：“社会制度及经济组织，和人生有密切的关系，只有经济的背景有解释人类行为的可能。”他进而指出：“同时人处于一个特别的环境，每起一种适应于此环境的心理。”

“这种军官心理，细分之，是军队组织，军队生活，和时代潮流的反映……说的极是也！”深夜，廖仲恺在灯下，一边读着金佛庄的文稿，一边赞叹不已。

“战场上的军官，每生一种特异的心理，但平时的军官也有显然与众不同的心理。此地所论是专限于平时的。真的，平时的军官天天在精神战争中哩！这种精神战争影响或支配于他们的行为很大。他们的性质日习于残忍、冷酷、好乱和诈伪……”

“极是！”廖仲恺自言自语着。

“现在军队组织的第一毛病是各级军官的隔离，使他们遂各不相顾，甚或互相妨害，上、下、同事，各怀恶意。为什么军队各级间会发生隔离呢？大半原因是军队的阶级制度。”

“军队自兵至将共分十五级；即就军官论也分三等九级。各级职权不同，严分界限，受系统的指挥和政府的遵守，叫作服从和军纪。系统上的统御，在求上下一心，是精神的；秩序的排列，在求有条不紊，是形式的。合形式和精神而一之，叫作军队的团结。形式之划分，所以防平时上下之侵越而保养上位的威严；精神之融结，所以收协同一致的功效，达治兵之目的。前者消极的；后者积极的。以整齐的形式而济之以融合（不分上下的）的精神，才名为精练的军队。这是现在的军队组织的真意。”

“是啊，孙先生领导我们革命和建立新型军队，就是要有这等‘精练’之气的军队！”廖仲恺不停地感慨。

“然而中国军官每每谬用阶级的地位和权力，因起了许多变态的心理。”

“居在上边的军官仗着地位与权力，以为威严是他们的特权。他们一意装摆官僚的架子，威临部下。这种谬误的观念，占据了他们的充满了旧习惯的头脑，就发生压迫的心理。他们仿佛说：上官的讲话是‘圣旨’；上官的举动是‘师表’；上官的惩罚，是不容申诉的。他们凭他们的喜怒爱憎的感情和冲动，常常给部下一个‘笑脸’、一个‘丑态’，或一个冷酷的表示。他们只善吹毛求疵；他们总不愿听部下有‘超出己右’的才能。他们不肯稍表一点同情心于部下；但他们暗示部下以‘威风’。”

……

“阶级的军队里面无所谓是非和公理。一个昏愚的军官统率圣哲的孔子和苏格拉底，你孔子虽然有慧敏的天才和明决的判断，有何处可容你发挥？明明错误，但你须从错误走。”

“压迫的心理，军法重威的迷信，渐渐为孤立的观念或觉识所惊破了。官愈加压迫，军队的形式愈整齐，部下的精神便愈形离散。上官装身份，弄威严，部下乃不敢和上官接近。上下的精神渐生隔膜。上下不知境况，精神的融合，意识的谅解，渐为不可能。平时上下相通的工具只有公文，或私下的调查——以耳代眼。这些是不可靠的，每每陷于谬误，惹起反感。精神愈压迫则愈增反抗，形式愈结合则愈形涣散，直属的长官终成为部下的敌对！”

“上位的军官一旦觉识自己的地位孤立的时候——觉识自己无法和部下接近的时候，压迫的心理一变而为恐怖的心理。军队的阶级制度指挥上殊为便利，在这里就是无用的人也能居高位，运用绝对服从的军纪统率部下。其弊也士兵可以随时脱离他们的掌握。军官的地位愈高，权力愈大，利益愈多；军官的地位愈低，和士兵愈接近。士兵原是军队的重心。军队的重心移在初级军官，或中级军官，便能推翻上官的地位和权力，发生一个兵变，一个反叛或一个革命。隔离是反叛的第一步。上下隔离的军队，正像一座房子没有稳固的基础一般……”

“新型的革命军队，决不允许这种现象的出现和存在！”廖仲恺看到此处，不由呐喊起来。他在房间里走动起来。肩负黄埔军校建校重任的他，此时感到心头有万千斤重担：建一支好的军队，就得有一批好的军官，而黄埔军校就是要培养一批又一批有志向、心正直、素质好的国民革命军官……”

后来，金佛庄将这些观点发表在校刊上。

“要用，要重用！这等人才不用，误革命大业啊！”掩卷那一刻，廖仲恺情不自禁地激动起来。第二天一早，他去了蒋介石的办公室，向他建议推荐开学之后需要确定的四个“学生队”队长名单。廖仲恺清楚：黄埔军校能不能办好，第一期最重要，而第一期办成啥样，师资队伍和带兵的学生队长是最关键的一着棋。孙中山对此曾向廖仲恺特别关照过，让他选好人才，不得有“次品”混入军校。

校长蒋介石对师资和带学员队的队长人选更是格外关注，他想的比孙中山更远更具体，是因为他内心有份私心在作祟：必须用自己信得过的人，尤其是不能用共产党的人。这是他蒋介石的“用人底线”。

黄埔军校第一期录取了645名学员，蒋介石的意思是每150多人组成一支学员队，共4支队，每支学员队有1名队长。“队长的职责有的时候比教员和我这个校长还要重要。”蒋介石曾在与廖仲恺商量学员队配制队长时这么说过。于是谁当学员队队长这事，廖仲恺十分在意，也特别重视。金佛庄的出现令他欣喜，当然其他几位人选他也在紧锣密鼓的挑选中。

“党代表啊，今天你的气色这么好，肯定是有喜讯告诉我中正了？”这一天，蒋介石刚刚在办公室的椅子上坐定，就见廖仲恺满面春风地走了进来，便问。

廖仲恺自己搬过一只木凳子，坐下后便说：“4个学员队队长人选差不多可以定了……今天来跟你推荐的是一位你的浙江老乡，顶优人才！”

蒋介石一听便面有喜色地问道：“浙江人？谁呀？”

“金佛庄，保定军校毕业的，后在杭州警备团任营长，胸中很有点墨水，我刚看过他写的《军官的心理》一文，其论点是对中国旧军队的批驳，同时也有针对性地指出了革命军队如何培养军官的方向性问题……”

“好啊，这样的人才必须重视。”蒋介石听后很高兴，说：“仲恺兄是党代表，挑人看面又看心，比我中正有经验。对了，什么时候让那个金……”

“金佛庄。”

“对对，叫金佛庄到我这儿来一趟。”蒋介石说。

“我马上安排。”廖仲恺起身。

蒋介石随即站起，并束了束腰间的武装带，将右手伸给廖仲恺，表情显得十分恳切地说：“筹备军校，千头万绪，党代表辛苦了！这一校之思想工作，全仰仗仲恺兄了！”

廖仲恺双手作揖道：“为中山先生分忧、为革命尽力，是你我职责，当全力以赴！”

蒋介石在听廖仲恺介绍“金佛庄”此人后，心中便记下了这位优秀的浙江籍老乡的名字，而且暗中派人对金佛庄做了一番细察，特别是细细翻阅了金佛庄所著的《军官的心理》后，蒋介石兴奋地拍案称道：“像金佛庄这样既有军事素质，又是管理军官的理论专家，我等革命队伍中屈指可数啊！人才，顶好的人才！”

并非蒋介石“火眼金睛”，诸读者可以设想一下：金佛庄是作为近100年前旧式中国军校毕业出来的一名职业军人，在那个落后的、新一代中国军队尚处于萌芽阶段的岁月里，他能写出《军官的心理》这般专业和精到的军事理论文章，加之又是“浙江老乡”，刚当上黄埔军校校长的蒋介石，能不兴奋和暗喜吗！

为了打造国民党第一军事高等学府，自黄埔军校筹备之日起，孙中山亲力亲为，并派出蒋介石、廖仲恺两个左膀右臂主持日常工作。身为校长的蒋介石自然更有自己深层的考虑，因此他在被任命为校长后，每天起床很早，从他居住地骑马到校门内的马蹄声，就是学员、教员和所有工作人员的“起床号”，随后出操、吃早饭。蒋介石以此来驯服所有黄埔军校的同事和下属。这与后来他所有国民党下属称呼他“校长”密切相关。一声“校长”之后，其意就是“我是你蒋某人的兵”！在党内，蒋介石用的是“总裁”形象来维系着这种“君臣”关系。

如上所言，蒋介石用人十分注重“老乡关系”，凡是浙江籍的，他总是以“亲眷”般的私情来拉拢。这不，金佛庄这样的人才，又是嫡系的浙江老乡，他老蒋怎会轻易放过！

开学前的一日，蒋介石找到金佛庄，让他到自己的临时办公室进行“训话”。

蒋介石说：“你是保定军校毕业生，你以为中国的旧军队有什么可以让我们黄埔军校借鉴的可取之处？”

金佛庄不曾想到蒋校长会提这等问题，于是虽满心存疑，但仍然流畅地回答道：“自然有一些。比如北洋军队的军装是有一定规定的，是按季节变换服装的。虽然我们黄埔军校是在南方，一套短裤短衫，但如果有条件，还是需要按季节发放不同军装，以整军威……”

蒋介石听后若有所思地点点头。

金佛庄说：“还有，北洋军队驻地将官出入营门，卫兵司令就不能离开卫兵室，将官一出入营门，就要集合列队，对将官行举枪敬礼，随时接送。同时，号兵按将级衔只奏从军乐：少将吹一番号，中将吹两番号，上将吹三番号，有时可加一番……在下看来，这些都是十分需要的。”

蒋介石说：“好，你的这些意见非常好，对我们新型的革命军校有很大参考价值。佛庄是我们浙江东阳人，东阳出才子！但现在我们革命军队既需要理论家，更需要能打仗、打硬仗的军事人才，希望佛庄为大家榜样！”

金佛庄说：“在下一定听从校长的教诲，当一名真正的军人！”

蒋介石大喜，站起身，拍拍金佛庄肩膀，说：“以后有什么事，尽可直接找我。”

金佛庄说：“是。”

在一个告别的军礼之后，金佛庄走出蒋介石的办公室，突然听到身后蒋介石在发问：“你是共产党党员吗？”

金佛庄一听，顿时后背发凉，但马上镇静下来，转身后一个标准的立正姿势，冷静地报告道：“报告校长，现在我已经是中国国民党党员！”

这话找不出任何毛病，因为当时国共合作期间，孙中山亲自同陈独秀和李大钊谈定：中共党员可以以个人名义加入国民党。与此同时，黄埔军校有一项特别规定：凡是入学的学员和在军校工作的教职员工，一律要加入国民党。金佛庄就在这种情况下，经中共组织同意，加入了国民党。蒋介石对金佛庄的回答找不出茬，于是马上露出了笑容，说："这就好！这就好！"

但是金佛庄出门后，感觉后面似乎一直有一双眼睛在看着自己……他心头暗暗增添了一份警惕：虽然当时国共合作已在"蜜月"期，在孙中山坚持下，中国共产党人以个人名义加入国民党的已经很多了，而且有的还担任了一些重要职务。包括在黄埔军校里，金佛庄看到了几位他所知的中共重要人物，这是他在参加党的三大会场上认识的。但黄埔军校毕竟是国民党尤其是蒋介石当校长的地方，而且党内同志告知他两条"基本原则"：尽可能地把自己的身份隐藏起来，尽可能地以国民党军人的身份发挥作用。也就是说，在场面上、工作中，扮好在黄埔军校的本职角色，争取校方特别是蒋介石的信任，储蓄革命力量，伺机为中共事业贡献力量。

由于廖仲恺的特别看重，蒋介石对金佛庄也抱有不一般的好感，金佛庄不仅很快被任命为黄埔军校第一期学生队（第三队）队长，而且还被任命为首届军校特别区党部（国民党）五名执行委员之一，可见蒋介石对他既怀信任又想拉拢的意图也很明显。当时蒋介石在校一级层面有"八大金刚"，他们分别是：何应钦、顾祝同、钱大钧、蒋鼎文、陈诚、陈继承、刘峙和张治中。这些人在黄埔军校时都是蒋介石的左膀右臂，后来也都成了国民党军队和政府中的大人物。在当时的黄埔军校内，还有一种私下里的说法，那就是蒋介石在一线教员和学生中，还有"十大金刚"，金佛庄就是其中之一，并且是一位排名非常靠前的"金刚"。

1924年6月16日，这一天是黄埔军校的成立之日。国民党总理孙中山大元帅出席，而且这一天他与夫人宋庆龄，是早上6点钟就从大元帅府大本营出发的，可见孙中山先生对黄埔军校成立的重视。

"赶快集合官兵到码头欢迎总理！"那天，蒋介石一上来就有些措手不及。

7点40分，孙中山乘坐的"江固"号军舰，驶入黄埔岛码头时，岸头的军校官兵齐声欢呼，锣鼓喧天。

一身白色中山装的孙中山先生携夫人走到蒋介石面前，摆摆手，道：“想到了我们也要建一支革命军队，所以睡不着觉……”意思是，起这么早你们没有准备好欢迎队伍情有可原，不必拘礼了。

蒋介石是个在孙中山面前很会奉承的人，哪敢怠慢，忙说：“是学生疏于严教。”其实，这一天对国民党要员们来说，都是大事，连平时开会很少能准时到的汪精卫、胡汉民、林森等，这一天也从居所早早地来到了黄埔军校。因为大家清楚，黄埔军校不仅是国民党要建一所现代化新型军队之大事，而且孙中山亲自选定6月16日这一天作为军校成立之日，意味深长。两年前的这一天，孙中山革命队伍中发生了一场差点要了孙中山命的“永丰舰”事件，一向标榜是“孙中山的学生”和“最可靠卫士”的陈炯明趁孙中山不备之际，发动了“永丰舰”反革命叛变事件。陈炯明调转枪口，将枪炮瞄准了孙中山和大元帅府。虽然最终以叛军陈炯明失败告终，但此事给孙中山造成的心理阴影非同一般，至于心头之痛更不必说，因为就在挫败陈炯明的这次政变中，孙中山也失去了他和宋庆龄的唯一的一个未出世的爱子——宋庆龄此次流产后与孙中山再无后嗣，并成了一生遗憾。

孙中山进黄埔军校后，在校长办公室接见全体教员和学生队长。这是金佛庄第一次近距离与他所特别敬仰的孙中山交谈与握手。在介绍到金佛庄时，蒋介石和廖仲恺都插话向孙中山报告。

廖仲恺：“这位三队队长是位有心研究军官心理的专家。”

蒋介石：“我希望他也能在打仗上下功夫！”

孙中山听后，连声道：“好，好！能文能武者方为我们革命军人也！”

这一次与孙中山的接触，对金佛庄非常重要，尤其是孙中山的这句“能文能武者方为我们革命军人”的话，对金佛庄影响很大。而黄埔军校的开学典礼，尤其是孙中山那天所做的长达一个多小时的演说，令金佛庄等全体在场的人热血沸腾。金佛庄虽为中共党员，但他对孙中山的革命精神和革命意志十分佩服。那个时候，会场连一台录音机都没有，但金佛庄却把孙中山的许多话一直记在心头——

建立黄埔军校，“就是创造革命军，来挽救中国的危亡”，“中国革命过去13年，一直到今天，只得到一个空名，所以中国13年的革命完全是失败，就是到了今天也还是失败”。孙中山的话振聋发聩，“这个原因，简单地说，就是由于我们革命，只有革命党的奋斗，没有革命军的奋斗；因为没有革命军的奋斗，所以一般官僚军阀便把持民国，我们的革命便不能完全成功”。

“我们今天要开这个学校，是有什么希望呢？就是要从今天起，把革命的事业重新来创造，要用这个学校内的学生做根本，成立革命军。”

“诸位学生就是将来革命军的骨干！有了这种好骨干，成了革命军，我们的革命事业便可以成功！”

“如果没有革命军，中国的革命永远还是要失败。所以，今天在这地开这个军官学校，独一无二的希望，就是创造革命军，来挽救中国的危亡。”

孙中山越说越激动，不停地挥动着右胳膊：“你们，所有在场的师生们，便要从今天起立一个志愿，一生一世，都不存升官发财的心理，只知道做救国救民的事业——！”

“革命和革命军的精神，就是不怕死的精神，有了这种精神，一百个人能打一万个人。有一支一万人的革命军，就可以打败军阀！”

“我们就是要用你们这支队伍做基础，造成我理想的革命军，以完成拯救中国之大业——！”

“孙总理万岁！”

“革命万岁！”

“革命军万岁——”

孙中山的演讲虽然有些冗长，但丝毫没有影响整个开学典礼的隆重气氛和他那激情洋溢的革命鼓动。金佛庄后来曾对党内同志讲过：入黄埔军校，让他看到了革命浪潮的蓬勃兴起和势不可当的潮流。

当天下午阅兵式，孙中山检阅了四支学生队，金佛庄再次进入孙中山和蒋介石的视线，当然最高兴的一位还是廖仲恺，因为他从骨子里喜欢这个英俊、才华横溢同时又有书卷气的金佛庄，更主要的是在同金佛庄接触过程中，他始终觉得金佛庄是个意志坚强、信仰坚定的革命者。“我们的队伍和学校就需要你这样的人，为人师表皆是榜样。”廖仲恺这样欣赏金佛庄。

开学第二天，金佛庄被正式任命为学员队上尉队长。军校的军纪虽严，但来自四面八方的学员，并不是都那么听话，调皮捣蛋的仍不乏其人。就在开学典礼上，当国民党重要人物胡汉民用广东话宣读“总理训辞”时，一句“三民主义，吾党所宗”，被台下陕西籍的杜聿明听成了“三味煮鸡，萝卜大葱”。这句笑话，后来在黄埔军校里流传很久。每每开饭时，学员们相互调笑：“今天吃什么？”“三味煮鸡，萝卜大葱！”于是一阵哄堂大笑，大伙算是来了个精神会餐。

开学之后，训练和管理学员队其实是黄埔军校最难的几件事之一，学员由于参差不齐、性格各异，加上队伍中既有共产党人，又有国民党员，左的、右的，调皮的、正经的，什么样的学员都有。一首《国民革命歌》的歌词原来是这样：

> 打倒列强，打倒列强！
> 除军阀，除军阀！
> 国民革命成功，国民革命成功！
> 齐欢唱，齐欢唱！

学员们竟然把它唱成：

肚子饿了，肚子饿了！
要吃饭，要吃饭！
随便弄点小菜，随便弄点小菜！
鸡蛋汤，鸡蛋汤！

这样的事虽有点搞笑作恶，但也非原则问题。廖仲恺听后虽看上去一脸生气，但扭头一瞬间，发现“胡子”也“吃吃”地笑，因为他跟着学员腔调哼了几句，情不自禁地偷笑了起来。

“本军校最大的特点，也是我们有别于旧军校的根本点，在于军事与政治并重，这点至关重要。”金佛庄在与廖仲恺交流交心时说出了自己的想法。

“讲得好！军事与政治并重，乃我军校之根本也！”廖仲恺对金佛庄的每一个主张都十分欣赏与赞同。其实廖仲恺并不知道金佛庄的这些办学新理念，是他按照中共党组织交给他的任务在执行——中共党组织要求金佛庄利用学员队队长之职，不断吸收苏联红军军事学校的办校经验，并通过推进“政治与军事并重”的理念，在学员中不断传播马克思主义的革命理想和信仰，同时让学员们弄清“革命”为了什么、“革命军应该是什么样的”、“怎样才能成为真正的革命军人”等问题，对此进行深入的学习与理解。

其实，在黄埔军校建校初期，学校内部的左派和右派的暗中较劲十分激烈。根据党组织的指示，金佛庄利用自己学员队队长一职，积极支持和参加了以共产党员、青年团员为骨干的军校内的“中国青年军人联合会”，与国民党右派及其所操纵的“孙文主义学会”进行针锋相对的斗争。

黄埔军校开学的第一年年底，一位格外英俊的中共重要人物，从国外回来，到黄埔军校出任政治部主任，这就是后来我们中华人民共和国的总理周恩来。

在周恩来之前任军校政治部主任的是戴季陶。戴季陶在国民党内是老资格的领袖级人物，在中共也很有人缘，因为他曾一度疯狂地信仰马克思主义，是中国最早介绍和宣传马克思主义的重要人物之一。后来“入右”进入国民党阵营，他自感不得志，尤其是到了广东的孙中山政府后，极不满意自己的职务，所以黄埔军校政治部主任一职，他也不当回事，故周恩来到来之前的黄埔军校政治工作基本上是“死气沉沉”。

周恩来的到来，一改旧的工作方式，全校政治气氛和学术气氛大为改观，师生活跃，正气顿增。

本来就倾向于“政治带军事，军事重政治”的金佛庄，开始如鱼得水：在军事教育方面，他训练有素的带兵经验及教学方式，使他的学员项项考核在四队名列前茅；政治教学方面，他更是纵横驰骋，理通论明，学员们都喜欢他的课，且愿意跟着训练上课及进行军事实践活动。因为同是中共党内同志，金佛庄与周恩来和时任军校政治教员的恽代英、张秋人关系密切，并且在日常工作中相互照应、亲密无间。由于金佛庄的保定陆军军官学校毕业生身份和“浙江老乡”的关系，蒋介石一直在明里暗里拉拢他。而中共党组织根据这一特殊情况，也一直指令金佛庄在学校的公开活动和日常生活中，尽量淡化“中共党员”身份，多以激进的“国民党员”身份出现在公众面前，尤其是要取得蒋介石的信任，潜入其权力核心中央，争取日后为我党所大用。

这是中共建党之初的一大伏笔：为日后的武装斗争储备一位重要的军事人才和一把深入敌对势力心脏的“尖刀”——金佛庄在黄埔军校和日后在蒋介石身边的意义非同寻常！

他，中共党员、国民党军事队伍中的军事才俊金佛庄，正按照组织的指令，一步一步地朝向蒋介石军事集团的核心迈进……

事实上，在黄埔军校建校初期的第一期开学之时，全校各级官佐、教官和职员，连校长蒋介石、党代表廖仲恺一起算上，也才五十来人，像金佛庄这样有保定陆军军官学校毕业背景又在军队带过兵的人并不是太多，所以作为学校的中层官佐，金佛庄属于比较引人注目的一员，加上他的“浙江老乡”身份和有相当理论功底的原因，他受到蒋介石和廖仲恺两位主官的特别宠爱，也因此一遇重要事变，金佛庄的地位和身份便会显现出来。

军人的机会就是打仗。金佛庄作为军人的才干，随着1924年7月下旬，广东商团掀起的一场企图推翻孙中山革命政府的阴谋渐渐登上舞台，开始在“能打仗”的征程上，被蒋介石所看中和看重了——

某种意义上讲，还得“感谢”广东商团的阴谋：1912年成立的广东商团，经过10年发展，在广东势力很大，关键是他们有一支武装力量，而且人数众多，到1924年时，已经有4000余人。更由于商团的头目与香港的港英当局勾结，日渐发展成欺压民众和与孙中山革命政府对立的地方恶势力。这年夏天，也就是黄埔军校成立不久，广东商团便已经在密谋推翻由孙中山领导的在广州的革命政府。商团此时通过港英当局的暗中支持，已经在为夺取和推翻孙中山的革命政府做战争准备，大批的枪支弹药被源源不断地运往广州等地，准备随时出手推翻孙中山革命政权。

孙中山再次面临革命危急时刻，想到了动用黄埔军校的“学生军”。然而，这些刚入校的“学生军”到底能不能打仗、能不能打赢仗，孙中山心里没底，其他国民党要员心里更没底。而这个时候，具有政治野心的蒋介石看到了千载难逢的“机遇”：他要亲自挂帅出征，并向孙中山保证平息暴乱、铲除商团。然而当时学校开学才两个来月，有兵力吗？没有。因为4支学员队中一支队伍被派去保卫孙中山的安全，真要打仗的话，黄埔军校本部还得有一支队伍留守，因此蒋介石所能调动的就只有两支学员队的人数，也就200多人。

“兵不在于多少，而在于勇；仗并不在于怎么打，而在于智谋。”

蒋介石本人是从日本军校毕业的，非常重视在敌我双方力量悬殊时，我方智谋与勇敢的发挥。然而面对兵力十倍于己的商团及地方军阀，他有些拿不准。初步决战方案是这样确定的：学员一队负责保护孙中山，二队留守学校本部，只有三队、四队两支队伍跨出校门去作战。

三队队长便是金佛庄。蒋介石自然要听听这位浙江老乡的意见。

“我们人少兵薄，但我们整齐划一，战斗作风和战斗形象胜于敌方民团及军阀军队，只要我们出师撼敌，并民利秋毫不犯，就会获胜……”金佛庄如此这般地向蒋介石谈了自己有关消灭商团武装的战略与战术。

“娘希匹，我看行！”蒋介石听后，频频点头。随后他跃身跳上马背，挥动指挥刀，在军校内疾驰飞奔了一圈，而后高声命令道：“为了保卫革命政权！保卫孙总理！三队、四队的官兵，跟我冲锋杀敌去啦——”

“跟着校长冲锋杀敌去啊——”蒋介石的身后，是金佛庄率领的学生队众官兵，他们一个个英姿威武，面对战斗激情昂扬，大有所向披靡之势。

出战的第一役，是他们首先斩获了商团私运枪支的丹麦商船“哈佛”号，从船上收获了9000支步枪和300万发弹药。这不仅彻底武装了黄埔军校“学生军”的军备，而且沉重打击了商团的武装后备力量。

之后，金佛庄带领的队伍进入广州市区后，处处以威严之师出现在街头，同时又对群众和市场秋毫不犯。于是在日后的打击商团战斗中，市民们纷纷倒向孙中山革命政权这一边，使得反动商团无立足之地，直至最后被“学生军”打得落花流水。

原本已经认定广州沦陷的孙中山，在此役中对蒋介石的军事指挥与军事判断能力大为赞赏；而名震广州的“学生军”的战斗力，也让蒋介石对金佛庄异常满意和欣赏。

然而，尽管“学生军”平息了商团的阴谋，孙中山的革命政府和革命政权仍然不稳定，尤其是叛将陈炯明不仅贼心不死，反而勾结军阀和各种反对革命政权的反动势力，汇聚了人数达七八万之多的兵力，企图趁孙中山“北上”商定国是的机会，自封“救国军总司令”，准备向广州进军。

一时间，广东特别是革命中心的广州，大有山雨欲来风满楼的紧张气氛。在孙中山的号召下，国民革命第一次“东征”也由此形成，“学生军”的黄埔军校师生们再次出征。蒋介石、廖仲恺和周恩来是此次“东征”的总指挥。金佛庄出任军校教导团第二团第三营营长，带领部队冲锋在东征最前线。金佛庄本人更是身先士卒，杀敌在前。

淡水城一役最为惨烈。这个小镇在深圳东北不远处，当时的小镇四周筑有高6米多、厚3米的石头城墙，城墙外是一片300多米宽的洼地，守敌顽固，一时难以攻破。

蒋介石亲自来到小镇前线督战。可是面对如此坚固的守敌，东征部队无奈受挫。

“怎么办？怎么办？你们给想个办法呀！”蒋介石急得团团转。周恩来与苏联顾问加伦在商量……

“只有一个办法：组织敢死队！”队伍里传来一个不高不低的声音。

“谁？谁说的组织敢死队？”蒋介石急红了眼，忙寻找是谁出的这主意。

“校长，是我，金佛庄……”金佛庄从队伍中走到蒋介石和周恩来等指挥官跟前。

“你认为要组织多少人才够？”蒋介石问。

“100人左右……”金佛庄说。

蒋介石用目光向周恩来、苏联专家等指挥官征求意见。他得到的回音是一致的：行！也只有这法子了！

“何应钦，你负责组织百人敢死队，给我拿下淡水城！”蒋介石军刀一挥，一道寒光在教导团团长何应钦面前闪动着。

“是！”何应钦向校长蒋介石敬了一个军礼后，转身跑到教导团面前喊道：“革命的兄弟们——现在考验大家的时刻到啦！我们马上要组建一支奋勇队！100人的奋勇队——去端掉前面的这座阻挡我们前进的淡水城！谁报名？报名的站到这边……对了，金佛庄，你报名了没有？”何应钦见金佛庄站在他身边，就问他。

金佛庄一个立正：“报告团长，我第一个报名！”

“好！还有谁？”

“我！”

“有我！”

“还有我……”

生死关头，黄埔军校的师生，在金佛庄的带头下，争先恐后地报名参加“敢死队”，这场面让蒋介石、何应钦等感动不已。政治部主任周恩来自然更不用说，他清楚，在这报名的队伍中，有他最亲爱的同志。

最后，何应钦一点报名人数，共105人报名参加了“奋勇队”——这名称是“小诸葛”何应钦临时改的。原本“敢死队”的名字有点太冲，所以他临战改的口，生怕一说到“死”就把人吓了回去。

在奋勇队列队出发之际，面对这群去赴汤蹈火的学生娃，深为动情的周恩来走到队伍面前，激动地说：“同志们，你们就要去向淡水城里的敌人冲锋了，你们都有不怕死和踏平敌城的精神，这是我们革命军所有的，是其他一切军阀部队所不可比的，因为你们明白是为了谁去攻城，为了谁去牺牲……”

“请长官放心！我们一定拿下淡水城！”

“我们一定拿下淡水城！”

站在队伍最前面的金佛庄振臂高呼起来。他这一呼，105位勇士便齐声高呼起来。

奋勇队果真不负众望。他们在一阵炮火的掩护下，以排山倒海之势，冲到城墙根下。但是城内的敌人也不含糊，机枪的子弹从金佛庄他们头顶上呼啸而过……

“营长——这墙太高了，上不去呀！”贴在墙根边的勇士们一时无法前进，而且时间一长，更容易暴露在敌人的枪炮面前。这是十分危急的战局，100多名勇士随时可能被敌人“一扫而光”。

“怎么办？营长快想办法呀……”勇士们连连急呼。

这可怎么办呢？金佛庄突然想到了在保定军校苏联专家指导过的“叠罗汉战术”，也就是说由几个人肩搭肩地竖起一个人梯，从而突破敌人高墙的封锁线……想到这儿，金佛庄一声大喊：“来——从我肩上往上冲——”

他这么一蹭身子，随手又揪过一个学生兵往他肩膀上一推，于是身边的人就知道是“叠罗汉”了！

“快快！学金教员的样子——往上冲啊！”

于是，整个奋勇队迅速搭起几组人梯向墙上冲锋……

“掩护！机枪掩护啊！”这一幕被远远站着的蒋介石等清楚地看在眼里，他挥舞着军刀，命令何应钦等后援部队。于是，一边是金佛庄他们奋勇队的奋勇冲锋，一边是何应钦后援部队的枪炮齐鸣，终于在一个多小时之后，敌人的高墙封锁线被革命军冲破。随后，蒋介石、周恩来带领的革命军大部队向城内敌人发起总攻，并同顽敌进行了长达半天左右的激烈巷战，最终获得了全胜。

淡水城之战，让黄埔“学生军”再度名声大振，因为打赢这场战斗确实不易，敌我兵力的悬殊是10：1，教导团损失惨重，9位连长中有6位阵亡，3位负伤。在此次战斗前线指挥的长官中，表现最突出的应该属何应钦，营职长官中当算能战能谋又一直冲锋在前的金佛庄。同样是教导团的一位团长王柏龄，则成为战斗中可耻的逃兵，最后被撤职查办。

通过东征之战，金佛庄的英勇善战给蒋介石等留下了深刻印象，蒋介石亲自为其“学生军”营授予“英雄善战旗”。而作为党内领导者，周恩来则暗暗地赞赏，因为这正是他所期待的——以实际行动，让自己的同志更为蒋介石集团所接受。这是革命的需要，是关系革命未来和前途之最重要的所需！

果然，第一次东征之后，由于孙中山在北上路程中不幸病逝，广州反革命势力再度向新生的革命政权反扑，而且其当时的势力远在革命军之上。面对急剧变化的时局，在中国共产党的帮助下，国民党再次组织了以黄埔军校为主力的第二次东征战斗。国民革命军同时宣布成立，蒋介石出任东征革命军总指挥，周恩来为东征军政治部主任兼第一军政治部主任。金佛庄则被任命为国民革命军第一军第一师第二团党代表，不久又被改任为第二团团长。

在平息滇、桂军阀杨希闵、刘震寰的叛乱战役中，金佛庄带领的“学生军”在广州街头成为名噪一时的革命“宣传队”。这个时候，曾经在第一次东征时被讨伐过的陈炯明死灰复燃，再度危及革命政权，于是革命军又向陈炯明部进行了第二次讨伐的东征。

第二次东征战斗异常惨烈。

身为革命军总指挥的蒋介石最心腹的部队自然是他的黄埔军校师生，所以他把此次东征作为自己政治生涯的重要一役：一则是消灭革命政权的敌人；二则是在孙中山之后国民党内部势力斗争越加严重和分裂的情况下，想树立自己的绝对权威。战争的砝码开始向蒋介石个人的天平上倾斜了……

但中国共产党是支持东征的，因为那些向孙中山领导的革命进行反扑的敌人必须被彻底地消灭，否则革命会再度陷入低谷。

周恩来作为黄埔军校中的中共最高职位者，他肩负双重责任：既要把黄埔军校的师生“学生军”带好，同时又要动员和发挥好中共党员在东征战斗中的作用。

金佛庄便是周恩来“双重责任”的直接践行者。

“军人最后的目的，是在于死。古语所谓‘好汉死在阵头上’，孔子所谓‘杀身成仁’是也！”在出征前与出征途中，金佛庄手捧《重征东江训诫》，向所属的二团官兵喊话道：“革命军的官兵，就是要不怕死、不怕穷、不怕冻、不怕痛、不怕热、不怕饥、不怕疲、不怕远、不怕重、不怕险！”这“十不怕”，后来被蒋介石搬过去，成为东征队伍的“十不怕”战斗口号。

1925年秋天的东征战斗，先从广州出发，再向广东的博罗、惠州进军，一路战斗激烈，敌我呈犬牙交错之势。身为总指挥的蒋介石也多次陷入重围，周恩来等高级指挥官皆随时处在危险境地。为了保护长官，金佛庄建议加强总指挥部的警卫力量，同时建议要从学员队中挑选一英勇机智的人担任总指挥部的贴身护卫。一期学员陈赓就是在这种情况下被调任到蒋介石身边当护卫官的。

黄埔军校的“学生军”中，金佛庄引以为豪的还有许多人，其中一位叫陈明仁的学员，在此次东征惠州战斗中，表现得特别勇敢。他在奋勇队里第一个冲锋在前，成为翻越城墙的第一人，并在后来受到表彰。

金佛庄是欣慰的，因为这些都是他领导的学员队的队员；这一刻，对金佛庄而言也是意味深长的，因为他看到敬爱的周恩来同志在向他轻轻地招手致意……

“佛庄，现在我要你到我的身边来工作了！”蒋介石对金佛庄的考验已经有一段时间了，虽然他知道这位浙江老乡对共产主义信仰有些“执迷不悟”，但绝对是个难得的军事人才。第二次东征结束后，在黄埔军校担任了一段时间的教员，为校长编写教材之后，金佛庄便被蒋介石调到了其核心部门国民革命军总司令部参谋处任副处长兼第三科科长。蒋介石显然已经十分赏识金佛庄的杰出才华，并企图利用浙江老乡这层关系极力拉拢，暗示要他脱离共产党，并给予他更大的重用。

金佛庄迅速把蒋介石的这份心思报告给了党组织，得到的指令是：继续取得蒋的信任，潜伏于他身边。金佛庄对自己的使命更加清楚了。表面上他要表现出对蒋介石更加忠诚，同时还要努力工作。

蒋介石显然越来越满意这位老乡了，不久又任命金佛庄为他的总司令部警卫团团长，是少将军衔。

这个职务太重要了！也就等于，他是蒋介石的“御林军”长官。而这时蒋介石任总指挥的“北伐革命”开始，这既是国民党与共产党分道扬镳的一次军事行动，同时也是蒋介石坐稳其国民党“大佬”交椅的大行动。在这样的历史关键时刻，挑选自己的警卫团团长的重要性，远比挑选北伐先遣部队的团长重要得多。我们知道，当时在北伐先遣部队中有一位团长后来赫赫有名，他就是叶挺。

叶挺后来成为南昌起义的重要指挥员之一，在我军军内地位很高。而金佛庄作为潜伏在敌人心脏的中共党员，在1926年时，已经在国民党内部任总司令部警卫团少将团长。

北伐革命时的政治风云跌宕起伏，对当时的每一个革命者而言都是严峻的考验。蒋介石的政治野心日益暴露，而中国共产党人面临的政治选择也变得异常错综复杂。金佛庄作为深藏在国民党核心机构、每天生活和战斗在蒋介石身边的一员，他的一言一行都在别人的眼皮子底下。而当时的革命对象，主要是北洋反动军阀政府。

打倒列强，打倒列强！
除军阀，除军阀！
努力国民革命，
努力国民革命！
齐奋斗，齐奋斗……

作为北伐军总司令部的警卫团团长，金佛庄时时刻刻坚守在蒋介石等一批北伐要员的身边，负责着总部指挥机关行动，任务十分艰巨，因为当时反动军阀势力和北伐所到之地的地方武装顽抗抵制北伐革命军。那个时候，除了蒋介石等一批司令部人马，还有苏联军事顾问团的一大帮人，他们的安全皆由金佛庄的警卫团负责。他们的行动时而保密，时而暴露在大众面前，所以需要金佛庄随机应变，迅速做出调整。然而金佛庄将工作安排得井井有条，令蒋介石十分放心。

1926年秋，北伐军进攻南昌不利，一时得而复失，十分被动。金佛庄的警卫团也被奉命调去增援。他率领全体官兵，以猛虎下山、锐不可当之势，直扑敌军，一举攻克了南昌外围蛟桥，压迫敌之侧背，会同各友邻部队，齐向南昌城进发。11月8日，北伐革命军再次胜利攻克南昌。金佛庄的警卫团又一次立下卓越功勋。

然而革命形势仍然非常严峻。军阀代表人物孙传芳部仍盘踞在苏、浙、皖诸省，负隅顽抗，令北伐军难以继续北上。

“已经快要入冬了，我们这些军队都是从广东过来的，穿着单薄，如果遇见寒流，必陷入战斗力自毁一半的危险境地，所以必须早早攻克孙传芳部！”北伐军总司令部再次召开首脑会议，金佛庄列席参加。

“我发言！”金佛庄举手请示。

“佛庄你说说，有啥见解！”蒋介石很高兴地点名让金佛庄说。

“外打强攻是一种战斗，内联暗攻同样也是一种战术。”金佛庄从争取北伐战争早日胜利的大局出发，在会上主动提出，愿意回到浙江、上海等地，通过自己以前在浙军服务时的旧交关系，秘密策动浙军部队迅速起义。

“佛庄兄这个建议好！我们都是保定军校出来的，在江浙一带北洋部队中都有一些老同学的关系，如果利用这层关系，策反孙部，那该有多好嘛！”与会的总司令部参谋长白崇禧，以及金佛庄在保定军校的一些老同学，纷纷赞赏并积极支持金佛庄的这个建议。

蒋介石与苏联军事顾问团专家一商量，觉得金佛庄这主意很好，值得去做一做。

“佛庄啊，这是一次危险之旅啊，你可要小心谨慎，万无一失地给我回来……”蒋介石专门把金佛庄叫到自己的办公室，一五一十地向他做了周密的交代，末后又说：“你是我信任的人，又是我的警卫团团长。此次的任务也十分艰巨，如果能够见到孙传芳的高层官员，可以代表我向他们做做工作，希望他们投奔到我们革命队伍之中来。如果到南京还能见得着孙传芳本人的话，更是可以直接代表我本人向他陈述我们革命军的立场……”

“是，校长！我一定按您的指令去执行！”金佛庄向蒋介石道别。

“早走早回啊！”蒋介石看着远去的金佛庄，又特意叮嘱了一句。此时的蒋介石内心是矛盾的，他既不愿让自己的“亲信”去冒险，可又觉得金佛庄是这一工作的最合适人选。

其实，此次金佛庄主动提出到孙传芳部做策反工作，也是中共组织指派给他的一项重要任务。因为在江浙一带的旧军队中，有不少是他在保定军校时的老同学。“让他们脱离反动军阀政权，有利于革命和我党在江浙与上海展开工作。”组织上这样交代他。

身负重任的金佛庄，带着黄埔军校毕业生顾名世，两人于1926年12月9日晚，化装成上海的洋行买办，离开南昌，从九江搭乘英商“太古”号轮船的官舱，顺流东下。

这本来应该是没有任何问题的一次秘密行动，但是后来获悉的历史证据证明，此英商轮船上的外国间谍（秘密警察）把金佛庄的行动秘密报告给了南京的孙传芳情报部门，因此金佛庄两人上船之后的行踪其实已经被泄露。等待金佛庄他们的是牺牲的结局……

果不其然，11日，英商“太古”号轮船到达南京下关码头，孙传芳部的军警早已在码头上荷枪实弹地戒严了。船一靠岸，武装军警立即上船搜查，当即将金佛庄、顾名世二人逮捕。

“哼，蒋介石他有本事啊！竟敢派奸细到我这儿来捣乱！那我就让他感觉点儿痛……”孙传芳获悉蒋介石的革命军高级“间谍”被活捉，兴奋不已。

“坏了坏了！一定要想尽一切办法把金佛庄给我救回来！”蒋介石得知孙传芳抓捕了金佛庄，万分焦急，通过各种关系设法营救。

“他孙传芳要什么条件，我都答应！可以用人换人嘛！”一向不在对手面前屈服的蒋介石这回真的急了，一方面委托当时的浙江省省长陈仪出面，向南京方面说情疏通；另一方面亲自出面，特意发电给孙传芳，希望善待金佛庄，并提出可以用孙传芳军被俘的高级将领交换。

我中共组织对金佛庄的突然身陷敌营亦焦急万分，积极组织各方营救。

哪知军阀孙传芳看透了北伐革命阵营的心思，知道金佛庄是蒋介石的一位得力“心腹”和干将，于是一不做二不休，干脆在12日晚上（也就是金佛庄被捕的第二天），就将其及随行的黄埔军校毕业生一起秘密杀害于雨花台……

金佛庄在南京被害的消息经上海的报纸披露后，很快传到了广州、武汉、南昌等地的国民革命阵营中，尤其是在北伐革命军队伍里，激起了强烈的反响。1926年12月21日，广州黄埔军校校刊《黄埔日刊》第220号，在头版显著位置刊登了《金佛庄顾名世两同志突被孙传芳枪毙》的报道。在同一版上，还发表了该报主编宋云彬所写的评论《杀金佛庄顾名世两同志者何？》。第二天，该报又发表了金佛庄邻居张宝琛所写的《金佛庄同志事略》。这些报道和评论高度称颂了金佛庄英勇而光辉的一生，号召同志继承他的革命精神，坚决打倒帝国主义及其走狗——孙传芳等反动军阀。

1927年1月1日，上海《申报》刊载了广州革命政府就金佛庄遇难通知各军举哀的电讯。与此同时，在汉口《民国日报》上，也连日刊登武昌国民革命军总司令部参谋处同仁发起的《金佛庄同志追悼会筹备处启事》，颂扬金佛庄的功绩。

在北伐军前行的战斗途中，蒋介石还以总司令的名义挽赠了“为国捐躯”的描金红漆巨匾，派人送至其东阳老家。

作为秘密身份的中共党员，金佛庄也是第一位牺牲在南京的我党革命烈士，同时他也是最早牺牲的拥有中共党员身份的黄埔军校将官。早在1945年4月，由中共中央组织部编印的《死难烈士英名录》中，就已把他登载入册。然而，由于革命斗争的复杂性和在1927年以蒋介石为首的反革命集团的破坏造成国共两党决裂，之后又经历了长期的敌对状态，所以一直以来，包括金佛庄家乡的人在内，很少有人知道金佛庄的真实情况。

英雄在很长一段时间内，如飘荡的一朵云，默然地在天空中，宛若消失。

新中国成立之后，金佛庄的老母亲为此专门写信给周恩来总理，要求查明金佛庄的真实身份和牺牲情况。经有关部门认真调查，国家民政部门于1963年追认金佛庄为革命烈士。

1973年，南京雨花台烈士陵园再次向有关人士和部门确认金佛庄为革命事业献身的情况，其中致信给曾在黄埔军校工作的聂荣臻元帅。

聂荣臻元帅及时回信，证明了金佛庄的身份和革命功绩，指出“知道金佛庄情况的还有周总理”。

之后的20世纪80年代初，包括中共早期组织成员之一的茅盾先生、浙江省建党创始人和金佛庄的入党介绍人都出面作证，使金佛庄的革命烈士身份得以证明。

南京雨花台烈士纪念馆根据相关材料，确定金佛庄作为纪念馆基本陈列展出的179位烈士中首位曾被安葬在雨花台的烈士。他的事迹被列在陈展的开篇。

雨花台“一号烈士”由此一直被固定下来。

然而，关于金佛庄这位“一号烈士”的事迹细节，人们此前又了解甚少……“一号烈士”似乎只是一个符号或标志。

想不到的是：在我书写此书时，当我一次次站在这位穿着黄埔军校军装的革命军人面前时，看着他那平静和智慧的目光，我一直在想，这位烈士一定不同寻常，他的流血牺牲和生前的经历也一定非同寻常。果不其然，我终于发现了这是一位极其了不起的人物。我甚至一直在猜测，假如金佛庄不死，他会在蒋介石身边潜伏到何时？假如他不死，到第二年的南昌起义时，他会是怎样的角色？假如他不死，会是井冈山上的什么人物呢？一切皆是可能，然而一切又不可能了……金佛庄就是这样一位在北伐革命时就深受国共两党领袖们赞赏的杰出军事人才，为了革命事业，他过早地断头在雨花台上……

> 男儿之血，已洒上主义之花了，
> 看啊！主义之花，将日见发芽滋长，吐艳含葩。
> 男儿之血，已灌溉民族之心了，
> ……
> 主义之花，日见芬芳。

这是金佛庄在黄埔军校时的一位东征战友写的战场诗句，而当我读它时，仿佛感觉金佛庄就是这样一位“日见芬芳”的革命烈士，他用鲜血换来我们伟大国家的芬芳，仍然在祖国大地上飘香沁心……

第三章

1927，风里溅着血……

在中国共产党的100年岁月里，1927年可能是最黑暗的一个年份。这一年，许多共产党人一夜间失去了生命，又有一些人保住了生命却丢掉了灵魂与信仰。

这一年，一度十分光鲜并曾被伟大导师列宁看好的中国国内的“国共合作”旗帜，在飘扬了几年后，因为孙中山的去世和各种势力的拉锯式较量，最终被以蒋介石为代表的国民党反动政权彻底地撕破了。屠杀中国共产党人和革命者的腥风血雨，开始从南至北地在整个中国大地弥漫……

南京是旧军阀孙传芳“领袖五省（江、浙、徽、闽、赣）”的大本营，又是蒋介石新成立的国民政府所在地，反革命的屠刀是最先从此地无情地举起，“第一刀”砍下的姿势和凶残程度都是闻所未闻、惨绝人寰的——

这一刀，就是南京历史上著名的四一〇惨案：中共南京市委和国民党江苏省党部中共党团组织成员共十余人，被集体屠杀，并以最野蛮的方式，被割断喉舌后扔到了秦淮河中……

这一天是大革命时期南京城最黑暗的一天。

反革命的阴谋其实早已有了征兆：在中国共产党的积极配合与呼应下，举着革命旗帜的北伐军从广州出发，途经湖南、江西，再入浙江，可谓势如破竹。

1927年3月21日，由中共中央军委书记周恩来任总指挥的上海工人第三次武装起义爆发。从这一天中午后开始，80万产业工人集体总罢工，并立即转入武装起义。工人武装经过30多个小时的浴血奋战，于22日凌晨6时许，攻克敌人的全部据点，宣布武装起义胜利。

起义成功的当日，上海市民代表会议召开，到会的4000多名市民代表，选举出了19名上海市政府委员，其中中共代表9名，包括资深的中共领导人罗亦农、第三次武装起义的中共主要负责人汪寿华、侯绍裘和李震瀛，以及后来成为大叛徒的顾顺章。国民党资产阶级代表也是9名，加上1名工人代表组成的上海临时政府委员会同时宣告成立。

革命之火熊熊燃烧，中华民族的光明前程似乎就在眼前……苦难的民众和期待彻底推翻旧世界、建立新政权的中国共产党人，皆在期盼执掌当时最高权力的国民革命军总司令的“孙中山学生”的蒋介石，能顺应民心和民意，普天下之大安，实现孙中山先生提出的“联俄、联共、扶助农工”的三大政策。

然而，蒋介石在关键时刻并没有这样做，相反他加快暴露出了他本性中的野心和阴谋。3月22日，在上海工人第三次武装起义胜利当日举行的市民大会上，选出的上海市临时政府执委会推举的临时政府主席钮永建和北伐军团驻沪最高军事长官白崇禧皆拒绝到职。当时，上海市民有的还以为是蒋介石的北伐军“谦虚”呢！哪知这正是蒋介石的一招阴谋：不到位，就意味着想“另开炉灶”。这其实是蒋介石和他的反革命集团为暗算共产党埋下的一个伏笔。

然而，当时由陈独秀直接坐镇上海、周恩来任总指挥的中国共产党领导的上海工人第三次武装起义的胜利消息，极大地振奋了全国和全世界。苏联《真理报》等8家报纸都印了上海胜利专号，详细做了报道。全苏工会中央理事会代表苏联全体工人，专门向上海总工会发来贺电，热烈表示：“你们会经常得到我们兄弟般的援助。不论是艰苦的失败时刻或愉快的胜利时刻，我们总是与你们站在一起的！”

我们年轻的中国共产党和上海人民此时都沉浸在胜利的喜悦之中。虽然周恩来、赵世炎等已经觉察到蒋介石和上海资产阶级内心明显的不自在，但却仍然期待能够以真诚和善良的姿态，换取国共合作的北伐革命的全胜。可代表资产阶级势力的蒋介石，此时已经横下一条心：要与共产党撕破脸皮，决一输赢。上海工人第三次武装起义的成功，加剧了蒋介石与中共分道扬镳的决心，因为他内心惧怕共产党发动民众的力量。“眼下我手中还有北伐军，再迟了就是共产党的天下了！”蒋介石对自己的亲信叫嚷道。

但在阴谋尚未布局完成之前，蒋介石的反革命嘴脸一会儿阴、一会儿阳，企图以此来迷惑中国共产党人和广大民众。按照蒋介石的授意，一股阴风其实在起义胜利的当天就开始吹了起来：上海县商会、闸北商会、银行公会、钱业公会等19个代表上海资本家利益的团体宣布成立了上海商业联合会，由虞洽卿、王晓籁等17个资产阶级头面人物组成常务委员会，明眼人一看就知道他们是想跟上海总工会对峙，另立山头。

与此同时，上海城内的有些人发现：一些在上海的资产阶级大亨们，特别是浙江籍的有钱人，纷纷悄悄地跑到杭州、松江，去与蒋介石密会。后来知道，他们是受蒋介石之邀，去商议如何对付已经被共产党控制的上海局面……

似乎一切都安排妥当之后，3月26日，蒋介石带着北伐革命大军，浩浩荡荡地进入上海，一派胜利军统帅的派头。

这个时候，武装起义胜利后的革命形势已经变了味：作为主角的工人阶级和共产党反而成了胜利的配角，而资产阶级和大资本家们，反而成为胜利的主角。比如蒋介石当天晚上就与新成立的上海商业联合会主席虞洽卿会晤，第三日蒋介石又接见了这个商会的9名代表，拍着胸脯向他的同一“阶级兄弟们”安抚和表态了一番。上海资产阶级代表们心领神会，立马由钱业公会组织了84家钱庄慷慨解囊，凑垫100万元，加银行业的200万元，给了蒋介石一份厚重的“见面礼”。

其实，“拿钱办事”的蒋介石，也并不像资产阶级代表们想的那么简单，此时他的野心不仅仅是有那么多诱人利益的大上海，他更看中的是整个中国的“江山”。上海只是他要首先“解决问题”的地方，因为这里“红水漫江了”——他对浙江籍的几位心腹如此说。

“陈独秀这样的秀才玩玩文字游戏，话捅到天，我也不怕！可怕的是像周恩来他们领着拿起枪的工人和学生……”后来蒋介石说得更露骨。

惯常以军事阴谋取得权力的蒋介石在对付革命力量和自己的对手时，确实蛮有一套的。这回同共产党彻底分手时，他在为镇压和解除心头之患的中共领导的上海工人武装的阴谋中，部署了一系列行动——

先是暗中拨出50万元经费，让国民革命军总司令部特务处处长杨虎出面，收买帮会流氓打手，组织队伍，为捣毁上海总工会和镇压工人运动做准备。杨虎根据蒋介石的指令，除了组建针对共产党领导的上海总工会的上海工商联合总会外，又使出一个更毒的招：成立一个“中华共进会”，由上海滩的帮会头目黄金荣、杜月笙、张啸林出面组织，任命青帮头目蒲锦荣为会长，红帮头目张伯岐为军事总指挥。上海的青红帮势力一向厉害，到4月上旬，“中华共进会”已发展到了上万人。为了掩人耳目，该会成员均身穿蓝色短衫，戴着上有黑色“工”字符号的白布臂章，工人和市民还以为他们就是总工会的人呢！这些流氓地痞组成的“黄色”工会成员还通过打入上海总工会的奸细，仿制了许多上海总工会使用的标识，等待时机，企图一举解除工人纠察队的武装。

明面上，蒋介石又是向共产党投橄榄枝，又是专门派人给工人纠察队送上写有金光闪闪的“共同奋斗”四字的锦旗，以表示他对上海工人阶级的“敬意”。

也许正是蒋介石的这些表面文章，在3月26日召开的中共上海区委会议上还大骂蒋介石是“新军阀”、“杀的都是共产党人”的陈独秀，竟然在一个星期后的4月5日，与武汉的国民党领袖汪精卫公开发表《汪精卫、陈独秀联合宣言》。这份《联合宣言》中说：“中国国民党多数同志，凡是了知中国共产党的革命理论，及其对于中国国民党真实态度的人，都不会怀疑孙总理的联共政策。”由于当时在南昌和广州等地，蒋介石的反革命伎俩已经暴露，所以上海和其他地区的中共党员们对形势非常担忧，并且各种谣言四起。而陈独秀在《联合宣言》中却这样安抚和引导自己的同志，“国民党最高党部全体会议之决议，已昭示全世界，决无有驱逐友党摧残工会之事。上海军事当局表示服从中央，即或有些意见与误会，亦未必终不可解释”，并呼吁国共两党应抛弃相互间的怀疑，不听信任何谣言，相互尊敬，事事协商，等等。

也许是陈独秀太天真了，而我们现在在党史中经常看到的“陈独秀右倾机会主义”，指的就是他作为党的最高领导者在革命的关键时刻犯的严重错误。

靠阴谋起家的蒋介石很会利用这种机会。他认为镇压革命、清除共产党和解除上海工人武装的时机到了！在私通日、英、美等帝国主义国家在华势力之后，蒋介石使出的第一个毒招是假借国民党中央监察委员会之名，提出一份“举发中国共产党谋叛呈文”，决定对陈独秀、谭平山、林祖涵、鲍罗廷等200多名各地共产党首要危险分子就近知照公安局或军警，分别看管监视，免予活动，并说“如有借端扰动，有碍治安者，定当执法，以绳其后”。

而这一切，善良的中国共产党，特别是总书记陈独秀还尚不太相信“老蒋会这般下流”。

蒋介石对付共产党就是这么下流！已经把屠刀举得高高的他，此时仍在假装仁慈。当这一系列“密令”布置完后，他于4月9日大张旗鼓地离开上海到了南京，其伏笔是：即将在上海发生的所有事与“蒋某”无关。

“嘿嘿！哈哈……”从上海出发到南京途中的蒋介石想着自己如此“完美的计划”，不由得意地狂笑起来。随即，他哼着小调，让警卫参谋给他拿来笔和纸，他要给热恋中的宋美龄发电报告诉她即日到南京来团聚……

一切都像是在演戏，但假戏演得再像也还是会被人看穿。以瞿秋白、周恩来为代表的中共领导层对蒋介石的这套把戏早已警惕。

“绍裘，你这位‘老上海’，此次组织要派你去南京坐镇了，那里将是蒋介石坐镇‘江山’的老巢，我们自然希望他别想舒舒服服地坐镇那里，因为他的丑恶嘴脸已经暴露得很清楚了……所以你去的责任是指导中共南京市委的反蒋工作，争取阻止他的反革命行径！”3月20日左右，中共中央负责人两次找侯绍裘谈话，命令他以国民党江苏省党团书记的名义，立即起身赴南京，与那里的中共组织会合，带领市民进行“反蒋”、“罢蒋”活动。

“因为要广泛发起群众，中央同意你带着党部妇女工作部部长张应春一起去……”

张应春是著名青年女革命家。因此，侯绍裘刚参加完“上海临时市政府”委员的就职典礼，便奉党中央之命，带着张应春等江苏省党部班子成员，于3月29日晚，乘火车前往蒋介石国民党反动势力磨刀霍霍的南京城。3月29日夜，他们一路经过苏州、无锡、常州火车站，向南京进发。而让侯绍裘他们没有想到的是，在沿途这几个火车站上，竟然有成千上万的群众手持彩旗，热烈欢迎和欢送他们一行。当深夜他们到达南京火车站时，前来欢迎的各界人士竟然多达四五万人。

“南京城里的革命热潮令人鼓舞啊！”当时侯绍裘还非常激动地跟张应春这样说。

确实，南京的革命形势比侯绍裘他们在上海所想象的还要令人振奋。后来，中共南京市委书记谢文锦向侯绍裘介绍情况后，更让人鼓舞。

侯绍裘是松江人，从现在的行政区域划分来看，他是他们家乡的第一位中共党员。1927年前，上海是江苏省管辖的城市，蒋介石的南京政府成立后，上海才升格为直辖市，但它的郊区还都是属于江苏省的地盘，所以侯绍裘的家乡松江，还是属于苏州地区管辖的县。

1921年中国共产党在上海成立之后，在苏州、无锡、常州一带一直非常活跃，包括松江，也是中共早期领导人重点发展革命对象的地方。侯绍裘是松江的有名人士。受五四运动影响，从南洋公学（上海交通大学前身）毕业后的侯绍裘，一心想实现“教育救国”之梦，与志同道合的当地进步青年朱季恂创办的“景贤女中”在当地影响极大。

松江是江南有名的历史文化名城，侯绍裘在创办景贤女中后，又创办了《松江评论》，其进步的思想和影响力在上海市区也出了名。中共早期领导人的目光开始注意到松江和侯绍裘。1923年七八月份，中共三大召开之后，中央派毛泽东对中共上海地委的工作做了布置和安排。遵照中共中央指示，因为国共合作，各地共产党员可以以个人身份加入国民党。中共上海地区的组织进行了调整，成立了上海地方兼区执行委员会，除上海工作外，兼管江苏、浙江两地党员发展，会议选举了邓中夏兼任区执行委员会委员长一职，松江县的发展工作，也将由邓中夏和王荷波（他们后来都成了雨花台烈士）负责。

侯绍裘的《松江评论》及他以景贤女中为掩护做的地下工作受到中共中央的重视。1923年冬，时任中共中央局秘书的罗章龙和团中央负责人恽代英来到松江检查党团工作，侯绍裘亲自接待。这三人从上海苏州河乘小汽艇经外白渡桥循黄浦江上行，至松江。三人住在一起，畅谈革命风云，说文论经，建立起了深厚友情。当时三人都是以国民党领导成员的身份出现在公众面前，他们到处演讲，宣传革命道理。

侯绍裘的才华令罗章龙印象深刻，后来他在回忆中这样说："侯绍裘这个同志风仪俊秀，很能干，富有才华，雄辩滔滔，文章也写得出众。"而对与恽代英、侯绍裘的此次"松江三人行"，罗章龙更感深情厚谊，有《松江三人行》诗为证：

风雨连朝会议忙，苏南决策费周章。
以求计划无遗误，辩论终宵也不妨。

松江鲈脍素知名，到眼疮痍四座惊。
大辂椎轮从此启，愿将明策付群英。

江南赋重田租恶，到处乡村有斗争。
革故鼎新千载事，照人肝胆是侯生。

我们暂且将侯绍裘的革命生涯介绍搁置一边。现在他火速赶往南京之后所看到的革命景象，与"山雨欲来风满楼"的蒋介石到来的另一种潜在形势，这应该说是喜忧并存。

此时的南京城，革命势力和反革命势力已经进入白热化的斗争时刻。

自北伐军势如破竹以来，一开始南京城欢呼的气氛占主导，因为那个时候人们还相信蒋介石领导的革命军能够在彻底摧毁北洋反动政府之后，建立一个孙中山先生梦想建立的"三民主义"民权政府。但后来的形势却越来越让人担忧，因为蒋介石要建立的并非孙中山先生生前所期望的，而是一个与人民为敌的政府——"我们不要换汤不换药！""我们要建立自己的政权！"人民这样怒吼起来。

于是那些看透蒋介石反革命嘴脸的群众和共产党人、知识分子，纷纷开始行动起来，企图阻止蒋介石的反革命行径，甚至反对他进南京城，最重要的是想在革命阵营中把蒋介石拉下马。所以在3月下旬之后的每一天里，南京方面一直在进行着各种努力，发动广大市民，进行反蒋示威活动。尤其是当时的国民党武汉政府正要召开国民党二届三中全会，会上有人提出“关于免除蒋介石国民党军委主席等职务的决定”，拟在南京成立新的江苏省政府。国民党左派进步人士支持这一决定，并且同中共南京市委积极配合，争取这一革命的胜利。

事实上，中国共产党对南京市的工作一直非常重视，只是由于在建党初期的几年里，工作重心在上海，加上南京又是反动军阀孙传芳的“老巢”，革命势力相对薄弱。1925年前，南京的中共地下组织直接受上海区委管辖，下面只有3个支部，南京支部则受中共浦口地方执委会管辖。1925年12月，中共浦口地方执委会改称为中共南京地方执行委员会。

这是中共南京地下组织。

1926年冬，北伐军开始准备向南京进军，其主要目标就是捣毁在南京的反动军阀孙传芳大本营。于是之后的几个月时间里，南京城的革命与反革命的两股势力之间的斗争，达到了白热化程度。

1926年7月30日这一天，正在上海总工会担任常委一职的中共上海区委负责人之一的谢文锦接到上级指令，调他到南京担任中共南京地委书记（即南京市委书记）。为什么这么着急调谢文锦去南京？有一种说法是：当时的南京党内因分工等问题，部分党员之间发生矛盾和争执，南京又是一座特别重要的城市，中共曾提出“南京向持天险，半壁东南，关于全国政治往往有举足轻重之势”，因此必须有一名能力非凡的优秀领导者到那里主持党的组织领导工作。

选谢文锦去任职，毫无疑问是合适的。除了当时他是上海工人运动的重要领导者之一，当过刘少奇的助手，具有丰富的城市斗争经验外，更重要的是谢文锦是我党的一名老资格党员。应该说，除了当时在上海参加建党的几位最早的“元老”级党员外，谢文锦是我党成立之后首批发展的中共党员之一。

谢文锦的身份很特殊，因为他是浙江人。这个“因为”有着非同一般的意义，这位温州永嘉学子一路读书，后来上了大名鼎鼎的浙江省立第一师范学校。这所在五四运动时期被称为“小北大”的著名学府，其校长是经亨颐。在经校长领导下的浙一师，对学生要求特别严，尤其是对招生关把得特别严，公开声称“无论何人送来条子一概不要”。经校长曾这样回忆：“第一师范以后的学生，个个是我亲手招进来的，招生人数与学额差不多要一比二十之比。”

1913年，谢文锦以优异的成绩，走出故乡的大山，来到省城杭州，开始了他人生中最重要的学业和革命生涯。在浙一师5年的学习，使谢文锦从一个向往进步的少年成长为志向革命的青年，而浙一师培养的正是像他这样的才俊。当时的浙一师，除了校长经亨颐外，还有被公认为“中国近百年文化发展史中不可多得的通才和奇才”的李叔同、夏丏尊（曾任民国时期的中国文艺家协会主席）、单不庵（1920年入北京大学任教，并任北大图书馆中文图书主任）、姜丹书（近代中国艺术教育先驱，1917年编写出版了中国第一部美术史）等。

下笔千言，正桂子香时，槐花黄后
出门一笑，看西湖月满，东浙潮来

这是浙一师门前原杭州贡院门口的一副对联，可见浙一师在天堂杭州城的地位之佳。作为五四运动前后的浙江教育核心人物的经亨颐，在教育方面独树一帜，连蔡元培、胡适等当时的文化大家都称，“经式教育注重提倡人格教育和意志教育”。经校长强调学生德、智、体、美全面发展，他甚至把当时的“爱国”品德和“尚武”精神结合起来塑造自己的学生，所以浙一师校园内的体育活动异常兴旺。喜欢体育的谢文锦则成了学校的体育明星，第一次参加学校比赛，谢文锦与其他两位同班选手，获得了本科组竞走第一名。

“授予斯旗，聊作纪念。各赠白玉一件，略存微意……”谢文锦没想到经校长不仅授予他奖旗，还奖了他块白玉。

“教育者之性质当如斯玉之纯，如斯玉之坚，如斯玉之洁。在校五载，既由锻炼而有如铁之身躯，由修养而有如玉之精神，加之如斯玉之品性，此余所希望于诸生青出于蓝之教育者也！”经亨颐竟然在颁发白玉赠件后，还说了一番道理如此深刻的话，让谢文锦牢记了一辈子。

“革命者不就是一块玉嘛！”他后来这样时时处处勉励自己。

谢文锦没有辜负校长的话。他在学校不仅读书刻苦、成绩优秀，而且还是学校的足球主力队员。

1918年，他从浙一师毕业。他带着经校长的期望，立刻回到故乡温州办了一所“文武并重”的学校，以此实现他“教育救国”的梦想。然而，当“教书先生”时间不长，一场伟大的爱国主义运动——五四运动打破了谢文锦平静的生活。

这时的浙一师校园内，一批后来成为中国共产党早期组织成员的进步青年汇聚到了西子湖畔，参与呼应北大学生发起的反帝反卖国的五四运动。我们熟悉的翻译了第一部中文版《共产党宣言》的陈望道，这时从日本留学回国，受邀在浙一师任教；后来成为共青团第一任书记的俞秀松正在学校念书，他比谢文锦低两级；还有共青团另一位发起者——比谢文锦低三级的校友施存统，以及叶天底等都在浙一师。他们都是声援北京五四运动的浙江教育界、学生界的骨干，后来皆因抗议反动政府迫害他们的校长经亨颐而被当作“一师风潮”的镇压对象。无奈之下，这群革命青年纷纷离开杭州，去往上海。

到了上海，这群浙一师人，与当时的五四运动领袖陈独秀和李大钊汇成一条革命江河，开始了参与建立中国共产党的伟业。

当年在上海，有陈望道、俞秀松、施存统等浙江学子，让陈独秀筹建中国共产党没有那么困难。因为除了这些浙江学子外，还有一批浙江人，如沈雁冰（茅盾）等，他们是当时上海滩上最具革命性的一批优秀青年。

我们再来说谢文锦。当他在家乡教书不久，五四运动的革命烽火也燃烧到了他身边。尤其得知自己母校出现的种种事情之后，他便迅速投身其中。1920年8月，施存统、陈望道、俞秀松、沈玄庐等多位浙江籍建党党员组成的第一批中共党员，在陈独秀和共产国际代表的指示下，在上海渔阳里发起了成立社会主义青年团的活动。这个时间是1920年8月22日，参加会议的共有20多位青年，谢文锦是其中之一，因而他也是中国青年团最早的团员。这一批人中，一半以上是浙一师的人，他们同时也是中国共产党建党的骨干。

当时在上海参加建党和建团的进步青年，像庄文恭（曾任中共中央委员）、汪寿华（烈士，中共早期党员，上海工人运动领导人）、梁柏台（烈士，曾任苏区人民政府第一任司法部部长）等，也都是浙一师人。

如果把这些人算在一起，当时陈独秀身边的建党人士，基本都是大名鼎鼎的浙一师人了！我们不能不对浙一师表示崇高的敬意。后来这些中国共产党的创建者，许多都牺牲在敌人的屠刀下。谢文锦是其中的一位，他比其他人更早地牺牲在敌人的屠刀下，杀害他的恰恰也是一个浙江人。他便是蒋介石。

到上海之后的谢文锦，就不再是一名普通的革命青年了，他与几位校友一样，成了中共建党之初的核心骨干。他们最先在法租界渔阳里6号的外国语学校补习外语，这是一所借着学外语而掩护起来的革命干部学校，它是根据俄共（布）代表维经斯基建议，出资办起来的中共最早的一所革命学校。渔阳里2号是陈独秀的寓居，也是中共的缔造地。两个地方相距很近，党和团的组织都在这里诞生，它们也就成为上海红色火种腾起的地方。

“有一个怪物，在欧洲徘徊着，这怪物就是共产主义……”在外国语学校里，谢文锦第一次读到陈望道翻译的《共产党宣言》，那两位长胡子的德国人马克思和恩格斯的文章，让中国青年谢文锦激动不已：是啊，中国需要这样的“怪物”，需要这样的“怪物”来拯救陷入黑暗的民族啊！

今天的许多人并不知道或者世界上许多国家的人更弄不清一件事：中国共产党从建党到夺取政权、建立一个新中国，为什么才用了28年时间！他们不知道，中国共产党胜利的一个非常重要的原因是：一开始就十分重视人才和干部的培养。

在离中共一大召开还差两个多月的1921年5月16日，谢文锦按照党组织的安排，成为第一批赴“希望和光明的象征”——苏俄的中国革命青年之一。这一批青年基本都是外国语学校的学生，有刘少奇、任弼时、萧劲光等，与谢文锦同行的有梁柏台、柯庆施等。

启程于现在的上海虹口区的上海老码头，乘坐的是外国海轮。让谢文锦特别高兴的是同行的还有他的好友胡公冕（黄埔军校的重要创建者）。然而，当时十月革命不久后的苏俄国内非常混乱，谢文锦他们光在海参崴（现称“符拉迪沃斯托克”）就停留了近半年。这个时候，在他们的出发地上海，革命战友们已经完成了一件“开天辟地”的伟大事件——中国共产党第一次代表大会召开。

在远东名城伊尔库茨克停留和工作一段时间后，1922年1月下旬，当地苏维埃接到通知，莫斯科将在这个月底召开远东各国共产党及民族革命团体第一次代表大会。谢文锦等中国革命青年才被允许赶往他们早已向往的莫斯科。

1月21日，在列宁关怀下的这次会议隆重召开，谢文锦等中国青年见证了此次大会发布的指导远东革命者方向的《宣言》：

> 我们要对英、美、日、法和其他的世界强盗们宣布一个“死生以之”的战争，我们要对剥削中国的军阀宣战，我们要对日本

武人和官僚宣战，我们要向诡诈式的美帝国主义和贪婪的英国投机家宣战。我们不得胜利，誓不休止！

谢文锦和好友开始了在莫斯科东方大学的学习。他有点遗憾的是好友胡公冕因国内形势需要，被派回国参与国共合作和筹建黄埔军校等重要事宜，从此分手，再无见面之机。

莫斯科东方大学的全称是“莫斯科东方劳动者共产主义大学”，是列宁领导的俄共创办的一所专门培养革命干部的政治大学。中国共产党早期的革命家，很多都是这所学校的学生，刘少奇、瞿秋白、罗亦农、俞秀松等，都来此学习过。对谢文锦来说，最值得记忆的是，他在入学第一年的1922年年底，光荣地加入了中国共产党。而他的入党，与众不同，他是在由中共中央总书记陈独秀亲自主持召开的党的会议上加入中国共产党的。

应该是个巧合。同时也说明谢文锦作为早期中共党员在入党时组织上对他的重视。这一年正好召开共产国际第四次代表大会，中共领导人陈独秀到莫斯科出席此次大会。12月7日，他与另一位共产国际四大代表刘仁静一起到东方大学，召开了一个党员会议，因为会上要批准几名党员转正和几位新党员加入组织。谢文锦是属于新加入组织者，那时叫“候补党员”，与现在的“预备党员”是一个意思。

现存于中央档案馆的一份珍贵的会议记录这样写着：

十二月七号

列席者仲甫（注：陈独秀）、秋白（瞿秋白）、士奇、罗觉（罗亦农）、人俊（刘仁静）。

仲甫主席提议加入新候补党员及彭等转为正式党员事。

讨论后通过：王一飞、彭述之、任弼时为正式党员；蒋光赤、包朴、谢文锦、许之桢为候补党员。再：华林系俄共正式党员，其人一切行为又合乎共产主义者，通过为中共正式党员。

这样的“会议记录”极其珍贵，从它可以看出中共早期的组织程度和组织形态。尤为重要的是我们的主人公谢文锦的入党可不一般，不仅是由当时的总书记亲自主持的会，还有那么多中共重要干部是与他同时入党的同志。

谢文锦必不寻常。

然而，当时谁也不可能会想到，仅4年后，这位我党早期的重要党员，竟将热血洒在金陵城边的秦淮河，成为雨花台千古烈士！

蒋介石和国民党反动集团欠下中国共产党的血债，如山之高呵！

作为中共中央直接领导的上海区负责人之一，自“五卅”运动之后，谢文锦一直奋战在领导上海工人的反帝反军阀运动的第一线。1926年7月初，以“推翻帝国主义支持的北洋军阀的反动统治，实现中华民族的独立、自主、民主和统一”为目标的北伐战争打响。为了配合北伐军光复南京城，中共南京地下组织也开始恢复活动，由此调派有丰富斗争经验的谢文锦奔赴南京主持地委工作。

这是一次艰苦的赴任。为了全身心投入南京的工作，谢文锦把自己的家也搬到了南京，妻子随其居住南京。然而没有想到的是，才过去8个月，谢文锦便牺牲在紫金山下……

中共南京地下组织的历史是有传统的。1922年，铁路工人出身的中共党员王荷波，在津浦铁路的小站浦镇（今南京浦口）成立了中共南京的第一个组织，后改组成南京地方执行委员会。谢文锦赴任后，中共南京市委也算正式成立，1926年8月18日是它的成立日。当时确定的工作大纲规定“由五人成立主席团，每星期开一次会，全体会每两星期开一次”。而且增设了妇女部，40岁才入党的女共产党员、上海南翔人陈君起被推荐为南京市委妇女部部长。谢文锦到任南京市委工作后，一方面对组织内部进行整顿，另一方面积极组织配合北伐革命的工人集会和反孙传芳的群众运动，使南京城的革命烽火开始熊熊燃烧。

1926年10月17日，中共上海区委召开南京、苏州、无锡、宁波等几个外埠负责人会议。谢文锦回到上海，汇报了南京城内孙传芳部的情况，与其他负责同志一起向组织建议形成一个外埠革命工作的决议。其中就南京的“反孙工作”特别指出：

> 南京为江苏省会，在政治上说是东南诸省的重心，有举足轻重之势……南京党部的主要工作，就是政治运动。尤其是在现在南京为五省联军的巢穴，受孙传芳的直接压迫，反孙工作更见重要。南京地委应该认清这一点。

这份决议，为中共在南京地区北伐革命后的工作指明了方向和重点。然而随着北伐军的节节胜利，南京城内的孙传芳势力则在做垂死挣扎，其采取的高压手段也愈加疯狂，整个南京城到处都布满了暗探和残暴的军警人员，一度让城内的群众不敢轻易出来参加各种反军阀、迎北伐军的集会与活动。

“敌人的疯狂，证明他们将垂死。所以我们更要动员和团结群众，让他们一起联合起来，推翻反动军阀统治，争取自由和民主。”谢文锦以身作则，冒着生命危险，多次带领南京地下组织的党员骨干，来到工人人数最多的金陵兵工厂进行反军阀宣传。正如工人何正泉所说，谢同志他们的宣传，“像是有一股春风吹到了我们中间，茶楼酒店里，人们谈论着‘北伐’‘革命’这些新名词，我们工人在厂里也偷偷传说革命军要打过来”。“大家都在说革命来了，工人就不会再失业，不会再受工头压迫，能吃饱肚子了！”

为了迎接北伐革命军进城，中共南京组织在谢文锦的领导下，广泛发动南京的几个重要工厂和码头的工人，进行武装暴动，配合北伐军攻打孙传芳的北洋军阀队伍。“3月21日，浦镇机厂的共产党员带领铁路工人，秘密拆毁了沪宁路龙潭、津浦线洋北门一带的铁路，阻止了军阀的军运。”“浦口铁路工人在浦口码头缴获了孙传芳部队一个连的武器……”革命的烽火在南京遍地燃烧。

1927年3月24日凌晨，北伐革命军大部队开始进入南京城内，谢文锦等领导的工人纠察队武装参加了追歼敌人的最后战斗，甚至有参战的共产党员赵文秀壮烈牺牲。

中共党员、光复南京的北伐革命军第二军第六师党代表兼政治部主任萧劲光，是谢文锦在上海外国语学社和莫斯科东方大学的同学。在战斗的胜利时刻重逢，两人拥抱在一起，热泪盈眶。

3月28日，在中共党组织的领导下，南京市各界举行了5万多人参加的“欢迎北伐军大会”。

然而，谁也不曾想到，南京市民们与北伐革命军欢度光复的美好时光才几天，一股阴沉之风，从上海一直刮到南京……蒋介石在上海的“私下动作”，犹如遮蔽天空的乌云，开始笼罩在人们心头。

“这个时候党中央派我们过来，就是为了防止蒋介石叛变革命做准备的。”4月2日，中共中央派到南京的侯绍裘和张应春来与谢文锦见面时，直截了当地传达了中央指示。

阻止蒋介石叛变革命，成为1927年4月初南京中共组织的主要任务。然而形势的发展远远超出了革命阵营对蒋介石的预估，当时在武汉的汪精卫国民政府和蒋介石集团又公开矛盾，武汉方面传来要罢免蒋介石一切职务的消息，也加快了蒋介石在上海和南京背叛革命的步伐。6日，蒋介石下令调离光复南京城的功勋北伐部队，换上他的嫡系部队。

“暴风雨就要来了，我们不能坐着不动了！”“在座的都是党团员积极分子，是革命的中坚力量。革命总是要付出代价的，总是有牺牲的，我们不怕牺牲，我们要组织力量，和敌人对抗到底！”具有革命斗争意识的谢文锦已经看到了血腥的反革命风暴即将来临，他在党团骨干动员会上这样说。

“革命不怕牺牲！”“为保卫革命成果，我们准备牺牲！”这是暴风雨来临之前，南京地下工作者高呼最多的两句口号和誓言。

党在这个时候派侯绍裘前往南京，与谢文锦形成“双雄”优势，共同应对即将来临的暴风雨。当时侯绍裘以中共代表和国民党省党部执委双重身份，来到南京应对来势汹汹、杀气腾腾的蒋介石反动集团的种种企图。从侯绍裘他们到达南京之后的一周，此地可谓“钟山风雨，分分秒秒，皆是惊天动地”：革命势力与反动势力各自展开了你死我活的争夺战。

4月9日中午前，反动势力的军团兵临城下之后，蒋介石入城。南京城立即“乌云密布”……已经深深地闻及“倒蒋”革命烽火之味的蒋介石，仗着手握重兵的优势，使得革命与反革命两股势力原本尚算均衡的，顷刻间天平失衡。

9日当晚，侯绍裘主持召开南京市各革命团体负责人紧急会议，决定第二天召开群众大会，去蒋介石处请愿。

次日——也就是4月10日——上午，由江苏省党部组织的“南京市民肃清反革命派大会”召开，10万群众参加，其势其威，撼动钟山。

侯绍裘代表省党部愤怒谴责蒋介石的反动行径。下午，各界代表轮番到蒋介石的“总司令部”门前请愿。最后蒋介石假装答应请愿要求。哪知下午5时左右，一群手持棍棒的流氓突然冲入请愿的群众队伍中，疯狂地大施淫威，并向赤手空拳的无辜请愿者开枪扫射……现场顿时“血肉横飞，惨不忍睹”。

面对突如其来的严峻形势，当晚11时，江苏省部、南京市部和南京市总工会等革命团体内的共产党主要负责人，紧急聚集到大纱帽巷10号召开党内会议，以应对时下的严重情况。谁知会议开至凌晨2时许，会场被已经投诚到蒋介石怀里的国民党南京市公安局侦缉队便衣特务团团包围，除时任中共南京市地委常委的刘少猷（原名刘平楷，后任中共南京地委书记、上海沪东区委书记和中共湖北省委书记、云南省委代书记。1930年7月26日在昆明被敌人捉捕枪杀）跳墙脱身外，侯绍裘等十余人全部被捕。

这就是南京历史上黑色的四一〇惨案，也是蒋介石背叛革命后向中国共产党和广大革命者斩下的“第一刀”……

听说中共南京地委的“头头”们被“一网打尽”，蒋介石得意了整整一天。后来他得知侯绍裘也在其中，便派要员向侯绍裘劝降，并说要委以“江苏省政府主席”之职，条件是公开退出共产党。

侯绍裘只回答了两个字：妄想！

哼，敬酒不吃吃罚酒！蒋介石气得鼻子都歪了。

4月13日晚，丧心病狂的蒋帮刽子手、国民党南京市公安局局长温建刚和特务头子陈葆元奉蒋介石之命，亲自指挥侦缉队对侯绍裘等十余位中共南京市委地下党负责人进行了最残忍的屠杀——特务们先将他们的喉管割断，以防止他们叫喊，然后将他们一个个装进麻袋，再用刺刀将他们活活地戳死……之后又偷偷趁着夜色用车子将尸体运到南京通济门外的九龙桥处，把麻袋里的共产党人的尸体投入秦淮河，毁尸灭迹……

新中国成立后，人民政府多方调查、追寻才了解到蒋介石国民党反动集团对中国共产党人犯下的这一令人发指的罪行！

90余年过去了，秦淮河水依然悠悠流淌着，仿佛一直在诉说着对这些共产党人的无尽思念。

现在的南京雨花台烈士纪念馆和上海龙华烈士纪念馆，都记录下了他们的名字。让我们一起来认识一下：

侯绍裘，上海松江人，时任国民党江苏省党部中共党团书记，牺牲时31岁；

谢文锦，时任中共南京地委书记，牺牲时33岁；

陈君起，时任中共南京地委妇女委员，牺牲时44岁；

梁永，时任中共南京市总工会委员，牺牲时23岁；

刘重民，时任中共南京地委委员，牺牲时25岁；

文化震，时任共青团南京地委书记，牺牲时25岁；

许金元，时任国民党省党部委员，牺牲时21岁；

张应春，时任国民党省党部执委兼妇女部部长，牺牲时26岁；

钟天樾，时任南京市总工会委员，牺牲时22岁。

……

在雨花台革命烈士纪念馆，我对这些烈士的档案进行了一番考证，发现除了侯绍裘、谢文锦和陈君起外，其他全都是20多岁的年轻革命者，他们牺牲的时候有的刚有家庭，有的连对象都还未找到，然而他们都牺牲在与反动派斗争的最前沿，他们的鲜血还冒着青春的热气——

刘重民牺牲时年仅25岁，可他却是一名资格很老的党的干部。在出任南京市委委员之前，他是北伐革命军某团的党代表。在这之前他已经是以中共党员身份参加的国民党江苏省党部负责人之一。侯绍裘是省党部的领导，刘重民是一直在侯绍裘的推荐和关怀下成长起来的一名有为的青年干部。

早在1923年，刘重民从金陵大学毕业后，想办一所学校，后来他得到了中共早期领导人恽代英和侯绍裘的帮助与支持，在南京成功地创办了后来一直非常有名的“钟山中学”，从那时起，刘重民就入了团、入了党，成为一名优秀的青年团干部。在五卅惨案之后的工人罢工运动和学生罢课运动中，刘重民在上海一直战斗在第一线，成为工商学联合会负责人，带领青年和工人进行了艰苦卓绝的反帝反军阀的斗争，驰骋于上海滩上。那个时期的刘重民，就如黄浦江上一只飞翔的鸟，每一声啼鸣都在两岸回响。

国共合作期间，侯绍裘等以个人身份加入国民党后，担任设在上海的江苏省党部负责人之一。在推荐党部委员时，侯绍裘首先向柳亚子先生推荐了刘重民，称刘重民在工人和学生运动中“表现极为得力”。在进入国民党的阵营之后，刘重民不忘共产党员的责任和使命，与“右派”势力进行了坚决的斗争。刘重民是国民党第二次全国代表大会的代表，会上他做了题为《上海政治状况与党务》的报告。刘重民的报告中，特别提到了以中国共产党为主角的上海大学，称其“是真正革命的学校，他们的同学是最努力的同志。自从成立后，时间虽短，但从总理经过上海主张国民会议起到五卅案期中，差不多成为一切国民运动与社会运动的中心”。刘重民也毫不留情地在报告中强烈谴责了少数国民党右派分子对革命的破坏，认为“他们不但是破坏我们的党和政府，实在间接破坏了中国国民所要的国民革命，所以他们对于国民党、国民政府的罪恶不减于刺杀廖仲恺同志的反革命分子的罪恶，也不减于跑进广州想推翻国民政府的那些反动分子的罪恶，所以对于此次在上海的几个最反动的分子，第二次代表大会应不负上海大多数革命的同志的期望而予一个很妥当的严整纪律的办法”。

第二次国民党代表大会，最后以共产党为代表的左派占据了上风，毛泽东出任宣传部部长，恽代英任国民党执委会委员，中共党员在国民党领导层占四分之一之多。

然而就像刘重民这样一名对革命充满忠诚与信仰的知识分子，却在风华正茂的青春年华时，被残暴的国民党反动派一刀砍下，永远失去了生命……

许金元是这一次牺牲的9位烈士中最年轻的一位，只有21岁。开始我以为，这只是因当时革命阵营里人少事多，所以让这样一位年轻同志“顶替扛大梁”了。然而我错了。我的这位苏州老乡虽然年纪轻轻，却同样是位久经沙场的革命老战士了。而且他不仅是残酷的血腥战场上的勇士，也是文化战线上的一名旗手，曾经在鲁迅先生手下学习和工作过，近100年前，他的革命文艺思想就闪烁着令人激动的异彩，让我不禁感慨万千。

许金元的出生地苏州市区的山塘街，是苏州非常有名的一条古街，堪称“姑苏第一名街”，始建于白居易当苏州刺史时，长约七里，水陆并行，至今仍热闹非凡……1906年，许家第一位公子出世，父亲给儿子起名“金元”，意在盼儿长大后继承自己的生意，发财富禄许氏家族。许金元没有辜负家长期望，学业出众，中学所上的萃英和博文两所学校，在苏州都非常有名。而许金元从小对教育和时势十分敏感并有自己的独特见解。从萃英转学博文时，他只有十七八岁，就敢为学校的一些教育理念投书上海《民国日报》总编邵力子（中共党员），揭露一些教育上的弊病。同一年，他发表在《学生杂志》上的长篇论文《自学问题杂论》更是“胆大妄为”、激扬文字，启他人所思，传播新文化、新理念，深得学人和邵力子这样的教育家和革命家的好评。

“此学子不可多得也！”他们如此惊艳于苏州街头有位“小才人”。17岁少年许金元考上浙江“之江大学”。这所由美国基督教北长老会和南长老会在杭州联合创办的教会大学非常有名，中西文教学，学术气氛活跃，具有现代教育模式，这让许金元如鱼得水。对法学颇为钻研的许金元，在这里更增强了批判意识，他对旧中国教育模式的“冷言冷语”则变得更多起来。而且由于邵力子的欣赏，许金元的文章得以不断在《民国日报》副刊《觉悟》上发表：

> “五四”以后，学生已不是奴隶性的了。学潮底（的）澎湃，确是近来教育界的好现象——虽然有些是不良分子所酿成的，但学校好了，怎会有不良分子？若说“天性不良，没法管理”，便是教育者自示弱点。我愿学校的当局们于风潮起时，训诫学生之前，先将自己本身反省一下……

瞧瞧，这哪像一个18岁的青年写的文章！简直就是一位导师级的文豪所言。

噢，难怪，伟大的鲁迅先生在此校担任中文系主任哟！

18岁的许金元，越发“胆大包天”了，他竟然与大名鼎鼎的教育理论家、中共早期党员杨贤江也“杠”上了。

贤江先生：

惟其不谈政治，所以我国的政治弄得这样腐败；以后我们决不可再做不谈政治的学生了——除非我们不是中华民国的国民。近来《学生》上，差不多期期有谈到“学生与政治”的问题的作品，这是何等可喜的事啊！

十卷七号上，你的《再论学生与政治》里，有“可怜”的“新进作家”“处女作家”啊！你可以醒了！你应该醒了！你若还有热血，你若还有余力，我劝你就用这血和力去杀敌！……

……

至于人格方面：若流血的没有人格，难说他不是将来的曹、吴；若流汗的没有人格，难说他不是将来的曹、陆、章。去年在广州开会的青年会全国大会，以“人格救国”为总标，确是很有见地的。修养人格方面最要紧的，我以为还是去自私心……

一个具有独特革命意识和思想的年轻人，自然引起了当时的青年领袖恽代英和侯绍裘的关注。而恽代英在《中国青年》、《觉悟》及《学生杂志》等报刊上发表的一篇篇关于中国革命和中国青年的前途与理想的檄文，毫无疑问深深地影响着这个18岁的青年。许金元就是在这样的革命浪涛汹涌召唤下，经恽代英和侯绍裘介绍加入了社会主义青年团和国民党。

学校成了许金元的主要战斗阵地，而他手中的笔则是他战斗的武器。因为印度著名作家泰戈尔到访中国，竟然在中国社会引发了一场“文学大争论”。中国共产党的领袖级人物陈独秀、瞿秋白和沈泽民等亲自出来批判泰戈尔的文学观。因为反泰戈尔，于是一个“革命文学”的概念在1924年诞生于中国。其实，中国共产党反对泰戈尔并非真正不懂或者不欢迎这位印度文豪，而是泰戈尔来中国并没有加入由中国共产党人发起的反对军阀反动政权和帝国主义的革命斗争浪潮，而是浮在当政的旧政府面上及一批“洋奴文学”的交情上，所以受到批判也属正常。泰戈尔怎么能了解复杂的东方社会！但他的到来所引发的一场关于革命文学的争论，则对五四运动之后中国文学的走向起到了重要的助推作用。

中国需要什么样的文学？代表革命声音的沈泽民的《我们需要怎样的文艺》中这样说：目前我们需要的文艺是“可以发挥我们民众几十年来所蕴蓄的反抗的意识……喊出全中国四万万人人人心中的痛苦和希望；再换一句话说，我们需要革命的文学”。

呵，革命的文学！它如同革命者高喊“打倒帝国主义”、“打倒军阀反动统治”一样，在当时的中国社会里，具有深刻而广泛的号召力。

正在之江大学的许金元，走在了这场文化革命的前列，他和同学蒋鉴发起了中国现代文学史上最早的革命文学社团——悟悟社。

悟己悟人——悟悟社。这是许金元他们所倡导的革命文学社团的宗旨。

> 我们深信文学是可以指导人生的；我们底（的）目的是要在这“伊和他”、“唉和呦”的“靡靡之音”下提倡“革命文学”Revolutionary Literature，鼓舞国民性！
>
> ……
>
> “革命文学”是什么样的文学？
>
> “革命文学”是奋斗性的文学；
>
> “革命文学”是牺牲性的文学；
>
> “革命文学”是互助性的文学；

“革命文学”是合作性的文学。

我们提倡“革命文学”就是秉着这四条原则的精神，灌输在我们文学的作品里面，来指导人生的工作。

……

这篇发表于1924年6月2日《民国日报》上的《悟悟社的宣言书》，如今看来仍然与我们现在所倡导的文学理念在诸多方面是吻合的。而这样一份具有很强思想性、社会性和文学指导性的“宣言”，出自近100年前的几位十八九岁的青年学生之手。

许金元烈士让我刮目相看。

罪恶的国民党反动派可憎！如果这样的人不被屠杀，中国的文学和文学理论是不是会有更杰出的升华呢？“文学是一个民族的灯火”，这灯火的明亮程度将决定一个民族精神的光亮程度。

21岁的革命者、文学青年许金元牺牲得太可惜！太早呵！他的悟悟社，吸引的不仅仅是一批革命的文学愤青，而且连鲁迅、茅盾这样的大家也加入其中，难道不值得我们对这样的先烈怀有特殊敬意？

蒋介石、国民党在南京向中国共产党“砍”出的“第一刀”，凶狠而残忍。烈士们在牺牲前几乎没有留下任何“只言片语”，是因为敌人根本就不想让他们有丝毫说话与辩白的机会。敌人用的手段就是：对付共产党，就是要斩尽杀绝。

背叛革命的蒋介石和他的反革命集团，在当时用的就是这一狠招。

四一〇惨案被揭露后，震惊全国。当时在汉口的《民国日报》刊载了一首诗歌，名为《钟山的悲哀》，如此描述了这些烈士所经历的那场血腥的大屠杀情景——

黑暗恐怖的云雾，笼罩着钟山四周；那游丝般的细雨，更落落疏疏，把黯淡的花草湮润浸透。这是促成谁的悲伤，谁的哀诉！

黑暗恐怖的云雾，笼罩着钟山四周；那空中的风声，江上的涛声！更凄切地将哀吟合奏。这是促成谁的悲伤，谁的哀诉！

……

是谁的悲伤声？哀诉声？诅咒声？振遍了民众的耳膜！

牺牲的烈士们，每一位都有自己的革命传奇故事。在此书里，我们只能挑其“点滴”。在这些人中，我知道有几位，他们之间既是同志关系，又是师生关系，如侯绍裘就曾是许金元、刘重民的老师和革命引路人。我还知道，这中间，尤为感人的是侯绍裘与张应春两人的故事，因为他们的战友情，都与当时还在上海大学教书的恽代英相关，同时又自己延伸出更传奇的革命生涯和壮丽史话——

在侯绍裘和张应春生活的时代，江苏与上海同属一个行政区域，上海归江苏省管，所以松江出生的侯绍裘与吴江出生的张应春是同属“吴地”的同乡。历史上的吴江，因水国天色的独特地理优势和层出不穷的文人雅士，所以开创了中华文明史上千年不衰的骚雅风流。“春后银鱼霜下鲈，远人曾到合思吴。欲图江色不上笔，静觅鸟声深在芦。落日未昏闻市散，青天都净见山孤。桥南水涨虹垂影，清夜澄光合太湖。”北宋词人张先的一首《吴江》，把这块民殷物阜的江南水乡描绘得如诗如画。侯绍裘的家乡松江，也非一块等闲之地，它素有“上海之根”之名，一条黄浦江横穿南境，淀浦河、泗泾塘，也托起了这个大都市边缘的一幅水乡之景。“江村风雪霁，晓望忽惊春。耕地人来早，营巢鹊语频。”古人窦巩的一首《早春松江野望》，也把松江优雅清朗的美景描绘得淋漓尽致。

想象不出，如此水盈的江南水国，竟然能够锤炼出两位铁骨铮铮的革命侠士。

只有一种可能：思想和信仰的铸造结果。

是的。这就是20世纪初，一群中国知识分子的人生与命运重塑的过程。由此延伸出的是一条用生命和鲜血染红的革命者之路……

关于侯绍裘，前面已经讲过，他是位松江才子。这里多几笔，是因为他后来创办的景贤女中，对中国共产党培养一代女青年革命者，起到了不可磨灭的作用。

1918年8月，侯绍裘以第二名的成绩考上了上海的南洋公学（上海交通大学前身），攻读土木工程专业。然而在1919年5月6日从老家回上海的火车上，一张报纸上的消息，竟然让这位工科生开始对“国家大事”产生了兴趣，人生方向从此有了质的变化。这则“消息”就是北京的五四反帝运动。

第二天是上海各界组织的“五七”国耻日。这一天，侯绍裘与学校的同学一起参加了万人大会。市民和学生们的反帝热情与斗争场景，让这位松江才子印象深刻，再不能自拔。“群众的势力，更使我精神紧张。我回校后的第一件事，便是拟了一篇提倡国货、抵制日货办法的文章，在走廊下（校中的冲要处）公布出来！”侯绍裘曾经这样回忆道。

5月11日，上海学生联合会成立，侯绍裘作为南洋公学的代表被推荐为学联教育科书记，从此开始了他的“救国革命”学生运动生涯。一本《新青年》、一篇《灰色马》（茅盾译著），让侯绍裘从一名社会改良主义者变成了信仰马克思主义的革命者。因为编著出版被松江人亲切称呼为“耳朵报”的《问题》周刊，侯绍裘最后被学校以“举动激烈，志不在学”而开除学籍。一位受到五四运动感召的进步大学生，竟然被开除，这一事件本身就轰动了革命烈火熊熊燃烧的上海滩。《国民日报》副刊《觉悟》发表署名文章指出：“试想，从事新文化运动的人是开除吓得退的吗？”而侯绍裘面对飞来的厄运，却平静道：“我的意志岂是他们所能改变的吗？”

就在此时，老家松江有所私立女子学校因封建势力和财政上出现危机而停办。这所江南最早的女子学校之一停办的消息，让侯绍裘感到惋惜。此时，一位名叫朱季恂的乡贤从海外回到松江，有意重新振兴这所女子学校，而且听说当时正在宜兴教书的侯绍裘是位松江才子，于是邀他一起来重新创办松江女子学校。朱季恂是吴江名士柳亚子的好友，同是同盟会成员，且也曾在南洋公学上过学。所以侯绍裘十分乐意与这位同乡兼学长共同重振松江女子学校。

朱侯联手，松江女子学校很快重整旗鼓。主抓教学的侯绍裘大量引进名家和先进思想到校，于是松江女校在上海滩便有了好名声。时任中共上海地区兼区执委的沈雁冰（茅盾）著文夸奖侯绍裘他们："我很佩服他们有勇气排斥一切冷淡的、固拒的、没有抵抗力的、压迫的空气，而火辣辣地做自己的事。"

侯绍裘把松江女子学校办得有声有色，这所带有浓重的思想解放风气的进步学校，引起了上海方面的中共领导关注，及时将侯绍裘发展为松江地区最早的一批中共党员之一。

后来，拥有中共党员身份的侯绍裘，在国共合作的"蜜月"时期，担任了松江国民党党部负责人，而且是个革命活跃分子。他与邻近的由柳亚子任党部负责人的吴江开展密切的联系和革命工作，于是上海周边"两江"相互呼应，影响力与日俱增。这也让反动军阀恨之入骨，孙传芳进驻上海后，扬言"悬两千银圆"要捉拿侯绍裘。学生和友人们听说后，赶紧前来报讯。侯绍裘坦然回答："别怕。尽量不被抓，万一不幸被抓，就为革命挺身就义罢了！"

1924年年底，江浙军阀混战，侯绍裘呕心沥血办起的松江景贤女子学校被迫关闭，他带着学生一起将学校迁至上海市内。"来我们上大附中吧，我们这里需要你！"恽代英向校方推荐侯绍裘当改组后的附中部主任获得批准后，立即把这一喜讯告知了侯绍裘。而从这一天起，侯绍裘便真正与恽代英等一起，并肩战斗在职业革命家的岗位上，开启了他生命中最忙碌和最出彩的革命生涯。

五卅运动的腥风血雨中，侯绍裘是恽代英的左膀右臂，直接在一线指挥学联各成员单位的游行和抗议队伍到南京路掀开反帝大行动，同时他又是全上海教师队伍的组织者和领导者。在帝国主义分子血洗南京路的第二天，他就与杨贤江（后为烈士）、茅盾、董亦湘（后为烈士）等共产党员联合上海全市大、中学校，成立了教职员救国会，支持和声援五卅反帝的“三罢”运动。当时在教育界有一批所谓的“名流”，其实是反对学生上街与帝国主义分子做斗争的，他们甚至提出什么“在学言学，教育救国”的老论调。侯绍裘以一个无产阶级革命者的高远见识，严正指出：在历史的转折关头，“救国先于教育”，“以挽救国家之危机，从而奠定根本之教育之基础”。

侯绍裘受恽代英的影响，加之自己又是个才学超人的才俊，他的演说和雄辩能力总让学生和同行为之吸引并深受感染，于是成为“五卅”运动中一位闪闪发光的人物。此时侯绍裘的革命者形象，获得了淋漓尽致的展现。更可贵的是，他在开拓和组建上海周边地区的党建工作方面以及公开与国民党右派势力进行针锋相对的斗争中所表现出的才干与勇气，带动和培养了一批像他一样坚定的革命者。

此时，一位重要的女青年革命者，走到了他的身边。这位日后名噪苏沪一带的秋瑾式的女共产党员，她的名字叫张应春，就是后来与侯绍裘等一起被国民党极右刽子手乱刀捅死在麻袋里的四一〇惨案中牺牲的烈士之一。

在南京雨花台烈士纪念馆编纂的许多书中，张应春的名字经常出现，是因为这位年轻的女共产党员死得年轻、死得悲壮……

张应春的故乡——吴江黎里，是我从小就熟悉的近邻。它地处江浙交界处，距苏州30公里左右，与同里、织里和古里共称“江南四里”，是历史上有名的集市。那里至今仍然弥漫着宁静的江南古镇的特殊气息。自南宋以来，黎里人文荟萃，人才辈出，一个小镇竟有状元1人、进士26人、举人61人之多。这里最有名的人物当数爱国诗人、南社主帅柳亚子，他与毛泽东“以诗会友”的一幕幕“书卷剧情”，也让古镇风情与当代中国的时代大风融在一起，荡漾于历史的天空之中。

出生在黎里的张应春，少年时代就很有胆识。但她的家庭并没有让这位水乡女子从小便能够抬起头做人，因为其父亲张农膝下是4个女孩，在那个“女子无才便是德”的年代，张应春从小就有种想“抬头”的勇气。办私塾的父亲给了她这种机会，她成为私塾中唯一的女生。小应春学习认真，悟性又高，这让父亲和先生们皆为喜欢。渐渐地，大家似乎忘了小应春是女孩，而常把她视作男儿。那会儿柳亚子的“南社”在黎里轮番宣传巾帼女侠秋瑾，从小说、戏剧到诗歌，都深深地吸引了小应春，她幼小的心灵萌发了要做“秋瑾式的女杰”之想法。然而小应春先天不足，身体一直柔弱。已经把女儿当儿子养的父亲是个开明人士，毫不犹豫地将女儿“往高里送”——送到吴江历史上第一座由教育家倪寿芝创办的女子学校中学习。

“先觉仰天民，当年东渡挹文明，遄归祖国朝夕费经营……道德宗旨兼训朴与勤，大家努力，莫让须眉独迈征！”这是这所女子学校的校歌内容，可见创办者当时的远大胸怀和反封建的精神境界。

张应春来到这所学校，因此也遇到了人生中一位重要人物，她的同班同学柳均权，她是柳亚子的四妹。用现在的话来说，两人是“闺蜜”，她们“上课同桌而坐，放学结伴返家，过从甚密”。

张应春的少年时代，正逢中国历史大动荡岁月。由于柳亚子等人的影响，外面的时局动荡和革命浪潮，也总是让黎里这个原本宁静的小镇一次次地风起云涌。1915年，袁世凯复辟称帝，引来国人一片哗然和反对。小小年纪的张应春也能在大庭广众下怒骂袁世凯，这在当时可算得上一件轰动十里八乡的事。

张应春的名字开始被柳亚子注意。父亲张农加入柳亚子的“南社”，更让张应春有了呼吸革命的清新空气的机会。同时，在父亲的言传身教下，她的诗才文艺出众，作品频频见刊登报。

“黎里应春，稀世才女！”柳亚子遇人便夸，内心不时泛起一缕缕少有的情感……

五四运动的革命浪潮袭来，京城和上海惊天动地的“强国”、“救国”口号，也撼动了黎里这位少女之心。1920年夏，在父亲的支持下，张应春怀着“强国必先强种，强种必先强身”的信仰，只身来到上海，报考了设在老西门林荫路上海美专内的我国第一所女子体育学校。

“霹雳一声声，睡狮醒未醒，神州的事化维新……寄语青年，莫负光阴，振兴体育为己任。”我真的欣赏那个时候已经如此先进的办学理念和充满奋斗的目标。

此时的上海，经历了五四运动的洗礼，革命浪潮激荡，各种进步的报刊和社团如雨后春笋般涌现，各种先进思潮在年轻人中大为流行，所以学校内洋溢着一股浓浓的爱国、民主、进步的气息。这其中的张应春，如鱼得水，加之她借学来的体育本领，常挥刀起舞，又慷慨激昂地指点江山，大有秋瑾风范，干脆自喻“秋石”。

“‘秋石’，柔中见刚，将来必成救国之大器！”柳亚子对这位同乡年轻女子的欣赏尽在言表之中。

就在这时，张应春突然患了一场病——她的小腿得了丹毒，不得不回乡诊治。而此时柳亚子也在黎里，于是这对肝胆相照又有共同追求的革命战友有了一段令他们终生难忘的交往。从此张应春把自己内心的许多重要的想法与苦恼都“交心”于她的这位诗才长兄，而柳亚子也在诸多方面帮助张应春在革命的道路上有了更广阔的战场和视野。

“柳兄，景贤学校如今生源滚滚而来，师资成了大问题了！你智慧独特，人脉又畅，烦请大兄介绍几个思想先进的女师为我校所用啊！”一日，侯绍裘恳求柳亚子帮忙，这样说道。

“好呀，此事你算找对人了！”柳亚子是了解侯绍裘办的松江景贤女子中学的。他的脑子没有转半个弯，就把同乡的张应春介绍给了侯绍裘。

内秀又外刚的侯绍裘见了同为中共党员的张应春，真是喜出望外，从此这对革命战友开始了少有的一段精彩的人生。

那时景贤中学事实上已经成为中共上海地区和松江培养女革命者的一个重要据点。张应春为帮助侯绍裘张罗学校扩展而带来的诸多事宜，可谓东奔西走，甚是操心。当新校舍建设时因为筹款一时困难，张应春甚至把学校给她的薪金全部都捐了出来，而且组织了9支募捐队在松江和上海到处“磕头求施恩”。一介女子，在公众中到处抛头露面，这在当时会有相当多的人在背后指指点点。

“干脆，我把辫子剪了！”一日，张应春拿起一把大剪刀，对着镜子，自己“咔嚓咔嚓”地把一头秀发剪了下来。从此，吴江、松江和上海街头，一位自喻“秋石”的女子常常出现在演讲台上，出现在公众面前……

张应春的“吴江秋瑾”之美名，也渐渐被叫开。而她自己则有些脸红地说：“应春不够秋瑾烈女，但愿当个任凭风霜吹打的革命秋石！”

1925年3月12日，北平突然传来孙中山先生去世的噩耗，举国震惊。此时，军阀们虎视眈眈，刚刚起步不久的国共合作面临岌岌可危之势。

柳亚子、侯绍裘和张应春等革命者万分焦虑。“继承中山遗愿，革命仍须努力”，一时成为革命者的头等大事。然而上海已经被军阀孙传芳把持，再欲进行公开的群众性的大规模追悼孙中山活动，会受到制约并带来一定危险。

“就在吴江黎里开！”柳亚子提议。

“柳兄此招甚妙。”侯绍裘一听立刻举双手赞同，说：“吴江黎里，镇虽小，但名头大，再加上我们四乡八镇联手支持，其声威照样可以震慑反动势力。”

“足力之事，当仁不让了！”张应春听此事，欣然担当起大会的“跑腿”任务。

5月3日，以吴江国民党党部名义举办的追悼孙中山大会在黎里隆重召开，上海和江浙地区的进步名流云集小镇，热闹异常。英姿飒爽、满是青春活力的张应春担任大会司仪。柳亚子、侯绍裘等分别代表不同地区的革命进步团体和组织，发表了颂扬孙中山、继承其遗志的演讲。待代表和老师们讲完后，张应春也登台发表了慷慨激昂的演说……

“快来看呀！看尼姑在台上呀！”这时，不知从哪里冒出来的人这么说，于是会场一阵骚动。原来，是镇上的一些小孩和妇女看到张应春一头短发的模样，便嚷嚷起来。柳亚子和侯绍裘对视了一下，替自己的战友担心起来。哪知台上的张应春竟全然不顾世俗的目光和中伤的言语，依然坦然自若，滔滔不绝。

“好一个思想进步的侠女子！”这一幕让台下的柳亚子钦佩又感慨。

侯绍裘在一旁笑而不言，内心却充满春光，因为这也是他的革命战友。

今天多数人对100年前五四运动之后的中国的情况不是太清楚。在那个时候的革命思潮中，除了“科学救国”、“教育救国”和学潮与工运之外，还有一个重要的革命潮流，那便是妇女解放运动。这同样是一场波澜壮阔甚至影响全中国一半人命运的深刻革命，动员和鼓励中国妇女自觉自救的解放运动，是中国共产党唤醒民众的重要工作，而在这场运动中，宋庆龄、何香凝、蔡畅、向警予等则是妇女界的领袖和旗手。在上海乃至江浙大地上，像张应春这样有知识、有胆识、有能力，每天意气风发、活力四射的革命女性，自然格外令人耳目一新，并让人们深深受其感染。张应春在妇女解放运动中身体力行，比如在自己的家乡第一个报考女子体校、第一个剪头发、第一个甩掉束胸布等，皆因为她是一名中国共产党党员。

“我们入了党，当然身心受党的指挥，就不应该再有冷热的分别，尤其是不应该再谈到个人的利益了！”张应春在加入中国共产党之后，如此坚定而执着地对柳亚子吐露心声。

“真是一枚透着阳光质地的‘秋石’呵！”柳亚子与张应春之间来往了无数信件，而每每拾起这样冒着青春热气的信件时，这位自喻“平生不二色”的南社主帅，总是心潮澎湃，难掩战友之情。

“我们已经毅然决然加入政党了，我们就应该打破种种困难，领着民众，齐向革命的路上去工作，要以谋到全民众的独立自由平等为目的。”这边，另一位才华横溢、驰骋在上海街头刀光剑影中的老师侯绍裘则读着学生的一篇篇激昂文字，热血和勇气似乎更加高涨。

“秋石，如菊之美，又霜摧而不朽也！”1926年5月，柳亚子、侯绍裘分别以国民党中央监委委员和国民党江苏省党部代表的身份，在广州面见蒋介石，欲图“讨个真革命还是假革命的说法”。这是一次革命的分水岭交锋，临行之前，侯绍裘吟着上面这样一句话，对柳亚子说：“此番见蒋，你我须借秋石之胆量和豪气啊！”

柳亚子先是一愣，后大笑：“是也！她若能同行，老蒋必哑口无言！”

“哈哈……”

与蒋介石的会晤，仿佛战场一般——

柳亚子盯着蒋介石，如此责问他：“你到底是总理的信徒，还是总理的叛徒？如果是总理的信徒，就应当切实地执行三大政策！”

蒋介石皮笑肉不笑地说：“政策和主义不同，主义亘古不变，政策不妨变通一下……”

柳亚子紧追不舍：“你不懂得政策和政略的分别。政略是可以随时变换的，政策就不应该轻易放弃。就以政略而论，必须环境变化，方有变通的必要……总理生前为了反帝、反封建、反买办资产阶级，所以定下了伟大的三大政策。现在帝国主义鸱张犹昔，北洋军阀虎负如前，而买办资产阶级，以广州而论，就曾掀起了商团之变。这些事实胜于雄辩，难道你身负党国重任，还能瞠目无睹？”

蒋介石尴尬了：“这个……”

侯绍裘接过话茬，直问蒋介石：“亚子先生问之有理，言之有道，难道你连这样的基本道理都不明？若真如此，你怎能当一国的革命领袖？”

蒋介石本来被柳亚子问得气呼呼的无处发泄，而侯绍裘的话更如针扎其心，他顿时大怒：“你侯绍裘代表的是谁？是我国民党，还是你们共产党？”

侯绍裘冷静而轻蔑地回答道：“党派不重要，真理才至上。”

“你们！你们不是同路人！恕不远送！”这时正在国民党二届二中全会前夕和沸沸扬扬的“中山舰事件”刚刚过后，所以蒋介石不敢立马“逮”了柳亚子和侯绍裘，但这一天也气得他双手不停地在空中乱舞。

当晚，柳亚子去了恽代英的寓所。此时的恽代英正身兼国民党中央执委和黄埔军校政治部主任教官并军校中共党团书记之职，还与毛泽东等一起在广州农民运动讲习所主持和任教。

“代英啊，你们一定要动手了！蒋介石就是个小人！他肯定是陈炯明第二，应当立即派人干掉他！”柳亚子知道恽代英是中共领导者，便火急火燎地对他说。

恽代英听后连连摇头，说：“人家叫我们共产党是‘过激党’，我看老兄你是‘过过激’啊，因为你比我们还激呀！”

柳亚子皱着眉头，摆着双手，说：“你们不信我的话，以后可要吃大亏的呀！”气喘三口后，又说：“我们是好朋友，玩笑归玩笑，正经归正经，你今天不赞成杀蒋介石，就怕蒋介石早晚有一天先把你杀了呢！”这句话柳亚子是说中了。5年后，恽代英被蒋介石反动集团在上海逮捕，杀害于南京。柳亚子当时挥泪写下如此悼诗：“百粤重逢日，轩然起大波。我谋嗟不用，君意定如何？矢日盟犹在，回天事已讹。苍茫挥手别，生死两蹉跎。”后事竟被柳亚子言中。然而恽代英等无产阶级革命者不到最后时刻，是不会轻易放弃一切有利于革命的统一战线的。认识蒋介石与同国民党决裂，也存在一个时间点。这就是革命的曲折性和复杂性。恽代英等无数革命先烈洒下鲜血的惨痛教训，也是党在革命征程中很多时候难以回避的残酷现实。

再说柳亚子，他此次从广州回来，心灰意冷，径直回到故乡黎里，来了个彻底的“养病”，从此不问国民党党务事宜。只有在侯绍裘推荐张应春出任江苏省党部妇女委员前来征求他意见时，柳亚子才欣然起身道：“她最合适，非她莫属！”

张应春这回站在了革命更前线的位置上，与侯绍裘并肩奋战在出生入死的战场……

随着北伐军的南下，革命和反革命的两股势力的斗争进入白热化的阶段。身为上海地区国民党内部的中共党团组织负责人的侯绍裘时时处在两种势力交锋的中心地带，工作的危险程度超乎想象。分担和替代战友的部分工作以及关注战友的安全成了张应春最为操心的一部分。她以女人特有的敏感和细腻，为侯绍裘化解了无数惊与险。

“应春，组织决定让我们明天就要将党部搬到南京去。你马上通知各位委员立即准备动身，越快越好！”1927年3月29日下午，侯绍裘把张应春叫到自己的寓所，以最快和最果断的口吻向她交代了这一重要任务。

“明白了。”张应春接令后立刻拔腿就走，却被侯绍裘叫住，“慢着，还有一件事……”

“什么事？”张应春收回脚步，问。

侯绍裘表情凝重地对张应春说：“此番南京之行，形势险恶，我们要做最坏的打算。你想法托人给家里人去个讯……”

张应春点点头：“我明白。等到了南京再说吧！”

可是到了南京后，急转直下的恶劣形势，让这位革命侠士根本没有时间顾得上给黎里的家人带个讯。当得知她在南京遇难时，全家人疑信参半。为此父亲张农先生两度亲赴南京，但终不得实讯，由此忧愤成疾，吐血而逝。正乃父女同殉，悲天恸地！

1928年清明节前几日，为避难到了日本的柳亚子回国后，听说他心敬的“秋石”玉碎秦淮河，长歌嚎哭数日。之后，他召集张氏族人和地方士绅，一起在黎里为张应春建了座衣冠冢。柳亚子专门约请上海大学校长、国民党元老于右任先生书下“呜呼张秋石女士纪念之碑”，勒石立于冢前，自己则亲笔写下一首非常有名的悼念诗篇：

血花红染好胭脂，英绝眉痕入梦时。
挥手人天成永诀，可怜南八是男儿。

两年之后的1930年，柳亚子又悲从心头起，再度写下诗篇纪念张应春：

犹见英姿飒爽来，梦魂无路可追陪。
三年地下苌弘血，一赋江南庾信哀。
乱世经纶钩党狱，漫天烽火骷髅杯。
蹉跎我已悲心死，愧对眉痕日几回。

作为同乡和知己，柳亚子每每想起张应春，都不能自拔。两个月后又写成《秋石女士传》，后刊发于《世界文学》上。

似乎个人情怀尚不能稀释，柳亚子又请了岭南画派创始人陈树人先生和山阴诸贞壮先生各绘了一幅《秣陵悲秋图》。图成后，他又发动南社成员广征题咏，为亡友、女烈士张应春赋诗题跋，以表对张应春的革命品质的纪念和缅怀。

张应春牺牲时只有26岁，在她47岁冥诞时，柳亚子又写下《纪念张应春先烈冥诞》诗。

1949年年初，故友毛泽东主席邀请柳亚子先生到北京筹备建国大业。在初踏北京的路上，柳亚子想起自己的好友侯绍裘和张应春，便当即吟诵出“白首同归侣，侯张并激昂。洞胸悲宛李，割舌惨刘黄”的纪念诗篇。敌人在残害张应春和侯绍裘时，使用的手段极其残忍，不仅用乱刀活活将其捅死，而且在这之前将他们的舌头也割了……想起战友如此悲惨的牺牲，柳亚子常夜不能眠。而当他参加开国大典时，他以“奠酒碧云应告慰，人民已见太平年”的诗句来告慰亲爱的战友……

侯绍裘、张应春，这两位战友、同志，牺牲时年龄都不大，老师31岁，学生26岁。

呵，他们都是那么年轻的生命，都是当时炫目的政治明星！然而为了革命，为了今天的新中国，他们早早地、年纪轻轻地就离开了世界，不免令人感到格外惋惜！

蒋介石、国民党的屠刀举起的“第一刀”就如此恶毒，如此卑劣，如此残暴……这些年轻人，被割喉舌，再装入麻袋，丢进秦淮河……毒啊！

然而，这仅仅是反动派对共产党人、革命者举起屠刀的开始……

第四章 四一二反革命政变，周恩来连失数员大将

讲述雨花台的革命烈士，自然离不开上海的共产党人和革命者，因为当时的上海隶属江苏省管辖。南京和上海的特殊关系有两层：一是，蒋介石到达南京后，建立了自己的国民党南京政府，上海成为他的南京政府的“直辖市”，军政和司法权力都受南京方面领导和管辖；二是，上海当时对中共来说，既是中共中央机关所在地，又是江苏省委所在地。蒋介石对上海发动反革命政变后，认为对需要快速处置的“要犯”，实行“就地枪决”；对“重犯”者和想“软化”的，则押解到南京“法庭”或监狱，这就是为什么我在雨花台看到的烈士墙上近一半烈士是从上海押解过来的。

南京——上海，上海——南京……在大革命的岁月里，这两座城市既是革命者抵抗反动统治、高举信仰旗帜的战斗主战场，又是蒋介石反动派残害革命者的血腥屠场。

我们来说说中国共产党的诞生地上海。

就在蒋介石在南京撕去“革命军统帅”的伪装面目，对共产党人举起杀人屠刀、制造血腥的四一〇惨案的同时，他其实最想动手的地方便是上海。因为上海是中国共产党的“总巢”——中共中央机关都设在那里，而且国民党的左派势力也基本集中在上海滩；让蒋介石更无法接受的是上海竟然有共产党领导的几十万工人纠察队，已经与共产

党“同流合污”的国民党内部势力也很强大。

“这是绝对不允许的！我们国民党不允许存在两个司令部，只应该有南京一个司令部！其他的统统端掉！”这话其实他在途经上海时就对亲信这么说过。现在到了南京后，这样的话，他几乎天天在说。“要把它当作今后一段时间的头件事体来抓！”蒋介石对特务头子已经吩咐几回了，并且说：“你们搞不定，我就搞定你们！”

“凡是共产党人一律处置？”特务头目想到过像陈独秀、李大钊、周恩来这样曾经与孙中山一起共商“联俄、联共、扶助农工”三大政策的中共领导人，是否另做处理！抓捕杀了他们是不是面子上过不去？

“面子？你现在想要面子，没几天连里子你恐怕都找不到了！”蒋介石怒气冲天地回应道，然后说，“我不管张三李四，只要他是共产党人，你就给抓，该杀就杀，该关就关！”

底牌摊了，干吧！特务头目跟手下的人这样布置任务：上海是共产党的“老巢”，行动要干脆，而且关键抓“重点”！

蒋介石所说的“重点”有两点：一是以封官许愿为条件，将新军阀白崇禧和当地流氓头目黄金荣为首的两股势力拉拢在一起，形成军事上和地方势力上的无敌天下之势；二是迅速抓捕中国共产党在上海的负责人，尤其是领导上海工人第三次武装起义的领导者周恩来、汪寿华和罗亦农、赵世炎等“共党要人”。

为了这两个“重点”，所有设下的局都是伪装和骗局。

对付周恩来，国民党反革命政变集团借用二十六军第二师师长斯烈出面“邀请”其到师部去商量上海工人纠察队的武器管理等“相关事宜”。“当时斯烈写了一封信给我，要我去谈一谈，我就被骗去了。”周恩来后来这样说。

就这样，起义胜利后一直在东方图书馆内工作的周恩来带着几个指挥部的副手就匆匆赶到宝山天主堂的第二师师部。但师长斯烈见了周恩来只是客气地寒暄，并没有商量什么事，显然是想诱骗和软禁周恩来。一向文质彬彬的周恩来勃然大怒，甚至把桌子、花瓶及杯子都推倒在地上，用手指着斯烈，训斥道：“你背叛了孙总理的三民主义和三大政策，你镇压和欺骗工人，收缴了他们从军阀手中夺来的武器，你们是得不到好下场的！”斯烈只得低着头喃喃道：“我是奉命……”

斯烈执行的是蒋介石的密令，他就是软硬兼施地不让周恩来走。这一夜，可把中共中央和工人纠察队员们急坏了。

第二天清晨，周恩来被第二师中共地下党的军官们营救了出来，逃出了虎穴。

“笨！笨到黄浦江里去了！”蒋介石得知后，把斯烈骂得狗血喷头。

这一夜是周恩来一生中经历的最危险的一夜。时间是1927年4月11日。29岁的周恩来从敌人的虎口中死里逃生。

可也就在这一夜，另一名只有26岁的上海工人武装起义的领袖则死得特别惨烈，他就是上海总工会代理委员长、中共上海区委负责人之一的汪寿华。他是周恩来领导的上海工人第三次武装起义中最重要的助手之一。

汪寿华原名叫何纪元，是浙江诸暨人，出身于书香门第。父亲是清末秀才，一生都在乡村教书，母亲是个勤劳的农村妇女。15岁那年，汪寿华的父亲和长兄都病故了，从此他过着一个普通贫苦家庭的生活。第二年，16岁的汪寿华考上了著名的浙江省立第一师范学校。他是学校的体育冠军，学习又格外刻苦。他在日记中写下了“青年真当努力，日月奚可差过”、“愿誓今日起，毋使后悔生”等这样的话。在浙一师这座革命熔炉中成长的汪寿华，从此开始接受先进思想和进步报刊对自己的影响。五四运动中，他与同学发起了学生“书报贩卖团”，专门宣传《新青年》等进步刊物。当时对汪寿华影响最大的是俄国十月革命，所以当听说有机会到苏俄学习时，他首先报名。其母亲很有远见，支持儿子，还帮他筹措了100块银圆作为路费。这个农妇母亲的胸怀，让儿子汪寿华一生不忘。

1920年，汪寿华到了上海，参加了刚刚成立的由几位中共早期进步知识分子组建的“工读互助团”，后又进入上海外国语学社学习俄文，并参加了刚刚成立的社会主义青年团，是最早的一批青年团员之一。1921年4月，在中共一大召开的前3个月，他与刘少奇、任弼时、罗亦农等赴莫斯科学习，但中途汪寿华和谢文锦、梁柏台（两人后来都成为革命烈士）都因进入西伯利亚后苏俄国内战乱而没能去莫斯科，最后汪寿华等只得在远东的赤塔城留下，参加当地的革命工作。1924年，汪寿华被选举为赤塔远东职工会中国工人部主任和海参崴职工苏维埃委员。那时他的名字叫何今亮，在工人中具有很高威望，大家都认识他。1924年年底，汪寿华回国，即参加了在上海举行的中共四大。五卅运动爆发时，汪寿华是上海总工会的宣传科科长（刘少奇是总务科长），协助李立三等组织和发动工人罢工运动。1925年8月起，上海的工人运动领导人李立三、刘少奇因工作原因相继离开上海，另一位工人领袖刘华被杀，汪寿华勇敢地担起了组织交给的重担，出任总工会代理委员长。一时间，他成了敌人追捕的对象。妻子十分担心他的安危，经常眼泪汪汪。汪寿华一边为妻子擦着眼泪，一边说：“千万不要哭，哭了反动派得志，革命群众丧气。”1926年5月，为了提振工人志气，在当时革命形势处于低潮的时候，汪寿华和中共负责人罗亦农、赵世炎领导了一场6万多人参加的纪念“五卅”大会，随即又举行了20万人参加的大罢工。汪寿华在上海工人中顿时赫赫有名，敌人对他恨之入骨。北伐革命开始后，汪寿华受党的指令，组织上海工人武装起义，配合革命军北伐。他是上海工人第一次、第二次武装起义的主要领导者。上海工人第三次武装起义时，他又被推荐为中共中央与上海区委联席会的特别委员会委员，其他委员是陈独秀、周恩来、罗亦农、赵世炎等。汪寿华负责5000余人的工人武装纠察队，也就是第三次武装起义的“主力部队”。这也让汪寿华在上海的影响力不再局限于党内和工人中。所以，在武装起义成功后成立的上海临时政府中，汪寿华被推荐为市政府委员兼劳动局局长，同时兼任上海总工会委员长。

掌握着中共最重要力量——工人纠察队指挥权的汪寿华，此时在蒋介石反革命集团的眼里，是第一个想要除掉的“中共要员”。

3月27日，蒋介石专门会见了汪寿华，直接向他提出要工会听从军事当局的指挥，汪寿华对此断然拒绝。

“此人必除之！”蒋介石离开上海前，给黄金荣等下达密令。而这也正中黄金荣这些青红帮的下怀：假如工人纠察队执掌了上海滩的天下，能有帮会的好日子过吗？早已想“干掉”汪寿华的几个帮会头目此时一拍即合，于是一条毒计便在上海滩的“江湖”上密谋而成……

上海总工会当时在湖州会馆办公。帮会中有人提出去“砸湖州会馆”，但被杨虎、杜月笙等制止，老谋深算的这两人道：“与其到湖州会馆大动干戈，不如假装‘请’汪寿华委员长前来商量事宜，送去轻飘飘的一份帖子，让极不好对付的汪寿华自投罗网？”

“妙！妙计！”黄金荣连连点头赞同。于是4月9日下午，青帮头目杜月笙的大管家万墨林来到湖州会馆，一派“真诚”地给汪寿华送上一张“请帖”，邀汪寿华赴宴。

去还是不去，当时总工会和中共上海区委负责人也有不同意见。

“不能去，寿华。杜月笙这人同我们一直貌合神离，此人阴险得很！”比汪寿华大一岁的区委领导李震瀛非常不赞成赴这“鸿门宴”。但是负责这一块工作的汪寿华深思片刻后，摇摇头，说：“我过去常和青红帮流氓打交道，他们还算讲义气，去了或许可以把话谈谈开，不去反叫人耻笑！”

在这种情况下，中共上海区委最后决定让比较有军事经验的李震瀛陪汪寿华一起去。但汪寿华考虑到杜月笙是不会让李震瀛跟着进杜公馆的，就在临进虎穴前对李震瀛说：“我进去后如果两个钟头还不出来，说明事情不好，你就回去报告。”

李震瀛被汪寿华挡在阴森森的杜公馆外，晚上8时整，汪寿华昂首阔步来到杜月笙公馆……

“汪委员长来啦！”这是汪寿华穿过杜公馆宽敞的庭院，在灯火辉煌的大厅里与杜月笙碰面时，杜月笙的第一句话，这青红帮头目尚算客气。但接下来他就立即换了口气：“我们有个动议，请汪委员长把工人纠察队合并到我们这边来……”杜月笙说的“我们这边”，就是他们受蒋介石旨意新成立的“中华共进会”。

“你们？中华共进会？”汪寿华立即警惕道。

“是。”杜月笙的言语和表情，不再掩盖什么了。

“想侵吞我们的胜利果实？”汪寿华也不再客气，严正责问。

“话别说得那么难听嘛！毕竟阿拉晓得侬汪寿华先生并不是上海人。这上海滩上的事还是由阿拉来管比较合适！”杜月笙以一腔上海话来回应汪寿华的责问。

汪寿华冷眼看了一下杜月笙，说：“杜先生也不要忘了，我们工人纠察队也不是上海滩的哪一帮什么势力，而是中国共产党领导的革命队伍！”

“什么共产党革命队伍！老子要铲除的就是你们共产党！”突然，在汪寿华的身后，另一个青红帮头目张啸林早已忍不住了，没等汪寿华的话落音，便一声“杀了他——”的招呼，顿时，只见早已埋伏在外的几个流氓打手朝汪寿华一拥而上，对他一阵拳打脚踢，将汪寿华打得昏死在地。随即，杜月笙等按原定计划把昏死过去的汪寿华塞进汽车，向枫林桥一带驶去……

这是一个罪恶的夜晚。

汽车到达预定地点后，打手们把汪寿华推下汽车，塞进麻袋里，随即就地动手挖坑。就在这个时候，麻袋里突然传出一阵呻吟声，原来是汪寿华苏醒过来了。

“看你还吱声！”几个打手抡起铁铲，又朝麻袋狠狠暴砸下去……

麻袋内不再有声响。随后，麻袋被扔进深深的大坑里，并被泥土填平。

26岁的年轻共产党人，上海工人三次武装起义的重要领导者汪寿华，就这样壮烈牺牲在青红帮的屠刀下。这位与瞿秋白、刘少奇、任弼时、萧劲光等都是同学的中共早期革命者过早地离开了他亲爱的战友和上海工友们。汪寿华牺牲的消息传出来后，他的战友和其他上海工人们都悲恸地握紧拳头，发誓要为他报仇。他生前说的那句“革命是追求真理的事业，我们应尽力地走我们现在应走的路。如果牺牲了，以后的路自会有人来继续走下去”的话则一直在激励着上海地下组织的战友们。

杀害上海工人领袖汪寿华，其实是蒋介石设下反共圈套的“第一刀”。在随后的日子，国民党反动集团迅速加快了政变行动。在工友们找不到汪寿华的第二天，一帮打着“中华共进会”旗号的流氓分子便开始向工人纠察队驻地进攻。他们举着刀和枪，突然袭击——并唆使北伐军第二十六军军长周凤岐借口“工人内讧”，发动了震惊全国的四一二反革命政变，上海滩顿时血流成河……

让我们来到南京四一〇惨案后的上海1927年4月12日那一天吧——

那一天清晨，武装起义方面的中共最高领导周恩来，正在逃离虎口，返回他曾经指挥起义队伍战斗和工作的“总指挥部”——东方图书馆。他在黄逸峰（中共地下党员，新中国成立后任上海铁路局局长）的陪同下，途经北四川路东四卡子桥附近的罗亦农办公处，发现东方图书馆已经被国民党部队占领，那里的工人纠察队其实已被缴械。

“罗亦农到哪儿去了？他安全吗？”周恩来非常担心他的战友们的安全。第二天，周恩来才知道罗亦农也才刚刚在工友们的帮助下逃脱被反动派屠杀的一劫。

因为没有抓到“共党”武装起义的“要犯”罗亦农，所以蒋介石不日就在上海“悬赏五万大洋”要捉拿罗亦农。一口外地口音的罗亦农根据中央的指示，不得不离开上海。

那天清晨，赵世炎亲自到码头送罗亦农。在上海工人3次武装起义中都并肩战斗的两位年轻的共产党人深情地握手告别、相互勉励。

罗亦农后来到了汉口，参加中共五大，后被调任中共湖北省委书记。11月初，他秘密回到上海，参加中共临时政治局会议，并被选举为政治局常委。1928年元旦，刚满26周岁的罗亦农，在新闸北路新闸里28号的中共组织局所在地举行了他与李哲时女士的婚礼。瞿秋白、杨之华夫妇，周恩来、邓颖超夫妇，李富春、蔡畅夫妇等出席。

为筹备在莫斯科召开的中共六大而立即启程的罗亦农，却在刚刚新婚4个多月的1928年4月15日上午到英租界与山东省委来的同志接头时，被已经背叛革命的何家兴夫妇告密而被巡捕逮捕。

第二天，上海滩的各种报纸都刊登了“共匪要犯”罗亦农被捕的消息。从那些报道中所用的“首要已擒，共祸可熄”的字眼，可以看出敌人对抓捕罗亦农的得意劲儿。中共中央万分焦急，责令周恩来营救。但反动当局格外重视此案，先是将罗亦农引渡到了国民党龙华淞沪警备司令部监狱，负责营救罗亦农的顾顺章便没有完成党交给的任务。而且，敌人对罗亦农立即使用重刑，企图撬开他的嘴，以获取中共高层情报。此举未成，蒋介石怕出意外，立即密令淞沪警备司令部“就地处决”罗亦农……

4月21日晚，一群反动军警便将同样年仅26岁的中共临时政治局常委、上海工人武装起义领袖之一的罗亦农残害于龙华刑场。

“哲时，永别了！灵若有知，将永远拥抱你，望你学我之所学，以慰我……胜利永终是我们的！”这是罗亦农在监狱里留给新婚爱妻的遗书。他还写了一首“绝命诗”：“慷慨登车去，相期一节全。残躯何足惜，大敌正当前。”其英雄气概令敌人丧胆。

罗亦农的新婚妻子焦急地等待爱人回家，但一直没有见到人。而爱人被捕的消息很快在报纸上到处传播。妻子李哲时每天都在为丈夫着急，同时自己又不得不每天换一个住处，因为敌人也在到处追捕她这样的“共匪家属”。

4月22日一早，时任中共特科负责人的顾顺章突然出现在李哲时跟前，悄悄地对她说：“你到龙华去，有个十字路口的一条马路口上空悬有一根铁丝，挂着四块铁皮方块，上面写了‘文治大学’四个字。在这条马路口的右边电线杆上，你去看看贴了什么字的纸条。”

下面是罗亦农遗孀李哲时后来写的回忆她去“认尸”的悲惨经历：

> ……我当即上了黄包车，找到了文治大学那条马路口的右边电线杆，抬头一看，纸上写的是“奉蒋总司令命，共党要犯罗亦农着即枪决，淞沪警备司令钱大钧”。上面盖了方印，还有年月日字样，我木然站立好久，原来亦农昨天已……我要找刑场和遗体，我还希望这是个噩梦。
>
> 我拖着沉重的双腿，走进有文治大学的这条马路。在绵绵的细雨中，发现路的右边有个不大的草场，当中有一摊鲜红的血泊，我急忙走近一看，在血泊旁边草地上，有一根贴在竹竿上的纸标，写着“共党要犯罗亦衣”几个字，还有一块雪白的折叠整齐的手巾。我的眼睛发黑，两腿一软，就昏倒了。有人把我拉起来。我才看见周围有几个老百姓。我右手插进了血泊，脱下了黑色旗袍，捡起了标签和手巾，连同衣服卷了起来，向老百姓问，你们知道尸体移到哪里去了吗?
>
> 有一位老百姓领着我向前走，在这马路右边一丛灌木林的前方有一个黄土孤坟，他对我说在这里，说完就离开了。我看到坟上有一撮青草，是新掩埋的坟。坟里是不是亦衣？坟的周围没有任何标志。难道是经善堂行好事用薄木棺埋的吗？我想还是回去汇报了再来查明，就乘原车回旅馆找顾顺章，但他已不知去向，

我只好回到上海美专。悲痛已极，但又不能放声大哭。

四月二十三日早上，周恩来派了在中央秘书处工作的杨庆兰来通知我，说美专危险，立刻转移住到王一知处。在王处周恩来来看我，我向中央提出要求，一要一支手枪去杀出卖罗亦农的叛徒；二要查看罗亦农是否掩埋了，如经善堂草草掩埋，那要另行安葬；三要求派我到莫斯科去学习革命理论。周恩来说信任你有决心，但你没有使用手枪的技术，万不能由你去做。处理叛徒由组织负责。其他要求不成问题，我向中央转达。不几天，杨之华大姐来把我接到她的住处去住，说秋白已去莫斯科筹开中共的六大去了，我正好陪你住几天。

我住到杨之华处不久，大概五月初，中央派了一位同志（我不曾问他的姓名），办好了棺木衣衾，带了四位工人，要我引路去龙华文治大学那条马路，找到了那个黄土新坟。我再一次查看坟的周围有无标志，仍然没有，乃叫工人刨土，移出薄木棺材，打开盖板和四周的木板，果然是亦农的遗体。

遗体已在腐化，面目肿大变形，头上有一个大洞，脑浆流到浅红色绒线背心卷成的枕头上，已生满了蛆。遗体深灰色夹袍上，还捆缚着很粗的绳子；一只右腿弯曲着，袜子上的松紧带，还是我给他买的。当时我请工人先将捆在亦农身上的绳子去掉，抬进新运去的棺木里，放进石灰。新买的衣服不能换了，盖在身上后就盖棺了，因为遗体已发恶臭，工人们不很快盖棺是受不了的。然后我们把亦农的灵柩抬到组织预先安排好的安徽会馆停厝棺木处停放。中央派来的同志告诉我，只好将亦农冒充安徽人，才能停放在这里。当时昏昏沉沉的我也没有看到棺木的头间钉了一小块木板写了什么……

新中国成立后，党组织几经周折，方才找回罗亦农的棺木。据地下组织李强同志介绍，罗亦农牺牲后，是地下组织找人收的尸，然后埋在荒地里，并且立了块小碑。后来是李强等人把罗亦农的棺材秘密运到了上海江湾公墓地，与苏兆征（著名工会领袖，中国共产党早期工人运动的领导者之一，1929年在上海病逝，终年44岁）、张锡瑗（烈士，邓小平妻子，1929年去世，时年22岁）一起安葬，当时为隐去烈士的真名，所以用了“姚维常、毕觉之墓”和“张周士之墓”。

在罗亦农牺牲12年后的一个日子，远在苏联伊万诺沃的国际儿童院里，一位老师指着墙上的一张照片，对一位十多岁的中国男孩说：“这就是你的父亲罗亦农。他是中国共产党的重要领袖……”然后又认真地看了看男孩，感叹道：“你长得真像你爸爸。”

这个中国男孩叫罗西北，这是他第一次看到自己父亲的真容，之前他只知道自己父亲是位英雄。罗西北在四一二反革命政变后被送到父母亲的老家四川江津外婆那儿生活。后被组织上送到苏联后，他才知道了父亲的历史。

与此同时，在苏联念书的还有一个孩子叫赵施格。有一天，他也被老师领到一面墙边，老师指着标有赵世炎名字的照片，对他说：“这是你的父亲，他是中国共产党的创始人之一，在上海领导工人运动，被反动派逮捕杀害了。”

这个叫赵施格的男孩当时13岁。他母亲夏之栩生他的时候，父亲已经牺牲，赵施格是遗腹子。

赵施格的父亲赵世炎于1927年7月2日被逮捕。那是一个风雨交加的日子，国民党警探根据一名叛徒提供的地址，突然闯进了四川北路志安坊190号赵世炎秘密居住的地方。那一天，已经怀孕的妻子和丈母娘在家。敌人闯入家中后，赵世炎的妻子和丈母娘万分焦急。而就在这时，丈母娘从窗口看到办事回来的赵世炎正往家这边走，便不顾一切地冲到窗台边将一盆当作暗号的花盆推了下去。可是那天雨太大，赵世炎没有看清家里的暗号在不在，依然往家里奔跑……

躲在家中的一群持枪的敌人，一下将其擒获。

赵世炎是1920年留法勤工俭学的中国优秀青年之一，也是1921年2月接到陈独秀来信要他立即与周恩来等人组成旅欧共产主义小组的最早一批的中共党员之一。他和周恩来、陈公培、张申府、刘清扬（张申府和刘清扬是周恩来的入党介绍人）组成的“巴黎小组”是中国共产党成立时的8个共产主义小组之一。四一二反革命政变的那天清晨，赵世炎在家中听到枪声，料定出事了，便立即赶赴位于湖州会馆的上海总工会，途中有逃亡的工人纠察队员告诉他，总工会总部已被敌人占领。赵世炎马上绕过敌人视野，来到纠察队队部附近的一个联络点，与中共闸北区委书记郭伯和会面，两人决定根据急剧变化的形势，紧急组织罢工，以抵抗国民党反动势力的镇压暴行。

4月13日，赵世炎和周恩来不顾敌人到处抓他们的危险，在闸北青云路召开工人声讨大会。随后数万名群众游行，去宝山路天主堂的第二十六军第二师司令部请愿与抗议，要求立即释放被捕的工人，并交还工人纠察队的武器。已经打红眼的国民党军队早有准备，端枪就朝游行队伍扫射……那天下雨，当敌人枪响的那一刻，宝山路上顿时血流成河，上海城内最黑暗的一幕从此拉开……

形势急剧变化，共产党所有活动不得不转入地下。赵世炎等领导人更是面临极端严酷的考验，每时每刻都有被敌人抓捕和枪杀的可能。然而，作为中国共产党的创始人之一的赵世炎，仍然无所畏惧，继续夜以继日地工作。他在区委会上说：“共产党就是战斗的党，没有战斗就没有了党。党存在一天就必须战斗一天，不愿意参加斗争，还算什么共产党员。战斗就必然面临死亡和牺牲，这就是共产党人从事革命的命运……为了建立新中国和我们的孩子有个幸福的明天，我们可以舍去一切！”

赵世炎虽然年轻，但却是位久经考验的革命战士。他有很多传奇故事。比如有一次他去参加一个会议，发现被特务跟踪，怎么甩也甩不掉。正当他着急时，突然见对面走来一位与自己打扮得一模一样的青年。这个青年靠近他时悄悄说：“快躲进那边饭馆，我来对付特务。”赵世炎这才发现这个青年是区委机关的夏之栩（女同志），是专门来掩护他的。脱险后的赵世炎不明白，为什么这个区委女同志会悄悄在暗地里掩护他呢？后来当了他妻子的夏之栩告诉赵世炎，她常听李大钊表扬赵世炎如何如何能干，所以心生好感，于是便有了主动暗中掩护他的“跟踪行动”。

“哈哈……太好了你！”赵世炎后来与夏之栩相恋，结成革命伉俪。

同样才结婚没多少日子，敌人就在赵世炎家将他逮捕了。他们开始并不知道赵世炎的真实身份，只是发现他家有3万多块银圆。这可是一笔不小的数目！

敌人对他施以严刑却没有获得结果，但赵世炎也被叛徒出卖了。这3万多银圆是赵世炎保管的党产，而他一家人从未碰过这钱。敌人得知他的身份后，嘲笑他“傻到家”。赵世炎则如此回应那些见财眼开的反动派：“你们怎知共产党人心里想的是什么！”

“想什么？”敌人问。

“我们想的是广大劳苦大众的幸福生活和明天有个美好的国家。”

“傻，彻底地傻了！”敌人听后狂笑起来。他们自然无法懂得共产党人崇高的追求与理想。

1927年7月19日，在赵世炎被关押17天后，敌人接到了刚刚得知赵世炎真实身份的蒋介石下达的即刻“就地枪决”的指令。那一天早饭开过，赵世炎就被叫出了牢房。他知道这是最后的斗争时刻了，镇静地理了理身上的衣服，系好领带，扣好纽扣，像赴宴一样从容。一出牢房，他便振臂高呼“共产党万岁！”、“打倒反动军阀蒋介石！”等口号。刽子手们一听就急了，一阵狂叫：“砍！快快拿刀砍！”

一代英豪、党的好儿子赵世炎英勇地倒下了，鲜血染红了地面……又一位才26周岁的忠诚革命者牺牲在上海滩。

其实，在周恩来痛失汪寿华、罗亦农、赵世炎三位重要战友的同时，1927年6月底，他失去了另外几位重要战友，其中一位是新任江苏省委书记、中共中央委员、陈独秀的大儿子陈延年，他也被敌人杀害了。陈延年牺牲的时间比赵世炎早半个来月，赵世炎是接替陈延年出任第二任江苏省委书记的。

陈延年原是广东省委书记，蒋介石反革命集团在上海发动四一二反革命政变之后，中共中央机关和上海党组织被严重破坏，形势万分危急。这时在上海的周恩来向党中央请求调派具有丰富斗争经验的陈延年来上海新组建的中共江苏省委任书记，实际上是帮助中央打开上海的政治局面。这事当然需要“老头子”同意，总书记陈独秀在党内被大家称为“老头子”，他与周恩来、瞿秋白、李立三等领导相比，是绝对的“老头子”辈分。在陈延年来上海之前，还没有中共江苏省委，中共中央在上海的下属组织叫上海区委，统辖江浙两省和上海市区的党的工作。1927年中共中央政治局在武汉通过了《中国共产党第三次修正章程决议案》，就刚刚闭幕的中共五大提出的“按行政区域”建立各地省委的提案做出了具体规定。随后撤销了上海区委，江浙两省分别建立省委，上海市的党组织也隶属中共江苏省委领导。当时，中央派遣中央秘书厅主任王若飞从武汉到上海组建江苏省委。选择陈延年，中共中央毫无疑问是非常慎重的。陈延年既是能力很强的广东省委书记，又是总书记陈独秀的大儿子，且江苏省委当时在党内所处的地位，肯定也是特别重要的一个“省份”，因为党中央机关所在地就在上海，江苏省委其实相当于中共中央的执行机构，管的地区也是当时中国共产党的主要区域。同时，上海又是蒋介石疯狂对付中国共产党的关键点和最核心的地方。所以，江苏省委书记的角色由陈延年担任，可见中央的考虑非同一般。

1927年6月26日，王若飞带着陈延年等五名新任命的江苏省委常委，到上海虹口区施高塔路恒丰里104号（今山阴路恒丰里0号）省委秘密据点宣布任命通知。这个地方，现在还保留了原貌。那天我专门到这个里弄去参观，不想在进恒丰里时，弄口的一扇小窗口里突然探出一个人头，声音低沉而严肃地问我："干什么？"

我吓了一跳，赶紧回答："到里面看看……"

"有啥看的？"

"我看江苏省委旧址。"

"你是干什么的？"那人打量起了我来。

"作家，准备写上海地下组织革命史……"

那门卫对我的回答似乎仍然有些不太满意，但好像又觉得不该不让我进里弄，所以也不再说话，把头缩了回去。

惊魂甫定之后的我，无奈中一声叹息，自言自语道："还真像'地下工作'……"

这里确实非常适合做地下工作，一般人不容易找得到。江苏省委老办公处其实就是在里面的两间小阁楼上，位置比较隐秘。

1927年6月26日上午，王若飞和陈延年等新任的江苏省委领导一起来到这个弄堂内开会，这也是中共江苏省委第一次正式会议。会议期间，获悉经常到省委机关送信的交通员被捕了，王若飞非常警惕，快速讲完话后，便宣布了会议结束。

下午3点左右，新任省委书记陈延年因为担心省委机关的安全，就和省委其他负责人郭伯和、黄竞西及省委秘书长韩步先等回到了恒丰里。几个人先在外面观察了一下，似乎没有任何动静，便进了省委机关的90号两层小楼，开始在上面讨论和研究起工作来。可就在之后的半小时左右，突然来了一批反动军警，将弄堂口和90号两层楼的里里外外团团包围住。

"快跳窗！"陈延年为了掩护其他同志脱险，自己搬起桌椅作为武器，与冲入房内的敌人展开搏斗……最后因寡不敌众不幸被捕。

陈独秀的儿子被捕了，这在共产党和国民党方面都是“惊天新闻”，中共组织和陈独秀的好友都在努力营救，然而蒋介石的条件十分苛刻：既要陈延年脱党，更要陈独秀低头。这两个条件对陈氏父子而言，是根本不可能的事。

7月4日，陈延年被敌人秘密杀害于上海龙华刑场，时年28岁。与陈延年一起牺牲的是同时被捕的江苏省委常委郭伯和和黄竞西，而秘书长韩步先成了可耻的叛徒。这个姓韩的家伙，不仅出卖了陈延年等人，还出卖了下一届江苏省委负责人。郭伯和和黄竞西都是中共早期重要的领导人。郭伯和是四川人，1921年从老家到上海参加革命，后来在邓中夏、瞿秋白等中共骨干领导下的上海大学任学生会主席，是上海学生罢课和工人罢工的主要领导人。他与陈延年等一起被捕，一个月后被枪杀在龙华监狱，时年27岁。黄竞西比陈延年大两岁，江苏江都人，这位商人出身的革命者，早先参加了国民党，后来在恽代英和刘重民的介绍下加入了中国共产党。国共合作时期的1925年，黄竞西被推荐为国民党江苏省党部执委后，罗亦农调他到上海工作。上海工人第三次武装起义前，黄竞西不顾反动军警在大街上乱杀行人的危险，装扮成商人，带着装成阔太太的妻子，经常利用自己驾驶的小汽车或黄包车运送武器和弹药，因此被同志们称为“地下运输队长”。1927年4月初，他冒着极大风险跟着侯绍裘到了南京，从事没有公开身份的地下工作。四一〇惨案发生前，侯绍裘委托黄竞西回上海向党组织报告南京形势。回到上海的黄竞西，遇上了“四一二”大屠杀。根据党的指示，由他代替已经牺牲的侯绍裘，主持重组的国民党江苏省党部工作。那是一段腥风血雨的日子，黄竞西带着妻子孩子和陈延年一家住在一起，两家亲密无间。怀有共同的理想，身为同一条战壕里的战友，他们于是也有了同一天被捕和同一天遇害的经历。据后来敌军警说，当时他们在抓捕陈延年、郭伯和与黄竞西时，3人与敌军警拼杀了一个多小时，最后他们在筋疲力尽、头破血流的情况下才被捕了。

狱中的黄竞西，任凭敌人诱惑和严刑拷打，始终没有动摇他坚守的革命信仰。6月29日晚，黄竞西在肮脏昏暗的牢房里，给爱妻、母亲和同志们写下遗书说："我终觉得死于今，比死于昔，使人们可觉悟中国是需要继续革命的，我之死也无遗恨"，"……死是一快乐事，尤其是为革命的"，望同志们"继续前进，万勿灰心"。

陈延年、郭伯和、黄竞西都是党早期的重要干部，他们牺牲时不仅年轻，而且都表现了真正革命者的本色和气概，令敌人胆寒。

让我们感到异常惋惜的是，时隔不到一年，陈延年的弟弟——26岁的中共中央委员陈乔年，也在中共江苏省委组织部部长的岗位上，因叛徒出卖而英勇牺牲……这是中共历史上少有的悲剧，也是大革命失败之后，中国共产党所经历的一段最黑暗的岁月。而且这样的悲剧，竟出现在党的总书记陈独秀身上，令人唏嘘！

陈乔年比哥哥陈延年小两岁，也是陈独秀比较喜欢的小儿子，13岁时跟着哥哥到了上海。陈独秀对自己的儿子要求特别严格，不让他们在自己身边"享受"，赶着他们到大街上去打工。哥哥陈延年带着弟弟吃尽人间苦水，直到两兄弟后来被组织上分别送到法国和俄国学习，才算结束了流浪生涯。1925年，兄弟俩奉命回国，一个被分配到南方的广州工作，一个到北平从事革命工作。而在四一二反革命政变后，我党形势极其危急的时刻，他们先后被调到上海，哪知在短短10多个月里，我党两位杰出的年轻领导者、一对亲兄弟却先后被敌人残杀……

这悲剧让陈独秀悲痛欲绝。然而作为党的总书记，他还在党内不停地争执中，左右摇摆地领导着这个弱小的党，与蒋介石反革命集团进行着血腥的战斗。

这时的陈独秀处境异常艰难，而党面临的形势更加风云莫测，危途叠叠。那些日子里，党的总书记陈独秀每天接到的来自全国各地的"报告"，基本上都是一串串长长的他熟悉的同志和战友的死亡名单。

其中有他的儿子，有他的亲密战友，有他不认识的工友和农友。当然，最令陈独秀痛心的是失去了与他一起建党的李大钊，而且李大钊比多数同志牺牲得还早些，他是在1927年4月6日被奉系军阀张作霖勾结帝国主义杀害的。与李大钊一起在北京被处以绞刑的还有另外19名革命者，中共在北京地区的党员负责人几乎被来了个“一窝端”。据说，蒋介石在南京听到了这消息时一阵兴奋，说：“你看看，张作霖帮了我们大忙！”当然，他也听到了另一个声音：“不能因为反动派今天绞死了我，就绞死了伟大的共产主义。共产主义在中国必然得到光辉的胜利！”这是李大钊在刑场前的慷慨陈词。

身为父亲和党的总书记，陈独秀在那段时间里经受的痛苦，他人难以感受。而另一位在上海一线工作的中共中央负责人周恩来，当时饱受的痛苦和悲伤，同样也常常让他痛哭不已。并非周恩来多愁善感，而是往日与他并肩战斗的一个又一个党的重要领导人接二连三地牺牲了。有老同志回忆说，那时周恩来常常前一天刚为一名战友安置好后事，第二天又接到另一位重要领导牺牲的噩耗，“他的眼睛哭得红肿红肿的……”党内同志说。

四一二反革命政变后的上海滩，简直就是残害共产党人的屠场。1928年6月6日那天，被枪杀的除了26岁的中共高级干部陈乔年，还有周恩来指挥上海工人第三次武装起义的两位得力干将，他们分别是25岁的江苏省委常委、曾任上海总工会委员长的郑覆他，32岁的中共二大和五大代表、中央监察委员、著名工会领袖许白昊。

1927年，是中国革命史上一个特别值得铭记的年份。那一年蒋介石背叛革命，在上海制造四一二惨案之后的4月13日至15日3天之内，据统计，有300人被杀，500多人被捕，5000多人下落不明……而在之后的一年多里，上海到底牺牲了多少共产党人和革命者，至今仍然没有一个准确的数字。我在中共上海党史办编著的《上海英烈传》中能够找到有名有姓的至少有几百位，而他们多数是与周恩来等并肩战斗的“大人物”。普通党员和一般革命者呢？

只能去叩问苏州河和黄浦江了。

黄浦江与苏州河呜咽地告诉我：那些日子，它们的身子也被革命烈士的鲜血染红了，血红的水常常连上潮落潮都卷不走……

血流成河是毫不夸张的说法。

今天我们才知道，当时的蒋介石和他的反革命集团为了掩盖其丑恶的罪行，还装模作样地假借“法庭”和“教化”等反革命假面具，将许多重要的“政治犯”、共产党人与革命者，押解到南京，或在监狱里折磨他们、诱惑他们，甚至用死亡和狱刑威迫与软化他们，企图以此来摧毁共产党人和革命者的意志与信仰。然而蒋介石反动派完全错了，正如一位烈士所说：“共产主义信仰是杀不掉的，革命者是杀不完的，雨花台的血，只能让我们的继承者更加坚定地推翻反动统治、打倒蒋家王朝……”

因为敌人的疯狂，雨花台的“主义”之花，才怒放得更加惊艳和动人。

第五章
牺牲在与孙中山“对话”之中

在雨花台数以万计的烈士中，施滉是个非常特别的人：

他是一位云南白族革命者；

17岁就考上了清华大学，是五四运动时期的清华大学学生会会长；

后来到了美国斯坦福大学，成为美国共产党党员，而且是美国共产党中国局第一任书记，相当于美国共产党组织的一位“中国问题”和“中国工作部”负责人。

后来他回国革命，牺牲时是中共河北省委书记兼宣传部部长……

作为一名清华学子，他可能比任何一位清华人更具红色的革命者色彩，而且他在清华大学历史上享有“前无古人、后无来者”的崇高荣誉。只要到过清华大学图书馆的人，都会在一进门时看到门厅正面的墙壁上有一块醒目的施滉纪念碑，上面镶着烈士那英俊的头像，头像下面镌刻着施滉的一段简历，之后是四句经典式的评语：

他是清华最有光荣的儿子
他是清华最早的共产党员
他为解放事业贡献了生命
施滉的革命精神永垂不朽

据说，这是根据施滉的校友们的建议而特制的。立碑的时间是1949年4月，新中国成立前的第一个校庆纪念日。

我对施滉有着特殊的敬意，因为在数以万计的雨花台革命烈士中，他是极少的清华人之一，而且是与孙中山先生面对面进行革命对话的一位。之后，施滉在美国一边读书，一边撰写《孙中山传》。可以说，这位进步的清华学子在走上革命道路之后，在寻找真理和革命方向的征程上，一直在与孙中山先生进行积极、坦诚甚至是激烈的“对话”。这种“对话”，开始是一位年轻革命者怀着对真理和革命的好奇心，到后来是一位共产党人在追求信仰过程中反思和反省并且不断探索与实践的成熟表现……

1900年出生在云南边陲小城的白族少年，能在17岁时就考取清华大学，后又到美国斯坦福大学留学，实在很了不起。然而，施滉并非出身豪门，他的父亲只是洱源县城北门外孝子坊（今古槐村）的一个贫寒的小学教师。施滉原姓赵，后因父亲赵怀清入赘施家，所以改姓施。施滉的母亲施德美，与她的名字一样，是个心地善良、勤劳朴实的农家妇女，平日除下地劳动、操持家务外，每逢赶集要挑担子去街上卖豆腐脑。施滉刚会做事，就开始帮助母亲捡豆子，拾柴火煮豆浆。1905年，施滉的父亲为谋生离开洱源到邻县剑川教书。5岁的施滉随父亲离开家乡，从此就再也未回过诞生地洱源，与他慈爱的母亲竟成永别。然而这对一直两个地方、两个世界里的母子，从未割断过骨肉深情，只是一直在老家的母亲并不知道她日夜思念的儿子早已为了中华民族的解放和共产主义事业而英勇牺牲了。到了新中国成立后，乡亲们还经常看到施滉那年已古稀的老母亲拖着被缠裹过的小脚，步行百多里，到鸡足山去焚香许愿，为她的爱子祈福……这一幕让人们想来都会唏嘘、感动。

施滉后来又跟父亲到了昆明。当时的云南军阀混战，独霸一方，而军事与军方为云南要事与主政，所以施滉的父亲也在军校谋事，受其父影响，尤其一心想“枪杆能干大事”的少年施滉也对当兵救国怀有一片向往之心。13岁那年，他上了军医学校，1916年以名列第一的成绩毕业。按照校方规定，第一名按例应保送到当时北洋政府的最高军事医学校——天津高等军医学校深造，但学校当局竟保送了一名家里有钱有势的学生。这事让施滉很早就认识了这个畸形社会里的不平，而在他心里埋下了革命的种子。

“学生对于社会应该怎么样？我想大多数人对于这个问题的答案必是学生应该为社会谋幸福。社会幸福如何谋？我们的责任就是去改造它！”这时的施滉，就有了想改造和革命这不平等的社会的愿望。从此，他的目光里透射着追求真理与光明的希冀。

1917年秋，施滉以插班生考入清华学校（清华大学前身）。在清华，施滉的学业时间长达7年，这是他思想和价值观形成的最重要的时期，也是他青春年华异常闪光的岁月。施滉是个特别善于思考、提出问题和解决问题的学子，并且愿意通过自己的探索和实践来回答问题。入学第二年，他就与冀朝鼎等同学成立了“暑假修业团”。那时他就认为，作为“大孩子”的学生，就不能“死读书”、“读死书”了。施滉通过自己的行动来积极响应和宣传新文化运动。五四运动期间，他组织身边的同学去声援和支持北大学生，并在后来的学潮中成为清华大学的学生骨干，一度被反动军阀逮捕。在与旧制度、反动军阀的斗争中，施滉开始对革命和马克思主义产生强烈兴趣，不时拿起手中的笔，在校刊和自办的杂志上发表革命檄文和教育的建议文章。他的《对于清华各方面的建言》一文，一直是百年清华的经典“声音”。

他在开篇语中这样深情地写道：“我不久要与清华离别了。我是在清华受了7年教育的一个学生，7年前的施滉与今日之施滉，完全是两个人。7年前的施滉道德不坚固，知识无根本，体质又孱弱。现在的施滉德智体三育皆比从前进步，我实在百分的（地）感激清华。我感激清华，我不可不在这离别的时候诚恳的（地）讲几句话……”根据在校7

年的切身体会和清华教育方针所存在的问题，施滉特别提出了清华学生需保持好体育运动的好传统。但是，当时清华学校的教育，存在着两大突出的缺点：一是德育方面，忽略学生品格上的训练；二是智育方面，教师只传授知识，没有指导学生全面地学习和求得知识，有“食而不化”的毛病，影响了学生德、智、体全面发展。因此，施滉对在校的同学，提出了两个希望：一、“希望同学在校的时期内把人格建造好”。所谓“人格”，“是德、智、体三育的总体”。要“把良好人格的重要根基建筑得很稳固”，并希望同学们珍惜在校的时间，“格外注意人格的培养”。“要充分发挥个人的优点，避免一切消极的东西，把自己培养成为人格高尚的人。”二、希望同学们“培养一种团体精神”。“团体精神”简单说是为公的守法精神。组织团体的动机是谋公共的福利，维持团体的工具是法律。所以服务于公共团体的人，切不可有自私自利的念头，切不可有违法的举动。公私不可得兼的时候，当舍私为公，切不可舍公为私；公私可以得兼的时候，亦应先公而后私。“百利于我，有害于公的事不做；百害于我，有利于公的事一定要做。”在学校里，“小的如友谊学术团体，大的如学生会、法庭、周刊社等，都是最好训练团体精神的地盘，盼望大家认真培养团体精神，预备做有利于国家的国民”。他号召大家在这些团体中，忠于职务，锻炼自己，培养一种为公不为私的精神。

对清华学子当时存在的问题，施滉更没有回避，直言道：

> 清华学生太娇养了，过的都是少爷公子的生活，住所很安适，饮食很讲究，世界上的各种物质文明，清华几乎齐全，可谓极其耳目口腹之欲了。又有无数仆役服侍，一点劳苦的工作学生都不必做。我以为这种贵族生活，可以养成奢侈及怠惰的习惯，可以软化志气。若孟子的“天之将降大任于斯人也，必先苦其心志，劳其筋骨……”见解不错，那么，清华生活中是造不出能任大

业的人才了。清华学生中，很多是少爷公子，在家庭时，受家庭的娇养，入清华后，受清华的娇养，到美国，每月八十金元，也是娇养；一向娇养惯了，将来入了社会无人娇养，必吃大亏。所以我想到这种危险，又想到清华应该造就能够应付中国环境之人才一层，不禁为清华教育悲，为中国前途悲。所以我一个出身寒苦，而经过娇养生活的人，不敢不热烈的（地）促起清华当局的注意。我盼望当局赶快提倡刻苦的精神，速去骄侈淫逸的恶习惯，不能刻苦，决不能处乱世，清华不是要造就能变乱世的人才吗？何以不培养刻苦的精神呢？要知道清华金钱不足惜，国家无人堪足悲！

作为100多年前的一名清华学子，能提出如此尖锐的问题，我们再看看今天的一些名牌大学，难道不是依然存在这样的问题吗？

百年清华，为中华民族崛起培养了一批又一批杰出人才，而像施滉这样的具有思想和政治远见的革命家、政治家，并不太多。所以，施滉被选为清华学校学生会会长，并担任改组董事会全权委员会主席，是情理之中的事。尤其是他主导和创办的“唯真学会”，成为清华校园内的一个进步青年团体，一直在宣传革命和进步的思想。

清华和清华的前身，其培养出来的学生，一直有“上美国留学”的传统与基因。作为留美预科班入学进到清华并在清华园苦读7年书的施滉等一批学生，他们毕业后的选择，就是去美国继续深造。

“为什么留学？”“留学如何好？”这是清华留美生面临的问题，而多数学生并没有对此深思，多数只是“镀金人生”而已。然而施滉不一样，他和他的几位进步学友则一直在寻找“学习的目的”。

1924年夏，是施滉在清华毕业的日子，之后他和同学将被派往美国留学。在学校的最后半年是社会实践和假期，由清华提供一笔经费任学生自己支配。

“到广州去！去听听孙中山先生是如何看待我们这些人的留学之路的！”施滉把思考了许久的事告诉了好同学徐永煐。

“这主意太好了！”徐永煐说。可他又一想：“我们能见得到孙先生吗？他可是现在革命的大元帅…”

“你不是说过有位亲戚姓王，是滇军的旅长，现在在大帅府谋事吗？”施滉说。

徐永煐一激灵，击掌道：“对呀，找他帮忙准成！”

与孙中山的“对话”从此开始——关于这一段“史实”，施滉的好友徐永煐著有《见孙中山先生记》一文，在文中比较详细地记述过。

施滉等一行三人，其中还有一位同学叫何永吉，是广州人，回家探亲，因此同行。

1924年1月26日，他们从北京出发，经天津到上海，转道香港，30日才抵达目的地——当时的革命策源地广州。

施滉等走在路上的时候，正好是孙中山领导的国民党在中国共产党人和俄国共产党（苏共）的帮助下，在举行第一次全国代表大会。30日恰好会议闭幕。当时的广州，到处洋溢着国共合作和革命的热浪，因为这次大会不仅由孙中山亲自主持，而且中共方面的代表人物李大钊、谭平山、毛泽东、林伯渠、瞿秋白等都参加了会议。这次大会通过了有共产党人参加起草的以反帝反封建为主要内容的《中国国民党第一次全国代表大会宣言》，确定了“联俄、联共、扶助农工”的三大政策，从而把旧三民主义发展为新三民主义。大会的召开，也标志了以国共两党合作为基础的民族民主革命统一战线的正式建立，历史上所说的“大革命”也正式掀开了帷幕……

“我们在见孙先生之前，应该见一下北大的李大钊教授，听说他全程在帮助孙中山先生筹备会议，先听听他的建议一定是很有益的。”施滉对徐永煐说。因为他们在到了广州之后，发现这里的每一个革命者都在忙乎，何况大元帅孙中山，是那么容易见得着的嘛！

“又是好主意！”徐永煐点头。

2月4日晚，在朋友引荐下，施滉和徐永煐到广州亚东酒店拜见了李大钊。

“是你们？清华的？”正一头埋在文件“山”里的李大钊，抬头一见是两位年轻人，便抄起一叠文件，在他们面前晃晃，幽默道：“你们看看，这不过激吗？看一个晚上看得完吗？”而后耸耸肩，说：“抱歉，你们得等一会儿，我要先干完这些活，否则有人会说我革命的劲头不够高！”说着，李大钊就继续埋头处理他面前的文件“山”……

据说当晚李大钊在结束工作后与施滉等一直谈到深夜一点多钟。施滉在五四运动后就早已拜读过他的著作，深受其思想的熏陶和影响。李大钊则把素不相识的几位清华学子视为知己一般，向他们袒露自己的政治观点和中国共产党的革命主张。在谈到留学美国时，李大钊说：留学生应该注意一切为了祖国，要注意了解美国的情况，要结合中国的情况，学习对人民有用的知识。

当时关于中国革命问题，国共内部都有一种“倾俄”趋势，无论是孙中山领导的国民党，还是中国共产党，都在派精英前往莫斯科，去学习列宁革命和苏联治国经验。于是社会上也有些议论。

“现在是不是莫斯科指挥我们呢？中国为什么要受苏俄的指挥？”施滉把问题亮给了李大钊。

李大钊先是笑笑，然后严肃起来：“你指的是第三国际吧？它现在设在苏联，但这个组织也可以设在北京。要是现在设在北京，你们想想能行吗？军阀不早把它搞掉了！所以现在不行，现在设在苏联，我们参加比较合适。等将来中国革命胜利了，设在北京不也一样吗？所以这不是谁指挥谁的问题。”

施滉脸上的疑云，顿时消失了。徐永煐事后回忆说：“李大钊同志的几句话，解决了我们的问题。”

2月9日上午，等了一个多星期的伟大时刻终于到来。在那位姓王的滇军旅长的引荐下，施滉他们来到大元帅府求见孙中山。孙中山接到通报后，在百忙之中慨然应允接见这几位从北京远道而来的年轻人。施滉等人一见到孙中山，就被这位中国革命的先驱者和领袖的神态与丰采吸引住了。

他们凭栏看了一会儿，便都走回室内。一个精神奕奕、黑发灰须的人，走了进来。王君把施滉和徐永煐一推，说这是大元帅。他的黧黑的面孔，似有万丈光芒在中间，使人觉得这身材不高的人，有无穷的高大在里面。这时何永吉正在墙边的茶几上，拿着报看，兀自不知道是千待万等的中山先生出来了呢。徐永煐对孙中山先生深深鞠了一躬，便叫几句“何！何！”，何永吉才忙忙跑过来。他们于是就室中的长桌两旁坐下，孙中山先生坐在中间。

孙中山先生穿的是黑绫绸团花薄棉袍。坐在那儿，直挺挺的。据王君说，他今年有58岁了，可是看起来，好像50岁出头的样子。他说他还要活20年呢。

向中国资产阶级民主革命的先驱和统帅请教，并与其对话，这是施滉在清华时早已渴望的事，今天事已如愿，他怎能不激动和畅所欲言！

“好吧，现在开始，年轻的小同志们，你们有什么问题需要问就问吧！”伟大统帅就这么直爽。这让施滉等人脸上泛起红光。

施滉看了看自己的同学，他们的眼神告诉他：“你先问。”于是，他说：“我们暑假后便要到美国升学，请大元帅指教我们将来如何做事，以为求学的方针。”

孙中山头一侧，说：“那要看你的学问造就如何了。”

施滉自知问得太笼统，顿时有些脸红。

孙中山亲切地朝他笑笑，意思是没关系，继续把问题“扔”出来。施滉不愧是清华学子，于是就大胆起来，问道：“我们觉得大元帅的人格精神高尚，坚忍不拔。革命的事业，有孙先生在，是不会停止进行的。但是上寿不过百年，孙先生百年之后，谁能继续这种奋斗，我们觉得这是很可虑的。不知孙先生的意见怎样？”

孙中山认真看了一眼他面前的“小同志”，回答道：“国民党以前是靠一个人支持。现在改组之后，是要拿党来活动。党所以能活动，是因为有纪律来维持。以前的革命党分子大半是学生，因为学生的思想新，能了解革命意义，容易集合，殊不知病就在这个地方。他们以为革命的目的，既是求平等自由，他们自己便要自由，不听党的号令，不受党的约束，因为他们以为号令约束，是摧残他们的自由的。因此，革命党（人）虽然是在一党，都是人自为战，并没有党的行动，所以不能不靠我一个人来支持。他们不知道，革命党所要求的是人民的自由，人民的平等，不是个人的自由平等。要替人民要求自由、平等，便要牺牲自己的自由、平等；服从党的命令，遵守党的约束，才可以群策群力，一致的（地）与外敌奋斗。假使能办到这一层，党便有力量，便用不着一两个人来干独木支大厦的勾当。如是，则一两个人的存亡，与大体上毫无关系。如同俄国，自从列宁死后，劳农政府仍然屹立不动，这是因为他们的党员，能牺牲个人的自由、个人的意志，以成全党的自由、党的意志，所以党的力量，异常之大，党的基础，异常之固，一个领袖死了，丝毫不发生什么影响。”

也许是孙中山的话中多次提到俄国，施滉竟然冒出一句尖锐的话，发问道：“国民党实行的，是不是俄国的主义？”

孙中山立即摇头，断然道：“否！俄国是俄国，中国是中国。俄国有俄国的主义，中国有中国的主义，我方才一篇话，处处论到俄国，是说他革命党的组织，不是说他的革命的主义。俄国的革命所以成功，因为他的党，有党的意志，党员都牺牲自己的自由来承受党的纪律。中国革命之所以失败，就是缺乏这一层。这是现在国民党所觉悟到，而开始来取法的，也就是我十几年来奋斗以求之的。”孙中山说到这里，忽然以讨教式的口吻反问施滉：“西洋人为何争自由，中国人为何不争自由？中国人不但不争什么自由，并且连这个名词，得到现代的意义，还是最近一二十年的事，这是何故？”

施滉等一阵紧张起来，三个人胡乱地答了一通，孙中山时而笑、时而倾听，最后他自问自答道：“这是因为中国人自由太多了，所以不知道有自由。我们想想，我们生活上头一件最重要的东西，是什么呢？是吃饭吗？不是，乃是呼吸空气。吃饭，我们一天不过两顿三顿，最多四顿五顿，要吃到十顿八顿，我们便干不了了。然而我们呼吸空气，一分钟要进行三十次。我们吃饭要停止一天、两天、三天，都不至危及生命，我们试把呼吸停止一分钟、两分钟、三分钟，恐怕就要支持不了。这不是空气比饭重要吗？然而我们普通人想到生活要件的时候，只知道有饭，而不知道有空气。其故，就是因为空气很多，我们可以随便取用，故不但不知道它的重要，并且不理会果然有无这么一件东西。”

“请等一下，我需要去处理一件事。”说着，孙中山便起身朝另一个房间走去。他走的姿势像军人迈正步一样，于是施滉的同学何永吉悄悄议论：“大元帅这也太矫揉造作了吧！”

施滉马上制止，轻声道：“胡言！”随后向自己的同学解释道：“一个人绝不能一生一世矫揉造作的。一生一世的做作，便不是做作，习惯定成自然。他这种走路的法子，绝不是在我们面前如此，一定平常都是这样的。中国人有精神的太少，我们看见这快60岁的老头这样，便大惊小怪起来。”他的这番话，让同学很受启发。“原来习惯成自然，还真从孙先生身上看到了！”何永吉感慨道。

五六分钟后，孙中山回到会客室，还没有落座，突然又想起什么，又离开了施滉他们。“对不起，小同志们，我的工作很忙，需要处理很多事。”他回头解释了一句，风一样走了，不像一个近60岁的人。

又过两三分钟后，他重新坐在施滉他们面前，继续从从容容地说着他刚才说的话题：“人在空气里，不知道有空气，犹之乎鱼在水里，不知道有水。你要是把一条鱼，从水里取出来，放在陆地上，过一分钟，那鱼便知道有水了。你要把一个人关在一间屋里，把那间屋子里的空气用抽气机抽去，那人便知道有空气这件东西了。中国人不知道要求自由，如同平常人不要空气一样。西洋人知道自由的重要而争自由，是因为自中世纪以来，人民的自由受剥夺得太甚了，如同抽气机里面的人，陆地上的鱼一样，中国人的自由实在过多了。中国人现在所要的，是纪律，不是自由。国民党的失败，也就是各人自由太甚所致。所以说，我们现在要取法俄革命党的组织，要注意纪律，要党员牺牲个人的自由……"

施滉等"小同志"听罢孙中山这番用"凡不知道的东西，是因为有的太多了"作大前提，拿空气和水来证明，以推论中国人自由太多，长篇大论，真是滔滔不绝。"似乎有道理，似乎也不全面。"这是施滉后来对孙中山这番话的评价。"不过孙先生这段话，归结到国民党内的现状，这当然是很对的。"施滉补充说。

在现场，孙中山说完上面这段话后，他的"小同志们"都愣住了。于是他把眼闭了闭，等着施滉他们发问。

"没有？"孙中山见"小同志们"有些被问住了，便换了个话题："对于方才你们所问回国做事的问题，我想可以回答你说，请入国民党。因为国民党现在已经改组，国民党不是一个人支持的了，是要大家合作的。我们将来做事，一个人赤手空拳，不论有多大本事，总是很难，总要凭借已成的势力。国民党不问他以前如何不完善，但总有他十几年的历史，总有他的基础。现在真正为民治而奋斗的，也只有这一个组织。所以我劝你们还是入国民党。"说到这儿，孙中山似乎特别坚定，特别信仰自己的国民党。随后，他又问："现在还有什么要问的吗？"施滉马上接过话，问："照历史看来，统一中国，大半是从北而南，绝少从南而北的，这是不是不可逃的定理？假如是的，孙先生对于这层有什么计算？"

孙中山回答说：“言及‘统一中国’，我们不要简单地认为从北而南，比从南而北容易。在学理上讲，似乎也有几分是真的，这大半由于北方生活比南方困难，北人到了南方，便留恋着不愿走，北人也就愿意向南方进行。南人则适得其反，到了北方，感着生活的不安，尤其是不能耐冬天的冷，所以不能在北方久住。不过北方统一南方容易，物质上的原因还不及心理上的原因的成分多。因为有这点物质上的原因，南人便很少敢向北方去，去的（得）越少，越觉得南人打不到北方。其实就最近洪杨时代，他们的兵也曾到过天津。那时因为只有五六千人，僧格林沁用几万马队来围困他，所以不敌，假如有几万人，怕北京不会攻下？况且就这五六千人，还在天津过了一个冬，然后整顿退归。僧格林沁几万马队，也奈何不得。谁说南人绝对到不了北方呢？这无非是心理作用罢了！”

孙中山没有从政治上讲“统一问题”，而是从南北自然环境和条件上讲述这番道理，顿时让施滉等清华学子有茅塞顿开之感。

何永吉插话道：“孙先生计划什么时候可以统一成功呢？”

孙中山说：“这是很容易的事，现在所愁的，不是统一，而是统一后的办法。有了办法，统一是不成问题。像曹锟、吴佩孚这种人，随时可以叫他们倒的。”

何永吉又问：“进行的方法如何呢？”

孙中山娓娓道来：“总要随机应变了，没有一定的方法的。比如现在的科学，都是近几十年几百年才有的。然而社会的存在，并不是社会学成立了以后才有，一切应用物理学的机械，如帆船、如车，也不是物理学成立后才有的。我们认定一个目的，往前做去，自然会有方法，这并没有一定的公式可以遵循。我做的一本书叫作《孙文学说》，你们看看，就可以明白这个意思了。”他进而又说：“世事变化不定，中国也许一两年内可以统一，也许一两日内可以统一，谁能知道？当初的革命党，谁能想到他们竟轻轻易易的（地）把一个清室推翻了？我们只有认定目的，望(往)前干去。”

何永吉见孙大元帅如此平易近人，越发大胆了，抛出一个哲学问题：“我们现在很感着没有一个完满的人生观，生活因而不得安定。孙先生做事几十年，一定很有经验，对于这层可以给我们一个指示。所谓人生观，即是Philosophy of Life或View of Life。”

孙中山听罢，把眼一闭，说：“View of Life，View太多了，要看你从哪一个View。就政治上说，我们应当为多数谋幸福，为真正没有幸福的人谋幸福，简单说来，就是替最下级的人民谋幸福。这层，只有现在的俄国在做。我们所最应当取法的。”

“我们到美国是否不能学到什么？”施滉也把自己肚子里的疑问抛了出来。

孙中山看着施滉，说：“以前求学，美国最好，因为美国比较的谋的是多数的人幸福。现在则不然，比较上谋多数的幸福的，乃是俄国。美国不但不这么样干，反而不赞成俄国的举动，所以英国都承认了苏维埃政府，美国独仍表示反对。美国怕俄国这种办法一来就要upset(推翻)他现在的institutions(制度)，所以要极力的(地)反对。因此，美国以前是极进步的国家，现在反变了极退化的了。诸君要到美国念书，极要留意，稍一不慎就要被他们带坏。像现在的王正廷、顾维钧这都是美国留学生，切不可学他们的样。还有中国最初送去美国的学生，大半都变成美国人，回到国来，看见种种腐败的情形，不想法子改良，反开口闭口You Chinese没有希望了，We Americans怎样怎样，像这种亡国奴要他们何用？你们切要小心。”说完，他朝施滉他们点点头，意思是你们这些“小同志”真的要小心哟！

施滉双眼直直地看着孙中山，内心觉得眼前的这位革命统帅对美国的看法有些“过火”。他对此有些不同看法。

这时，徐永煐请教孙中山：“现在所用的军队，外间很不赞成，说他们纪律不好。究竟军队的骚扰，是用着兵的时候，便一定不可免，还是我们可以得着较好的军队呢？”

孙中山说：“这倒不一定必不可免的。现在所用的云南军，虽然于革命上也有些渊源——从前有个杨什么的运动过的，在云南也打过很多革命的仗，不过现在分子改变了很多——然而他们不十分了解革命意义，也是无可讳言。我们现在正在着手编练革命军呢。”

徐永煐又问：“据刚才先生所说，国民党现在不注重一个人，注重组织和纪律。这个话也很对，不过凡事都要渐渐地来，不可骤几。例如以前的国民党，是孙先生一个人维持。国民党得有今天，是靠孙先生一个人。假如没有孙先生，国民党也许早就完了。国民党一来就是一个人支持，现在要改变这种局面，只能由一人的手里，交到较多的几个人手里。这较多几个人，即是所谓中坚分子。这个中坚分子的问题，是很重大的。古人说的好法不足以徒行，一定是要靠人的。现在徒说纪律，徒说组织，那么叫曹锟、吴佩孚一班人来，便会变成北洋正统的纪律的组织。叫陈炯明、叶举来，便会变成割据惠州的纪律的组织。所以分子问题就是人的问题，仍是很重要的。不知道国民党这次改组，顾虑到这层没有。假如不曾，恐怕差之毫厘，谬以千里，所谓纪律，所谓组织，仍旧是一纸具文罢了。”

孙中山肯定地回答：“是分子问题，国民党当然注重的。再过五六个月，你们便可看我们的成绩……”

施滉这时做了个手势，他想打断一下两位同学，自己还有一个重要问题想与孙中山对话，这就是他藏于内心有段时间的最重要的话题：中国革命，到底应该寄予谁身上？是你孙中山先生的国民党，还是苏联俄罗斯式的中国共产党？这话题因为有些激烈，施滉一直不敢直接冒出来，但他还是想直言不讳地请教孙中山。

但施滉没有了机会。这时，一位大元帅府的白须老者进来，他向孙中山深深一鞠躬后，孙中山马上起身回了他一个礼，随后又坐。可施滉他们觉得已经很不合适再耽误大元帅的工作了。于是3位清华学子起身向大元帅告辞。

孙中山也随后起身，与施滉他们一一握手，并说："我很喜欢你们来谈。你们还有什么问的，或有什么意见，以后可以写信给我。"

可以说，施滉他们是欢天喜地地出了大元帅会客室的。整个对话时间近两个小时，可在施滉他们的印象中，似乎一瞬而过，"时间好像飞似的"，施滉后来这样回忆道。

"可是，我还有许多疑惑仍然没有解开……希望与孙先生再有一次长长的对话！"离开广州时，施滉对同学这样自叹道。但令施滉他们没有想到的是，他们心目中的"革命方向的伟大领袖"孙中山先生在会见他们后一年多一点的时间就与世长辞了。1925年3月12日，孙中山在北京去世，其实在半年前就已经患病。也就是说，施滉他们走之后约半年时间，孙中山便发现了绝症。他患的是肝癌。

"他不是可以再活20年的嘛！"当时在美国留学的施滉，无法接受这一噩耗。因为他心目中的孙中山，目光炯炯、动作灵敏，丝毫没有半点病态。更重要的是，施滉还一直在想着何时再与大元帅"对话"。现在，他只能用行动和实践来与孙中山先生对话了……

施滉悲痛欲绝。这是后话。

我们来看结束广州之行的施滉他们。

2月12日，施滉等到达香港，在香港大学和越南海防线等进行实地社会调查。2月22日，施滉回到一别八年的昆明，见到了父亲，但却没能回到洱源去见母亲。他在昆明给母亲寄去了一张小照，寄托了他对母亲的一往情深。

3月21日，施滉等人结束了55天的南行，回到北京。此次南行，对赴美留学的其他同学而言也是十分期待的，因为他们都在关心中国甚至是每个学子如何走革命道路的问题。为此，施滉在北京西郊玉泉山召集他发起的一个秘密组织——"超桃"的全体成员，开了半天会，着重对中国有影响的政党国民党、共产党及梁启超的政学系等进行了分析，认为其中国民党和共产党都是革命的，但经广州之行，让施滉他们更倾向于中国共产党，而非内部复杂混乱的国民党。据会议参加者罗静宜后来回忆：在玉泉山会议上，施滉等认为，国民党革命不彻底，李大钊他们的中国共产党才是“希望所在”。

这是施滉与孙中山“对话”后最重要的印象和结论，为他日后的革命道路奠定了基础。“但孙中山对美国的一些看法，对后来施滉最终决定从美国回到祖国闹革命有着重要影响，因为他在美国革命的过程中看到了美国的问题，所以他义无反顾地回到了祖国。”施滉的同学这样说。

“为社会谋福利”，这是施滉的追求和理想，这是他在参加中国共产党之前一直所奉行的信仰与追求。在与孙中山的“对话”中，他获得了统帅的某些肯定，同时又觉得在如何才能实现“为社会谋福利”这一途径上，又不同意孙中山“加入国民党”才有可能这一说法。

“欢迎小同志再次与我进行有意义的对话。”这是在大元帅府临别时孙中山先生握着施滉的手时所说的话。这句话施滉牢牢地记在心上，而且他一直盼望再有这种可能。当后来听说孙中山北上途中患病去世，他异常悲痛。想到一年多前与孙中山先生的会面和对话情景，施滉常站在大洋彼岸，遥望东方，浮想联翩，情不自禁，感叹“何时再与先生对话”……

不，革命尚未成功，同志仍须努力。努力便是让四万万人民谋上幸福生活，让东方大国重振雄风！这是施滉离开中国、走向大洋彼岸最想获得希望和奋斗途径的想法。

现在，他来了——来到了当时世界上最活跃和最“自由”的美利坚合众国。

1924年秋，施滉进入美国西部最负盛名的斯坦福大学学习东方史，好友徐永煐等仍在国内。施滉是只身单影到达旧金山（即三藩市）的。

旧金山一直是旅美华侨最集中的城市，施滉在这里亲眼看到华侨生活在美国的社会底层，备受歧视和凌辱。他写信给国内的同学罗静宜说：“在美国，华侨遭受到想象不出来的许多歧视、排挤和压迫，政治上毫无权利和地位，大多数人的经济十分贫困，这里，并非像我们原先想象的那么好。”

1925年国内五卅运动爆发后，施滉又亲眼看到美国共产党领导美国工人，积极支持中国工人阶级的反帝爱国斗争。尤其是美共创办的公开报纸——《工人日报》用大号字和醒目标题刊登了中国人民反帝爱国斗争的消息。而且美共还召开工人大会，公开声援中国人民的反帝斗争和中国的革命运动。这让施滉内心的革命激情一下被激发了出来。“原来李大钊先生他们的共产党，在全世界都有，而且都是为了社会与民众谋福利的政党！”

“我要加入共产党！”此时的施滉，人生目标开始清晰，加入共产党成为他追求的崇高信仰。

1925年暑假，原清华大学的“超桃”社团成员徐永煐、罗静宜等乘坐美国邮船杰弗逊总统号到达西雅图，踏上留学之路。施滉专程到西雅图迎接。不久，施滉召集“超桃”的7个成员在伯克利举行会议，决定一件关联到这个社团成员政治命运的大事：加入共产党，边读书，边干革命。

伯克利是加利福尼亚州著名的加州大学所在地，与斯坦福大学仅一水之隔。施滉与国内来的几位好友，经过一天热烈而又严肃的讨论，最后形成了共同的信仰：跟共产党走，投向为多数人谋福利的革命事业中去。而此时，中国国内的五卅运动反帝的怒潮席卷全国，除上海之外，由中国共产党人邓中夏、陈延年等领导下的广州和香港的工人大罢工，前后坚持了一年零四个月之久，在经济和政治上沉重地打击了英帝国主义。垂死挣扎的英帝国主义，在上海五卅惨案发生不足一个月的6月23日，又对广州沙基游行示威的群众用机枪扫射，当场打死50余人、打伤100多人，沙基惨案再度震惊全国。在此次惨案之中，美国的军舰也参与了镇压中国工人运动的行列，甚至扬言要把在华的30艘军舰全部用于镇压中国人民的革命运动。施滉在美国还看到《新共和国周报》发表这样的言论：“以英、法、美、日联军二十万直攻北京而占据之，徐图瓜分办法。”

帝国主义在华的暴行和公开挑衅，激怒了世界各国工人阶级，国际工运组织纷纷声援和支持中国人民的反帝斗争。美国工人在美国共产党领导下，同样开展了声势浩大的游行集会，抗议帝国主义在华暴行，在舆论上和物质上支援中国人民。当时在美的华侨和留学生达30多万人，因此华侨各团体和组织也都积极行动起来，支援国内的反帝爱国斗争。施滉与同学徐永煥、罗静宜等在旧金山反帝运动中再次成为华裔界的风云人物。因此，他们也就引起了美国共产党的注意，主动派人邀请施滉等参加美共的党内外活动。1926年5月至6月间，美共区委书记莱文（Levine）在美共旧金山区委召开的反帝大会上，向施滉伸展双臂，热烈地拥抱了他，激动地说：“我知道施滉是位了不起的革命英雄，欢迎你们加入我们共产党。”之后，莱文经常邀请施滉参加他组织的美国共产党活动，莱文多次参加施滉他们的各种会议，指导施滉他们学习马克思主义。

“全世界无产者联合起来！”当施滉第一次从马克思、恩格斯所著的《共产党宣言》《共产主义ABC》等革命著作上读到这样的话时，激动得久久不能平静——他，在思想上彻底信仰共产主义。

“我要加入共产党，为共产主义不惜献身！”1927年3月，施滉与同学罗静宜一起毅然参加了美国共产党。之后，他又介绍清华学友徐永煐、章友江、石佐等先后加入了美国共产党，成为中国留美学生中的第一批共产党员。至此，原来由施滉发起的秘密组织“超桃”也随即宣告解散。

作为爱国知识分子，虽然施滉人在美国，但国内发生的任何政治大事，都在他心中引起波澜。1927年，蒋介石发动了四一二反革命政变后，在美国的国民党支部中的右派分子，也开始在华侨和中国留美学生中进行分裂破坏活动，甚至以各种卑劣手段镇压正义的革命者。施滉看清了这些人的阴谋，当即在国民党旧金山支部内，提出以支部名义发表申讨蒋介石罪行、坚持孙中山的革命纲领的宣言，但均被否决。他义愤填膺，挺身而出，在之后的两个多月里，以个人名义先后发表了十大宣言，并在由自己出资创办的美国华人报——《国民日报》上连续发表，在旅美华侨和中国留学生中产生极大影响。当年也在美国留学的周培源先生后来这样回忆："我记得很清楚，施滉是中国留学生中第一个站出来坚决反对蒋介石的，他揭露蒋介石叛变革命的罪行，维护孙中山的三大政策。"施滉和徐永煐还联合国民党左派，解散了旧金山等地的国民党支部。

然而，施滉等人在美国华人中的革命活动，也引起了国民党南京政府的仇视。南京政府不仅发出了对施滉的通缉，而且还抄了他老家。但所有这些并没有吓倒施滉，相反，作为共产党员的施滉，更加坚定了为祖国的民族解放和共产主义事业奋斗到底的信仰和追求。

大革命失败之后，为了声援国内斗争和中国共产党的革命行动，施滉通过与美国共产党组织的协调，在美共中央秘密成立了"中国局"，并亲自出任中国局书记，他的亲密战友徐永煐、冀朝鼎等为委员，罗静宜（后成为施滉妻子）任妇女组织员。从此，在华侨和留学生中宣传马克思主义和中国革命道理，成了施滉的革命职业。之后，施滉发起成立了"反帝大同盟"，在美各界华侨和留学生纷纷加入，甚至发展到古巴、加拿大等国。以反对帝国主义、拥护中国革命为宗旨，华侨中的各阶层人士、中国留美学生中的各党派，凡赞成这个宗旨的即可入盟。由于国内四一二反革命政变后，在美华侨和留学生中的政治分野日益明朗，许多进步分子纷纷加入"反帝大同盟"。这样，施滉他们的秘密"中国局"通过公开的反帝联盟，进行了一系列有组织有领导的支援国内革命斗争的反帝革命活动。

“实现三民主义，争取谋广大民众的福祉，这是孙中山先生的遗愿，也是共产党人的理想追求，我们就要为这一目标奋斗，即使流血死亡，也在所不惜！”1927年年末，为了团结和争取更广泛的统一战线，施滉等联合国民党左派，发起并成立了“中山学会”，又将原来创办的《国民日报》改名为《先锋报》，并作为“反帝大同盟”的机关报，以拥护孙中山的三大政策和支援中国革命为宣传方针，继续无情地揭露蒋介石、汪精卫的反动面目。《先锋报》还经常登载通过党组织得来的有关中国苏维埃红军的“特讯”，介绍国内南昌起义、秋收起义、广州起义后建立的革命根据地和苏维埃政权的情况。《先锋报》的影响越来越大，不仅在美国，还在加拿大、拉美、欧洲各国以及东南亚、澳洲甚至非洲，都有它的读者。今天在美国影响最大的《华侨日报》，就是当年的《先锋报》后来改的，它的影响长达近百年，至今在全球华人中享有很高的地位。施滉是它的缔造者和最初的主笔。

“美国以前是极进步的国家，现在反变了极退化的了。诸君要到美国念书，极要留意！”这是孙中山的声音，这声音在一段时间里经常回响在施滉的耳边……

这一段时间里，施滉的思绪被美国共产党内的混杂声音搅得十分痛苦。自他担任“中国局”书记之后，原本就有的美共党内分歧，已经开始水火不相容了。作为美共中央下属的分支机构的“中国局”负责人，施滉越发感觉难以继续留在这个并不是他祖国的政党之内。为了坚定地捍卫马克思列宁主义和持续有效地声援中国国内革命斗争，施滉等“中国局”的同志不得不更多地依靠自己的力量去工作、去战斗。然而身在异国他乡的他和同志们，既不是资本家，又非生意人，他们的工作经费和日常生活，受到了极大影响，甚至有时连个人生活都无法正常维持。

当时的施滉与清华校友罗静宜在美国结婚不久。婚后，他们双双倾心革命事业，把小家庭的生活压缩到极限，两人节衣缩食，把所能积聚来的钱全都用在了继续维持“中国局”的工作与所开展的活动上，比如跟美国各大城市的共产党中国分局及古巴、加拿大、墨西哥等国华人中的共产党人联系的邮电费等，都要靠施滉夫妇省吃俭用攒下的钱。当时寄一封快信要一角美金，能买一个大面包或两个苹果。施滉夫妇为了维持革命事业，不得不定期到餐馆去洗盘子，把收入来的钱用于革命活动。有位同学曾这样回忆道：“他们吃得很简单，填饱肚子就行。穿得也很一般。两人租了一间小屋，挤得不行。”妻子罗静宜更有切身体会：“记得我们有一次快要绝粮了（这是我们的常事），钱早就完了，家里只剩下了两个洋芋、四个洋葱和一小点面包，正好一个穷同志来了，没有吃饭，于是施同志就把洋芋和面包请了客，剩下四个洋葱就做了我们两人第二天的全部粮食。那时我们真穷得可以，可是我们很快乐，因为我们在工作中取得比饱食更大的快乐。”

施滉和罗静宜的女儿出生时，因为没有钱出院，妻子罗静宜只得待在医院等待施滉打工挣到钱后才把妻女接回家……

“施，你很优秀，我愿意当你的硕士导师。希望你认真完成好论文，因为根据美国移民法规定，你的上课时间如果不足，就不能在美国居住。而不能居住在美国是无法想象的，更不用说完成学业的问题。”1926年后，施滉在斯坦福大学攻读研究生，他的导师是著名的指导老师春特（Treat）先生，他是美国远东政治学最有权威的卓越学者之一。春特这样提醒施滉。

“明白。谢谢您，春特先生。”施滉说是明白，但心里确实还是很有压力，因为他的经济活动占去时间太多，而他又无法放弃革命工作。为了完成必修课和论文撰写，他以惊人毅力，出色完成了革命和学习的双重任务。

“你的论文题目就叫《孙中山评传》啊？！”妻子罗静宜有一天瞅了一眼桌子上施滉正在写着的一叠稿子，惊呼起来。

施滉笑笑，说：“对呀，我跟孙先生已经‘对话’了两三年，本来希望找个时间再面对面地交流一趟，不想先生他去世了。现在，我只能把自己在革命的实践中碰到的问题，通过文字与在天有灵的先生进行独特的对话……你以为如何？”

“当然好了！现在赞成孙先生和反对孙先生的人都不少，中国革命者需要对他的思想、追求和观点进行客观和深刻的分析，以便我们真正认清中国革命的道路到底如何走……”罗静宜说。

“滉正是此意也！”获得妻子的支持和理解，施滉大为开心。

同学冀朝鼎对施滉的论文选择的方向，这样评价：“当时一般留学生，写论文都以外国问题为题材，兴趣都在外国问题的研究上，而他（施滉）却一反于此，着力研究中国问题，这说明他身居外国，却有着浓厚的爱国民族感情。”这一点，施滉恐怕是深受孙中山先生的影响。

施滉的论文《孙中山评传》其实是一部政治书稿，他前后用了两年时间才完成。这部长达300多页的作品，从成稿到出版，其实经历了非常艰难的漫长过程。据说原本导师春特格外看好学生的这部论文，但后来师生因为争议美国到底是不是“帝国主义”，在这一问题上发生严重分歧，春特认为美国不是帝国主义，而施滉用美国在对待中国问题上的种种帝国主义行径来证明自己的观点，结果师生闹得很不愉快。

“施，你的才华在中国留学生中是独一无二的，可你的政治观点过于偏激，所以我不会同意你的论文发表，除非你改变自己的政治立场。”春特先生最后这样绝情。

施滉也不含糊，回答说：“我一向尊重先生，但我和我的祖国所受的美帝国主义的压迫与奴役，使我无法改变对美国的看法！因为这是事实。导师一直教导学生做人做事做学问，不能违背事实，所以我不能违背这样的事实。”

施滉的《孙中山评传》最终没能在美国出版。新中国成立后由清华大学从美国斯坦福大学购回了此稿的影印本，再后来由一名译者进行了编辑校正，1996年由云南人民出版社出版了这部珍贵的施滉著作。

两年的工夫，300多页的长篇，让施滉在异国他乡的革命与时势的复杂环境下，有近两年的时间与孙中山先生之间进行了时而激情、时而理性、时而又海阔天空的“对话”。这些“对话”的结果，不仅让施滉深层次地了解孙中山和他的资产阶级国民革命，也更深入地接受马克思列宁主义及俄国社会主义道路，从而更加清醒地坚定了中国革命的方向和对共产主义的向往与忠诚。在美国学习和工作了5个年头的施滉，现在有个愿望越来越在他心目中占据主导位置，甚至让他常常夜不能眠——他想到莫斯科去，去那个无产阶级革命的成功地，共产党和革命者向往的首都。于是在1929年3月，他通过秘密渠道，以美国共产党中央中国局的名义，向莫斯科的中共代表团发去一封信。这封信的影印件收藏在中央档案馆卷号475顺序号第54页。内容全文如下：

中共驻莫代表团：

美工人（共产）党中国之部总部早于去年十月廿八日议决：请求美党中央允准施滉同志于今年二月赴俄，并望美党中央早与莫方负责机关接洽征求同意。今年一月卅一日总部又议决施滉同志可于其总秘书职务告终时离美，同时催美党中央速与莫方接洽，但美中央似未进行此事，抑莫方亦未雇（顾）及此事，故施同志之行由二月二十三日，推至三月十六日，而现在美党中央还是以未接莫方面回信答复，又不能不再改期航行。兹将此事特别报告，望贵代表团就近向莫方负责机关接洽，关于施同志之事，速与美党中央以正面的回答。立刻电复，当更妥善。再者施同志之秘书职务已告终，故他极愿在俄受相当训练，即回国参加工作。至于

在美方面工作，现在增加新同志不少，施同志之去，决（绝）无大影响。特此并致

共产主义的敬礼

美工人（共产）党中国之部

总秘书　滔地　三月十五日

落款“总秘书　滔地”中的“滔地”是施滉的化名。

经中共中央和共产国际批准，1929年下半年，施滉如愿到达他向往多年的国际革命中心莫斯科。

之后是一年时间的体系性的马列主义理论学习。中共驻共产国际代表团为让施滉更多地了解革命的实践，派他到一所国际工人学校工作，帮助那里的中国工人学习，兼做翻译。施滉在莫斯科的日子是愉快和充实的，视野也宽阔了许多，尤其是对苏联社会主义和中国革命方向等问题，更清晰地了解与熟悉。

“施滉同志，经中央研究，决定派你回国工作。”1930年秋的一天，中央驻共产国际代表找他下达了这样的命令。

“我坚决服从，也早想回国参加革命斗争了！”组织的安排与施滉的愿望想到了一起。

1930年秋，施滉奉调回国，来到上海，被分配在中共中央翻译科工作。与莫斯科相比，当时的上海到处都是白色恐怖，共产党的工作全部处在地下状态，而且即使如此，常常被国民党特务“一窝端”——叛徒出卖同志和组织的事几乎天天都有，这给那些人生地不熟的革命者带来极为严重的后果。这对施滉这样从“自由世界”的美国和“红色之都”莫斯科回国的人来说，最容易暴露在敌人的眼皮底下。

“没什么可怕的。参加共产党的第一天我就做了随时可能牺牲的准备。组织有什么重要的事需要我办的，尽管安排。”施滉一到上海报到，就这样向组织请求。

为了让兄弟国家的党组织和工人劳动界了解中国革命情况和中国共产党的工作，当时党内的翻译工作十分繁重。原本希望投身到斗敌一线的施滉，看到这种情况，立即毫无条件地全身心投入了翻译工作中，常一天完成1万多字的翻译任务，工作时间长达十三四个小时。当时领导施滉的党支部书记是邓颖超大姐，工作之余的施滉常就严峻而复杂的党内外形势向邓颖超大姐请教，用施滉的话讲：正是听君一席话，胜读十年书。同时他也从邓颖超等中共领导人那里学到了不少地下斗争经验。

回国的第一个冬天对施滉来说，可谓寒风呼啸。冬天刚过，次年的早春更加肃杀刺骨。党内的严峻形势更是常有不测风云。突然有一天，邓颖超大姐通知施滉：中央主管保卫工作的顾顺章被捕叛变，中共中央在上海的机关将面临灭顶之灾，要求负责翻译工作的施滉等中央翻译科的同志，立即撤离上海。就这样，施滉被派往香港中国海员工会任秘书。当时的中共广东省委机关也设在香港。蒋介石国民党当局视在香港的中共广东省委为眼中钉、肉中刺，于是勾结香港当局，利用叛徒、内奸，将刚刚建立的中共在香港的组织，给予几乎毁灭性的打击。施滉和中共中央负责人之一的蔡和森同时被反动派逮捕。无产阶级革命家、我党杰出领导人蔡和森被押解到广州后不久被枪杀。施滉的父亲当时正在香港一位富豪家当家庭教师，党组织便利用这层关系，在乘坐美国邮轮途中成功营救，随后施滉又秘密回到上海……这场惊心动魄的经历，也让施滉亲身感受到斗争的严酷性。

然而，此时的施滉，在敌人的残酷镇压面前，表现出的革命意志更加坚定和沉着，一如既往地在为党的工作东奔西跑。他常对一起工作的同志讲："革命最黑暗的时候，就意味着光明即将来临。坚持就可以看到天亮了！"

"施滉同志，考虑到你在清华读书时间比较长，对北平熟悉，组织决定派你到北平的中共河北省委工作……"不久，组织上决定将富有领导斗争经验的施滉派往斗争同样异常复杂和严峻的北平地区，任中共河北省委宣传部部长，又很快被任命为省委书记。

1933年北平的白色恐怖，比上海还有过之而无不及。反动派在城内各个角落都布置了特务，只要稍有风声，不管三七二十一，逮住就杀，不管是共产党还是其他什么人。那一天，施滉正与14位党内同志在艺文学校开会时，突然被特务和宪兵包围，当场所有人全部被捕，后来知道是叛徒出卖了他们。关于施滉被捕到他牺牲的整个过程，现存的史书和当时几乎没有留下任何文字和线索。他的清华校友、著名科学家周培源有这样一段回忆：

“1933年有一天，他爱人的弟弟罗建业（也是我们的校友）突然跑来找我，说施滉没有消息了。他们找遍了南京、上海、青岛的各个监狱，都没有找到。知道他牺牲，是很久以后的事……”

是敌人惧怕共产党、惧怕施滉以及他的革命同志，所以杀害施滉的全过程是极为秘密的，没有留下蛛丝马迹。中央党史出版社编著的《雨花魂》一书中关于施滉牺牲情况介绍也仅有一句话：施滉在北平被捕后，“坚贞不屈，被解来南京，1934年初在雨花台壮烈就义”。我曾问雨花台烈士纪念馆的专家，是否有施滉在国民党南京监狱的情况，他们说没有。显然敌人对施滉的残害是秘密和果断的，不留任何痕迹。可见施滉在敌人心目中同样具有特殊分量。

新中国成立后，南京雨花台革命烈士纪念馆建立的时候，施滉作为我党的高级干部和杰出的共产主义战士，被列在第一批纪念名单上，几十年来一直是人们瞻仰的光辉革命形象。施滉烈士只活了33岁。他一生追求真理，特别是参加革命后，一直与孙中山先生就中国革命问题在进行“对话”，他在全球的华侨中有着广泛影响力。他牺牲后，美国共产党便把每年的1月1日作为“施滉日”来纪念。

为了书写施滉这位清华杰出学子，我前后几次到过清华图书馆，专程去瞻仰那块纪念他的墙碑。每一次站在烈士遗像前，我的耳边总会响起一首诗，这诗是他的一位同学在1958年所写——

记得远在三十年前，
你从纽约去列宁的故乡苏联。
握手告别，你语重心长地说：
同志们，后会有期，再见！

别后，我一直记得这个情景；
却是，参商不遇，“再见”竟成泡影！
我到苏联，你已回国；
我回国，你已经牺牲！

你常说，我们加入共产党，
就不怕为革命而断头、流血。
却是，得到你殉难的噩耗，
又不禁心如刀割，万分悲切！

因为你坚守岗位、英勇战斗，
反动派千方百计将你逮捕；
因为你视死如归，忠贞不屈，
刽子手兽性大发，把你投埋洪波！

同志，你和千万烈士的血并不白流，
它染红了的五星旗飘扬五洲。
国民党心机枉费，
你的光辉形象永刻人民心头。

在清华园图书馆的墙壁上，
镶嵌着金光闪闪的纪念碑，
称你为母校最光荣的儿子，
最早的共产党员、革命前辈。
我们和你共过患难的战友，
也因此感到安慰、自豪。
当我默默站在金色碑的前面，
耳边还响着你当年战斗的口号。

安息吧，亲爱的同志！
你的担子已由接班人挑起，
你用鲜血浇育的苗芽已经结实。
看！到处在火热地建设社会主义！

是的，假如施滉能够活到新中国成立，活到改革开放的新时代，活到他能作为中国政府和中国共产党的代表团一员去美国访问的话，那时他该如何再与孙中山先生“对话”呢？

他是不是会这样亲口告诉孙中山先生：我们讨论了半个多世纪的关于如何实现“为民众谋福利”的事业，其实只有在中国共产党领导下的革命实践才能行得通啊！

清华大学骄傲的学子，你是这样说的吗？

第六章
1928年的秋风特别肃杀

“杀！宁可错杀一千，也绝不能漏掉一个共产党！”这是1927年四一〇惨案、四一二反革命政变后蒋介石向国民党反动集团发出的指令。

1927年的南京、上海、广州等全国凡有共产党人活动的地方，国民党反动派高举着血淋淋的屠刀，到处追杀共产党人和革命者，一时间黑云压城，腥风血雨。中国共产党和革命运动遇到了前所未有的困难。反动派的暴行每天都在升级，随时破坏革命阵营，形势万分危急。

1927年4月18日，蒋介石在南京正式宣布成立国民政府，定都南京。上海此时也同时被宣布为“直辖市”，归南京政府“直管”。实际上蒋介石通过这种方式，一是为了牢牢控制中国第一大城市，二是达到直接指挥“捣毁中共老巢”的目的。此后的南京城，革命形势急转直下，中国共产党组织和革命力量屡受挫折。

在四一〇惨案发生后，中共南京地委被敌人“一窝端”。6月，组织上又派黄逸峰出任南京地委书记，而就在当月的29日，团地委在鼓楼一个旅社秘密据点开会，结果引起敌军警注意，团地委书记刘竹贤等被捕，敌人在搜捕中发现了中共南京地委机关所在地高家酒馆的地址。7月5日，包括地委书记黄逸峰在内的5名领导及家属全部被捕，后敌人又抓捕了10余名地委机关党员，至此，中共南京地委第二次被彻底破坏。

“我们不能这样被敌人斩尽杀绝呀！”浦镇铁路工人党员买雨田听到消息后，悲愤欲绝，对几位工人纠察队同事说。

“是，为什么敌人总占便宜，我们就不能主动出击，去挖他们的心脏呢？”有人这样提醒买雨田。

“对啊！敌强我弱时，他们步步紧逼，追杀我们，让我们好像没有还手之力似的。这样下去的结果肯定没出路。要不这样……”买雨田把自己的想法跟几位工友一说。

大家纷纷称道：“好！这个办法好！”

买雨田说的“好办法”后来我们从南京工运史上都知道了：他带着十几个纠察队出身的工友，在向组织报告后，打入了敌人阵营，参加了北伐军铁道队。买雨田利用自己当排长和进入敌人军队的机会，积极配合我党地下工作，有力地震慑了敌人。可惜的是，在这年8月17日，他和战友被叛徒出卖，牺牲在敌人的枪弹之下。

与买雨田牺牲时间差不多的另一位烈士叫胡秉铎，当时任国民革命军第一师政治部主任。胡秉铎牺牲在南京，是被蒋介石残忍杀害的一位优秀共产党员。虽然我们无法设想如果胡秉铎没有被敌人发现，他在敌营高位上不知要为我党我军做出多大的贡献啊！即便如此，1927年的大革命关键时刻，他以非凡的勇气，在眼看蒋介石到达南京后在不断地要阴谋，对中国共产党人和所掌握的军事力量进行清洗的紧急关头，胡秉铎以他在国民革命军的上层关系，及时将情报传递给了蒋介石准备实施清洗的对象——萧劲光任党代表的革命军事力量的北伐革命军第二军第六师。随后该师在胡秉铎的帮助下，迅速完整地保留了实力，将部队开往了湖北，从而挫败了蒋介石的阴谋。

胡秉铎不仅拯救了革命军第六师，更重要的是还在危急时刻救下了后来人民共和国的一名海军大将——萧劲光。

1955年，萧劲光被授予大将军衔，后长期担任海军司令员兼国防部副部长。而他的革命生涯中，1927年在南京蒋介石的“狼窝”里死里逃生的传奇一幕，就是胡秉铎救下的一命。萧劲光的南京脱险经历步步惊险！而正是胡秉铎的情报提供得及时，才让这位中共杰出的军事人才得以安全脱险，之后的人民共和国才有了一位海军领导人。

蒋介石之所以恨透了胡秉铎，就是这个理：因这胡秉铎是他的黄埔军校学生，却在关键时刻，帮了“倒忙”，放走了一只“虎”，还带走了一支部队。故而在抓捕胡秉铎之后，对其使用了惨无人道的极刑……

胡秉铎的突然牺牲，对中国共产党也是一个巨大的损失。1927年4月25日中共上海区委主席团会议纪要这样记载：“南京消息，胡秉铎被杀”，“胡很有能力，此次被杀，很是可惜”。关于胡秉铎牺牲的情报和消息是周恩来在这个会议上通报的。

新中国成立之初出版的《革命烈士传记资料》关于“胡秉铎事略”一段这样记述：

> 胡君秉铎，贵州人也。广东黄埔军官学校第二期毕业生。曾任《青年军人》周刊总编辑。卒业后，充国民革命军第一军司令部秘书兼第一师政治部主任。他是中国共产党党员。他的意志坚强，思想精密，从不为敌人所屈服。但因他努力革命工作的缘故，致被他的母校教务长何应钦派人将他刺死。死时咽喉被缚，生殖器被割去，呜呼惨矣！

无法想象曾经的胡秉铎的“老师”和“校长”，却因为信仰不同而下此残忍之手对付一位仅有25岁的年轻革命军人，悲也！愤也！

胡秉铎是黄埔军校第二期步兵科的学员，他是在邓中夏的介绍下以第一名的成绩考上黄埔军校的。

这位从小受过良好教育的贵州学子，在五四运动的影响下，就立下济世拯民的志向。1924年，胡秉铎到上海投奔革命，创办《贵州青年》。萧楚女阅读《贵州青年》后，曾热情洋溢地赞扬它是“贵州人为了贵州前途而办的”。因为创办《贵州青年》的进步思想和影响，所以邓中夏介绍胡秉铎考黄埔军校。

走上革命军人的道路之后，胡秉铎如鱼得水，尤其在认识黄埔军校政治部主任周恩来之后，他的觉悟和视野迅速变得深刻和宽广。在由周恩来发起成立的黄埔军校革命青年军人联合会中，胡秉铎是积极分子和骨干，他与后来都成为中国共产党优秀领导者的王一飞、蒋先云等一起担任该青年军人团体的领导和组织者。这个组织其实就是共产党领导的团结黄埔军校青年军人的平台，许多进步青年军人后来成了中国共产党党员，并为创建人民革命军队做出了卓越贡献。

1925年，黄埔军校组织讨伐陈炯明叛军战役，黄埔军校学生队担任先锋，胡秉铎初次参加实战，便立下功勋。当年9月，他毕业后以见习军官身份，参加了国民革命军第二次东征，平定滇、桂军阀的叛乱，在惠州战斗中再立新功。

1926年3月，中共两广区委为进一步加强统战工作，决定团结滇、桂军中的青年军人，成立了“西南革命同志会”。在成立大会那天，当时名噪一时的右派组织“孙文主义学会”头目，带人过去捣乱，甚至在现场拔枪对准会议的主持人。在千钧一发之际，胡秉铎一个箭步冲过去，一把夺过对方的手枪，而后用枪对准那人的胸膛，大声怒斥：“谁要敢动手，我就毙了他！”就这样，一场惊心动魄的险境化解了，胡秉铎也从此威名远播。

1926年北伐革命开始，胡秉铎先后担任东路军总指挥部第一科科长和第一师政治部主任。北伐革命军到达南京城之后，蒋介石开始篡夺革命果实，暗中策划对付中国共产党的军事行动，其中一招就是排斥攻打南京城的中共领导的功勋部队。萧劲光所在的第二军第六师就是其中的主力部队之一。当胡秉铎从国民党内部得知这一紧急情报后，立即想法通知到了萧劲光那里，告诉他“人不离队，师部不能驻南京”。萧劲光部立即行动，撤离虎口南京，从而为我党保留了一支革命武装力量。

蒋介石为此气急败坏。一日，胡秉铎在参加党的一个秘密会议时，有人向何应钦告密，他不幸被捕。

“你是老黄埔的，校长和我非常看重你，别跟共产党瞎胡闹。留在我们这边，还怕日后没有你的官当？”何应钦软硬兼施来劝降。

胡秉铎视死如归，根本不听“老师”的话。

“敬酒不吃吃罚酒！”蒋介石知道后大怒，随即下达“执行”命令。

临牺牲之前，胡秉铎给父亲深情地写道：“儿已失去自由，望家中不必挂念。干革命总是要死难的，为布尔什维克而死，虽死犹荣。”

胡秉铎牺牲之后，中共中央机关刊物《布尔什维克》刊载战友的悼念文章这样说：

> ……他确是一位富贵不能移（淫）威武不能屈的无产阶级的革命先锋。我现在每逢想起他的两道剑眉一双俊眼，和他的清新的头脑，潇洒的胸襟，我便牙关不觉咬紧双目不禁火迸。我要问秉铎同志为何死了，他实是中国不可死的青年呵！然而他竟因革命被人刺杀死了，死状极惨，咽喉被人格住，小腿被人扭裂，他死于他的黄埔军官学校校长手里，死于富有感情的东方人蒋介石手里——蒋氏在南昌一次讲演中说东方人是有感情的，意思是说西欧人无感情——他死于他的同乡教育长何应钦手里，他死于反革命的中国国民党手里。这班狗强盗恶贼任意残杀中国的革命青年为国际帝国主义者张目，试问你们的心肝何在！秉铎同志！你死了，我未尝哭你，我想人死而有知，你在九泉之下亦必不要我哭你，因为你生时说过，我们死，死则死于反革命手里方痛快，我们生，生则生于同志们中间才美善。你在有这样的见地总可为革

命努力置死生于度外。然而你真太重感情了，你以为蒋介石何应钦等都能共生死能革命，当蒋介石反动开始的时候，你竟不走开。唉！也许你当时亦走开不了，因你已经被何应钦软禁了。亲爱的秉铎呵！你死的也好，因为你的死促起了青年们的觉悟不少，使反革命的丑态益加显露了，蒋介石汪精卫及其他所谓革命前辈，总之，国民党全体统反动了，脱离了革命的战线去找所谓忠实的同志土豪、劣绅、军阀官僚了。他们不但实行拍卖革命与帝国主义妥协，而且一个个领袖们在死去的烈士尸身上血泊中结婚道喜摆酒接风呵！帝国主义者的中国区域即是他们的安乐窝，他们现在还催着青年去上战场谋巩固他们的终身利益。秉铎呵！你死如有知，对此将何如呢！我们的怒火发炎了，我们准备杀反动派，因为杀国贼比杀帝国主义者尤重要呵！然而死去的同志！你脱离了这恶浊的世界，你可以安眠了，革命的精神必因你而更强大，革命的事业必因你而日推进，我们未死者誓为你报仇，负起创造新人类的责任。

胡秉铎牺牲时年仅25岁。如今他的遗像和名字一直列在雨花台革命烈士纪念馆内，虽然并不那么醒目，然而他在我的心目中，形象异常高大。因为我一直在想，1927年的他，才25岁，已经是师政治部主任。像胡秉铎这样年轻而杰出的才俊的牺牲，是中国共产党和中国革命的重大损失。

蒋介石发动的四一〇惨案、四一二反革命政变，造成中国共产党和中国革命的类似胡秉铎这样的重大损失何止一个两个，而是成百上千。那段岁月里，屡受摧毁性损失的中共江苏省委和南京市委，可谓每一时、每一天，都处在风雨激荡之中……

1927年10月，中共江苏省委派吴雨铭重新组建第三届南京市委，与此同时也成立了共青团新的南京市委，何瑞林任书记。不到两个月后的这年年底，中共南京市委召开第一次代表大会，选举新一届的市委领导成员，吴雨铭继续担任书记，另一位后来在雨花台烈士史册上留下光辉名字的孙津川同志受党的委派，进入市委班子。3个月后，吴雨铭当了省委巡视员，后来背叛革命，孙津川正式出任市委书记。共青团南京市委也同时更换了书记，史砚芬任书记。不曾想到的是，这两位新任的党团书记，都在履职不到几个月就被敌人杀害，成了雨花台的烈士。

孙津川在南京雨花台烈士中具有很大的代表性，每次去烈士纪念馆，讲解员总是会很认真地重点介绍，这是因为孙津川不仅是中共南京市委第三任牺牲的书记，而且在雨花台烈士中也算是“老资格”了。1950年，新中国成立后的第一个清明节，当时孙津川的母亲就带着自己的孙女（孙津川侄女）应邀出席南京各界人民代表凭吊雨花台烈士大会。14岁的孙津川侄女孙以智作为第一批中国少年先锋队队员之一，上台讲述了其伯父的英雄事迹。之后的几十年里，孙以智一直是义务烈士事迹宣传员，在全国各地巡回讲演。

南京人都知道，在大报恩寺附近，是旧金陵制造局，也就是中国近代兵工厂的发源地之一。孙津川在金陵制造局当童工，而这也在一定程度上奠定了他作为一名出色的工人代表和中国工运领袖的基础。

1909年，仅10岁的孙津川听说父亲要到南京去，便跟在父亲的后面，开始了他一生的工人阶级的革命人生。

金陵制造局那时也招童工，14岁的孙津川拉着12岁的弟弟一起进了那个又高又大的厂子，初始时虽只有饭钱，但童心让兄弟俩充满着对机器的好奇……

日久天长，孙津川的好奇心渐失，开始有了自己的想法：为啥拼死拼活地干，总不能涨工资，肚子也填不饱。加上时势不断变化，清朝灭了，辛亥革命成功了。孙津川要走了，想去上海闯荡。

17岁那年，孙津川在上海徐家汇的一家叫“兴发机器厂”的工厂干活，与金陵制造局相比，这简直就是一个小作坊而已，但“天下乌鸦一般黑”的滋味让孙津川尝够了。

22岁那年，俄国爆发了十月革命，那时的上海媒体很活跃，各种“小道消息”“大道新闻”比比皆是。孙津川从“看热门”到成“书虫”，尤其是《新青年》《民国日报》等进步报刊，让他大开眼界，原来工人不是天生的穷人，穷人是可以翻身做主的，这一个个革命道理让孙津川感觉到想“干点正经事”的冲动。一次，资本家不愿为受伤的一名工友治伤，孙津川愤怒地站出来责问厂老板，几次三番力争后，在孙津川的努力下，厂方竟然同意支付相关费用，那工友的伤也获得了救治。可是孙津川的饭碗却丢了。

无奈，孙津川只得“告老还乡”回南京。工友们准备了几个小菜为他饯行，孙津川很感动，将身上的一块银圆掏出来塞给了那位仍在养伤的工友。

孙津川在工友中的威望就是这样慢慢树立起来的。他讲义气，做事有板有眼，更重要的是他有一颗帮助大伙的心，以及对资本家、黑暗的社会有天然的仇视。

五四运动爆发后，上海等大城市的学潮风起云涌，随即工潮掀起……这个时候不少工厂工荒，一位在上海的工友专程到南京邀孙津川到上海大中华纱厂工作。

大中华纱厂是民族资本家聂云台创办的，地处上海市郊的吴淞镇。此地虽偏远，但当时已有几个大厂在那里，从某种意义上讲，这里也是上海工人运动的重要策源地之一。而孙津川的到来，无疑为这个策源地的形成，产生了助力，因为他的家就安在吴淞镇张华浜的赵家宅2号，这里后来成了中国共产党谋划上海工人第三次武装起义和其他多次革命重要活动的“司令部”。周恩来曾在孙家住过多次，李立三、刘少奇更没有少住，原因是此处离市区较远、偏僻，不易被敌人发现；而且孙津川可靠，工人朋友又多，安全。

吴淞镇在孙津川到来的前后，是一片很大的滩地，这里除了有大中华和吴淞机厂几个大厂子外，来上海打工的外地工人有很多自己在此搭建简易棚落户于此，所以慢慢形成了吴淞镇工人棚户区。穷苦人在一起，相互关照，形成一股强大的力量，外力很难侵入。孙津川在大中华纱厂待了一段时间后，由于他是金陵制造局的机器能手，所以后来进了吴淞机厂，那里的用武之处让他在工人中更加有了地位和威望，主要是他的为人和能力让人敬服。最根本的是，在这个时候，他遇见了中国共产党——1923年，一位叫徐梅坤的上海早期共产党人来到吴淞机厂发动工人革命运动，孙津川便成了他首先发现的积极分子，两人一谈就是通宵。

"你好好看看这本《向导》，它上面讲了我们工人为什么受苦，应该如何摆脱苦难的道理……"徐梅坤把一本新出版的进步读物给了孙津川。

从此，孙津川不再是一个朴实只会讲义气的"工友大哥"，渐渐成了还能给大伙讲些革命道理和配合党组织行动的先进工人代表。随着革命浪潮的迅猛发展，上海的工人运动在中国共产党的领导下，此起彼伏。吴淞镇和吴淞机厂成为重要的工运之地。一日，中共工运的又一位重要领导人来找孙津川，他就是后来任中共中央政治局候补委员的王荷波。在南京时，孙津川就听说过曾在浦镇机厂领导工人罢工的王荷波的大名，王荷波也是南京地区第一个中共组织的创始人，所以一听说"王大哥"来到上海，孙津川格外兴奋。

"只要大哥说一声，我和厂里的工友，都听你的！"孙津川急切地握住王荷波的双手，有些摩拳擦掌了。

"不急，对付资本家和帝国主义，我们眼下最重要的事是把工人们发动起来，而要把工人发动起来，首先要让他们明白革命道理。因此，我们第一步把厂里的工会建立起来，再通过工会办夜校、办俱乐部，让工友们参加进来，然后形成我们自己的战斗力量……"王荷波一一教导孙津川如何做。

“我懂了！”孙津川的眼睛一亮，说，“今夜我就去联系其他工友……”

在孙津川的“跑腿”下，吴淞机厂的14位工友参加了工会，而后又在厂里建起了工人俱乐部。中国工运领导人李立三亲自任这个俱乐部的主任，吴淞机厂的工人革命烈火由此熊熊燃烧起来，而孙津川也由此成了上海工人运动重要策源地的一束格外醒目的烈焰……

1925年，是中国工人运动载入史册的年份。帝国主义对中国工人的压迫，酿成了五卅惨案，随即上海的工人大罢工和全国性的工人罢工，使得这一年的工人运动一浪高过一浪。在这其中，无产阶级和中国共产党获得了斗争锻炼和迅速成长。孙津川在这一年加入了中国共产党，并且被中共领导的全国铁路总工会任命为沪宁铁路特别员，秘密领导华东地区铁路工人运动。这年9月5日，沪宁铁路工会在吴淞机厂成立，上海工人革命又多了一个重要方面军。当时的上海，对外与帝国主义斗争，主要是与洋人的租界和洋人资本家，对内则主要是与北洋军阀政府，而铁路与铁道则是很重要的命脉。谁掌握了铁道与铁路，从某种意义上讲，就可以扼住统治上海的命脉，所以孙津川领导的沪宁铁路工会具有特殊的战略意义。

北伐革命开始，中国共产党为配合这场从广州兵分三路的讨伐北洋腐朽旧政府的革命运动，积极在上海策划武装起义，并由中共重要负责人赵世炎领导。赵世炎的第一次发动点就是铁路工人，而孙津川的沪宁铁路工会便成了最早投入武装起义的队伍。10月20日，孙津川带着6位工人骨干，搭乘从上海到镇江的火车，在次日早晨开始对北洋政府的“大动脉”——沪宁铁路实施破坏……随即，沪宁铁道上，连续3天火车中断。军阀孙传芳部气急败坏，又无可奈何。上海工人武装起义原定在10月23日凌晨，以黄浦江上军舰的炮声为信号，然而由于准备参加起义的钮永建部队泄密，淞沪警察厅有了防范，致使起义信号迟迟没有发出，结果第一次工人武装起义宣告失败。但孙津川领导的铁路工人实现了“断运沪宁铁道线3天”的任务。赵世炎在中共上海区委各部委书记临时联席会上高度赞扬了孙津川他们的行动。

第二次武装起义前夕，孙津川被推荐为全国铁路工人代表，出席武汉全国铁路总工会第四次大会。在武汉参加会议期间，孙津川从报纸得知上海将再次组织武装起义，他再也坐不住了。会议结束当天，他和另一位代表踌躇满志地起程返沪，哪知还没回到上海，第二次武装起义又失败了。

1926年年底，连续两次武装起义失败后，中共中央从广州调周恩来到上海，领导第三次武装起义。在上海，周恩来曾经直接向孙津川布置过任务。在周恩来的领导下，孙津川参加了上海工人第三次武装起义。

上海滩上，孙津川和他的工人纠察队威震黄浦江两岸，而将介石及其反革命集团盯上的也是这位工人领袖以及他带领的、越来越壮大的武装队伍。“四一二”前后，孙津川及其工人纠察队饱受反革命政变后反动派的追杀与诱骗。无数工友和战友，被残杀，甚至被弃尸街头。孙津川本人屡次身陷危境，也就在这时，他被任命为中共南京市委书记，重组连遭敌人毁灭性破坏的南京党组织和青年团组织……

1928年的春节，是中国农历的“龙年”。那一天，大雪纷飞的南京城秦淮河边，孙津川坐在雪地上痛哭了一场，因为前一晚，他听到了自己敬仰的老领导王荷波在北京被害的消息。王荷波是江苏工运和南京地区党组织的创始人，又是孙津川多年的上级，而且王荷波的弟弟王警东还是孙津川的入党介绍人。此时的孙津川，最想知道的是王荷波一家的安危，他知道他们还都在南京。

“必须尽快找到他们！”孙津川在雪地里留下一串串长长的脚印……

不知过去多少时间，孙津川和另外一位同志终于在一个旧城墙边的两间漏着风的茅草棚内找到了王荷波一家人。那情景让孙津川再次落泪：王荷波的妻子带着两个幼女，围坐在一块很小很小的祭牌前，低泣着——她们不敢哭出声，生怕国民党的军警找上门，连可怜的祭牌都不让摆。

“大嫂、孩子们，我孙津川只要有口气，一定要为大哥报仇！”孙津川擦着泪水，对王家人说。

然而，南京的形势之严峻，远远超出了想象。除了敌人的凶恶，党组织内部的情况也异常复杂。不少信仰不坚定的党团员此时纷纷脱离组织，留下来的人也不完全纯洁。怎么办?

“队伍纯洁是第一位的，否则，就不能形成战斗力，根本无法与敌人做斗争。”孙津川坚持认为必须重新登记党团员的组织关系。

于是也有了南京市委一年中召开两次代表大会的情况。纯洁组织后的南京市委和青年团组织，吸收了一批优秀党员，比如史砚芬、王崇典等被推荐到了市委、团委领导岗位，成为孙津川工作上的有力助手。在孙津川呕心沥血的努力工作下，原本基本成了“一盘散沙”的中共南京党组织，发展党员达到了240人，建立支部10个和党小组41个。史砚芬任书记的团市委的青年工作也卓有成效。

1928年6月18日至7月11日，中国共产党第六次全国代表大会在莫斯科召开。孙津川虽未出席，但被推选为中央审查委员会的3名委员之一，负责人为刘少奇。

“同志们，党的六大系统总结了大革命以来的经验教训，批判了右倾机会主义和‘左’倾盲动主义的错误，明确了新时期革命的性质和任务。现在，我们南京市党的组织工作重心，仍然要放在发动群众、觉悟群众，揭露蒋介石反动集团的本质，唤起民众对腐朽统治的斗争精神，从而实现推翻反动统治、建立新的人民共和国的目标……”这是一个仲夏的夜晚，孙津川正乘坐从上海开往南京的列车。他靠在座位上，装作闭目养神，实际上在酝酿向市委班子传达党的六大精神的发言稿。这一天晚上，按照预定的安排，将在下关大江街58号的一位地下党员家开会。不料由于一名叛徒的出卖，敌人早已将这位党员的家团团围困……

按照常规，参加会议的人中最后到场的是孙津川，这是为了安全起见。但是，这一天阴暗的夜幕下，孙津川穿过一条弄堂后，抬头远远朝会议地址望去，不由大吃一惊：按规定，凡平安无事时，门窗必须敞开，门外还得坐着一个人。可今天不一样，门是开着的，门口也坐着人，但窗户却是关着的。

不好！情况有变！孙津川意识到，会场可能出问题了！凭借着长期的地下工作经验和高度警惕，他立即朝一个方向走开……刚走几步，突然想到身上带有党的机密材料，于是便佯装系鞋带，蹲下身子，而后从口袋里掏出机密材料，揉成纸团后又捡起一块石子，与纸团裹在一起，见路边有口水井，便随手扔在井内。

“不许动！”就在孙津川不慌不忙地站起身的那一瞬间，黑暗中四个身影突然将其围住，然后4支短枪顶住了他的胸前胸后。

孙津川不幸被捕。

“说，你是共产党的什么官？”敌警察局里，审问开始。

“我是一名工人，不是共产党，更不是什么官。”孙津川知道敌人还不明他的身份。

“我看你就不像工人，老实交代吧！”

“你不信可带我到机器厂，我当场给你看看我的手艺……”孙津川说。

“少来这一套！你们共产党不都是从工人里培养出来的嘛！”敌审问官不屑一顾地朝一位小警察使了个眼色。这时，另一间屋里出来一位孙津川熟悉的人——坏了，他叛变了！

孙津川马上意识到敌人的阴谋，果不其然，那个叫王汇伯的叛徒当场指认孙津川是他们南京市委书记。“无耻叛徒！”孙津川的一口口水喷向王汇伯脸上。

敌人狂笑着说："孙大书记，你就把手下的名单告诉我们，你也用不着受罪了不是？"

孙津川怒斥："呸！你们想得美！"

"看你的骨头有多硬！"恼怒的敌人开始用皮鞭和烧红的烙铁给孙津川施刑，然而他们怎么也想不到这个共产党的市委书记那么铁骨铮铮、宁死不屈。

作为"重大案件"之要犯，孙津川被关在国民党宪兵司令部监狱。无数次重刑之下，孙津川依然对党的秘密一字不吐，敌人气急败坏，又无可奈何。

突然有一天，刚刚被动刑的孙津川睁开眼睛时，发现自己的母亲就在牢房门口的小窗户边。

"妈，你怎么来的？"孙津川警惕而吃惊地问。

母亲含着眼泪，说："是托了人混进来的。"

孙津川连忙告诉她："快走吧，别让敌人发现。"

母亲想走又不忍走，问："他们会放你出去吗？"

孙津川为母亲抹了一把眼泪，轻声说："妈，古人说，忠孝难两全。我参加革命后就发誓要忠诚党、忠诚革命，不能当叛变的坏人，所以我是准备他们不放我的。你要自己保护好身体，还有弟弟……"

母亲朝儿子摆摆手，泪水再度纵横，说："我知道，你不用说了……"

"他的母亲来了？！太好太好！这回有法子让他开口了！"敌人很快也知道了孙津川母子见面的事，于是如此这般"设计"了一番。

"妈，你怎么又来了？"第二天，孙津川发现母亲手提竹篮，又出现在他的牢门口，不由吃惊不已。

母亲说："是他们跟我说，可以送点东西给你吃……"母亲一边说，一边把竹篮里带的几个梨子和食品递到牢内。然后她说："他们是想让我来劝劝你，让你别再跟共产党走。我跟他们说，我老太婆不懂啥政治，儿子有自己的想法，你们让我看看他，我就天天来……”

孙津川看着两鬓斑白的母亲，心酸地掉下眼泪。然后他抬起头，对母亲说：“妈，我小时候你就告诉我，做事说话，得一是一,二是二，不能变心。我举了红旗，就不能再举白旗。你说是不是？”

母亲点点头，说：“我知道你……”说着，眼泪再度夺眶而出。

敌人使尽各种办法，企图让孙津川“软化”，可这位优秀的共产党员，就是软硬不吃。

“毙了！”国民党南京市公安局局长、刽子手谷正伦大笔一挥，道：“孙津川这样的共产党人，你用啥办法都是零，所以别再费工夫了！”

“处决”呈文审批完毕时，谷正伦又独自往椅子后背一靠，对着天花板长叹一声：“唉，这样的共产党人，也确实让人不得不有点佩服。”

1928年10月6日凌晨4时许，敌人屠杀共产党“要犯”的时间又到了。“孙津川！出来——”狱警一声高喊。

顿时，监狱内一阵骚动。

孙津川昂首从牢房走出。

“姚佐唐、贺瑞麟！”

另一个牢房内，两位年轻“犯人”跟着走出，他们朝孙津川点点头。“好样的！”孙津川太熟悉这两位年轻人了，他们都是他从事地下工作的左右手，他们都是中共南京市委的重要骨干，贺瑞麟是市委委员、市团委书记，姚佐唐是著名的工运负责人。

“走——！”又一个屠杀共产党人的黎明开始了。监狱内，顿时响起嘹亮的《国际歌》——

起来，饥寒交迫的奴隶，
起来，全世界受苦的人
……

孙津川和两位年轻的党员干部，面不改色地迎着东方的血色黎明之光，走向雨花台。

“砰——砰——”两阵枪声响起。两位年轻党员倒在了血泊之中。

待孙津川睁开眼睛的那一刻，他发现自己没有中弹，而是年轻的战友倒下了……他的心如刀割一般，尤其让他心疼的是只有19岁的市委委员、市团委书记贺瑞麟，这是位非常有才华并且对党绝对忠诚又有培养前途的青年干部。躺在贺瑞麟身边的姚佐唐是湖南人，这位从小在铁路上成长起来的工运领袖，是1921年入党的老资格青年职业革命者，长期担任徐州铁路党组织负责人，曾与李大钊、王荷波等一起代表中国共产党参加在莫斯科召开的共产国际第五次代表大会。北伐战争中，姚佐唐被派到北伐革命军总司令部直接管辖的铁道车队任大队副，在攻打武昌战役中失去了一条腿，故平时同志们称他为“独脚英雄”。现在，这两位优秀的中国共产党的好干部血洒雨花台，孙津川怎不心疼！

“孙大书记，你还有最后一次机会。如果交代，我们上司说了，现在就放你走。”敌行刑官走到孙津川面前，皮笑肉不笑地这样说。

“你们这些猪狗不如的东西！我不可能与你们同流合污！要杀就杀！少废话！”孙津川突然大怒，随后高呼起来：“打倒反革命政府！”“打倒国民党反动派！”“中国共产党万岁——”

“砰砰——”枪声再次响起。

中国共产党优秀党员、南京市委第三任书记孙津川倒在了雨花台的草丛之中，鲜血染红了一片……

烈士时年33岁。

孙津川牺牲的季节是1928年的秋天。这一年秋天的风，在南京人记忆中特别肃杀。而南京街头的政治风云更加残忍和暴虐，几乎每天都可以从报纸上看到共产党人被捕被杀的报道。就在孙津川、姚佐唐、贺瑞麟牺牲的前几天，南京《民生报》刊登了国民党“首都卫戍司令部昨（27日）枪决余晨华、齐国庆、王崇典、李昌汾等四名”共产党员的消息。在另一张《申报》上对这几位被枪决的共产党员还有更详细的报道：

> 案查南京市公安局于本月期间，先后拿获共产党犯余晨华、黄彝华、王汇伯、史汉清、陈令远、逯石甫、齐国庆、孙启家、曹席方、傅宝山、刘德超、龙隐、陈鹏月、王崇典、蒋玉珍、钱懋猷、章师培、王澄、豆昌熙、李昌汾、吴相贵等21名，并查出共（产）党少年通信区支部训练大纲，一并解送江苏省特种刑事地方临时法庭讯办……
>
> 业经分别判决宣示在案，合函签提该犯余晨华、齐国庆、王崇典、李昌汾4名，验明正身，绑赴刑场枪决……

从上面这份报道中，可以看出如下信息：当月，国民党反动派抓获了21名“共党”，宣判死刑的有4人。其余的可能刑期不一，而且其中有一名叫王汇伯的还是叛徒。而后来在监狱里，孙津川等通过与同志核实，揭穿了这个出卖了几个党团组织的可耻叛徒就是王汇伯。也因为他一人背叛革命，造成数十名共产党员、青年团干部的被捕和牺牲，更严重的是造成中共南京市委和青年团市委再次遭受毁灭性的破坏。

这是中共南京党史、团史上被一个叛徒出卖、一下使市委党团两个组织瘫痪的最严重事件。王汇伯十恶不赦。

其实王汇伯不是中共南京市委委员，只是团市委一名负责学校的委员，但在5月初的“红五月斗争”会议上，他和史砚芬（化名余晨华）、黄一民一起被捕。而就在这一次被捕后，王汇伯出卖了团市委书记贺瑞麟及其住处，而贺瑞麟的住处又是市委、团委地下印刷资料的地方，敌人又从这儿顺藤摸瓜，共抓捕了南京市委、团委干部37人，

104人受通缉，王汇伯熟悉的南京团市委、江苏大学、安徽公学和浦口等地的党团组织都陷入停顿与瘫痪状态。

可憎的敌人还利用王汇伯的叛变，通过报纸和公告等，在我党团组织内造谣迷惑“某某”、“某某”供出了谁谁谁，想以此来给叛徒王汇伯混淆和掩饰，企图抓捕更多的共产党人和青年团员。

敌人在很大程度上“成功”实现了他们的计划。从5月开始的抓捕，“案件”一直到了9月之后，敌公安和特务机关通过查验和逼供，凡确认是中共党员和共青团员者，如果不自首，便开始执行“判决”。因此，对中共南京地区的党团组织而言，1928年之秋是个特别令人心悸的肃杀季节，共产党人和青年团员们，一批批被捕和被枪杀。

在中共南京市委书记孙津川遇害之前，史砚芬、齐国庆、王崇典和李昌汾先被处决。这几位都是中共南京市委委员，在雨花台烈士纪念馆中，史砚芬的名字我最熟悉，因为有关他的事迹，可能在这一批牺牲的烈士中传播最广，原因是史砚芬留下了许多在监狱中写下的诗歌和给家人的遗书。

这些人与孙津川等，都是属于被王汇伯出卖后被捕并牺牲的。史砚芬本来并没有被敌人识破，只承认是一般党员，而且他用的是化名，可由于王汇伯向敌人提供了史砚芬曾经领导过宜兴暴动一事，结果敌人就马上将其作为“重犯”而判为死刑。

史砚芬是宜兴人，牺牲时只有25岁。其祖父曾参加过太平天国运动，所以从小听爷爷讲故事而让史砚芬有了一种很强的斗争精神。史砚芬从小就没了父亲，因此母亲对他抱有特别大的希望。小时候，史砚芬爱读书学习，在外祖父的家读了4年古典文学课，因此他的文学基础很好，后考入常州第五中学，这在当时属于高才生。因为不忍当地主的叔叔一顿教训，史砚芬一气之下到舅舅家，而在那里史砚芬读到了许多进步书籍。1926年，史砚芬回到故乡宜兴后，积极参加当地革命运动，任国民党宜兴党部宣传部长。1927年，北伐军到了沪宁一线，宜兴一时成为苏、浙、皖三省的军事要地，史砚芬在此时接触了当地的共产党组织，后加入青年团。四一〇惨案后，史砚芬随当地党团组织转入地下工作。这年秋天，中共宜兴县委遵照上级指令，准备宜兴武装暴动，史砚芬被任命为副总指挥。虽然暴动后来失败了，但史砚芬在当地名声显赫。革命家、后来成为著名学者的匡亚明当时就与史砚芬一起工作。匡亚明在1945年回忆宜兴暴动的文章中这样说："农民协会主要是团领导的……团的县委书记史砚芬起义失败后调任到南京市团的市委书记，他在群众中威信很高。"

出任南京市团委书记虽然时间不长，但史砚芬在恢复团组织工作及后来担任省巡视员仍然负责检查督促江苏省团的工作中，组织能力和政治立场，表现非凡，让同志们对史砚芬刮目相看。

1928年5月5日，史砚芬参加了中央大学附近鸡鸣寺城墙上的一次团支部会议，共20人的参会者，后来基本上都被敌人抓捕。史砚芬与黄觉庵、王汇伯在离开会场没走多远，就被盯梢的特务抓捕。叛徒王汇伯把他和其他一批南京党团干部全部出卖了。

在被敌人审讯和坐牢的过程中，史砚芬表现出的英雄气概和共产党人的素质，给同志们留下了永恒的记忆，即使敌人也对他敬畏三分。与史砚芬一起被抓捕的黄觉庵在《入狱前后》一文中这样回忆：

> 那天会后，我们各自分散走开，我和史砚芬、王汇伯下了山，从中大的侧门进去。进校以后，我们发现有个穿黄军衣的人跟踪我们，我们就站在布告栏前观察动静……谁知刚出校门，这人就叫门警将我们逮捕了。后来我们才知道这人叫龙俊，是中央军校的学生。在警察分局讯问我们时，他在场作过证。被捕后，史砚芬改名叫余晨华，并从衣袋里取出印有余晨华三个字的名片。看来，他是做好了被捕的准备的。
>
> 我们被捕后先押到警察分局，后押到市警察局。当时我身上

还有一张条子，是史砚芬早晨刚交给我的，上面是国民党军事技术学校的两个共青团员的组织关系，在押送途中，我乘敌人不注意，将条子嚼后吐到一个桥下的流水中去了。我们被关在看守所的三间号房内，史砚芬居中，我和王汇伯在两边。当天晚上八九点钟，我们分别提审。敌人吊打我，用皮带抽，也使用了一些欺骗利诱的办法。看守所是利用旧木板搭的房子，墙壁上有几处宽缝，我和史砚芬互相讲述了被审的经过。奇怪王汇伯没有再回到看守所，后来知道是他把我们出卖了……

我们又被押到卫戍司令部……后来史砚芬的隔房哥哥史汉卿到南京来营救他，结果被抓了进来，其实他并不是党员。原来史砚芬在狱中一直说自己叫余晨华，这下敌人发现他用的是假名，案情一下子对他非常不利。这时又传来孙津川等人被捕的消息。

卫戍司令部看守所的监房是三间一排，中间一间缩进一些，因此在各个监房里可以相互看得见，也可以讲话。我们住的监房不到20平方米，关了20多人，很挤。史砚芬同志非常坚强，人在狱中写了一些诗，歌颂革命，描写监狱的黑暗，鼓励同敌人斗争……

我们是6月中下旬被押往卫戍司令部看守所的。9月，敌人对我们进行了判决。一天上午，看守所来了大队军警，看守跑来喊史砚芬、王崇典、齐国庆、李昌汾出去。我们知道最后的时刻到了，敌人就要对他们下毒手了。他们非常镇静，穿好了衣服、鞋子，由史砚芬同志带头，一个个和我们握手告别。他们一出监房就喊起了口号："打倒蒋介石！""打倒国民党！""共产党万岁！"还唱起了《国际歌》。此时，我们也抑制不住内心的悲痛，跟着唱了起来。一时间，内外都响起了洪亮的歌声。渐渐地他们的声音远去了。一时间我们都沉默了下来。大家心情十分难过，想想史砚芬等同志平时的音容笑貌，许多人都流下了悲痛的泪水。

几十年过去了，这个悲壮的场面，我一直铭刻在脑海里，永远不会忘怀……

另一位见证史砚芬牺牲前的难友贺瑞麟在监狱里写下的《死前日记》中记载了这样一个情景：

> 今日六时，史砚芬、齐国庆、王崇典、李昌汾几位同志……拖向雨花台执行死刑。砚芬临行时，身着到南京来的青绿色直贡呢夹衣衫、汉清送给他的白帆布胶底鞋、白单裤。因为刚洗过脸，头发梳的（得）光光的。他第一个先出去，神气最安逸……砚芬临去时，向我们行一个敬礼……再会了我的好战友。

贺瑞麟与史砚芬都是南京市团委书记出身。史砚芬年龄大6岁，但贺瑞麟却比他先任团市委书记，后来接任团委工作的史砚芬十分尊重比他小6岁的前任书记，并与贺瑞麟成为好友。不到一年，史砚芬出任省委巡视员后，主要负责江苏省的工人运动与团委的巡视工作，所以又与再任团市委书记的贺瑞麟常在一起工作，可以称为“兄弟般的亲密关系”。两人又都是文学爱好者，当他们一起入狱后，革命的激情让他们都留下了许多壮丽诗篇，一直是雨花台革命烈士诗抄中的经典作品。

史砚芬在牺牲前留给他妹妹和弟弟的两封信，更是打动了很多当代青年和家长们的心。在此一抄：

> 我最亲爱的妹妹弟弟：
>
> 这封信到你们手里又要你们流泪了。
>
> 哭吧！你们就尽量的（地）哭吧！把你们纯洁的泪珠来洗尽这张纸上的悲哀，荡净这张纸上的苦痛吧！

我觉得心中有许多话要和你们说，但是一句也想不起来。至于一切经过的详情，也请汉清哥代达吧！

你们下学期预备怎样？我本有和你们策划的义务，但是筹思兼旬，依旧一筹莫展。听说永保弟在家，你们有什么疑难的事就去请问他，他一定可以设法的。

我大致不久就要拨监，究竟判多少年还不得而知，你们替我过冬的衣服被褥制备了给便人带来，不讲了，以后再找机会面谈吧！

祝你们平安！

你的哥哥砚芬

亲爱的弟弟妹妹：

我今与你们永诀了。

我的死是为着社会、国家和人类，是光荣的，是必要的。我死后有我千万同志，他们能踏着我的血迹奋斗前进，我们的革命事业必底于成，故我虽死犹存。我底（的）肉体被反动派毁去了，我的自由的革命的灵魂是永远不会被任何反动者所毁伤！我的不昧的灵魂必时常随着你们，照护你们和我的未死的同志，请你们不要因丧兄而悲吧！

妹妹，你年长些，从此以后，你是家长了，身兼父母兄长的重大责任。我本不应当把这重大的担子放在你身上，抛弃你们，但为着了大我不能不对你们忍心些，我相信你们在痛哭之余，必能谅察我的苦衷而愿（原）谅我。

弟弟，你年小些，你待姊应如待父母兄长一样，遇事要和她商量，听她指导。家里十余亩田作为你俩生活及教育费。固我死以后，不要治丧，因为这是浪费的。以后你能继我志愿，乃我门第之光，我必含笑九泉，看你成功；不能继我志愿，则万不能与国民党的腐败份（分）子同流。

现在我的心很镇静，但不愿多谈多写，虽有千言万语要嘱咐你们，但始终无法写出。

好！弟妹！今生就这样与你们作结了。

你们的大哥砚芬嘱

与史砚芬一起被敌人屠杀的另外三位也都是中共南京市委委员，而且也都非常年轻。王崇典和齐国庆，都只有25岁，两人同为安徽人。王崇典自小读书时一直是学校考试成绩第一名的优秀学生，在家乡芜湖中学时，受五四运动影响，开始接受进步思想。1926年考入东南大学，次年加入中国共产党。作为东南大学党支部书记的他，一直在复杂而又艰苦的环境下，组织进步学生和党团干部，同强大的敌人和反动势力进行斗争。

齐国庆是江苏大学党支部书记。因为同是安徽老乡，又是南京两所兄弟大学的党支部书记，所以齐国庆和王崇典两人可谓是志同道合的同志加乡友。

1927年年底中共南京市第一次代表大会之后，王崇典和齐国庆都被选为市委委员，又都在大学从事学生运动，因此他们经常一起出入，一起在校园散发传单和组织进步学生上街游行，同时相互支持各自学校的斗争，成为默契的战友。

王汇伯叛变后，王崇典与齐国庆几乎是在同一时间被捕，并且关在一起。王崇典在狱中沉默寡言，对敌人的拷打和审问极少回答，后来染上了伤寒。父母到监狱探望时，不忍心儿子如此受折磨，痛哭流涕，要儿子“认错”出狱。王崇典摇摇头，就是不回答。弟弟也来看他，王崇典便这样对他说：“人总是要死的，只要革命能够成功，我就是死了，还是有意义的，将来一定会有更多的青年投身革命。”

“你帮我忠孝父母，这是我唯一对家里的一点希望。”王崇典深情地对弟弟说。

齐国庆的身体比王崇典要健康，平时就是一个胖乎乎的小伙子。在监狱放风时，难友们跟他开玩笑，拍拍他的肚子问他：“你这里装了什么？”齐国庆笑道：“装的是赤胆忠心。”当得知要被敌人枪毙时，他给同为江苏大学的难友窦止敬写下一遗嘱：“务必请告我家：一、葬我，一切从简，棺木、衣服一概不用；二、妻子不用为我守节；三、父亲不用为我难过。”

“出师未捷身先死，长使英雄泪满襟。”王崇典和齐国庆这两位老乡在狱中时常吟诵杜甫诗句，激励自己的战斗意志。

9月27日，被枪杀的那一天早晨，当敌人叫到他们的名字时，齐国庆从容地穿上细毛线衣，又换上一双新袜子。当时他的腿上有个小疮被碰破了，他还幽默地说：“马上要流大血了，还流这一点血，不足为奇！”然后他拉起身体虚弱的王崇典，一起迎着太阳，迈开坚定的步伐，朝雨花台方向走去。

“老齐，我们的事业还没有成功，没想到就这样分手了！”王崇典握着老同学的手，感慨了一句。

齐国庆扶了一把王崇典，而后深情地说：“我们都没有给党、给安徽的父老乡亲丢脸，将来革命成功后，人家会记得我们的……”

“说得好！来，我们一起唱《国际歌》吧！”

于是，他、他，还有史砚芬和李昌汾4位即将告别这个世界的青年人，昂着头，高唱了起来……

起来，饥寒交迫的奴隶
起来，全世界受苦的人
满腔的热血已经沸腾
要为真理而斗争
……

“砰——砰砰！”

“砰——砰砰！”

罪恶的子弹，穿破了年轻共产党人的胸腔，鲜血再一次染红雨花台。

与史砚芬、王崇典、齐国庆一起被敌人残害的李昌汾烈士，以前很少知道他的事迹，在纪念馆也仅有一行字介绍。而正是这样一位“不著名”的烈士，让我产生了好奇。

后来在搜集素材中发现，这位默默无闻的英雄，原来同样有着精彩的人生和壮丽的青春。只不过这来得太晚了一点……

李昌汾烈士牺牲52年后的1980年，南京雨花台烈士纪念馆突然来了一位76岁的湖南宝庆老人，他对纪念馆的工作人员说，他叫李琦春，是来看父亲李昌汾的。

“哎呀，李老啊，我们找了几十年，就是不知道李昌汾烈士家在哪儿，还有没有亲人呢！你来了可总算让我们圆了对烈士的一份心愿呀！”

李琦春老人更是热泪盈眶，他说他也是在民政部门等多方帮助下，才知道自己的父亲原来早已牺牲在南京雨花台。他说他父亲当年背井离乡参加革命时，并不知道家乡的妻子已经有身孕，所以李琦春老人说自己出生后的情况，其父李昌汾并不清楚。而父亲牺牲后，家人也不知道他到底在外面发生了什么事。几十年来，两重天间的烈士和家人之间，自然是断了线。

“虽然我爸从来没有见过他的爸啥样，但那天他站在我爷爷照片面前，依然全身在颤抖……”李琦春女儿对纪念馆的工作人员这样说。

李昌汾与亲人52年不曾相认这事引起了南京雨花台烈士纪念馆的重视，他们开始重新启动在全国公开寻找烈士后人的活动，还真找到了数位烈士的家人。

其中一位也是湖南籍的烈士叫李昌祉，过去也一直没有找到他的后人和家属，雨花台烈士纪念馆的这次为烈士“寻亲”的活动，也让李昌祉家乡的百姓动员了起来，最后还真的找到了李昌祉烈士的后人。1980年清明节，李昌祉的后人也踏上了去往南京的旅程，在雨花台找到了失散几十年的亲人，并在雨花台的祭台上点燃了香火……

也正是这一缘故，让我不得不来到同一位湖南籍“李氏”烈士遗像前，瞻仰他的丰功伟绩，由此也知道了这位黄埔军校走出的长期战斗在敌人心脏的红色特工的传奇革命生涯。

李昌祉，1906年出生在湖南省嘉禾县石马村。由于家境贫穷，父亲又体弱多病，李昌祉从小就被过继给叔父李丙和做儿子。他的家乡有处十分险峻的悬崖峭壁，下临深潭，顶端有一巨石，远远望去，形如奔马仰天长啸，石马村因此而得名。

一天，一群放牛娃在山下打赌：谁能爬上石崖骑上石马，谁就当孩子王。12岁的李昌祉将衣服一脱，便手攀足登，一下骑上了石马背。从此，成了有名的“孩子王”!

李昌祉14岁入私塾读书，18岁考入县立甲种师范学校。1925年，全国的革命运动风起云涌，嘉禾县也和全国一样，在唐朝英、黄益善等共产党员的领导下，工会、农会和各种社团纷纷建立，群众运动逐步开展起来。正在县城读书的李昌祉，在革命浪潮的影响和推动下，参加了同学、好友李韶九组织的新文化剧团，积极参与各种社会进步活动，大量阅读进步教师从省立衡阳三师带来的书刊，成为革命的骨干分子。

土豪李佐廷是湘军师长李云杰的叔叔，长期担任县团防总局副局长，一贯为非作歹，迫害进步人士。为了扫掉他的威风，警告其他土豪，唤起全县城乡12万民众，党组织决定斗争李佐廷，并把“打头炮”的任务交给了李昌祉和李韶九。盛夏的一天，中共嘉禾党组织在丰和圩举行盛大集会。负责人黄益善致过开幕词后，农友押上一个胖子来，人们定睛一看，“嗬，是李佐廷！”这时，只见李昌祉一个箭步抢上前，给他戴上一顶高帽子，大声说：“农友们，原先我们怕他，不敢在他头上动土，如今有共产党的领导，穷人组织起来，不怕他啦！今天我们要在老虎嘴上拔须。”群众见此情形，胆壮起来，纷纷上前控诉李佐廷的罪行，有的还上前打了他，以解多年的仇恨。随后，李昌祉回到村里，协助李、邓两姓建立了农民协会。有人说：“李昌祉这小伙子有胆量，有出息。”

1925年冬，李昌祉由黄益善介绍，加入了共产主义青年团。入团不久，同学克忠（即萧克）告诉他说：“广州办了一个黄埔军校，专门培养革命人才，好多人都去报名了。”李昌祉听了这消息非常高兴，秘密约了几位同学前往投考。当他们风尘仆仆来到广州时，黄埔军校已开学半个月了。李昌祉等人只得进黄埔宪兵教练所（又名警察训练所）学习。在这里，他加入了共产党。

经过半年多的艰苦训练，李昌祉被分配在共产党员蒋先云率领的国民革命军第十一军第七十七团任排长，参加了北伐战争，随军攻长沙，克岳州，下武汉，饮马长江，一直打到河南。北伐中，他以共产党员的身份加入了国民党。

1927年6月，河南临颍一战，蒋先云身先士卒，壮烈牺牲。接着，宁汉合流，汪精卫背叛革命，屠杀共产党人和革命者。李昌祉悲愤退役，回到家乡嘉禾，参加当地的革命斗争。此时的嘉禾，也是一片白色恐怖。县团防总局副局长李佐廷又耀武扬威起来，狂叫要把共产党人斩尽杀绝。

李昌祉回到嘉禾，以北伐退役军人、国民党党员的身份，在县立第一高等小学谋了一个体育教员的职位，暗地里却联络了一批进步人士与李佐廷进行针锋相对的斗争。他参加了《嘉禾民报》的编辑工作，利用舆论阵地，揭露李佐廷的罪行。他还利用“国民党员登记处”这块牌子，做通登记处主任的工作，将李佐廷开除出国民党。李佐廷气急败坏，一病不起，呜呼哀哉。嘉禾的恐怖气氛稍有平缓。

1928年秋，李昌祉辞别新婚不久的妻子，踏上了新的征途。在中共南昌地下交通站里，李昌祉遇见了江西东固根据地红军负责人李韶九和中央军委派往鄂东南工作的萧克。他们是为物色打入国民党军队做军运工作的人选，约李昌祉到南昌来的。经江西省委同意，他们写信介绍李昌祉到上海。

李昌祉赶到上海，找到了在中共中央负责军事工作的同乡曾中生。曾中生向中央汇报了李昌祉的情况后，便将他安插在上海国民党警卫师，以黄埔四期生的资历担任了该师营长，同时以“方平”为代号直接与中央联络。为了便于隐蔽，他取鲁迅先生诗句“血沃中原肥劲草，寒凝大地发春华”的诗意，改名李艳华。

1930年夏，李立三“左”倾冒险错误在党内又逐渐发展起来。6月11日召开的中共中央政治局会议，通过了《新的革命高潮与一省或几省的首先胜利》的决议。他们要求仅有20多名党员的国民党南京军事系统中的党组织也要举行暴动。组织上命李昌祉辞去营长的职务，立即奔赴南京，利用熟人关系打入国民党高级军事机关内部，陆续建立组织，准备实行南京暴动。规定李昌祉的联络代号为“周成”，组织代号为“周先生”。李昌祉虽对这次行动心存疑虑：二十几人如何能在南京搞军事暴动？但他坚决服从命令走马上任。到南京后，他立即与一个代号为“蓝先生”的人接头。这天，他一副学生打扮，右手拿着报纸卷成的筒（联络暗号），朝着湖南旅京会馆走去。会馆位于南京市区的一条巷子里，面积约有一万多平方米，楼阁亭榭相连，是当年湘军头子曾国藩打败太平天国，攻占南京后修建的。虽然经历了半个多世纪，但这里的热闹景况一如往日。李昌祉来到戏台旁边，装着观看当年曾国藩手书的一副金字对联，眼睛却在注视来往行人。这时，只见一位身穿宪兵服、佩戴上尉衔的军官朝他缓缓走来。

这人个子不高，脸较瘦黑，但两眼炯炯有神。他已观察李昌祉半个小时了。只见他走到李昌祉跟前，用湖北口音问道：“你是从上海来的周先生吧？”李昌祉机警地回头一看，按规定的暗语回答说：“不，我姓李，表弟姓周，我来看我的表妹蓝小姐。”“真巧！蓝小姐就是我们团副的妹子，派我来接你的，走吧！”这人就是潜伏在敌人宪兵第四团的中共南京军委书记蓝文胜，代号“蓝芳”，负责南京区国民党军队中的党组织工作。李昌祉就是来协助他工作的。两人接头后，蓝文胜将一封密信交给了李昌祉，并告诉他组织已安排他到南京高级军校工作。

几天后，李昌祉到南京高级军校报到，被任命为军校新兵训练处少校大队长（党内职务是中共南京区军委副书记）。他利用这个公开的身份，在军统特务戴笠的公馆、蓝衣社附近的鸡鹅巷十一号租了一套公寓，秘密成立中共地下联络站，打通了南京、上海、江西的直接联络渠道，使中央苏区与上海党中央时刻保持着密切的联系。为了保证这个据点的安全，他又给黄埔毕业、闲散在家的老同学写信，邀他们来工作，并请他们把妻子也接来南京。“鸡鹅巷十一号”这个据点像一把尖刀直插敌人的心脏。

李昌祉在南京有许多同乡、熟人。当时在南京工作的嘉禾人有：国民政府内政部的何次韩，报界名人雷啸琴、雷季辑，宪兵大队长的同宗李振唐，蒋介石的侍从官邓德懋，警察厅的特工王鹏，某师的副团长萧洪等。为了麻痹敌人，他利用这些关系，经常请他们来“鸡鹅巷十一号”喝酒打牌。由于李昌祉为人开朗，风流倜傥，军事体育、诗词歌赋样样在行，因此许多人都乐意和他往来。“鸡鹅巷十一号”一时弦歌四起，热闹非凡，掩护了党的地下活动。

1930年8月，李昌祉参加了党中央在上海召开的会议。会上，“左”倾冒险错误占据统治地位，李立三布置了13个中心城市的暴动计划。9月中旬，军委负责人曾中生任南京市委书记。当时，李昌祉和其他革命同志一道积极开展暴动的各项准备工作。不料高级军校党总支书记文绍珍被捕入狱，曾中生在李昌祉的协助下，侥幸脱离危险。危急时刻，李昌祉、蓝文胜当机立断，决定停止暴动，设法营救被捕同志，通知已暴露的同志撤离，避免造成更大的损失。

由于深得军校上司的赏识，李昌祉不久就被调到国民党中央军事委员会特别党部任少校组织科员。

这年冬，李昌祉发现以前常来叙谈的蒋介石侍从邓德懋，已有一段时间没有来公寓聊天了，料定必有情况，便叫堂弟李昌佑前去了解情况。果然，李昌佑回来说，邓德懋正在做离开南京的准备，抽不出时间来玩。李昌祉觉得这个情况很重要，必须弄清楚，便叫李昌佑以帮助料理家务为名，到邓家住下。

不久，李昌佑送来情报，原来蒋介石正在调动部队去“围剿”红军，邓德懋被调到部队去当营长。于是他又叫李昌佑了解敌军的番号、数目、装备、指挥官姓名及行动计划等。得手后，他将情报亲自送往上海党中央。

1931年5月以后，蒋介石对中央苏区连续发动第二次、第三次“围剿”。李昌祉及时将情报上报中央。中央命李昌祉设法随军前往江西，策动国民党军队反水，并亲自检查沪、宁、赣交通线的工作状况。党中央的信任，使李昌祉感奋，决心努力完成这个特殊使命。他多方活动，在赴赣作战的新编十三师谋到一个政训处中校处长职务，跟随部队开往江西。

李昌祉来到南昌后，便以“鼓舞国军士气”为名，乘坐二十七军的运兵船沿赣江逆水而上，前往吉安。在康家街的一个红军情报联络站里，又将敌人进行军事“围剿”的情报，向李韶九做了汇报。随后以同乡众多的二十七军二十三师为目标，开展策反活动。

二十七军实际上只有二十三师一个师的编制，军长李云杰是嘉禾人，下属军官、士兵有很多是嘉禾人，李昌祉同学、同族也有不少人在这里担任团、营、连主官职务。他拜会了昔日的同乡、同学，做了许多策反工作。泰和一仗，该师六十九旅的两个营全部投奔红军。

1931年8月，李昌祉回到南京后，为了更好地在敌人心脏里工作，通过国民党高级军校特别党部书记长李振唐的关系，到该校党部当了上校科员。这里，他接触的机密更多，打交道的各级军官也更多了。在组织上除了直接向中央负责外，只与“蓝小姐”保持严密关系。为了恢复和加强兵运工作，他派李昌佑为宁赣线交通员，传递情报于南京—南昌—吉安—赣州之间，原“鸡鹅巷十一号”由杨文烈照料。为了扩大情报来源，他利用同乡关系，建立了一个联络网。在湖南旅京学校，他保持与同乡唐喆联系；在军校三大队，保持与周德民联系；在军校军需处，保持与李昌祯联系。他还让当教导营营长的同学李民熙暗藏了一批武器弹药和通讯联络器材，准备建立京、沪联络总站。这些人虽然不是共产党员，但与他都有着深厚的友谊和密切来往。

1932年，正当南京区军委工作卓有成效，组织工作蓬勃发展之时，两件意想不到的事情发生了。一件是中共中央特科负责人顾顺章叛变，供出中央特科安插在白区的领导人员名单，名单中有中共南京军委负责人“蓝小姐”、“周先生”；另一件是在国民党宪兵四团任中共特支书记的毛霞侠突然被捕，并搜出一封上海给“蓝小姐”的信。

风声越来越紧，天低云暗。敌人在南京撒下漫天大网。他们抓来了一百多名姓周的男人和姓蓝的女人，进行审问和拷打，可是均不得不以证据不足而予以释放。后来敌人搞清楚了“蓝小姐”就是蓝文胜，9月16日就将他和宪兵团的党员逮捕了。

在这紧急关头，李昌祉知道自己身份已经暴露，被捕只是时间的迟早。他趁敌人一时还找不到“周先生”，竭力保卫组织。他将堂弟派往江西吉安，将财产全部变卖，藏好经费，以备不时之需；他切断了内线和外线的全部联系，安排妻子尽快回到湖南老家。

在万分危急的时刻，他凭着多年白区工作的经验，从容地安排处理好一件件重要事宜。南京的事情办完了，他并没有马上撤离，仍然坚守岗位，等待党中央的指示。

11月的一个早晨，北风呼啸。李昌祉起来洗脸，发现烧开水的白铁壶漏水。吃过早饭，他提着水壶到铺子里去修，顺便看看敌人的动静。路上，碰上了杨文烈等人，几个人一同来到白铁铺。这时，一个戴礼帽、穿便服的汉子在门口喊道："周先生，这里有你的信。"李昌祉思念组织心切，以为是上海派人来联系，不禁喜出望外，将信接过来装入衣袋。那人又说："送信的先生在那边等你回话。"他回头见无人跟踪，便随那人上了一辆黄包车。走出不远，撩开车门帘一看，"糟了！"黄包车正朝宪兵司令部方向奔去，他一拳击倒伪装送信的家伙，跳下车直往鼓楼跑去。可是，早已埋伏好的特务从四面围上来，特务头目曾梯提着手枪奸笑着说："老兄，跑也没用，跟我们一起到谷司令那里去一趟吧！"李昌祉冷笑着说："好吧！有事请诸位到军校来谈。"话犹未了，一个飞腿朝着曾梯的裤裆踢去，曾梯痛得弯腰大叫："快给我铐住他！"一群特务拥上，拳打脚踢将李昌祉押上警车。李昌祉被押到宪兵司令部监狱，一进门就看见了被打得奄奄一息的蓝文胜。他激情地大声说："黄埔同学们，我们又见面了！"蓝文胜听到声音，挣扎着爬起来回话："他乡遇故知，乃人生的一大乐事也！"他们临危不惧，使难友们的精神为之一振。

第二天审讯庭上，李昌祉态度从容，正义凛然，当众控诉国民党当局发动内战、反对抗日的罪恶行径，赞扬中国共产党救国救民的正确主张，义正词严，把法官和陪审员推到被审判的位置上。敌人无可奈何，只好宣布休庭。

李昌祉在狱中，又与蓝文胜一道，逐个考察了同监难友的政治面目和态度，将坚定的共产党员组织成一个支部，编写了一首《囚徒歌》，订出了狱中的斗争计划。

囚徒，囚徒，
时代的囚徒……

铁窗和镣铐，
监狱和牢门，
锁得住自由的身体，
锁不住革命的精神……

这首由李昌祉谱曲的《囚徒歌》和他伴奏的二胡琴声，经常响彻狱中，激励着难友们的斗志……

1933年1月25日夜正是旧历年除夕，看守们的猜拳行令声和酒后醉喊声，吵得难友们难以入睡。李昌祉想起前两天来探监的军校学友传来的信息：蒋介石因他和蓝文胜不肯招供而十分恼怒，已给谷正伦下了就地枪决的手谕。看来，去雨花台的日子不会太远了。

2月11日晚上，李昌祉发现看守对他特别注意，便意识到最后的时刻来到了。第二天凌晨，他冷静自若，穿好衣服，准备就义。看守开门叫他时，李昌祉大声说："同志们，不要害怕国民党的屠杀，最后的胜利是我们的。"他从床上跃起，走到监房门口，高呼："打倒国民党！""共产党万岁！"然后登上刑车，奔赴刑场。他的英勇悲壮的口号声，震荡着黎明前的黑暗，苍茫的大地发出了回声……

我之所以把李昌祉的事迹这样"搬"过来，是因为像李昌汾、李昌祉这样并不为人们所熟悉的烈士或者至今仍然连名字都不知、更不用说他们的亲人和家乡在何处的烈士，在雨花台还有很多、很多……而他们的身上，有可能都是一部部惊天动地的革命英雄史诗。

我们再把英雄史诗切回到那些可以找得到印迹和资料的烈士身上吧。

与孙津川、史砚芬等一起牺牲的共产党人之中，19岁的贺瑞麟一直让我心神不宁，因为他这样的年龄，不应死在那个残阳如血的深秋——1928年10月6日。那个深秋的南京雨花台上留下了太多年轻的生命……

贺瑞麟的老家在原徐州铜山。1909年，贺家大院一片喜气，是因为贺长年又添一个儿子。小时候的贺瑞麟，在姑奶奶家读书。父母希望聪明的二儿子有出息。“的确在3年前，我没有到南京以前，我自己很自负，默默地预期自己能作（做）一个社会上占有地位的人物，把我自己造成一个绝世的英雄，压倒一切平凡的人们。”贺瑞麟在监狱里这样回忆和剖析到南京参加革命前的自己。

上小学时，五四运动的革命浪潮，甚至影响和冲击了所有中小学，人小胆大的贺瑞麟受到不小影响，大人的游行队伍走到他的学校门口，他便跟着大孩子们上街呼口号。尽管开始也不懂多少道理，但知道日本帝国主义和反动政府是“坏人”，“坏人”就要打倒，这是他童年的革命思想，虽然很简单和幼稚，可革命种子就这样种在了他心中。

15岁那年，在沛县县城青墩寺上学的贺瑞麟，遇到了当地的共产党员，后来又在这些人的指引下，他到徐州找到了创建徐州党组织的吴亚鲁。这位老资格的共产党员被幼小就有革命理想和精神的沛县“小老乡”所感动，于是便介绍贺瑞麟到自己所“耿耿于怀”的南京去上学。这个时候，贺瑞麟也加入了团组织。

“请老师放心，我会接受各种考验的，一定不辜负组织对我的期望。人在活着的时候就要努力争斗，我会坚决为革命工作努力争斗！”临别时，他向老师吴亚鲁保证道。

“哈哈哈，小同志，不是争斗，是斗争。”吴亚鲁被稚气未脱的贺瑞麟逗乐了。

“对，是斗争，奋斗！”革命小同志不好意思了。

到了南京，在组织和亲戚的帮助下，贺瑞麟进了东南大学附中。这个时候的南京学生运动在中国共产党领导下，已经开展得相当频繁，尤其是上海“五卅”运动之后，南京各学校的革命浪潮，迅速形成强大的反帝反军阀政权的革命势力。贺瑞麟虽然年龄小，可他已经是青年团员，又加上革命精神异常积极勇敢，所以他在东南大学特别是附中的罢课运动中，表现出色。因为他总是冲锋在罢工和游行队伍的前面，许多东南大学的学生都以为他是大学同学。

“我还是中学生……”这个时候的贺瑞麟有些不好意思道。但随后他挺直脖子说：“革命才不分年龄大小，我们附中参加罢课和游行的人数全市最多，这值得骄傲吧？”

“值得！值得骄傲！我们一定向你和你们中学学习！”大师哥大师姐们向他竖起了大拇指。

每每此时，贺瑞麟的脸上异常放光彩。

然而就在贺瑞麟充满自豪地带领中学同学们一次次参加声势浩大的南京学生罢课运动之时，反动政府恼羞成怒，责令相关学校开除带头“闹事”的学生。东南大学附中部主任廖世承虽然是个著名教育家，无奈也只好把贺瑞麟开除出校。

“既然他们因为我参加革命，不让我再上学，那我从现在起就彻底革命了！彻底干革命了！请组织安排我的工作！”贺瑞麟天真而又真诚地跑到组织的领导同志面前这样说。

“不后悔？”

“不后悔！”

“不怕死？”

“不怕死！”

组织考虑到当时南京的政治形势和贺瑞麟的实际情况，认为这是一棵革命的好苗子，于是就安排他到时任国民革命军总司令部直接管辖的铁道车队大队副姚佐唐身边工作，这样也让贺瑞麟在南京有了合法身份。

这时的贺瑞麟化名为何瑞林，公开身份是一名工人，实际上是协助姚佐唐从事职业革命。此时的南京地下党还没有一个市委组织，上海区委管辖的南京首先成立了浦口地方委员会，不久又改称为南京地方委员会。已经加入党组织的贺瑞麟被任命为中共南京地委农运委员兼南京城北支部宣传委员，那时他才16岁。由于他对学校熟悉，所以同时配合其他同志，一直在工运和学运的工作中充当着重要角色。

曾经有一段时间南京的形势相当吃紧，组织上派贺瑞麟回老家徐州一边工作，一边暂时隐蔽。家人一看儿子回来了，便忙着给他找对象、办结婚之事。贺瑞麟借故赶紧逃离老家，父亲扯住他的衣领，问：“现在不是放暑假了吗！你回南京干吗？”

“是……是学校安排了一部分同学到工厂打工，为减轻家庭负担，我也被安排上了，所以要回去。”他把家人骗了一回。

父亲不笨，一年以来，不见儿子丁点音讯，便带着大儿子跑到南京，找到东南大学附中。

“贺瑞麟？早没这个人了，他被开除了……”学校这样回答。

“小兔崽子！”父亲气不打一处来，也不罢休，到处托人找人，结果还真找到姚佐唐的铁道队那里。无奈的贺瑞麟东躲西藏，跟父亲“玩”了好一阵子，最后实在没办法，只得向组织请假，回了一趟老家。

“你非要我回来干啥？”贺瑞麟问父亲。

“让你结婚生娃儿！”父亲说。

“我、我还要做事呢！”贺瑞麟说。

“不妨你做事，把婚结了，就让你去做事。”父亲这回聪明起来，才不轻易相信这在外头“混野”的二儿子了。怕他再跑了，便用绳子将贺瑞麟绑了起来，并反锁在一间房子里。

贺瑞麟暗笑：“凭我在南京学的那点本事，你还能管得住你儿子？”

当晚，他在一块砖上磨断了绳子，连夜逃出家，到徐州搭上火车，又回到了南京。

“兔崽子他连路费都不要了呀！”第二天，父亲发现后，一边骂，一边又心疼地赶上火车，到南京给儿子送钱。哪知他再也没有找到他的宝贝儿子，气得对着秦淮河直骂：“好小子你，我算没有你这个儿子了！”

这时的南京地下党，来了位重要人物，他叫文化震，出任南京共青团地委书记。文化震同时还是南京地委的军委负责人，具有丰富的斗争经验，比贺瑞麟大7岁，这也让贺瑞麟有了一位既能学习又能并肩战斗的“老大哥”。在文化震的指导下，贺瑞麟很快在南京的一些重要单位秘密建立了工人纠察队，同时也秘密派遣一些同志打入了兵工厂——金陵制造局，为日后南京革命武装斗争积蓄力量。

实际的工人运动和秘密的军事斗争，特别是建立工人纠察队，使年轻的贺瑞麟在这段时间获得了多方面的锻炼，其思想和斗争经验迅速成长，成为南京地区党的一名成熟的青年干部。

四 ·〇惨案后的南京政治形势，极其险恶，尤其是谢文锦等市委班子重要成员被敌人屠杀后，党团工作处在风雨飘摇之中，真可谓“今天不知明天事”。

贺瑞麟在这个时候被推荐为南京团市委书记。18岁的他，要领导“首都”的青年工作，对他而言，责任重大、使命艰巨。

“不要怕，放手大胆地干！”市委书记孙津川对他说。

贺瑞麟出任团市委书记的时候，正是大革命时期中国共产党和共青团组织最困难的时刻。南京地区的革命斗争一度不得不转移到以农村为重点的中心工作。贺瑞麟在市委的统一安排下，积极配合孙津川的全盘工作，同时任起了农委委员的具体分管工作，多方努力，准备农民起义。那时他常上市郊一个叫清凉山的地方，而党内的“清凉山小组”秘密代号，实际上就是中共南京临时组织。他所负责的浦口地区的农民革命，在南京周边产生重要影响，尤其是发动农民和农会镇压了反动地主帮会组织“黄枪会”，更是声名远播。

1927年年底，中共南京市委召开代表大会，选举出新的班子，史砚芬接替贺瑞麟任团市委书记，贺瑞麟改任专职团委组织委员。一个重要原因是贺瑞麟在会上发表了与上级不相符的意见。

这样的分工在一般人看来，显然是降职使用。市委孙津川找到贺瑞麟谈话。

“孙老师，你放心。会上的意见虽然我有不同，但组织上叫我干啥我干啥，只要是革命工作，我都会做好。”

史砚芬后来也对贺瑞麟表示理解和同情，认为他向组织反映自己对时下局势的不同看法，不属于什么问题。后来也证明了贺瑞麟的看法是对的。

“你有顾全大局的意识，又敢于在问题面前说真话，我欣赏你。”史砚芬后来与他成了亲密战友。

不多时，史砚芬又被江苏省委任命为巡视员，而贺瑞麟则再次被任命为团市委书记。

如此“一上一下”的转换角色，对一位十八九岁的年轻干部来说，确实不算是小事，然而就是这样的“起伏”，让组织更看好贺瑞麟，认为他对革命忠诚，经得起考验，是个有培养前途的、年轻有为的青年俊杰。事实上也是如此，再任团市委书记之后的贺瑞麟，工作更加认真努力，而且似乎在实际工作中也更加老成，特别是在恢复东南大学、江苏大学、安徽公学、陆军军官学校等学生团组织中，工作卓有成效，很快发展了34名青年团员，同时还建立了“五一文学社”、剧社等外围组织，为带领学生和老师同反动派斗争起到了“领头羊”的革命先锋队作用。

与此同时，贺瑞麟协助市委书记孙津川，将南京周边的农民运动也搞得有声有色。在他们的努力下，全市相继建立与恢复了19个党支部、38个党小组。

1928年5月前夕，中共南京市委和团市委都为在四一二反革命政变之后的第一个“五月斗争”做准备，所以有了市委和团委的几个会议。也正是因这样的会议被叛徒出卖，中共南京市委、共青团市委主要负责人孙津川、史砚芬和贺瑞麟等相继被捕……

监狱内的贺瑞麟，抱定“为革命一死而荣”的信仰，无论敌人如何软硬兼施，他都从容应对，丝毫不惧生死考验。让他感到痛苦和气愤的是：他所敬佩的孙津川、史砚芬等优秀领导被抓，尤其是亲眼看着史砚芬牺牲在自己之前的情形，以及他平时比较信任的王汇伯竟然成为出卖他们的叛徒，一种悲痛与伤感之心，交织在一起，让贺瑞麟常不能释怀。

“我要将心中的这份悲愤和痛苦写出来！写出来——”从8月30日被押到宪兵司令部监狱那一天起，贺瑞麟已经清楚自己的生命所剩无几，于是开始写《九月日记》。这里先摘他的几篇日记，可以看出狱中的一位青年革命者的胸怀——

1928年8月31日　星期五　晴

从今天起，精神上又起了变化，又陷入昏沉沉的半兴奋的不安状态，是受了朱如红的死的影响，抑是怎样，我完全分不清楚。

精神不安定，当然要回到吃酒的路上来，这差不多已经成了狱中常例，此种现象，今晚特别表现得厉害些，同时在大家不顾一切的吃酒行为中，似乎带了些饯别的意味，并且是到雨花台去的死别。一种不可名状的思潮，深深的（地）泛浮在我的脑中，振（震）耳的歌声，谈笑，我全说不出我这时心中是一种什么味道。

我今后怕是要成了世外的人了，直到我死的一刻，倘若我不久就要到南门去的话。一切都与我无关了，一切都失了生命，这大概就是所谓绝望的悲哀，生之留恋，死之预感吧！唉！

十八年后又是一条好汉，我似乎已经听到三个被杀的犯人在临死这样讲。是迷信还是伤感的话，我暂且不管，我相信我是不信任何迷信的人，对于这句话，我现在似乎有些微同感，到底是怎样，我不敢再写下去了！

人之将死，其言也善。对于几个好献假殷勤的分子，我恨到极点，比对于麻木不仁的东西的愤恨还要凶些，事实上他们的虚伪的手段太浅薄了，其实……唉！梦里不知身是客的人儿，又何常（尝）不可怜！

为了姚佐唐的缘故，我今天又会一次法官，这是来此的第三次了，不知以后还有几次会法官的机会？

1928年9月1日　星期六　晴

是秋凉时候了，黄昏时分，一阵秋风，掠过院中的桐树，萧飒之声，传进我的耳鼓，似曾相识的凉气，浸入我的内心，向来自命为麻木不仁不惯伤感的我，不禁引起悲伤的情感，暗暗的（地）叫了一声“秋天到了！”我的心神有些不安，头部渐渐地觉得有几分沉重。

我抵制不住突如其来的压力，终于抛开手中的抄本铅笔，昏昏的（地）睡下。

“往事不堪回首，其实又何必回首呢！”我常时（时常）这样劝我的朋友，然而“人类是有感情的动物！”不幸的谦兄向我说的一句话，我今天确实相信了。

想起去年今日，已经快是中秋节的时候，父亲，亲戚，小老板，十三号，玄武湖，火车站，错杂的涌泛上心头；翻来覆去，越演越烈，最后全盘的思潮归结到阿佩一人身上，快够一年不见面的人儿，为了无谓的波动，不知又要憔悴了多少颜容，倘若天缘凑巧，立即能会一个面，是哭是笑，是沉默抑（或）是狂呼，我完全不能并且不敢推想和断定，但是这全是空想，全是睡前的幻梦！

明天又是星期日了，时间过的（得）如此地快，遥想前途，不觉又起了渺茫的身世之感，不久的不久呵，我将要开始一种新的单调生活，永远地徘徊于固定的铁栏下，但是也或许到另一个理想的乌（无）何有之乡，永远地长别这个世界！

……

夜晚三时，送来大批的强盗，其中的一半（四个人）都上了脚镣，并且送一个人到我们号子里，当时我的私心起了一层薄薄的恐慌，白天才走了几个人，方期今晚安然睡一夜，不料半夜却有人来，万一……岂不是又要回到前两天的从未尝过的污龌生活吗？结果幸而……

1928年9月3日　星期一　阴

初秋的黄昏，站在囚室外的院中，吹着凉人的秋风，沐着绵绵的秋雨，整个的身，陶醉在自然中，此种生活，怕难有第二次的重顾了，今天是值得留恋的一日。

1928年9月4日　星期二　晴

王战找保释放，傅宝山呈禀请求保释，第一批大概有解决的希望了，不幸的人儿，快要有了归宿！

左右茫茫，前途悠悠，自己的问题呵，几时能够？

日来关于霁的影子，似乎逐渐的有趋于消逝的形势，偶一想及，追念之中，新增了些怀疑的成分，想像（象）中的他，完全是一个被征服于恶势力下的锋芒逼人的青年，一举一动，都要受无理由的约束……

父亲呀

不久你会得到我的信

请莫过于悲伤吧

这是必然的结果

父亲呀
不久你会得到我的信
请莫过于忧愁吧
这不过是我二次的不幸消息

父亲呀
不久你会得到我的信
请莫轻信谣传吧
人与人间原是隔阂的

父亲呀
不久你会得到我的信
请莫忽视我的要求呀
我们除了经济的关系以外还有什么呢

把一个活活的人强制成半死的尸身，祖宗们的遗产，真太残酷了，写到这里，我不禁要唱出一段歌曲：

想我们受过多少奴隶劳动的沉痛！
我们的可怜青年不知陷在地狱中！
阴沉黑暗的遗传，锁住了我们的思想！
……

这是一个19岁的革命者的呐喊与呼号，面对着流血和死亡，他有孤独，有苦闷，但没有消沉与沉沦，而是自我鼓励与激奋。

中秋节那天，贺瑞麟以为自己的“死期”将至，于是他写下了堪称“绝笔”的《死前日记》：

今天是中秋节，是我“死前日记”的开始。

9月日记预定的五十页还没有记完，昨天忽然逢到砚芬兄等死难的惨事。当我提笔写了昨天的一段日记后，有一种使我不能制止莫名其妙的力，我不能再继续在我的日记上写下去。

本来以杀共党始以杀共党终的我的“九月日记”，虽然只有短短的过程，似乎已到了结束的时代。如红的热血未干，砚芬的呼声又起，我狱中第四次的死前日记，一定无疑地结束在我被拖去雨花台之前，这是毫无疑义的推断。我只要负起最后几天的使命，把我预定的几十页之一部分，涂上些鲜黯不同的墨迹。此外我没有别的愿望了。

砚芬同志啊，你在雨花台下静候着我吧，我要穿起你青绿色的贡呢夹袍的一角，与你共赏雨花台旁的埋葬着冤枉鬼的荒丘的夜月。

从9月22日下午二时起，我们被紧关着的号子忽然紧张起来。老杨请求交保释放不许。许多难友都停止了接见。在那几天，我们还以为是监狱又要搬迁，能在中秋节日，在所谓首都的戒严司令部要犯重地禁止窥探的小房之中，过一个中秋节。中秋佳节前，却霹雳一声，严厉检查得连开水都没有吃，随即把史砚芬等四人拖向雨花台枪决。从那一刻起，狱中的空气严肃得没有一分钟不在急剧的变化中。一方面，第一批犯人当日下午一定要搬家了。离情之外，反衬着一层私自庆幸，庆幸自己立即被决定了命运。同时，在后一批同一案件的我与我的同伴孙津川君，不言而喻的（地）证明了不久之后也要与砚芬兄一样的（地）被拖向南门，眼巴巴的（地）就要与最亲爱的同志、最融洽的难友做殊死别。我从来没有流过泪水的，我不禁有几次潸然泪下了……

我漂泊的生活已有十年了。屈指算来，这十年中我也别过最亲爱的友人远行，我也送过我最知己的同学离乡。死的活的不知经过多少次的分手送别。至于与父母哥哥分手言别，更不知有若干次了。我也曾为别离而依依不舍，为亲朋好友的远离而哭到不能自制。但那都是童年时代天真的人情之流的表现，总没有这次伟大悲壮愤慨的死别的凄伤……

啊，去了，去了！永远的别了！同志们最后的一次对望啊！千金一刻，今生今世只此一刻了。努力啊，努力你们的前途。我，我不久就要步砚芬的后尘而去了，到雨花台去了，永远的别了。祝你们早日成功。未来的世界终归是我们的。

这是一个自知生命即将结束的年轻人的心声，他写得悲切、写得深情、写得凄美，读后让人无不心痛与心酸……同时又感到一种强大的力量，这力量就是信仰和意志的壮丽与壮美。

贺瑞麟是位多愁善感的年轻人，19岁的他老成而又激情，他在给自己父母的遗书中这样说：

亲爱的父亲、母亲：

你们不要为我的不幸而流泪呵！父亲、母亲！我是永远的(地)抛弃你们而去了！我为何而死？死于何人之手？你们大概已经知道，我这里用不着向你们多讲，我为什么要这样？似乎也没有多所述说的必要，只要我自己无愧于心就够了……

他不想让父母太伤心，也不想说得太直白。但他认为必须向父母有所“交代”，因为他觉得以往自己在父母面前实在太“不听话”，可这都是为了革命。革命是要杀头的，所以他不想因自己的革命而再让父母受难，于是他只能这样表达。

一种孝子对父母的歉意的无奈表达。

他对姐姐和姐夫则这样说：“我现在是死了，为了革命而死了。你们待我的一番热情，我是永远不会忘记的……”

是要走了。

是到雨花台的时候了。

中秋节过后的秋里，天气更加肃杀与枯干。贺瑞麟的身子突然一个冷战：“兄弟，我在这儿等你呵！”

是砚芬兄啊！贺瑞麟猛地一醒，却意外地感觉自己不再寒冷了，而是浑身有力量了！他竟然勇敢地站立在狱门前，等待着狱警喊他的名字……

于是他唱了起来：

> 饥饿的鞭子转、转、转
> 血腥的机轮辗、辗、辗
> 劳动者的血汗交流
> 森立的汽笛呜咽
> 被欺压的劳动者
> 全世界的劳动者团结起来呵
> 高举红旗
> 把资产阶级的统治推翻
> 彻底推翻——

“砰——砰砰！”他听到那罪恶的枪声，似乎又看到一道道罪恶的火焰向他的生命射来，然后把他的心胸与头脑分裂，再便是鲜血流淌了一地，一直到他的眼前出现一片红印……

那是什么？是党旗呵！

他竟然笑了，在生命的最后一刻，他留给敌人的是一个共产党人面对死亡的微笑……

一个19岁的年轻人告别世界时的微笑。

第七章
曲曲折折所诱发的悲情

简单地认为哪个人好、哪个人坏，对一个政党来说，绝对不能轻易妄断。在中国革命的复杂形势与环境下，领导一个弱小的政党同强大的、突然翻了脸的敌人进行你死我活的残酷斗争，并不是件容易的事，何况那时我们党内谁都没有经验。

四一二反革命政变后的中国共产党面临的斗争形势极为严峻，时常处在被追杀的处境与覆灭的边缘。在当时的形势下，举什么样的旗、走什么样的斗争道路，是年轻而弱小的中国共产党各级组织所面临与缺乏经验的大事。然而残酷的斗争形势又迫使中国共产党需要迅速拿出行动方法与手段去继续斗争。这个时候，盲从和盲目便随处可见。

敌人更是利用了这种有利于他们的条件，进行着一次比一次更加疯狂地追杀中共各个组织的行动，造成我革命阵营流血牺牲和破坏程度更加严重……

另一方面的问题也十分严重：由于敌人残酷的打击和地下工作本身的条件限制，党的各地组织包括在同一城市的中共中央与江苏省委、中共中央与其他省、地方组织之间的领导与被领导中所出现的问题，也使革命工作遇到了前所未有的困难与问题，这些都会给地下工作带来更多的危险。

牺牲的可能性由此也变得特别大。共产党人的生命危险，随时发生……

比如李大钊牺牲后的中共北方组织出现严重问题，党员同志和革命者之间思想混乱，组织纪律也变得松散。后中央派遣蔡和森出任中央北方局巡视员去指导顺直省（河北、北平、山西、天津、察哈尔省市的统称）工作。1928年初改组顺直省委后仍然没能解决矛盾，甚至出现了“第二省委”的乱象。中央派出陈潭秋、刘少奇等前往处理，重组顺直新省委。可不久又闹了起来，部分党员不承认、不服从新的调整后的省委。如此情况下，中共中央特派员停止了省委行使职权。最后由周恩来亲自出面，赴北方顺直巡视，寻找解决问题的办法。周恩来通过细致的调查与听取各方意见，在传达中央指示的基础上，指出“顺直省委有错误是事实，但有错误能改，不一定便须停止职权”，应当在原来的基础上，在工作中“改造顺直的党”。同时他精妙地批评了顺直党内“把反对机会主义变成攻击个人和反对知识分子，闹个人意气，小组织倾向”等错误，从而改变了分裂与矛盾的局面。

在南京工作的中共南京市委及相关组织的党员与革命者面临的困难和生命危险程度也增加了许多。比如出任第四任中共南京市委书记的黄瑞生就在这时赴任，而他在上任不到1个月里，又被敌人杀害。

黄瑞生是在1928年9月，因江苏省委领导下的南京市委在这之前连续3次遭敌人破坏后，由当时主持江苏省委工作的李富春选派到南京负责恢复全市地下组织的。开始黄瑞生任市委宣传委员，后任市委秘书。黄瑞生是安徽人，读的是农业专业，1925年入的党，同年被党派往黄埔军校学习，随后参加北伐战争。之后他留在北京从事地下工作，又很快被调到上海中共中央机关。南京党组织连续遭破坏后，他奉命与南京其他同志一起，在1929年初迅速恢复和发展了19个支部，党员人数此时增加到163人。这年4月，市委组织委员被捕，全市组织又面临全军覆没的绝境，黄瑞生和军事委员连夜赶赴上海，向省委做了汇报。省委当即决定原来在上海开会的南京市委书记今后不再回南京，由黄瑞生接任市委书记一职。

身负特殊使命的黄瑞生就这样化名回到南京。哪知刚落脚才几天，当时与他一起到上海的市委军事委员又叛变，敌警察厅根据叛徒所供的地址，很快找到完全不知情的黄瑞生和其他市委机关的秘密党员干部……至此，中共南京市委第四次惨遭破坏。

黄瑞生被捕后，始终保持了共产党人的革命气节，一直坚持到次年9月20日。那一天夜间，他被敌人杀害于雨花台，年仅26岁。

中共南京市委以黄瑞生于1929年5月被捕之日算起，是第四次被破坏。由于市委军事委员王昭平的叛变，军委系统32人被捕，其中4人牺牲在雨花台。不日，团市委机关又遭破坏，团市委书记也叛变，一批青年革命者又遭抓捕。当月21日，《京报》《中央日报》《三民导报》《南京日报》等印刷工人中的党组织全部被破坏。第二天，国民党政府宣布禁止《先声周刊》《中国工人》《创造月刊》等进步书刊出版。

南京黑云压城，风雨肃杀。

6月1日，南京城举行孙中山先生的奉安大典，也就是将他的灵榇移入现在的中山陵。

中共江苏省委在此时派王培槐赴南京，重建南京市委并由他出任书记。两个月不到，新的书记夏采晞上任，并重建新的南京市委。

1930年2月，江苏省委又调来王文彬接替夏采晞出任新的南京市委书记，夏雨初、赵世钊等任委员，团市委也在此时重新搭建班子。此时的南京地区有地下党员117名，18个支部。3月，中共中央领导人陈云在巡视江苏党组织的地下工作之后，写信给江苏省委常委，汇报了视察南京的工作，指出："争自由斗争的7个学校有了群众，其中以晓庄为最好……"这里的"晓庄"指的是教育家陶行知先生创办的晓庄学校，那里的一群青年配合南京城市的革命斗争，谱写了一曲"晓庄英雄诗篇"，他们中一些人成为雨花台的少年烈士，这是后话。

雨花台的风夹着血泪在寒气中纷扬。

1930年4月27日，两名共青团员在南京国民大戏院散发传单时被捕。之后，市委书记王文彬和团市委书记韩均相继被捕。

中共南京市委第五次遭到破坏。呵，那真是“天意高难问，人情老易悲”！在惨痛的教训面前，不日，中共江苏省委发表关于纠正党内右倾错误路线的公开信。

5月上旬，新的南京市委重组，王弼任市委书记。新班子上任之后其实仍然没有吸取教训，在“左”倾错误思想的指导下，制定了“红五月行动”纲领，准备继续组织政治罢工、同盟罢工和地方暴动，配合中共中央发出的“76号”文件精神，落实“南京等中心城市要发展革命互济委员会”，迎接五卅运动五周年。显而易见，从当时的形势和斗争需要，不能说这样的纪念活动没有意义，但是要考虑斗争方式是否符合敌我之间的力量情况。恰恰在这时，中共中央主要领导人的头脑也受到共产国际等内外因素的影响，政治局通过了《新的革命高潮与一省或数省的首先胜利》这一决议，而这一决议也标志了“左”倾冒险错误在中共中央内部占据了统治地位，它对作为中心城市之一的南京的党的建设带来了不可估量的错误影响。

江苏省委按照中央要求，指示南京市委准备与蒋介石的反动统治集团进行公开的武装斗争。一时间，南京城“热闹非凡”，革命与反革命的力量进入了白刃化的较量。南京地下党组织下的学生、工人和群众，到处张贴传单、标语，其口号是“工农兵劳苦群众罢工、罢课、罢市、罢岗、罢操！”“只有工农武装暴动，才是解放的出路！”如此口号和目标行动，意味着要跟蒋介石反动集团决一死战了！

为了督促南京市委的“执行”情况，中共江苏省委专门成立了“总行委”，南京地下党成立了市行动委员会。省委派热血青年、年仅22岁的李济平出任市行动委员会书记。这是李立三亲自决定的，他不仅自己兼任江苏省委总行动委员会书记，而且认为原市委书记王弼执行不力，所以调来22岁的李济平任市执委书记（等于是市委书记）。

计划在8月1日举行南京暴动。一切都在准备之中，主力是由中共党组织领导的学兵营，暴动的行动方案是：兵分三路，攻打国民党政府、银行、军事仓库……似乎“暴动行动”想得都很美。然而不曾想到，在7月29日，设在下关美华理发店的暴动指挥机关被特务发现，李济平等6名市委暴动领导人当场被捕，其中有夏雨初、任雪涛、谭籍安、陈景星和黄祥宾等。另一批党员骨干陈继昌、冯柏六等也相继被捕。

8月18日，李济平等20余名党员被敌人残害于雨花台……这是中共南京党组织惨遭的第六次毁灭性的破坏！

我们来说说这位只有22岁的市委执委书记李济平吧。

关于这位年轻烈士的资料极少。人们只知道在他牺牲一年后的1932年8月3日，有一个文弱的老者，步履沉重地默默地来到城南荒芜的雨花台。他在一片杂草丛生的“囚犯”刑场上，几经寻觅，辨认着一个不起眼的坟头，而后悲怆地立了一块间隔的石碑，自己一笔一画地在上面刻下了“李维选”三个字。

李维选是李济平的原名，他是江阴人。我专门到过烈士家乡，原本想多了解些他的事迹，然而知道李济平烈士和他事迹的人很少。有关党史部门也只知道李济平是1927年入党的青年革命者，被组织送到莫斯科学习过。在苏联学习期间，他对同学说：“以我们的家庭和个人条件，在国内继续升学都不可能，何谈出国留学？只有党能给我们这样的条件。所以要好好学习，为革命贡献一份力量，才不负党的培养。”1927年大革命失败的消息传到莫斯科，李济平表示要回国参加革命。1929年回国到上海时，正值白色恐怖笼罩着整个黄浦江两岸，李济平接头时几度惊心动魄，险象环生。后来李济平当了江苏省委的巡视员，中间还被捕过一次，因为身份没有暴露，得以逃脱敌人的残害。年轻的李济平有一股勇敢的冲劲，所以在“南京暴动”的关键时刻李立三需要有一位执行力强的领导干部时，22岁的李济平被选拔到了最危险也是最困难的南京出任市委执委书记。然而，不到半个月，李济平便被捕。几天后，又一位年轻有为的青年革命者血洒雨花台……

关于这位离我故乡很近的烈士的事迹材料很少，所以这里我把在江阴政协找到的烈士友人缪世友的一篇回忆文章内容摘了下来，以供读者更细致地了解这位牺牲的年轻的南京市委书记。

> 我和李烈士初次见面是在1927年“四一二”蒋介石背叛革命，我们转入地下活动之后，为了计划开展职工运动，组织地下总工会，曾在中山公园秘密开会。当时参加者有李烈士、顾志鹤、周秋江和我等人。以后我们约定每周集会一次，地点仍在中山公园，有时也到南（门）外石子街叶蕴玉家中。李烈士于开会时不多讲话，而遇有意见相左时，则滔滔辩论，非求的意见统一，不肯轻易终止。同年5月，李烈士和我到东外慕义庄陈叔璇家中参加县委召开的会议，时陈叔璇负县委责任，会场在宅前坟场内。到会的有二十余人，现能记忆的有：李烈士、周秋江、顾志鹤、谢无尘、叶蕴玉等人。李烈士在会上讲话大意是：当时局势和所处环境险恶，自己坚决跟共产党走，决不为时势所屈服，并提醒同志注意安全和适当掩避。1927年6月，省委通知李烈士、顾志鹤和我三人去苏联学习，事为李烈士家庭探知，曾百般阻挠他去苏，亲朋也在旁劝说，烈士终不为动，意志坚决，毅然于接通知后第三天，秘密偕同行同志在南（门）外叶蕴玉家会齐，乘轮到上海，经过检查身体等手续，化装小工模样乘苏联“恒利”海船，到海参崴转赴莫斯科。我们均被分配在东方共产主义劳动大学增设的军事政治班学习。该校共有学生约四百人，分五只（个）教室授课。李烈士在第一教室，他从不缺课。逢到假日，同学外出，而他总是在寝室内自修。偶尔出外，也是很快回来。烈士还经常帮助同学整理笔记。学校每年暑期有三个月军事野外实习，烈士对此更为重视。

他编制在重机关枪连，每次术科测验，成绩总是优等，为教官和带队队长所器重（班长以上负责军官，由苏联同志担任）。1927年冬，得悉南昌和广州起义相继失败，在某次纪念死难烈士追悼会上，同学谈到大批革命同志牺牲时，烈士坚决表示，学习期满不再继续升学，要回国参加实际工作。1928年，中国共产党第六次代表大会在莫斯科召开，代表们总来学校找同学交谈学习问题，烈士即向代表提出要回国工作，不再转其他学校学习（当时烈士已被决定分配在炮兵学校继续学习）。他说："学习重要，但工作更为重要，何况国内极需要人。"同年冬，烈士和我等百余人被批准回国。回到上海后，由于预约接头处已被反动派破坏，烈士为了及时接上头，曾化装卖水果小贩在被破坏的弄口守候，经过近两个月左右，才找到组织关係（系）。烈士由中央派赴扬州县委工作，我派在南京市委工作。烈士到扬州后，曾和我通过信，地址是扬州小牛泉（录）巷骆某转。信中内容已记忆不清，大意是：他在扬州很好，亲朋都关顾，初来应酬较忙，以后找到了工作，更没时间，不再多通信了。要我对亲朋热诚［上面信中所说的话系隐语，意思是工作忙了，各人要做好工作］。以后我们就未通信。

1930年夏季，我被监禁在苏州高等法院司前街监狱，在某次放风（放风是指犯人每天在固定时间，由看守监视放出牢房散步）的时候，突然和烈士遇见，当时二人又惊又喜，他即向我暗打招呼，要我们利用看守不注意时谈话。他说，他是在南京铁汤池某电影院领导散发传单时被南京公安局和宪兵司令部按共（产）党嫌疑分子逮捕的，虽经酷刑威迫，反动派终一无所获，将他送来苏州高等法院。根据高院检察处初次审讯情况判断关系不大，要我保守秘密，以免影响案情。时隔半月，又一次放风时，遇到烈士，他向我说已接检察官不起诉处分书，三二日即可以出狱。1931年夏初，我因响应苏州地方暴动案件，被监狱当局送镇江军法会审

> 处，监禁在镇江警察总所内，偶有机会看到南京报纸登载，大意谓：南京下关某理发店楼上破获共（产）党阴谋暴动指挥机关，当场捕获首要分子数人（内有李烈士济平），经军委会军法处审讯在雨花台被执行枪决。

本章中讲到的两位烈士黄瑞生、李济平，都很年轻，一个26岁，一个22岁，且都是中共南京市委领导，然而他们在那个血腥的岁月里前后不到一年，都牺牲在雨花台。写到这样的年轻共产党人的经历与他们不幸牺牲的往事，我常常会一整天喘不过气来，心头被压得很闷，脑海里会突然冒出一些问题。比如：如果不是党内的“左”倾错误，那么他们是不是就不会死了呢？如果他们不是因为“左”倾错误路线的影响，难道他们就一定不牺牲吗？其实这是说不准的事，而且可以基本断定，他们中仍然会有很多人，最后还是会牺牲在雨花台或者其他战斗的地方，因为革命不可能在这些共产主义信仰者面前停止，与国民党反动派的斗争不管是何种形式、哪个时间段里，牺牲是必然的，尤其是在敌强我弱的阶段。所以，我只能做出这样一个结论：革命斗争，牺牲是必然的。只是许多烈士他们太年轻，他们的生命才刚刚绽放异彩便消失了，这是令人感到异常悲痛和惋惜的。而随着一次次瞻仰雨花台烈士纪念馆之后，我才发现，其实还有很多比黄瑞生、李济平更年轻的烈士，长眠于此……

第八章
中央特科队员魂祭金陵城

雨花台烈士纪念馆序厅的烈士英名墙上，镌刻着龚昌荣烈士的名字。这位烈士在我的心目中留有特殊的印象，因为他牺牲的方式跟其他烈士不太一样：敌人很残忍地采用了绞刑，将其杀害。至于为什么，我猜测是敌人对这位中共特科机关的“杀手”恨得咬牙切齿，甚至恨不得将其一块块刀剐……

是的，对敌人而言他是如此可恨。可龚昌荣对我革命阵营来说，他就是一个“宝”，因为他在那个特殊的恶劣环境下，专门负责除掉革命阵营里的那些叛徒和内奸。而且由于龚昌荣功夫高超，几乎想处决谁谁，就很难逃脱，这就让当时的国民党敌特机关吓得心惊胆战，欲除之而后快。

中央特科是中共中央根据当时严峻的革命形势所成立的一个特别部门，全称叫“中国共产党中央特别行动科”，下设4个科：总务科、情报科、行动科（俗称“打狗队”，也称“红队”）和交通（无线电通讯）科。它既要对中央高层领导的安全负责，同时也要承担清除党内的叛徒、内奸等重要任务。对敌以暗杀为主要手段。特科活动主要在上海，中央机关撤离到苏区后，便取消了这一部门。

据曾在中共中央特科工作过的老同志陈养山介绍，特科发展还是有个过程：早先是1925年上海“五卅”大罢工爆发后，各工会系统为了维护罢工秩序，防止工贼、流氓破坏，纷纷成立了各种工人纠察队，纠察队的任务就是为了打击破坏工人罢工这样的“狗”，所以“打狗队”最初是这样叫出来的。后来随着敌我斗争的不断深化与复杂，工人纠察队不仅要对付工贼、流氓，更多的是要对付国民党特务和党内的内奸等破坏势力，所以“打狗队”的任务也在不断变化和调整。

1927年四一二反革命政变之后，以蒋介石为首的国民党反动集团对共产党采取了大屠杀，同时通过各种手段软化和分化革命阵营的同志，以致一些党内的同志背叛和变节，这些人对党的破坏力极大。为了惩治这些叛徒与内奸，中共中央于1927年八七会议之后，中央机关秘密搬回上海起，便根据当时的形势，由当时的中共负责人周恩来亲自组建了特科，同时也开始与原有的上海工人纠察队的“打狗队”协调，合二为一，组成了比较专业的中央特科。最早的特科，先有一科，也叫“总部”，主要是负责特科的机关和保障方面的事。不久成立二科，陈赓任科长。这个科实际上是专门负责打入敌人内部和谍报人员组织，它的成立对我方及时掌握敌情起到了不可估量的作用，包括大叛徒顾顺章变节后打入南京敌人阵营的钱壮飞及时送出情报、挽救在上海的中央机关等惊心动魄的事件，都是特科二科工作的卓越成就。

1928年4月15日这一天，时任中共中央临时政治局常委的罗亦农，正在英租界的一个联络点与中共山东省委来的同志接头时，被一对混进革命队伍的投机夫妇出卖。英方巡捕特务洛克带领一帮巡警像饿狼似的将罗亦农团团包围，洛克用手枪顶住罗亦农的头，说：“你是罗亦农！我已经找了你整整两三年了，这回你就别想再跑了！”

几天之后，蒋介石亲自下令对罗亦农“就地处决”。年仅26岁的中共早期领袖人物之一的罗亦农因此壮烈牺牲……当年的老同志曾有回忆道，周恩来听说他的战友牺牲后，痛哭许久。不日，党组织决定成立清除叛徒、内奸的特科第三科，俗称“打狗队”，专门清除那些投降于国民党反动派、苟且偷生的贪生怕死者和灵魂肮脏者。

“打狗队”成立后有过不少成功案例：比如出卖罗亦农的叛徒夫妇贺家兴和何芝华，这两人都曾留学德国，回国后在罗亦农领导下做秘书工作。然而他们迷恋资产阶级生活方式，并不能遵守党内秘密工作的纪律，罗亦农为此多次严肃批评，两人因此怀恨在心。当时地下工作者每人每月只能发20元生活费，自然无法满足贺、何夫妇所想的享乐生活。于是这对叛徒便与租界的巡捕房密谈，以10万元的代价，出卖中共中央在上海的十几处机关地址，包括一批重要领导人，然后打算逃到国外去。罗亦农是他们第一个出卖的对象。迅速成立的“打狗队”，第一个任务就是惩治了这对狗男女，并且成功地保卫了中央机关的安全。

1929年8月，中共中央军委负责人彭湃、杨殷、颜昌颐在新闸路经远里12号2楼的军委秘密机关开会，本来军委书记周恩来也要参加此次会议，由于临时有要事处理未能成行。就在开会时，在场的彭湃、杨殷、颜昌颐等被国民党上海公安局和淞沪警备区宪兵两股敌人包抄后当场逮捕。此次敌人的行动，对我军委机关的破坏前所未有，尤其是彭湃、杨殷、颜昌颐这3位都是我党、我军早期的杰出领导人，可以说，除了周恩来幸免以外，其他军委领导几乎被“一网打尽”。周恩来得知这一情况后，紧急采取措施，决定尽一切可能营救彭湃等被捕人员，具体行动的方案是：在敌人将彭湃等从国民党上海市公安局押往龙华警备司令部的路途中，用武力抢出彭湃等人。那一天，特科成员几乎全部出动，有的事先化装成拍电影的，有的装作摆摊的。可惜由于枪支运来的时间迟了，结果误了战机，营救行动被迫取消。

敌人对抓捕彭湃、杨殷、颜昌颐等中共军事领导人，欣喜若狂，在百般诱惑不成时，立即进行了屠杀。我党这几位杰出的军事领导人从此成了革命烈士……

彭湃牺牲时33岁，这位被毛泽东称为“农民运动大王”的广东海丰农民武装暴动领袖，是南昌起义的领导人之一，与毛泽东一起在广州创办农民讲习所，八七会议上当选为政治局候补委员，在党的六大上当选为中央政治局委员，后任中央农委书记兼江苏省委军委书记，新中国成立70周年时被评为“100位为新中国成立做出突出贡献的英雄模范人物”之一，可见彭湃在中国革命历史中的地位。

杨殷比彭湃大3岁，牺牲时36岁。他与孙中山是同乡，少年时就深受孙中山革命思想影响，又是习武之人，英勇果敢。1912年，杨殷加入国民党。1914年秋，他得知袁世凯的得力将领、时任上海镇守使的郑汝成是指使杀害国民党领袖宋教仁的幕后人物后，趁郑汝成骑马出巡时，杨殷突然从横巷冲出，向郑汝成投掷炸弹，将老奸巨猾的郑汝成炸了个半死。杨殷在现场镇静自若，假装理发，巧妙地躲过了警察的追捕与搜索，从此在革命队伍中威名远扬。1917年，孙中山在广州成立护法军政府，自任大元帅。杨殷被孙中山提拔到身边任卫队副官，人称“帅府师爷”。1922年，追求进步的杨殷秘密加入中国共产党。这一年，他到了莫斯科，深深地被列宁的社会主义苏联所吸引，更加坚定了共产主义信仰。国共合作时期，双重身份的他积极推进孙中山的“联俄、联共、扶助农工”三大政策，因为经常组织工人罢工等活动，所以在广州等地的工人中享有很高威望。1924年开始，杨殷一直在时任中共广东区委书记和中央军事负责人的周恩来身边工作，协助周恩来领导工人运动和武装斗争，奔波于广州和上海之间。他是著名的省港大罢工的领导者之一，与邓中夏、苏兆征一起指挥了这场抗争了一年多的大罢工。四一二反革命政变后的4月15日，国民党在广州也开始屠杀共产党人，邓培、何耀全等中共中央委员和中华全国总工会领导人均被害。特务冲到杨殷家时，功夫在身的杨殷跃身从后窗口逃脱。之后，他和张太雷、叶挺、恽代英、叶剑英、聂荣臻等领导了著名的广州起义。1928年6月，杨殷赴莫斯科出席中共第六次全国代表大会，又被推选为政治局候补委员，并任中央军事部部长，一直到1929年8月30日牺牲。被捕后，蒋介石多次派要员去“劝说”杨殷，说："你是老同盟会会员，又是辛亥革命的功臣，只要回心转意，可安排一个高级官职，任你逍遥快乐，享受荣华富贵。"杨殷断然拒绝，并严厉地告诉敌人："共产党人的事业是崇高的事业，总有一天会成功！我杨殷选择这条革命道路后，就没有想过回头半步！"被枪杀的那一天出狱门时，他笑对难友说："朝闻道，夕死可矣！"

颜昌颐烈士我们知道得很少，其实他也是一位我党早期了不起的军事领导者。这位牺牲时才31岁的革命家，从小就在自己的案头写下了"人贵立志，学贵有恒，锲而不舍，事必有成"的人生座右铭。1918年7月，颜昌颐在湖南家乡，在毛泽东和蔡和森等组织的"新民学会"帮助下，登上了赴法国勤工俭学的"司芬克司"号轮船……在法国等欧洲国家的留学过程中，颜昌颐接受了进步的马克思主义思想。1921年年底他回到上海，次年经邓中夏介绍，加入中国共产党。1923年10月，颜昌颐由党组织安排，与陈毅、贺果等被驱逐回国的勤工俭学生进了北京碧云寺的中法大学学习，并担任中共中法大学党支部负责人。陈毅、贺果等人都是由他介绍，从中国社会主义青年团转入中国共产党的。1924年9月，颜昌颐受党指派，赴莫斯科东方大学学习军事，后与叶挺、聂荣臻等20多人被抽调入苏联红军学校中国班学习和训练。1925年8月底，由于国内革命斗争形势发展的需要，颜昌颐和军事班的同学们奉调回国，在上海参加筹建中共中央军事部的工作。1926年10月至1927年3月，颜昌颐是上海工人第二次、第三次武装起义的领导者之一，协助周恩来和赵世炎在一线指挥战斗，立下汗马功劳。1927年四一二反革命政变爆发后，中共中央临时政治局常委决定发动南昌起义，颜昌颐奉命与聂荣臻、贺昌等赴江西省九江工作，策应南昌起义。南昌起义失败后，党组织又派他到广东海丰等地，与彭湃一起领导当地起义。战斗中，颜昌颐多次身负重伤。1928年7月，组织决定送颜昌颐去香港治疗。不料由于香港的中共广东省委机关地址发生变化，颜昌颐无奈只能在难民收容所存身。4个月后，他历经千辛万苦，辗转回到上海，在街头拖着病体踯躅月余，才侥幸找到党中央。“老颜是你啊！”“老彭是你啊！”让颜昌颐想不到的是，在军委机关里，他又与生死战友彭湃相遇，并从此一起工作，直到同时被捕和牺牲。

与彭湃、杨殷、颜昌颐一起被捕并牺牲的还有位烈士叫邢士贞，也是军委干部，他们的遇难，震惊了中共中央。1929年9月30日，中共中央机关报《红旗日报》发表《颜昌颐同志事略》，介绍烈士生平。1930年8月30日，周恩来在《红旗日报》上发表《彭、杨、颜、邢四同志被敌人捕杀经过》，指出：“彭湃、杨殷、颜昌颐、邢士贞四烈士的牺牲是中国革命、中国共产党之很大损失！”

中央特科还有许多成功案例。比如1928年秋，国民党上海警备司令部有一封密信交给了英租界捕房拆阅，信上写的是混入我党内的内奸戴冰石向警备司令部提供沪东区工会秘密机关的情报。这封信被我党打入英租界的特科人员鲍君甫看到，于是他立即将这一情况报告给了党组织，将内奸戴冰石除掉了！同样是这位打入敌人心脏的鲍同志，他利用特殊身份，在1930年向党组织秘密报告了这样一则消息：一位刚从莫斯科回国的曾是黄埔军校一期学生的人，在蒋介石那里吹嘘自己可以直接与周恩来见面，蒋介石听后十分惊喜，把任务交给了特务头子徐恩曾处办。这事被鲍同志得知后，他立即向党报告了。特科立即对那位名叫黄第洪的人进行侦察调查，发现其人果然有投敌表现，很快将其除掉，保护了周恩来和党中央的安全。

现在听这样的故事，似乎很平常，然而在当时，对当事人来说，都是争分夺秒的惊心动魄之事，是一个人、一个重要人物甚至整个中国共产党的命运悬在一丝线索上……特科和特科“打狗队”的意义就在于此，它稍有闪失，就是惊天动地的事！

我们现在介绍的这位雨花台烈士龚昌荣，就是中央特科“打狗队”队长，属于特科三科。1934年11月，龚昌荣不幸在上海被捕，1935年4月13日在南京被敌人残害。

龚昌荣在上海的时间虽然只有3年多，但当时是我党面临的最困难、最危险的岁月，敌我力量悬殊太大，敌人对我党组织的破坏程度也是前所未有的，党内的叛徒和内奸层出不穷，我组织机构和重要领导人一个个被害。最严重的就是负责中央特科工作的中共中央政治局候补委员顾顺章在武汉当了叛徒。顾顺章此时已经在帮助国民党特务机关残害中共党员和组织，原中央特科人员王世德又成了叛徒，他们对原本的同事与下级的“打狗队”队长龚昌荣，太了解了！

能当“打狗队”队长的人当然不一般。龚昌荣自然是陈赓向周恩来推荐的合适人选，这样的人选必须是：对党绝对忠诚（但有时随着形势的变化，人也是在变化的，顾顺章和王世德就是例子）、武功高超、组织能力强、处事冷静果断等，最重要的还必须有实战经验。

龚昌荣是广东新会人，1903年出生在一个贫苦的农民家庭。在他很小的时候，父母因生活所迫，将其卖给了一个为洋人做厨师的旅美华侨龚福荣家当养子。龚昌荣就是在这种生活环境下度过了童年和少年。五四运动时，龚昌荣正在上中学，阅读进步书籍后让他有了追求。特别是当地农民赤卫队领导人是位共产党员。中学毕业后，龚昌荣就跟着这位共产党员参加了革命。1925年省港大罢工中，龚昌荣成为工人纠察队队员，并入了党，后担任纠察模范指导员。广州起义前夕，他出任冲锋在最前面的“敢死队”队长。广州起义打响后，龚昌荣的队伍配合教导团，一举攻占了敌公安局。次日，广州起义总指挥张太雷在途中被敌人伏击牺牲。正在执行任务的龚昌荣得知后，迅速赶到现场，一面组织队伍将袭击张太雷的敌人消灭，自己则冒着枪林弹雨护送张太雷的遗体转移到起义总指挥部。此时形势万分危急，敌人一次次围攻起义总指挥部，龚昌荣的敢死队连续打退了敌人多次进攻。

广州起义失败后，龚昌荣转移到海陆丰，参加彭湃领导的农民起义。由于龚昌荣练就一身武功和好枪法，所以常能神出鬼没地袭击敌人要害之处。有一次掩护大部队撤退，他独自一人躲在一个山坡上，居高临下阻击敌人。敌人几次进攻我撤离部队，结果皆被龚昌荣的单枪击退。此次战斗，让龚昌荣名声再度大震。又有一次战斗，龚昌荣一个人冲到敌人阵地，与敌人面对面地对打，最后敌人全部被他歼灭，龚昌荣的头发也被敌人的子弹扯了一大把。彭湃和邓发夸他说，这个“龚傻子”，打仗真行！

1930年7月，龚昌荣调到中共香港市委担任“打狗队”队长。仅3个月中，龚昌荣带领的“打狗队”严厉惩罚了几十条“狗”，其中包括国民党特务头目、香港当局侦缉队长。港英政府大为震怒，到处张贴通缉令，企图逮捕龚昌荣。党组织根据这种情况，及时将龚昌荣调到上海，去执行保卫党中央的重任。

龚昌荣出现在上海滩后，多次让国民党特务和那些我党的叛徒心惊肉跳，因为他出手太快、太准，又绝不留情。有一次，龚昌荣正在老虎灶前喝水，忽然看见一名叛徒正在街头跟踪我地下党同志，龚昌荣便不慌不忙地掏出手枪，“叭”一枪将那叛徒当场击毙。当时现场的特务目睹这一幕，吓得目瞪口呆，一时竟不知所措，等特务反应过来时，龚昌荣早已远走高飞。从此，上海街头流传一则传闻：有个非常厉害的手执双枪的“广东佬”，他要想收拾哪个人，只要抬手一枪，就百发百中。

对于上海滩的中共“打狗队”的行动，南京国民党反动集团恨得咬牙切齿。1932年，南京方面秘密成立了特工总部上海行动区，派大特务史济美任上海区区长。史济美是出名的心狠手辣、镇压共产党人的老手和高手。他到上海后化名“马绍武”，表面上是国民党中央驻沪调查专员，实际上是专门对付龚昌荣他们的“打狗队”和中共中央机关。

“必须把此人干掉！”龚昌荣向上级请命，并很快获得批准。经过一段时间，龚昌荣他们获悉新闻路斯文里有一个地方是史济美与特务接头处。于是龚昌荣即带几名队员准备干掉史济美，但由于行动时被放风的特务发现，史济美便吓得缩了回去，不敢露面。1933年7月的一天晚上，龚昌荣他们得知当日史济美要在一家妓院请客，他立即带了一队队员骑上自行车，迅速在妓院附近守候。不一会儿，史济美果真出现，当他下车走进小花园时，只听“叭”的一声尖厉枪声，子弹射向他的脑袋……但狡猾的史济美一闪躲过一劫，随即拔枪回击，企图抵抗。说时迟，那时快，只见龚昌荣骑着自行车，直对着史济美，飞驰上前，“叭”的又是一枪，将这位赫赫有名的大特务当场击毙！

龚昌荣屡屡出手成功，打得国民党特务机关和特务们灰头土脸，他们气得直跺脚，发誓要把这位“共党”的“打狗队”队长“千刀万剐”。

“娘希匹，你们不把他干掉，你们自己就没有活路！”连南京的蒋介石都怒不可遏，限令上海行动区必须及早清除龚昌荣和他的“打狗队”。但龚昌荣他们来无踪去无影，敌特们根本找不到下手机会。

1934年秋，中共中央上海局书记盛忠亮（此人后来自己也叛变了革命）认为所属工作人员翁某已叛变，令龚昌荣他们处死翁某。“打狗队”派队员胡陵武执行这一任务。胡陵武向翁某打了一枪，但未中要害。国民党特务机关认为这是引出“打狗队”的机会，于是他们便把翁某送到仁济医院，随即在医院外面布置了暗探与特务。当时身为上海局书记的盛忠亮害怕翁某带敌人来抓捕他，竟不顾“打狗队”安危，一再下令让龚昌荣去除掉翁某，而且限时“一周内必须将翁某干掉”。

这项任务太危险和艰巨，龚昌荣和另外两位负责人赵轩与孟华庭亲自带着“打狗队”出面行动。

10月26日这一天，“打狗队”副队长赵轩打扮成一位富商，手捧鲜花，高调地走进仁济医院。龚昌荣则手提大袋点心水果，随其在后。孟华庭等则守候在外，准备接应。赵轩与龚昌荣步入翁某的病房，这时翁某正在病床上睡觉。龚昌荣站在病房门口注视着走廊两头动静，赵轩则迅速拔枪后疾步而上，对准翁某头部“叭叭叭”三枪，翁某当即死亡。枪声响起，医院顿时大乱。守候在各方的敌特分子闻声向病房包围过来……龚昌荣迅速举枪把前面几位敌人击毙后，又与赵轩左右开弓，击退走廊两边的敌人。这时，医院门口各种扮成小贩和病人的特务，企图蜂拥而上，妄想堵住医院大门，结果被孟华庭他们全部击退。等到敌特分子的援助队伍赶到时，龚昌荣他们早已消失在人群之中……

上海滩上再度把“广东佬”的传闻和“打狗队”的故事说得有鼻子有眼，一句话：“共党”这帮子人太厉害，特务们私底下都在议论“吃不消”、“太吓人了”。

然而，敌人对龚昌荣他们的“打狗队”无可奈何之时，身为中共中央上海局书记的盛忠亮却在被捕后当了大叛徒，他招认的其中一个就是将龚昌荣及让敌人闻风丧胆的中共特科主力“打狗队”成员给出卖了。

借着盛忠亮的大量情报，敌人即派一名叫“张阿四”的人打进“打狗队”，掌握了龚昌荣和其他队员的住址。当时龚昌荣住在法租界巨赖达路（今巨鹿路）凤翔银楼二楼。11月的一日，风雨寒潇，龚昌荣夹着雨伞从家里出来，盯梢的特务随即跟紧，在车站旁龚昌荣已经发现有人，便拔腿飞奔，哪知一下蹿出十几个特务将其团团围住。龚昌荣奋力反击，一连击倒数敌，但终因寡不敌众被捕。与此同时，赵轩、孟华庭等“打狗队”成员也被大批特务抓捕。

这是中央特科史上的一次重大损失，“打狗队”几乎全军覆灭。国民党特务机关好不得意忘形，想借龚昌荣等之嘴，将中共在上海的机关和组织再来个毁灭性的打击，于是在上海警察局内将龚昌荣等打得皮开肉绽，企图让他们招供。然而敌人太低估了真正的中央特科的钢铁战士，龚昌荣等根本不畏这些皮肉之苦，他们为了党的事业，赤胆忠心，从加入“打狗队”的那一天起，就时刻准备为了保卫革命成果与中共中央及上海地下党组织而牺牲自己。

无奈，在上海解决不了的事，南京方面只能把龚昌荣等押解到蒋介石鼻子底下的国民党本部来处理，企图以各种软硬兼施的手段，来让龚昌荣他们就范。

其实，敌特机关所使用的也就那么几招：先以“优待”来诱惑，然后就封官许愿。不过这次敌特机关确实挺有“耐心”，如此“优待”了龚昌荣等几个月，均无“收获”，中途还差点出了“毛病”：一次特务头目来劝龚昌荣，结果手脚灵敏的龚昌荣趁身边的看守不备之时，夺了他身上的枪就打，可惜那枪里没有子弹，否则真的是又一场好戏。

“这帮死硬的共党，只有枪子能够解决他们的！别费心思了！”蒋介石听下属汇报后，命令极刑处置以龚昌荣为首的中央特科的“打狗队”4名重要领导和骨干。

“该到雨花台了！”龚昌荣知道自己和战友没几天日子了，曾想见一下妻子在狱中生的小儿子，但怕连累他们，最后把这份骨肉情感深深地埋在心里……

1935年4月13日下午4时，中国共产党忠诚战士、我党特科勇士龚昌荣和他的战友赵轩、孟华庭、祝金明，被国民党宪兵司令部军法处在其大院里处以极刑。

这是反动敌特机关第一次使用绞刑，所以连行刑的刽子手都是临时训练的。可见敌人对龚昌荣他们恨到什么份上。

英雄就义前，狱中的一位牧师曾为龚昌荣他们做了祷告，他事后对人说：“我今天才相信有比基督受难时更显得伟大的人。基督受难时，他人已经昏迷过去了。可今天我亲眼所见几位共产党人在与我们告别时，神情是清醒的，脸上丝毫没有畏惧感，充满了对自己的信仰的自信和自豪，实在让人心底佩服！”

龚昌荣等被害的事件，在南京《新民报》以显眼的位置刊出，民众无不为这些英雄的精神所感佩，而像龚昌荣这样的共产党人的光辉形象则在石头城里再一次闪耀着光芒，他们对党、对共产主义忠诚的灵魂永远飘荡在雨花台上空……

第九章
16岁的小烈士独放其美

在雨花台烈士纪念馆，每一次去瞻仰，讲解员总会在“晓庄十烈士”面前停下来，然后娓娓道来：

1930年4月5日，南京市大、中学生和广大市民为声援南京和记洋行工人的反帝斗争，进行示威游行，声势浩大。著名教育家陶行知先生创办的南京晓庄师范学校的学生队伍，足蹬草鞋、高举大旗，走在最前列。石俊、叶刚、谢纬棨、郭凤韶、袁咨桐、姚爱兰、沈云楼、马名驹是其中的骨干和积极分子。蒋介石反动集团对晓庄师范的革命行动恨得入骨，断然下令教育部停办该校，校长陶行知被迫流亡海外。在这一年7月至10月，反动派疯狂地通缉和追杀晓庄青年学生，除了上面提到的8名骨干和积极分子，反动派还抓捕了胡尚志、汤藻等10名青年学生，将其均杀害于雨花台。这10位烈士年龄最大的23岁，最小的仅16岁。

他们永远以年轻坚毅的脸庞面向世间，给这个世界留下了永恒的青春光芒……

因此，多次去过之后，这“晓庄十烈士”尤其是其中年仅16岁的“小烈士”格外深刻地烙在我心头。这里说的16岁“小烈士”便是袁咨桐，贵州赤水河边的现习水县土城镇水石村人。

至今我已经5次去过习水和赤水河了。最初对土城和赤水的兴趣源于红军“四渡赤水”的故事，后来是因为保存特别完整的土城，现在一次次去主要是为了探访小烈士的家乡和他童年的故事……

在中国革命斗争史上，有不少少年英雄，比如《红岩》中的“小萝卜头”和刘胡兰。现在留在大家印象中的“小萝卜头”，实际上是个艺术形象，真实的小萝卜头是杨虎城将军的秘书的儿子，这孩子跟随父亲坐了好几年牢狱，后来蒋介石下令杀害杨虎城，“小萝卜头”随其父亲一起被国民党反动派残害于重庆歌乐山的“戴笠公馆”，我在另一本《忠诚与背叛》书中讲到这一事件。刘胡兰是山西文水人，1947年牺牲时年仅15岁，她死在敌人铡刀下。毛泽东得知她的事迹后，写下了“生的伟大，死的光荣”题词。这两位少年英雄，在新中国成立后，教育了一代又一代的年轻人。然而随着时代发生了巨变，当今的年轻人与崇尚英雄的我们青少年时代，已经很不一样了，似乎各式各样的时尚和明星更吸引他们。在一次次瞻仰袁咨桐烈士之后，尤其是比较深入了解烈士生前和他牺牲时的情况后，我有种强烈的冲动——这位小烈士，其实从某种意义上讲，他更令人敬佩，对今天的年轻人更具现实主义教育意义。

袁咨桐自然不像“小萝卜头”的那种无奈的选择，从小就在牢狱里成长的“小萝卜头”，没有可能也没有任何能力去同敌人斗争，他唯有向往哪一天走出牢房，去仰头拥抱一下阳光，他的童年就是一部苦难史，而“小萝卜头”就是在这种条件下仍然向往他的光明与温暖；刘胡兰作为敌后游击队员和村妇女主任，当敌人抓捕她后，让她投降时，她英勇不屈，因此被残害了，成为一名革命烈士。袁咨桐与上面两位少年英雄所处环境和个人条件很不一样。袁咨桐的成长，到成为一名坚定和坚强的共产主义青年团员，可以说，本身就是一部丰富多彩的共产主义信仰史和中国革命理想史。

敌人对“小萝卜头”和刘胡兰的暴行，几乎是让这两位小烈士别无选择。而袁咨桐不同，他是富家子弟出身，他可以选择的机会很多，就在晓庄学校参加地下工作的斗争中屡次被捕之后，帮他出面周旋和说情的人很多，而且决定他生死的刽子手、南京政府“赫赫有名”的宪兵司令谷正伦及其妻子都是贵州人，与袁咨桐是老乡。因为这层“老乡关系”，在著名教育家、晓庄学校校长陶行知和袁咨桐的恩师也是谷正伦妻子的老师黄齐生的多方“求情”下，袁咨桐曾两次被从牢房里救出来“免死”。最后一次，还是由谷正伦亲自出面，教化“小老乡”袁咨桐，并且给他开出“优待方子”——送其出国留学，从此远离“共党”。这样的机会，各方面都关照到了，按理说也够意思了！然而，袁咨桐虽年纪小小，却并不吃这一套，断然拒绝“谷大人”的“老乡情意”，视死如归。按照当时国民党自制的“法律”，16岁的少年是可以“免死”的。但“老乡”谷正伦并没有因此饶了“死心眼”跟着共产党的少年英雄袁咨桐一命，而是无情地将他“16岁”的年龄一笔改为“18岁”。就这样，16岁的少年，心怀共产主义信仰，义无反顾、昂首挺胸地走向了雨花台……

这是一幕让人无比感动和感慨的镜头。这是一曲悲壮而艳丽的青春之歌。袁咨桐及“晓庄十烈士”由此像“小萝卜头”、刘胡兰一样，深深地烙在了我的心头，让我感到每一个中国人、每一个青少年和中国的未来人，都要铭记这样的少年英烈。这是因为，在今天的青少年中，英雄情结和崇尚英雄的人越来越少，而那些曾经的英模人物由于宣传上的单调与单一，形式和内容上让青少年感到较多的“乏味”。袁咨桐烈士的事迹和形象则不一样，当我在调查与研究他的事迹，并将其说给朋友和一些青少年听时，获得的反响几乎是一致的：认为“这个少年英雄的事迹太感人了”！

袁咨桐确实具有鲜明的时代性和青春性：追求先进、向往未来、见解独立、从不随大流，并对美好和追求的目标赋予强大的激情和投入。他的身上，有侠气，又多情，同时对认准的事情从不被他人所左右；最根本的是他对“救国”和“尊爱底层民众”，有着特别的信仰上的坚定性和牢不可破的意志。

这与他从小的成长和聪明的天赋有关。

在离开家乡之前，袁咨桐一直生活在老家赤水河畔的土城。名字很“土”的土城，其实是一座颇有韵味的黔川云交界处的古镇，据说至少有千年历史。当年红军就是利用了这里的地理优势，毛泽东指挥的著名的“四渡赤水”中三渡是在土城发生的。青杠坡战役是遵义会议之后红军在长征前期中的一场极其关键的战役，敌我双方伤亡都很惨烈。而今在这里建筑了“红军纪念碑”，每年都要举行一次“红军节”，来自四面八方的“红二代”们都会聚集于此。土城还有专门的“女红军纪念馆”和“四渡赤水纪念馆”等，漫步于那条千米长的土城古街，随处可见毛泽东、朱德等红军将领们曾居住过的老房子……

“祖父袁翊臣、父亲袁劲夫两代主要靠收租吃饭；祖母、母亲都出自知书识礼的人家。母亲张氏，所生咨桐及两兄一姐弟妹共六人，他行列第四。

“咨桐四岁发蒙，入自设的私塾，塾师倪西岩是个不及第的秀才，所教书本，主要有四书、五经、《左传》、《声律启蒙》、《幼学琼林》、《古文观止》及唐诗，新的书还有高等小学的国文、修身等。咨桐对于这些书，读的不止百遍……”

习水县政协文史资料上这样介绍少儿时代的袁咨桐和他的家况。然而他的袁氏本族人告诉我，过去这里的几大富人之间也不团结，相互之间因为土地的争执，常动刀动枪，所以平常互不来往。

“当时，水石坝袁氏的三个族房都办有私塾，由于家族因分家争产发生多年的口角与诉讼。祖父这一代，又因田产涉讼，一个中武举的三祖父被族人用土枪打死在官打渡的令牌田里，涉讼多年。到父辈这一代仍为田土山林，争水（灌田）等纠纷，造成了族房之间的敌视和嫉恨。”

史料里的这种记载，也说明了这个地方宗族与宗族之间的矛盾是十分严重的。自保对大家来说，都很重要。袁咨桐家族的自保意识自然少不了。也因为这种特别的环境，袁咨桐从小对一些事情的看法，与传统的理念很不一样。“逆反”和“斗争”意识，仿佛在他身上天然存在。

十三四岁就离开家乡的袁咨桐，其实给当地留下的记忆少之又少。更何况这里是封闭的大山深处，又加他少年早逝，知道他少儿时的情况的，也就只有一两个人。后任习水县政协副主席的堂兄袁沉颖在20世纪80年代留下过一些文字，才让我们有可能了解袁咨桐在少儿时的一些趣事：

> 咨桐和我们这一辈的弟兄之间，因为那时川黔军阀频年混战，各家都在十分凄惶中过活，没有继续“扯内皮”，但关系仍不甚融洽。因为以上原因，三个族房所办的私塾，三个老师虽是同道而不相亲近，也正如三个族房不相亲近一样，互不往来。咨桐与我，由于有着儿童们相似的幻想，相似的心理、意识，相似的爱好和共同的语言，或者还有遗传基因的原（缘）故吧，我们非常友好，一有机会不是他到我家，就是我到他家翻些家藏的书籍、画谱或新买的书来欣赏，细读，相互提问，相互解答。暑期或农忙时间，弟兄和同学们还相约到油皂树深潭里去洗澡，去土石埂上的小草坪“打战火”讲故事，我们之间的友爱，比对他的两个亲哥哥和我哥哥都亲切多了。
>
> 油皂树潭的南上方是土石埂，埂上有几所坟，坟前是草坪，坟和草坪下面的路旁立着一厚决横眉怒目、吐舌张牙的“泰山石敢当”，听说是为镇压深潭水鬼用的。咨桐自幼既怕看又偏要看。有一次，我们走到“石敢当”前，他两眼上翻，恶狠狠地“唔”了一声说：“你只会装模做（作）样，百事不管！”随手拾起一个鹅卵石扑面打去，打得它脸上火星飞溅。打的回数过多，“石敢

当”鼓出的双眼也被撞凹了。有一次被长工老柳看见后向他祖父、父亲告了，挨了他父亲一顿“响篙”，第二天，由他祖母备了香烛、钱纸（纸钱）、刀头、净酒，带着咨桐去向“石敢当”赔罪，才算了结这场“祸事”。从此以后，咨桐背地里却把它打得更凶，不但把它鼓出的两眼打凹，连两片獠牙也打掉了。

油皂树深潭的上流是激滩，沿滩上一里多远有个河湾叫梧村湾，湾上是个较大的田坝，坝中有一座四面皆空的“天堂庙”，是袁氏家族在清代捐凑租谷建造的。庙内儒、释、道神象（像）都有。每当春祈秋报，远近几里父老村民，都要凑“份子钱”给“会首”备筵席行仪式来祈祷。这一天学堂照例放假，庙外除荫蔽天日的榕树外，还有一株开得正茂的木本海棠，枝上还挂着一笼起劲叫着的画眉，引来成群的村童乡姑，他（她）们都想折花，住持道姑出面招呼，讲一些“折花不是爱花”的道理。咨桐问：“神台上不是供着折来的花草吗？”道姑说：“折来敬菩萨可是例外。《修真因果》上说，‘今生貌美是何因，前世将花献佛神’。每件善行都有善报的。”咨桐说：“我不信！如果真有报应，为什么为非作歹的人都升官发财？”道姑说：“大殿柱头上有副对联，你们去看看，懂不懂再说。”有人来找道姑议事，咨桐挡住道姑说：“我还问一句，庙里为什么不供‘泰山石敢当’？为什么不供‘坛神’？”道姑迟疑一下说：“在正经、经典上我没有见过这些菩萨的名号，不知在‘巫教’书上查得到不？”咨桐笑出声来说：“哦，原来如此！是巫教！”我们到大殿去看那副对联，那上联是“为善不昌，祖有余殃，殃尽自昌”；下联是“为恶不灭，余祖有德，德尽自灭”。我们反复念了几遍。咨桐说：“这些话一点也不难懂；但是，打破沙（砂）锅也很难问到底；二哥，你说呢？”我们在那时想不出一个否定的道理来。

袁咨桐七岁那年，有一天深夜，他和二哥睡得正香时，家里来了一帮蒙面人，其中一位持枪的高大汉子，一手举着火把，持枪的另一只手指挥同伙把床上的袁氏二兄弟用绳子捆绑起来后，押出袁家。袁咨桐的二哥吓得哇哇直哭。小咨桐不但不哭，反而责问蒙面人："你们为啥抓我呀？我们犯啥法了？"那个汉子对他说："你们家'为富不仁'，是四乡久已闻名的。我们也不是乱下'黄手'，这回是对你们的一种处罚，限你们在年底以前，筹办钱来取人，过期不取，休怪我们歹毒无情……"说着，又指挥同伙："背上这两个小崽子走！"

袁咨桐兄弟俩就这样被绑架走了。他们的眼睛被蒙住了，嘴里也被塞着布块。匪徒们用一架桥子将袁氏兄弟抬离土城，远走他乡。

不知过了几个钟头，昏昏睡去的袁咨桐和二哥被叫醒。原来，众匪要吃饭了，这才给袁咨桐兄弟俩松了绑。

这是什么地方？袁咨桐在朦胧的灯笼烛光下，发现是座庙。"放心好了，我们不会对你们下'黄手'的……"蒙面人这回也摘下了黑布，他们甚至心平气和地安慰袁咨桐兄弟俩。众匪说的"黄手"就是下毒手的意思。袁咨桐和二哥听得懂他们的意思，也明白了原来他们是想敲榨（诈）家里的大人。

这一夜，兄弟俩在小黑屋里的草堆上度过。第二天下午，这群匪徒嘻嘻哈哈地将袁咨桐兄弟俩从黑屋里叫了出来，领头的告诉他们：不会伤害你们两个小孩子，但你们要老实点，不准逃跑，若有逃跑，就小心"吃枪子"。

到第三天，兄弟俩被抬到庙的后殿一间耳房。"你们就住在这儿！"从此，兄弟俩便在这里熬了两个多月，每天都有拿枪的人看管他们。袁咨桐后来觉得这些人"不坏"，因为他们还教他和二哥读书、识字。

突然有一天，看管他们的"土匪"过来向兄弟俩道喜，说：

“今晚就要送你们回家了。”

果然，当晚袁咨桐兄弟俩被抬上轿，一直花了近一个夜里的功（工）夫，天亮时到达了青杠坡的永安寺大庙。

兄弟俩刚下轿子，其父似笑似哭地快步跑到轿子前伸出两手，各拉一个儿子，在谢别众匪后，回到了自己的家。

袁咨桐兄弟俩回到家后才知道，他们家里找人一共凑了一千三百多块大洋，又找了当地“哥老会”人出面帮忙，才把他们赎取了出来。数年后，袁咨桐到了晓庄学校后，曾写过一篇题为“我幼年的故事”的日记，讲的就是这件难忘的童年往事。

在习水土城这样偏僻的地方，袁咨桐家族不仅是当地的财主，还有许多有出息的学问人。比如他的舅父张华封是北京农业大学毕业生，当时在贵阳任省蚕桑实验所所长兼农场场长。省城里的舅父对聪明好学的袁咨桐有极大的好感，所以写信给袁咨桐的父亲和祖父，希望他们把袁咨桐送到贵阳读书，以求今后“担大任”。

别看小小土城，却对外面的世界也很敏感。袁咨桐的父亲和爷爷很开明，尤其是受五四运动影响，觉得自己的孩子应该“出去”找出路，只有这样才能合“新潮流”。袁咨桐知道后，更是高兴不已。

1926年春天，刚满12岁的袁咨桐由父亲带着，来到贵阳，与先前到这儿读书的大哥、二哥汇聚一起，都由舅父送进了一所叫“达德”的学校。兄弟三人都在同一学校，让袁氏父亲和袁咨桐兄弟仨十分开心。尤其是大哥灿先，还由袁咨桐的父亲亲自主婚，同一姑娘结婚成亲。

三兄弟同在仓后街的舅父家食宿，时间一长，就有些不便了。袁咨桐人小，又灵巧聪明，舅父就将他寄托给花牌坊的著名教育家黄齐生老师。与黄齐生一家相处，是袁咨桐一生的一次关键性的转折。

黄齐生，原名鲁连，贵州安顺人。早年热心开展业余教育工作，主持兴办贵州著名的达德学校。1917年，黄齐生先生率领贵州学生赴日本留学，后又组织赴欧洲勤工俭学，在那里结识了中国共产党早期领袖人物蔡和森、李维汉、徐特立等人，从此接触马克思主义，支持共产主义革命主张和留欧学生革命活动。回国后任贵州省视学等职。1926年出任贵州省立第三中学校长，是位追求进步和开明的教育家。他是中共著名领导人王若飞的舅父。后来王若飞被捕入狱，他多方奔走，从狱中营救出王若飞，并随赴解放区考察，在延安受到毛泽东接见。

袁咨桐遇见黄齐生先生可谓终身受益。他到黄家时，黄齐生膝下的儿子也是7岁，加上年龄差不多的内侄王景仁（王若飞之叔弟），三个小孩同住一室，相亲相爱。黄齐生和夫人对这三个孩子真的是“爱无差等”，并经常利用闲时为他们讲些文史、诗歌和音韵平仄等方面的知识。

有一次黄齐生先生风趣地对三个孩子说：“来，我出一个上联，你们对一对！”于是随口说出：“是大丈夫，做大计划。”

这下热闹了，袁咨桐和另两位好友开始对下联。这个说“我对‘过新生活，建新家庭’”，另一个说“我作‘革旧教育，破旧礼教’”。袁咨桐想了一下，说：“我对‘创新理论，建新国家’。”黄齐生的儿子又说：“我对‘革旧制度，破旧政权’。”

最后他们请黄齐生先生品评。黄齐生先生挨个摸了摸三个娃儿的头，欣喜道：“都算及格！不过，内中如‘革旧教育，破旧礼教’意思是对的，只是平仄不调，而且出现两个‘教’字与上联对不起来。比较好的，依我看，有两副，你们再去品评看看。”

袁咨桐等又热议起来，最后都同意“创新理论，建新国家”和“革旧制度，破旧政权”较优，而在这两联中又以“创新理论，建新国家”一联为胜。

“妙哉！此联最为上称！”黄齐生笑言，然后用特别欣喜的目光赞扬了袁咨桐。其实先生是打心眼里喜欢这位来自土城的聪明的山娃儿。

后来黄齐生先生的独子病逝后，他便把袁咨桐当自己的义子相待，感情超越一般的父子关系。

1928年3月，追求进步的袁咨桐与黄齐生一起由赤水取道重庆到上海，住在英租界黄老的侄女婿蔡家。此时，中共领导人之一的王若飞恰好在上海。舅父黄齐生将袁咨桐介绍给王若飞后，王若飞将袁咨桐叫到身边，问他："愿意出来参加革命吗？"

"革命？就是打倒列强和军阀吗？"袁咨桐问。

"对，简单地说就是这个。不过，还要有自己的东西……"王若飞笑道。

"什么是自己的东西？"袁咨桐又问。

"就是你内心是不是相信什么'主义'。"

"就像孙中山先生的'三民主义'？"

王若飞认真地告诉袁咨桐："有些一样，但我们的主义与他也不太一样。"

"那你的主义是什么？"

"叫共产主义。"

这是袁咨桐第一次听说一个叫"共产主义"的名词。

王若飞后来又告诉袁咨桐，共产主义是救国救民的"主义"，革命就是要完成这一救国救民的大业。

袁咨桐年纪虽小，但王若飞的这番话，让他的内心发生了巨大变化。在上海的一个多月时间里，他常好奇地往大街上看热闹，有时也隐约听到王若飞和一些很神秘的叔叔伯伯在讨论如何与蒋介石反动派斗争和让纺织工人不再受租界里的洋人压迫等话题，他觉得这些人非常了不起，是"主义"者、好人！

"有一天我要像他们一样去革命。"这份"革命"之心，是袁咨桐在上海、在与王若飞认识之后渐渐清晰起来的。

这年5月下旬，黄齐生赴广西探访那里所实行的新政，他给袁咨桐买了火车票，送他到了南京，与早先在那里读书的自家大哥和堂兄袁沉颖一起住在城北将军巷。

那时的南京已经被蒋介石“封设”为国民政府的首都，所以像袁氏家族的后代们能够跑到首都读书，这也是一件荣耀的事。三兄弟相聚又同住一处，对袁咨桐来说，自然也是十分开心之事。大哥和堂兄除帮助袁咨桐进补习学校外，还帮他补习初中课程。聪慧的袁咨桐在平时闲谈中，不但能把从前在私塾所读千遍万遍的四书、唐诗、《幼学琼林》、《古文观止》等书中的某些词句恰当地仿套和活用起来，而且常有自己的一些独到见解，这和他与黄齐生先生朝夕相处的耳濡目染有关。大哥和堂兄对他刮目相看。更让他们暗暗吃惊的是，14岁的袁咨桐在日常生活中，会对那些不认识的人或不了解的事情，噤若寒蝉，而对他所熟悉和感兴趣的事，则能如瓶泄水，有时还带有一些嘲笑或愤愤的口吻，正所谓“知无不言，言必有中”。

某星期日，三兄弟相约出城游玩，从寓所步行到城东明故宫遗址时，眼前展开一幅青葱的麦苗和金黄色菜花组成的锦绣。沿途长着荠菜、繁缕、紫花地丁，风和土润，浑身有似入浴后的舒爽。袁咨桐顿时边跳跃边念念有词道：“昔日梦云神往处，今朝都到眼前来。你们说，这两句诗套得对吗？”

大哥和堂兄齐声夸奖，说套得对。三人边说边朝苍郁的钟山走去，这时的钟山，正在建设中山陵，工地上一片繁忙……那宏伟气势的现场，让袁咨桐兄弟仨颇为激动与振奋，开始聊起孙中山先生的丰功伟绩和时下军阀混战的局势。小小年纪的袁咨桐又放言：“刚才走过明故宫遗址的广场，军队高唱：‘打倒列强，除军阀。’哼！我这次跟黄先生由重庆来，坐的就是帝国主义的船到上海，如果真能打倒列强，还有洋人在中国的内河航行权吗！在上海，还有英、法、日侵占的租界，让外国鬼子兵酗酒发疯，调戏妇女、行凶犯罪吗！洋人还享有什么治外法权，他们在中国犯了罪，不由中国法庭拘捕审判，却要让外国的巡捕房去处理。还要准许洋商在内地设立工厂，收购大量价贱的原料，招收大批贱价工人，供给他们无限的市场去推销，这不是洋人拿我们的骨头来熬我们的油吗？！至于说要‘除军阀’，我们刚才走过估依（衣）廊，不见着贵州军阀挂着‘国民革命军第二十五军驻京办事处’的大牌子吗？还有四川以及各省的军阀们不同样打着国民革命军什么军的驻京办事处的大牌子吗？‘打倒列强除军阀’不过是些高调，唱唱而已！依我看，‘打倒列强，除军阀；国民革命成功，齐欢唱’不如说是“投靠列强当军阀；国民革命成空齐失望！’……”

袁咨桐说完这一番话后，先用眼角瞄了一下自己的大哥，但他知道大哥跟他不是“一路人”，便找话茬问堂哥袁沉颍：“二哥你说是不是？”

其实二哥袁沉颍虽大袁咨桐那么一两岁，但有些道理还不如袁咨桐体味得深，所以也不敢随便回答。

“你小小年纪，如何说出这样放肆的话？”袁咨桐的大哥瞪大眼珠，怒斥道，“肯定又是从黄齐生、王若飞那里听来的吧！告诉你，这是要惹大祸的！”

袁咨桐不服地回敬道：“是的！黄先生不是对我们说过，孙中山先生的民族、民权、民生三个主义是针对着现实的帝国主义、军阀官僚和田主、厂主们的压迫剥削而提出的吗？但四五十年来，这三个主义就被这三个魔怪们玩弄、糟蹋干净了！这些事实，你有什么本领能代它们遮盖和辩护？”

大哥说：“对啰！空口谈主义，扳嘴劲，有屁的用！你也学着唱起高调来，说什么田主、厂主是魔怪！我们若不是收租的田主，你会有今天！打翻天印，就是你这号忘恩负义不知天高地厚的人！我老实告诉你：口头上一切宣传的道理都是空的。中山先生说‘行易知难’，既然知道了《三民主义》、《建国方略》和《建国大纲》可以救国救民，为什么今天中国还受洋人欺侮、操纵，搞得又穷又乱？中山先生搞了多年的革命，牺牲了许多人，直到死，不能不承认革命尚未成功！蒋委员长一面讲三民主义，一面还给太虚和尚推波助浪（澜）；戴季陶在《中央周刊》上发表他的‘八觉’宣传起佛教思想来，说他在武汉投水自杀时，他的头上出现佛光，终于得救了。依我说：‘三民主义’‘三佛主义’都各有一套道理；什么‘难’什么‘易’也各有一套道理，信不信也在各人！”

袁咨桐听完大哥的“道理”和训斥，冷笑道：“你是国民党员，又准备进他们的军官学校，你是信三民主义的啰！”

大哥说：“道理上应该说是信的！国民革命军不是在高唱‘打倒列强，除军阀’吗？也应该说是信的，是不是事实，成不成事实，我都一概不管！”

“哼，你就是国民党的信徒！”

“国民党的信徒又怎样？在南京这个地方，是国民党的政府哟！”

“我才不管谁的政府。只要是反对革命，与革命为敌者，我才不稀罕它呢！”

“我看你是中毒已经不浅了！”

“你才中毒不浅呢！”

见亲兄弟俩争执不休，堂兄弟袁沉颍忙出面劝和道：“我都饿了，你们赶紧停嘴，一起找地方先填饱肚子再说吧！”

三人这才又重新兴致勃勃地边游钟山，边往山下走……

不久，袁咨桐到了南京郊外的晓庄学校读书，从此也开始了他真正的一段青春革命生涯——虽然只过了一年多时间他就牺牲了，但正是这短暂的青春革命生涯，让他永远留在了中国人民革命斗争史册之中，90多年后的今天，我们仍然怀念这位小英烈——

到晓庄学校读书，还是黄齐生先生的缘故，因为校长陶行知邀请黄齐生到该校出任教导主任兼国文教师。黄齐生从广西回来后就到了南京晓庄学校任职，袁咨桐便随他一起到了陶行知那里报到。

晓庄学校，全称叫“晓庄师范学校”，是著名教育家陶行知所创办的。陶行知曾被毛泽东称为“真正的教育家”。早年陶行知在美国留学，对西方式教育颇为赞赏。他在哥伦比亚大学读书时这样说过：“我的毕生志愿是通过教育而非武力来创建一个民主国家。在目睹了我们突然诞生的共和国的种种严重弊端之后，我坚信没有真正的公共教育就不可能有真正的共和国。”哥伦比亚大学师范学院的新式教育对陶行知的影响巨大，也使他救国的理想变得异常“丰满”。

1917年，正当陶行知准备完成博士毕业论文时，国内的南京高级师范大学急招师资。祖国的召唤，让陶行知不能自制，好在恩师孟禄先生支持他，所以他在提前毕业却又未完成博士论文的情况下，回到了祖国。这种情况不仅陶行知有过，同一大学读书的胡适先生也未获学位而毕业。为此胡适先生耿耿于怀，直到10余年后终于拿到了博士学位，算是为自己的“胡博士”正了名。陶行知非也。他一心想着国家的教育事业，“第一站”工作是在南京高级师范学校，而且还是任教导主任。

“教师教师，教什么？何为师？”陶行知在教师大会上这样发问，又这样自答：“第一流的教育家应该是‘敢探未发明的新理’之人，‘敢入未开化的边疆’之人！前者就是‘创造精神’，后者就是‘开辟精神’，试问哪一个新世界、新时代不是具备这两种精神的人创造出来的？当今中国恰遇巨变，倘若墨守成规，还僵守老一套，如何能救国济民？”这位教育改革派领军人物，率先在南京高师招收女生，又在东南大学兼任教育系主任，一路高唱“教育改革”。1919年五四运动之后，陶行知开始期待国民政府能够迈开“教改”步子，结果在实际工作中处处受阻，于是退出高校教育，开始走平民教育之路。他认为，政府的腐败、国家的落后，皆因为民众没有文化，没有接受过教育，所以根除政府腐败，振兴民族，须从平民教育开始。他为此开始致力于平民教育事业，并亲手编写了《平民千字课》。“能识一千字，就可变命运。”他在平民教育规划宏图中这样设想：用十年时间，扫盲两千万人。具体目标为：一年一百万，二年三百万，三年五百万……十年总和两千万。从此，陶行知如同一团炽烈火焰，他走到哪儿，就将平民教育的火焰燃烧到哪儿。有一次他回到老家安徽，在省教育厅调研时发现，那里有21个女职员，不认字的竟然有15个。陶行知疾声道：这还了得！教育厅里多数人不认字，这教育厅不成了文盲厅吗！在他的影响下，有6名妇女吓得赶紧找到他请求学文识字。又有一次，他在监狱里也发现多数人不认字。于是陶行知就告诉狱长：要让犯罪的人少，就得让他识字懂道理。就这样，第一所监狱识字班就办了起来……

从城市走向乡村的路上，陶行知越走越觉得中国教育之问题多矣！多到他连走路都感到跌跌撞撞。怎么办？他痛苦得一次次在山崖边、田埂上躺下身子，仰头问天。

对了，中国农村人口最多……到乡下去办学！

陶行知想到这儿，一下来了精神。他连夜把自己的设想呈文给了江苏教育厅。

一日，南京城神策门外的一座小山丘上来了两位城里人，他们在晨雾之中，边走边议着……

"你办学的函文已收到，并且批复了……今天就是来告诉你好消息的！"

"这回批复这么快，没你老兄内中帮忙，当不可能哟！"

"贤弟你如此为国家教育操心出力，我不干点正经事？"

"哈哈……兄长所言极是！"

这是陶行知与教育厅的好友在一路上的对话。今天他们特别高兴，因为陶行知欲创办乡村学校的公函已经正式批复。也就是说，他可以按自己的想法去办一所专门培养乡村师资的学校了。

"你看中的这块山地，好是好，就是这地名有些暮气，它叫'老山'，小地名又叫'小庄'，一老一小，与贤弟的教育兴国大业有些格格不入，得改一改！”

听好友如此一说，陶行知点点头，自语：“言之有理。”随后他思忖起来……突然，他叫道：“有了！”

“有什么？”

“仁兄你看……这样行不行啊！”陶行知道，“把老山改成劳山，劳力与劳心，为劳山也；将小庄改为晓庄，破晓的晓……如何？”

“太妙！妙哉！”

“就这么定了——我们的学校就叫晓庄师范！”

那一天清晨，老山旁的乡亲都听到有人在山上这样大喊大乐道。

晓庄师范是陶行知教育人生中的一个特别亮点，因为这是他所倡导的乡村教育和平民教育的一个典型，也是20世纪中国教育改革的先行之作。办晓庄师范是陶行知的一个“点”，他的愿望是通过这个“点”，辐射到全国的“面”上，而办师范学校则可以让这种星星之火，燎原全中华。

> 我们充饥的油盐菜米面是从哪里来的？我们御寒的棉花丝绸是从哪里来的？我们安居的房屋所用的木石砖瓦是从哪里来的？都是从乡下来的，都是乡下人的血汗换来的……我们今天不应该下乡拜年，下乡送礼，下乡报恩吗？我们今年不应当为乡下同胞做点事吗？我们今生不应当花点钱，尽点心，用点力，为乡下同胞减少些痛苦，增加些幸福吗？

这是陶行知在筹办晓庄学校之初带着同事到乡下时所发表的一篇文章中的一段话。也正是他的这种思想，影响了当时的教育界，得到了广大乡下人的热烈拥护和有识之士的响应。

袁咨桐去晓庄前一年的1927年立春日，晓庄师范正式奠基，出席奠基的有各界500余人士。与此同时，陶行知在当时影响颇大的《新教育评论》上发表文章，论述他的“乡村办学”的观点，让许多有才华、有理想的教育人士“喜跃如狂”，“恨不得肩生两翅”，飞往晓庄。

此时，南边正在进行北伐战争，南京方面的陶行知忙着乡下办学。也有人质疑是否“不适宜”，陶行知则不以为然，相反他认为应该不畏混战、不畏硝烟，否则何能说是“教育救国”呢？于是他坚持发布告招生开学：

> 本校誓与村民共休戚。村民既须在枪林弹雨之下耕种，吾校断不因时局不靖而辍学，故投考开课均公布之日期办理，决不变更。

陶行知的决定，体现了他办乡村教育的钢铁意志和决心，让人敬佩。原本以为也就招上三五个学生罢了，不想竟然从北京、湖北、安徽、江西、浙江、上海、江苏等地来了好一批报名学生！甚至还有20多个考生因为种种原因迟报而希望学校补考增入晓庄。

第一届学生如期开学，陶行知上台发表演说：

> 本校特异于平常的学校有两点：一无校舍，二无教员。大凡一个学校创立，总要有房屋才能开课。我们在这空旷的山麓行开学礼，实在是罕见的。要知道我们的校舍上面盖的是青天，下面踏的是大地，我们的精神一样的要充溢于天地间。所造的草屋，不过避风躲雨之所。本校只有指导员而无教师，我们相信没有专能教的老师，只有经验稍深或学识稍好的指导。所以农夫、村妇、渔人、樵夫都可以做我们的指导员，因为我们很有不及他们之处。我们认清了这两点，才能在广漠的乡村教育的路上前进！

先生之言头回听说，新鲜！农民们说。

先生之言，听似平实，实则深刻！同行们说。

听我们同唱中华，中华，中华！
听，君不闻亚东四万万声的中华，中华！
都同气同声同调同歌，中华，中华！
……
是同种同胞同志同心的中华，中华！
来发愤尽力，中华，中华，中华！
看，君不见亚东四万万人的中华，中华！
都振起精神来振作振兴中华，中华！
同心尽力中华——

开学典礼的最后是陶行知带着全体同学及宾客一起高唱起《尽力中华歌》。随后是一桌桌青菜豆腐的家常便饭，大家却吃得异常开心，似乎也体味到了陶先生与以往完全不同的“新教育”：一切皆自己动手，皆按“平民”、“百姓”的日常生活去做。陶行知说：“我们的实际生活，就是我们的全部课程。我们的课程，就是我们的日常生活。”对他的这种教育理念和实际，最高兴的是那些学生，最觉得陌生且慢慢也感到十分有趣的是指导员们——因为那些种地干家务活的农民们，被读书人称为了“先生”、“老师”，那种荣誉感、自豪感，是能让他们打心眼里感觉脱胎换骨似的骄傲。

滴自己的汗，吃自己的饭。
自己的事，自己干！
靠人，靠天，靠祖上，
不算是好汉！

要建草舍了，陶行知编了一首《自立歌》，让学生们边唱边干活。学生们那快活劲儿，让劳动现场处处是欢笑和歌声，而且大家觉得干着活却并不累。于是，一栋栋草房子就这样建好了。这就是陶行知所追求和总结的“手脑相长”“在劳力上劳心”的新教育理念。

“能把自己的事都做了，就是最大的进步。能把自己的事做好了，再做为社会服务的事，就是从学生到社会人的意义所在。”陶行知的这种教育思想，很快传播远扬。最欣赏他和支持他的是在国民党军队和政府里当大官的冯玉祥将军。冯将军对陶行知和晓庄师范的支持是实实在在的，甚至为了让学校能够独立自卫、防止匪徒捣乱和破坏，他还专门给调来一批旧枪与弹药。

“新型教育，利国利民，值得倡导。”有一天冯将军说动了蒋介石，让他抽个空隙时间去郊外视察晓庄。

冯玉祥的面子确实大，蒋介石真的专门抽了个时间来到晓庄学校，还带了夫人宋美龄。“蛮好蛮好。”在草房子参观时，宋美龄乐得不行，连声叫好。这位留过洋的蒋夫人，看到陶行知的学校教室是稻草盖的，乐得直抿嘴。

蒋介石那天兴致也很高，看得仔细，对陶行知要求学生“独立自主”管理，频频点头。不过见到一处叫“冯村”的地方他有些不悦，原来那里有个由冯玉祥出资出枪的“自卫队”，估计此事在老蒋内心留下了一个阴影，与日后他下令解散与追杀这里的“小共产党”有关。这是后话。

袁咨桐在义父黄齐生的带领下来到晓庄的时间是1929年年初。这两人一位是胸怀大志却终不得志的教育家，一位是对“外面的世界”很好奇的贵州山区的少年，路过上海，来到首都南京，最后落脚到他们的“理想谷”晓庄师范后，犹如窒息者突然呼吸到清新空气，事事处处觉得新鲜和兴奋。那一天傍晚，黄齐生带袁咨桐到晓庄师范附属的劳山小学部报到，一路上被陶行知的新型办学的点点滴滴所吸引和感怀，嘴里不由喃喃地吟咏起来："一番世界一番新，幸福都缘奋斗生。纨绔何尝不饿死，杜陵枉自笑儒巾……"

"何必十洲三岛求，眼前风景足清幽。蛟龙不是池中物，会向龙潭掉臂游……"跟在屁股后面的袁咨桐如此跟着吟诵起来。

"都背得下来了？"走在前面的黄齐生露出了一脸笑容，却头也没回地问了一声。

袁咨桐点点头："都背得出了！这是先生在离开四川时送我的诗句，咨桐我每一个字都记得……"

"还要记每个字的意思。"

"咨桐明白。"

袁咨桐来到晓庄时，只能在小学部读书，因为前些年跟着黄齐生先生到处流离了好几年，耽误了不少正经读书的时间。但另一方面，他又不像一个15岁年龄的少年，跟着有思想、有追求，又有丰富经历的黄齐生周游各地，袁咨桐的思想和对社会的认识与观察也让他比同龄的孩子成熟得多。或许正是袁咨桐这份超越于一般孩子的成熟，让黄齐生既欣慰，又有些内心不安，于是他交代他的另一位学生："你给我看着点他！"

黄齐生先生对袁咨桐的严与爱，确实超越了一般的师生关系，他把袁咨桐视为亲子。

"我要看日记。"黄齐生很明确地告诉袁咨桐和负责"监督"的学生。

"一开始我只是当作任务，在袁咨桐和黄先生中间传递他们这对'父子'的作业。后来很快发现，我完全被袁咨桐日记里所表达的内容和思想深深地吸引了。他不仅有思想，而且文采也好。每次我传递日记时都有一种期待的感觉，想早一眼看到袁咨桐的日记，甚至常常反复看几遍。因为它让我学到了许许多多东西，而作为同年龄的我，脑子里、眼里就没有他那么精彩丰富的东西……"袁咨桐的同学后来这样回忆。

一个从大山里走出来的少年，能有多少思想值得他人学习和吃惊的呢？原来，袁咨桐的眼里是“战争”与“痛苦”和那些让他敬佩的“哥哥”与“同志”。

（一九二九）五月十二日

战　争

今天是五月十二日了。光阴过得真快，记得前两天才是“五九”，今天却是五月十二日了，但是，汪（达之）先生还抖着精神对我们讲《二十一条》。

我不知是疲倦呢？还是不愿听？会不自主地睡下去了。他们把我由周公那儿叫回来时，只听得汪先生说：人类是以战争求幸福的，你们……刚说到“你们”，便被我打断他的话头了。

——不，有少数人是以战争去求幸福，但是，大多数人是不以战争去求他的幸福啊！……我说到这里，又想起了一幕很惨的悲剧。那是在《一个少年的梦》中。

——有一个少年，睡在一间很破坏的古寺里，忽然有一个很高大的人，走到他的身边，并不问他愿与不愿，把他带到一个会场中去了。会场里的人，他们都是世界上最不幸的人了。他们是受了战争的痛苦，他们有的没有头，有的没有手或脚，有的连鼻子也没有，有的是在他的身体上刺了许多刀口，有的……有的……说不尽，真是怕人极咧！他们的主席是一个被人把耳朵和手割去了的。这些不幸的人见了这少年便说：“你转到人间，把战争的痛苦说给世上的人们听，叫他们不要去战争。如果不听，你便把战争打倒。因为我们不愿我们的子女再来受这样的痛苦啊！”他在这里会着了他的一些被征去当兵的朋友，他们现在都是没有手或脚或耳……的人，他见了他的友人，不住的（地）流泪……

我正想到这里，很快的（地）听着一声“留学日本的是亡国奴！”这一声把我的回忆打断了。

我气急了，又同他们争论。

我觉得战争之所以会发生，因大家不相爱；因不相爱，所以发生了战争。

这篇日记写于1929年5月12日。想象不出一个在读高小的15岁的少年彼时所有的对现实社会的思想与感情。据后来袁咨桐的同学回忆，进晓庄劳山小学后的袁咨桐，有机会在这里接触许多以前他在贵州等地方所没有接触到的中外著名作家的经典作品，比如外国翻译过来的名著《屠场》《爱的教育》《续爱的教育》等，冰心的《寄小读者》、朱光潜的《给青年的十二封信》等，他尤其喜欢鲁迅的《呐喊》《彷徨》《热风》等充满战斗激情的作品。“鲁迅的笔头，是冒着火星的，中国社会现在就等着一把火，我要学鲁迅！”有一次，黄齐生跑到学校饭堂，想告诉袁咨桐一声自己要到外地去，却就是找不到他。最后是袁咨桐的同班同学引黄先生在麦地里的田埂上才找到了他。“书要看，但饭不能不吃。”黄齐生见读书如饥似渴的“义子”如此表现，一方面非常心喜，一方面又怕他在长身体的年岁里饿坏了身子骨。哪知袁咨桐如此回答他的恩师：“这个世道，如果不能多出几个像鲁迅一样的人，就是把肚子暂时填饱了也不会觉得有味道！”

“我要斗争！”袁咨桐这一句话让黄齐生的内心重重地震荡了一下，心想：这孩子真有股山伢子的顽劲。

其实，袁咨桐的这种思想变化，一方面也是受黄齐生的影响，而到了晓庄之后，他接触了一个又一个以前他从未接触过的“哥哥”与“同志”，这在他生前仅留下的几篇日记中的另一篇里这样描述过：

我们的朋友——喜鹊——死了。

在一个会场中，忽然有一个慈爱的先生，拿了一只喜鹊，一只死的喜鹊。他是我们的朋友，它来晓小已一个月了。它一天一天地生活着，一天一天地长大。光阴真似流水般地过去，初来时它连羽毛也没有，而今都能举翅高飞了。

可惜，不料在这样美丽的早上，它会悠然长逝了。

朋友，你死了？你能告诉我，你是如何死去的呢？为什么你到了已能高飞了，才悠然长逝呢？

朋友，我不该，不该率领了我的同学，把你由你慈母的怀中，拿到残忍的人们的手里来。

我回忆，回忆到一月多前的一天下午。啊！那是这么一回事。

一队有六七人，各人手里拿了杀人的利器，一步步地走到一棵大树的下面，一分钟、两分钟的过去，忽然由北边飞来一只喜鹊，一只可爱的喜鹊，它就是这死鹊的母亲。我于是对着同来的朋友胡君说："来，来呀！""有吗？"他一面说，一面走到我的面前来。"有的，快上去！不然，它将飞了。"胡君丢了他的利器，很快地便上去了。

一种又悲惨又凄凉难以言语形容的声音，在胡君上去后一分钟，由那又美丽又沉静的林中发出来了。

我不知为了什么，在那一刹那间，会不自主地将手高高地举着，并以一种悲伤的眼光，视着那哀鸣的小鸟。等到我们离开林子时，又不自主地放下来了。

它将离开它父母时，还不住地叫着："哑，哑，哑。"

呀！光阴啊！你为什么这般快的过去？不多的时候，它也同它母亲一样，能举翅高飞了。

朋友，我不能再写了……如果你有灵，我当向你请罪。

朋友，你该记得，在你未死之前，你有两个弟弟，也是先你而死了。

你要算是最后的一个了！

你要算是最后死的一个了！

你还有一个能高飞的兄弟，因了你的死，怕要不再到这里来了。

朋友！你还能再活吗？

朋友！你记着，你的小朋友易君已为你而流泪了。

——朋友！我们天上再会吧！

祝你成为一个和平之神！

我用了袁君学礼祝福你的话来向你请罪！请罪！

需要简单交代一下的是，陶行知所办的晓庄学校虽然没有一间生物室，但却有负责指导的我国著名的生物学家、当时中国科学社的秉志教授等。晓庄的小学也注意生物教学，教袁咨桐他们的就是一位叫石俊的生物老师，而这位老师在袁咨桐的笔下就是“一个慈爱的先生”。石俊其实是中共地下党晓庄支部的负责人。他在教生物课的同时，一直与晓庄学校里的其他地下党支部同志在传播革命斗争道理，发展党员和青年团员。袁咨桐则是石俊所看中的一位与众不同的革命性很强的少年才俊。尤其是袁咨桐的纯洁心灵和高尚情操，让他受到了石俊这样的“大哥哥”、“大姐姐”们的特别关注。

石俊，原名石俊光，江苏如皋人，从小父亲早逝，靠母亲拉扯大。母亲被好学的石俊所感动，在家庭经济极其拮据的情况下仍让儿子念完初中。之后，石俊考上了如皋师范。在如皋师范，石俊在其堂哥石勋光（中共党员）的影响下，联合另一位同学汤藻，三人开始经常一起讨论中国时局问题和接受进步书刊的教育。1925年大革命运动席卷大江南北时，他们在如皋师范积极组织学校的进步学生一起，上街游行，支援上海的五卅运动。在这一运动中，石俊、汤藻和另一位同学马名驹，都成了中共党组织的培养对象，其中马名驹第一个成为中共党员。

1926年冬天，中共如皋师范党支部成立，学生石俊、汤藻等都成了中共党员。从此，这个不起眼的师范学校在当地成为革命熔炉，石俊、汤藻、马名驹等学生都成了革命的骨干，他们的斗争经验也在实践中获得了锻炼和成熟。然而，国民党当局对如皋师范的“共党”活动十分惧怕。当1927年蒋介石对中国共产党采取镇压的反革命真面目暴露后，如皋当局的国民党随即也撕破脸皮，对如皋师范中共组织采取卑鄙行动，开除了石俊、汤藻等7位革命学生。恰逢此时，陶行知的晓庄师范开学招生，石俊、汤藻等如皋师范的革命学生便投奔到了另一座革命熔炉……

处境和境遇几乎与石俊、汤藻差不多的浙江籍女学生郭凤韶，湖南籍学生谢纬棨，浙江籍学生叶刚，以及江苏的沈云楼等也在经历了同样的革命斗争洗礼之后，先后投奔到晓庄学校。袁咨桐跟着义父黄齐生来到晓庄时，石俊、叶刚、汤藻等已经是“大同学”了。在他的眼里，石俊他们才是真正志同道合的“哥哥”、“姐姐”。不过，在认识诸多“哥哥”、“姐姐”的过程中，尽管袁咨桐也算在贵州和四川、上海多少见过些世面，但他依然感觉自己是“山沟沟里出来的山伢子”，尽管袁咨桐口才超众、聪明异常，可在“哥哥”、“姐姐”面前，他仍有些敬畏。唯独有一位女学生让他在接触过程中有一种特别温馨与亲近的感觉。而且这样一份自信，也让十五六岁的少年萌发了与异性之间的那种朦胧的爱情。

她叫姚爱兰，是比袁咨桐大两岁的南京近郊六合县的女孩。女孩比男孩早熟，又大两岁，她在袁咨桐的眼里，就是一位成熟而有女性魅力的特别的“姐姐”了！

十五六岁的袁咨桐与十七八岁的姚爱兰之间是否存在爱情或者就是那种歌德笔下的“少年维特的烦恼”，这都难说。2020年10月底的一天，我在袁咨桐的老家，与一群袁氏家族的后代们聊起这事时，其中一直在业余研究袁咨桐烈士的袁仕成先生很清楚地告诉我，据他调查和掌握的资料看，袁咨桐当年在晓庄时，确实与姚爱兰有段既朦胧又有些清晰的爱情，原因有二：“一是袁咨桐本人在日记和对他的后来活下来的同学讲过自己的‘烦恼爱情’；二是姚爱兰的亲属后来也证实姚爱兰喜欢过一个比她小的同学。”袁仕成认为最重要的一点是：“依照当时的情况看，袁咨桐是从贵州这样遥远的地方到江苏南京来学习的，有种人生地不熟的感觉，同时尽管他心智比一般十五六岁的男孩成熟，但毕竟尚未完全成熟青春，内心的一些胆怯是存在的；而姚爱兰虽然比袁咨桐大两岁，但由于她生性腼腆，不爱多说话，又总认为自己是乡下来的，所以与大同学接触过程中有些不够大胆，相反与袁咨桐接触过程中少了许多胆怯。这是他们两个正在成熟过程中的男女少年所容易产生爱情火花的客观原因。”

袁仕成先生的分析有一定道理。少年袁咨桐心中有份潜存的爱情确实并不奇怪，它对追求革命理想的他们恰恰是另一种动力。

姚爱兰是与袁咨桐前后脚到晓庄报到的。姚爱兰是爷爷带她到陶行知那里报到的。这位脸圆圆、眼睛大大的姑娘，第一次与陶行知见面时，陶先生就很喜欢她，因为她一说话就脸红，说话是低着头的。

“孩子一直在乡下，没见过世面，怕生得很，请陶先生多开导。”姚爱兰的爷爷这么说。陶行知反而对姚爱兰这样的学生格外喜欢，便道：“没见过世面的孩子更容易教育好，爱兰同学，你要好好学习，大胆思考，积极参加各种活动啊！我们这里可是天高云淡任鸟飞的地方啊！你要飞起来！”

“飞起来——”姚爱兰红着脸，朝陶行知先生鞠过躬后，一直在心头喃喃地说着这句话。

“飞起来——就是张开双臂，像大鹏展翅，飞翔而行……”姚爱兰的眼前突然出现了一个比她个头矮一截却眼睛会说话的小男孩。

“爱兰同学，我们认识一下……我叫袁咨桐，贵州来的。”

姚爱兰原本红着脸，低下了头，突然一听是贵州那么远的地方来的同学，又把脸抬了起来。

“贵州那个地方跟南京差不多吗？”姚爱兰轻声地问。

“不太一样，我们那里尽是山，山连着山，山外还是山！”袁咨桐说。

“那——你是怎么出来的呀？”姚爱兰更好奇了。

“跑出来的呀！”袁咨桐笑了。

“那得跑多长时间呀？”

“嗯——我从习水老家到这儿，一共有两年多了……”袁咨桐掐了掐手指，算着。

姚爱兰惊呼起来：“哎哟，要跑这么长时间呀？”

袁咨桐又笑了，说：“当然这么长时间里不全是在跑的，我上了好几个学校……”他便把自己如何从老家土城到了贵阳，再跟着黄齐生先生到了上海，最后到了南京晓庄的几年间发生的事讲述了一遍。

“哎哟，你真不简单。”姚爱兰听得出奇。

就这样，他俩便成了同学中的好朋友。

其实，晓庄学校不仅对袁咨桐、姚爱兰这样的学生充满吸引力，就是对比他们稍稍大些的学生也同样有着特殊的吸引力。这是陶行知先生所倡导和追求的目标：让学生们在自然、自由和劳动之中成长。“晓庄十烈士”中的郭凤韶曾经对自己的好友这样评价晓庄：“这儿太好了，我感到愉快，这儿的老师待人亲切、同学团结，我很喜欢这所学校。”

“晓庄是从爱里产生出来的，没有爱便没有晓庄。”陶行知曾在《晓庄三岁敬告同志书》中这样说。“我们的实际生活，就是我们全部的课程；我们的课程，就是我们的实际生活。”这就是陶行知的生活教育理念，用他的话说，这叫“教学做合一”。他认为，所谓生活教育，即以生活为中心的教育。他说：过康健的生活便是受康健的教育；过科学的生活便是受科学的教育；过劳动的生活便是受劳动的教育；过艺术的生活便是受艺术的教育；过社会革命的生活便是受社会革命的教育。由此类推，好生活即是好教育。高尚的生活就是高尚的教育，反之则反。正是陶行知先生的这一理念，革命的中国共产党人在敌人的中心城市——南京，要想革命和发动民众，像晓庄这样的“革命根据地”太合适不过了！

1928年夏，也就是袁咨桐和姚爱兰还没有到晓庄之前，那片长满松树的山林中，有6位男女学生聚集在一起，他们中间有一位戴着眼镜的年纪稍大一点儿的男子正在给石俊、刘季平、汤藻等学生悄然下达“一、二、三……”。原来这是中共南京市委的同志在晓庄支部交代当前的任务。这时的晓庄支部已经是南京地下党的三个支部之一，除了石俊、汤藻等党员外，还有从安徽公学转过来的胡尚志等党员同志。胡尚志等后来与石俊一样，都成了陶行知的得力助手，成长为晓庄师范的老师。他们对袁咨桐、姚爱兰等有进步思想和追求光明前途的青少年学生来说，影响特别大，因为这些“大哥哥”、“大姐姐”老师既同小同学们亲密无间，又有博学知识和革命思想，袁咨桐、姚爱兰等进步学生便在他们的影响下，迅速成长。

这应该首先是因为陶行知先生的教育理念和宽松环境给予了这些革命种子生根、发芽、开花和结果的先天条件，而石俊、叶刚等青年革命老师的有趣、热情、精彩的讲课，又让袁咨桐、姚爱兰、郭凤韶等有进步思想的学生如鱼得水，活跃异常。

“老师，世上到底有没有鬼呀？”小学生们对这个问题最为关心。袁咨桐虽然在大山深处长大，也被土匪劫持过，但关于到底“有没有鬼”，他也说不清。姚爱兰不用说了，就是相信有鬼。那天同学们都来听石俊讲“鬼”的事时，姚爱兰主动挨着袁咨桐坐下，然后特意向他靠得很近。这是袁咨桐第一次如此近地挨着一位他心中十分信任和期待“挨着”的女生，他甚至目光不敢斜视，因为他的内心也是第一次特别想看一眼女人那奇妙的身体。关于这一点，外人并不知道，但袁咨桐因自己大哥的缘故，曾经几次“被迫”过去“想女人”。在以往的所有“英烈事迹”中都没有这一方面的记述，可能是因为怕损害了小烈士袁咨桐的形象。其实不然，在我看过他同学与他一起经历“大人那点事儿”之后，恰恰我认为袁咨桐这位小英雄的本质和素质令人敬佩。

如前所述，袁咨桐到南京后，他的两个哥哥也在南京，二哥和堂兄也因为黄齐生先生的关系一起到了晓庄学校。袁咨桐的大哥在国民党军官学校学习，之后又在军队谋职，一路亨通。

1928年12月中旬的一天——这是一个星期六——的下午。晚饭后，袁咨桐的大哥约袁咨桐和袁咨桐的堂兄一起，从城北将军巷步行到秦淮河附近一家清唱的歌馆——“飞龙阁”去听京戏。那时的南京歌馆皆是女脚（即女服务员）。袁咨桐和堂兄年岁接近，但对大城市里的歌妓并不太懂，当然也不能说全不懂，因为在近八九十年前的中国，一般十五六岁成婚的也不算少，所以说袁咨桐一点不晓男女之间的事儿似乎并不客观。也就是这个“似懂非懂”的年纪，他哥哥就是一个纨绔子弟，所以得空逛逛“窑子”并不为奇。这一天他大概是想让刚来南京不久的两个弟弟“见识见识”，所以带袁咨桐等出来“显摆”一下自己所见过的世面。

在进歌馆之前，袁咨桐哥哥在馆外的一个小摊上买了三只大红袍柑。正在付钱时，一位20岁上下的姑娘挽着个五六岁的女孩也轻盈缓步地走向小摊前。她穿着钉上电光瓣子的青绒旗袍、丝光袜、青绒鞋，头戴墨绿色的毛线帽，帽的一边还缀上一个浅红色的线球，衬着发光的刘海式的额发，双肩上披着一幅宽大的围巾，是一个端庄的大家闺秀。袁咨桐的大哥便举着橘柑逗那小女孩，那小女孩仰头似询问大姑娘，见没有答案，便说：“我们有。”

袁氏三兄弟所进的“飞龙阁”歌馆，其实就是妓院。进馆时间早，所以里面的客人不多，于是袁咨桐三兄弟选定了前排座。这时馆里的伙计沏上三杯茶，袁咨桐的堂兄见表哥神思不定地在左顾右盼，便自已掏腰包付了茶钱。

“来了！你们只管坐着！”这时，袁咨桐的哥哥悄声说着，眼睛却在张望着另一头。

袁咨桐和堂兄顺着望去，原来还是刚才在摊上遇见的那位姑娘和那女孩。于是这两个“木鱼”（呆子）并不知道什么奥妙，仍然看戏，只有袁咨桐的哥哥根本心不在焉，一副左顾右盼和忐忑不安之状。后来又跟堂弟换了座位，距那姑娘和那女孩更近一点。袁咨桐目光斜视着哥哥用橘柑再三向那小女孩挥动着，不一会儿那女孩便走到了袁咨桐哥哥膝前，顺手拿走两个便又掉身回到姑娘身边。

“跟我去看好戏！走！”袁咨桐的哥哥轻声对兄弟俩说。袁咨桐和堂兄原本看戏看得正在兴头上，对哥哥的提议有些惊奇和不愿，正迟疑之际，其哥拉着他俩就往外走。

“到哪儿去嘛？”出了歌馆大门，袁咨桐问。

“跟她们后面走！”哥哥果然是个老手，他指指前面的那位姑娘和女孩的身影，说。

走过一段路后，那姑娘在一个不起眼的店铺前停住了脚步。等袁咨桐哥哥他们快跟上时，她又默默掉身在街头前导着……

“这不会受骗吧？”袁咨桐的堂兄有些害怕和紧张地问道。

“别瞎嚷嚷！”袁咨桐的哥哥阻止道。看袁咨桐有些不耐烦，其哥哥一把扯了下他，随后走在最前面。

三人跟上那姑娘了。袁咨桐哥哥笑嘻嘻地搭讪：“你家住在哪里？”

“就在前面。”姑娘指指一处，意思是让袁氏三兄弟跟她走便是。

入小天井后，又进了右厢房。袁咨桐和哥哥及堂兄好奇地打量了一番内屋：那厢房的北上方设一间挂帐的牙床；东壁是几张茶椅茶凳，壁上挂着一幅横条，左右还有一副对联；南壁有个书架上层放着座钟，墙壁上还挂着一把京胡，看上去很有些书香气。

“你们是仙风吹到，都贵姓呢？”姑娘开始跟袁咨桐哥哥说话。

“学堂里来的。都是四川人，刚来南京不久……”哥哥这样回答。袁咨桐和堂兄对视了一下，觉得哥哥有些“狡猾”。

姑娘也不在意，笑笑说：“南京现在建都了，哪儿来的英才都有，你们就是。”又说：“从前你们四川在此地的人不多。建都后，连我们同学中也增加了，都是些官家子女。”

“你也是在这儿读书呀？”袁咨桐三兄弟暗暗吃惊。袁咨桐这个时候已经看过不少男女方面的小说了，所以他对“妓女”和“窑子”一类的事并不是一点不知道，故一听姑娘也是在南京读书，他便万分好奇地问。

“那能告诉我们你住的门牌号啥的？以后好找你嘛！”袁咨桐的哥哥还是老练不少，便如此追问。

姑娘并没有反感，只是迟疑了一下，反问：“你们问来做什么？”

“今后好给你通信嘛。”袁咨桐的哥哥说。

“哈，要和我通信？”姑娘笑着惊呼起来。

“是，是，我们就想跟你通信。”这话竟然由袁咨桐抢在前面说了。

“是啊，是啊，只要你愿意。”袁咨桐的哥哥连忙也跟上。

“真的吗？”姑娘似乎惊诧地又笑问。

“是的。”“真心真意的！”袁氏三兄弟几乎异口同声道。

这么一唠嗑，几个人的尴尬场面便烟消云散了。于是那姑娘的话也多了起来。时间过得很快，案头的座钟已经打了11下，袁咨桐和堂兄见大哥与姑娘谈得愈加深了，便站起来走向书架仔细察看。原来这姑娘屋子里除中学课本外，还有明清两代的名小说，郭沫若、郁达夫所著译的小说，以及唐诗、宋词、元曲等。

“她还挺喜欢文学呢！”袁咨桐感慨道。

“我看她长得挺俊的，你大哥喜欢上了……嘻嘻。”堂兄悄悄地在袁咨桐的后面说。

袁咨桐鄙视地看了一眼自己的哥哥，突然说：“夜深了，怕家里在盼望，我们要回去了！”他看上去有些赌气似的这样说。

“好好！你们先回去！”哪知他大哥一听，格外高兴地推着弟弟和堂弟往外走，然后又补充一句：“跟家里人说，我在同学家里玩，不要等我！”

见袁咨桐他们要走，那姑娘便客气地送到大门口，随后还说：“二哥四弟下星期六来，给你们另外介绍好不？一回生，二回熟，就像在自己家里一样嘛！”说着，竟然回头对袁咨桐的哥哥说：“你坐，我去送！”

这是袁咨桐没有想到的，他和堂兄不知如何是好，似乎内心一阵激动。

那姑娘回身将枕上放着的那一幅绛色大围巾披在了双肩上，随后与袁咨桐他们一起出了门。

深巷里，是迎面袭来的阵阵寒风，姑娘扯着围巾展开双臂，一左一右地邀挟着袁咨桐和堂兄的肩膀，仿佛三人是亲密无间的好同学，甚至走着走着，嘴里哼起了戏词。

到巷口，她还要替袁咨桐他们大声叫雇黄包车。袁咨桐很是感动，说外面冷，别呛着风，快回去吧！我们自己叫个车。

“下星期六一定要来哟，我给你们约好个朋友啊——”黄包车已经走远了，袁咨桐回头见寒风中站立着的那个身影，他的眼睛里充满着怜惜……

“这个狗东西！”突然，他愤怒道。

“你骂谁呢？”堂兄莫名其妙地问他。

“我哥……”袁咨桐说。

沉默。一路无语。

至中华门后，袁咨桐他们下车行走。一路上，袁咨桐似乎生气异常，又突然开腔大声念道：“爱欲海，可谓沉埋男子躯；温柔乡，岂应老葬君王骨？”这是他在家乡私塾里熟读成诵的《幼学琼林》中的一段话。

“……钱树子、一点红、无廉耻，谓青楼之妓女殊名。此固不列于人群，亦可附之以博笑！”堂兄接过复念道。

袁咨桐这时抢过话说：“咳！说什么‘此固不列于人群’，不齿于人类，不把她们当人，然而她们毕竟同样是人。是她们污了人群，还是人群污了她们？是她们无耻，还是人群无耻？当高官厚禄的无耻！现在讲男女平等，男女平权，扯着漫天大谎，究竟是无人觉察，还是无人揭穿！问题就是这么简单而复杂！”

两人边说边走，回到城北将军巷宿舍时，已近夜半。虽然就枕，由于先前多喝了茶，仍感兴奋。堂兄问袁咨桐：“她约我们下星期六去，去吗？”

袁咨桐没有回答，而是朗朗地念起一首诗来：“小岛呵！何处显出你的挺拔呢？无数的山峰，沉沦在海底了！”这是冰心的一首诗。接着，袁咨桐又说：“郁达夫第一部小说《沉沦》，就是他不能自拔的写照。下次我们果真去那歌馆，那是自投罗网，或走向悬岩的事，万万不能……”

当晚，袁咨桐的大哥什么时候回来的，他俩都不知道。第二天早上，按照习惯袁咨桐和堂兄做作业。哪知在写着的时候，大哥起床了，见小弟袁咨桐在写昨晚的事，扯过纸笔，气得直骂。因为袁咨桐天性有艺术才华，所以将昨晚的浪漫事写成了一出“秦淮歌馆遇虎记”小戏，其中坏角色肯定是他的“色哥哥”。

“你个小混蛋，敢说我是灯蛾恋火，自惹其实，还遗害了你们！你小子的觉悟就那么高，你觉悟高为什么不对为兄我来个劝谏，你们不也是和锣打鼓地在一起寻开心吗？你把我写成一风流浪子，吊膀子的行家，要是大舅、齐生伯知道了，同学们再传到学校里去，这还了得？（那时学生有写日记、周记的规定，由国文教师批阅）自惹其实的倒不是我，而是你，扯在大家的头上，家里不汇钱来，怎么过？”大哥真怒了，趁袁咨桐不防之际，便把他的“作文”扯了个粉碎。

这下惹怒了袁咨桐。只见他一瞪双眼，怒吼道：“你不想想，你的行为多么危险！给兄弟们做了什么榜样？我们受你的牵连，我从昨晚这件事写出我的悔悟来有什么错？家里卖田当地供我们读书，你在苏州、南京打过‘六〇六’、‘九一四”，这些事骗得过人吗？败子要风流，父母当马牛，你有一点孝心良心没有！”不等他袁咨桐的话说完，其哥早将茶盅向他砸来。要不是晾毛巾的木杆挡着，袁咨桐的脑袋早就“开花”了。

这家伙还了得！袁咨桐虽小，但也不是吃素的，于是兄弟俩扭在一起，暴打一团！好在刘师一等同乡闻声而来，才把他俩拉开了。

“我们弟兄脑壳打破也相得拢，关别人屁事！”袁咨桐的大哥还在气呼呼地骂骂咧咧。

这一“仗”打完之后，袁咨桐与大哥的“仗”就再也没有断过。他堂兄后来回忆说：“两兄弟在这个宿舍院子里争吵打架，发生过许多次。其缘由，看来是：一、两兄弟的思想不合，各人的信仰不同，所进的学校也不同，大哥骂咨桐走共产主义的路是做梦，不如他走‘中央军事政法学校’的路才是现实的。二、读书的态度、目的不同，一个是图混资格，将来升官发财；一个是发奋向上，革命救国。三、习染不同，一个奢侈浪费，得乐且乐；一个艰苦朴素。四、一个轻诺寡信，言不顾行；一个虚心纳谏，从善如流，一经认定，抵死不渝。两人在人生观上各走极端，在禀赋上，有相同之处，就是性烈如火。”这个分析是有道理的。

袁咨桐后来到了晓庄，受到石俊、叶刚、郭凤韶等“大哥哥”、“大姐姐”的影响，追求和信仰上与自家的大哥格格不入，以至到了生命最后时刻，他也没有听进大哥的规劝。这是后话。

我们再来看袁咨桐与姚爱兰一起听石俊的“鬼”课……

“你们说，这个世界上到底有没有鬼？”石俊老师的话像一块石头抛入水中，顿时激起千丈波浪。包括袁咨桐、姚爱兰在内的学生们热议起来，有的说有，有的说没有，到底有没有谁也说服不了谁。

“是有的，我爷爷奶奶经常跟我说鬼就藏在坟地里，你要撞醒了它，它就缠着你，麻烦大哩！”姚爱兰战战兢兢地对袁咨桐说。

“哈哈……”袁咨桐笑道，而后若有其事地说，“我就撞到过，它……”

“啊？你真撞到过呀？”姚爱兰双手一把揪住袁咨桐的胳膊，万分惊恐地小声喊了起来。

见同学们回头看着她和袁咨桐拉拉扯扯，姚爱兰便红着脸，赶紧将手从袁咨桐的胳膊上拿下。

石俊老师的这一课，听的学生特别多，而且大家的神色异常严肃和紧张，一个比一个聚精会神。

“我爷爷说，死人的头骨只要用水一浇，就会滚起来！碰到谁，谁就会死。鬼会在夜里出来活动，坟地里就会有鬼火闪动，一闪一闪的，特吓人！”有个同学站起来说。

“哎呀，别说了好不好呀！”同学们更吓得直喊。

“老师，你快说说到底有没有鬼嘛！”最后大家求石俊老师回答。

石俊笑，然后看着大家，说：“你们是相信还是不相信呢？”

“相信。”

“不相信！”

同学们你一句我一句，谁也说服不了谁。

石俊一挥手，站起身，说：“那好，咱们到外面去看看到底有没有嘛！试验一下……走！”

学生们就跟着石俊到了外面。石俊带着学生们来到一个山坡上，那不远处都是些坟头。他让同学们站在离他较远的地方，然后拿出一个人头骨——也不知他从哪儿弄出来的这东西。当石俊把人头骨放在地上的那一瞬间，同学们发出一片惊叫声。

“大家看好了……”石俊开始表演：只见他将头骨放好后，提来一桶水，突然往上一浇。这当口有的同学眼睛瞪得圆圆的，有的吓得早已蒙上了双眼。“来来，大家过来看看它怎么着了！”这时，石俊招呼同学们过来看人头骨有没有发生什么变化。

同学们开始往人头骨围过去。

“没有啥嘛！”

“是，它还是那个样……”

“对了同学们，其实这人头骨一点也没有变化。”石俊开始跟同学们讲道理了，“我们刚才朝它浇了水，它不仅没有滚动，也没有闪什么鬼火，还是原来的样子。这证明这个世界上并没有什么鬼一说。可有的人就说看到过人头骨闪着光的，那么在这儿我要跟同学们说的是，人头骨确实有的时候会发出光，这是因为它有一种物质叫磷，这种物质一旦遇上空气就会燃烧起来。白天光线很强，我们不容易看得见它，可是晚上这种光就会显得蛮亮，而这就是有人说的鬼火……其实只是一种磷物质的变化而已，非鬼也！”

“原来是这样啊！”姚爱兰这才重重地释放了一口气。

“是，是，所以没啥可怕的。”

晓庄学校的自由气氛和有趣的教学与学习，让袁咨桐既增长了知识，又萌发了爱情，更多的是知晓了革命道理和革命觉悟。

在中共地下党支部的领导下，加之校长陶行知的身体力行，学校内的文艺活动与创作及表演格外热闹和活跃，尤其是演戏和文艺创作，当时少有哪个学校能与之相比，而且一批文艺才俊在此崭露头角。

叶刚是位天才“故事大王”，他讲童话的能力出众，尤其是他创作的《红叶》童话，给陶行知和同学们留下深刻印象，因为叶刚的作品充满了对人民大众的革命感情和对敌人的仇恨。后来在他牺牲之后，陶行知极其悲痛，专门整理了他的9篇遗作出版成集，并亲自写序：

飞、飞、飞
满天的飞。
哪来这些蝴蝶？
原来是红叶……

陶行知用深情怀念这位才华横溢的青年。胡尚志等也都是讲故事的高手。要说演戏，那得是谢纬棨。这位湖南小伙子，演什么像什么，演乞丐像乞丐，演知识分子像知识分子。现在我们从晓庄师范的图片陈列室内，还可以看到他当年与陶行知校长演对手戏的照片。

袁咨桐本来是不善言辞的山里来的孩子，但在晓庄师生们的影响下，也变得异常活跃。他也参与演戏，不过他在小说和剧本创作方面更擅长些。

1929年1月23日，袁咨桐有幸经历了晓庄师范历史上很重要的一件事，那就是著名戏剧家田汉先生在陶行知的邀请下，于这一天来到了晓庄。他是带着当时赫赫有名的“南社”演员一起到晓庄的。

那一天，晓庄的犁宫内春意盎然。陶行知兴高采烈地首先上台致辞：“今天我是以‘田汉’的资格热烈欢迎田汉先生一行。晓庄是为农民而办的学校。农民是晓庄师生的朋友。我们的教育是为种田汉而办的教育。我们犁宫前的一副对联，说明了我们办学的态度：‘和马牛羊鸡犬豕做朋友，对稻粱菽麦黍稷下功夫’。所以我们是以一个‘种田汉’代表的资格在这儿欢迎田汉先生……”这番深情而又幽默的话语让田汉和全场的师生及前来看戏的农民们热烈鼓掌。

接着田汉发表答谢词：“陶先生说，他是以‘田汉’的资格欢迎田汉，实不敢当。其实我是一个‘假田汉’，陶先生是‘真田汉’，我这个‘假田汉’能够受到陶先生这个‘真田汉’以及在座的许多‘真田汉’们的欢迎，实在感到荣幸。我们一定要向‘真田汉’好好学习……”

宾主两人的话，已经把犁宫闹得热气腾腾。演出时，因临时缺个小角色，有人就推荐谢纬棨。结果那天谢纬棨演得异常出色，田汉大赞："我的小老乡确实会演戏！"谢纬棨从此在晓庄名声大震。

田汉和南社的晓庄之行，给予陶行知和晓庄的影响极大，同时对中共地下党推动这里的革命斗争运动也产生重大影响，从此晓庄的"剧社"、"文艺社"蓬勃而生。而这里的党支部、团支部也利用这些文艺组织，积极编排一些爱国和革命题材的剧目及作品。地下党员、团员石俊、谢纬棨、郭凤韶、姚爱兰都成为其中的骨干，袁咨桐更是其中的活跃分子。

值得一提的是，中共地下党在利用"剧社"进行革命斗争和革命宣传方面做了大量工作，这也是晓庄师范学校成为南京地区中共地下党斗争的重要据点之一的原因。

晓庄的地下党组织负责人最初是刘季平，后来由叶刚担任。而叶刚既是学校的老师，又是剧社的积极组织者，所以党团的许多地下工作就是在"剧社"的工作之中同时开展，也掩护了革命的年轻同志。"晓庄剧社"的成立，也团结了一大批进步青年。叶刚的老乡郭凤韶不仅党性坚定，而且做事麻利，演戏特别认真，她出演的《卖花女》演得观众常常跟她流泪不止，而她与叶刚在工作过程中也结下了深厚的爱情。这种革命同志加爱情的关系，对其他年轻学生和同志的影响是很深刻的。袁咨桐虽小，但不能不受其影响。至于谢纬棨等多多少少也受此种情况影响。革命同志加爱情力量，让青春的理想火花更加旺盛。袁咨桐在这段时间里的进步和革命的信仰得到了完全不同的提升与发展。而他的行动，也在影响着另一个人——姚爱兰。

姚爱兰是个腼腆的姑娘，平时说话总低着头，不敢大声。参加剧社后，尤其与袁咨桐、叶刚讨论表演和背诵剧本时，渐渐也变得能够抬起头说话、一起讨论问题，更可贵的是她的表演细腻到位，令袁咨桐和叶刚等刮目相看。

"咨桐，听说你的大哥在国民党军队里当了不小的官。他常来看你吗？关心你学习吗？”

一天，石俊把袁咨桐带到自己的休息室，单独问他。

“他呀，对我凶得很，看到我就训！”袁咨桐说。

石俊说：“那证明对你要求严嘛！”

袁咨桐马上嚎道：“他才不是呢！他管得好自己就不错了！他跟那些朋友们凑在一起尽讲些吃喝嫖赌、鸡鸣狗盗的事，还出去逛窑子，啥肮脏的事都干得出来！我已经看透他了！我表兄本来也想考军校去的，看到我大哥这个样，就生气地跑到上海去上劳动大学了。”

石俊听后悄声地告诉袁咨桐：“国民党政府本来就是腐败和反动的，参加他们队伍的人也会学坏的。相信你不会像大哥那样。来，你有时间看看这本书……”

袁咨桐接过一看，是一本《什么是布尔什维克》。“这是啥书呀？”

“讲革命道理的，如何推翻旧社会统治的书……你看看，要保管好！”石俊吩咐道。

袁咨桐会心地点点头。

从此，石俊会不时地给些革命书籍让袁咨桐学习。而袁咨桐也在这些书中知道了马克思主义和共产主义等革命道理。“只要是让劳苦大众翻身、让国家富强的事，我干！”很快，袁咨桐加入了中国共产主义青年团。

有一天，他在过组织生活时，发现姚爱兰也在其中，兴奋地凑到她面前，轻声道：“你也是同志，太让人激动了！”

晓庄地下党团组织通过“剧社”等形式，经常到江苏的苏州、无锡、常州、南通一带，借演出名义，深入农村，发动群众，进行革命斗争活动，受到中共中央和江苏省委的重视。陈云同志曾在巡视之后在写给中央的报告中专门指出：“南京自由斗争的7个学校有了群众，其中以晓庄为最好……”

1930年初，袁咨桐升入晓庄师范附属的劳山中学读书，并担任团支部书记。

一份沉甸甸的革命责任，让这位16岁的少年，显得比一般同学要成熟得多。

这一时期，袁咨桐一边读书，一边参加党团的地下组织活动，与进步青年和团员同志在学校和各地进行革命活动，他因此坚持写日记。也正是这样的勤奋，让他在牺牲之后也给后人留下了难得的文字。

与袁咨桐同升至劳山中学的沈云楼也是位青年团员，也爱写日记。这位激情横溢的青年具有很高的思想觉悟和思考精神，他所写的日记十分精彩，也常给袁咨桐看。

“美丽的七色的太阳啊，你快点出来，放开你的亮光！放开你的热烈和光明！照在万物身上，都含笑，只有那呆坐的雪人会流泪……太阳啊，我爱你，我爱你的光明！爱你的热烈！”一次，袁咨桐将沈云楼的日记背诵给姚爱兰听时，姚爱兰简直有种陶醉的感受。这让袁咨桐也深深地触动：原来，诗是可以让爱情“发酵”的！

他开始悄然注意自己的文学素养。

一个深夜的山坡上，石俊带着学校的“联村自卫队”，正在进行实战练习。袁咨桐赶了上去。他挨到石俊身边：“老师，我能参加自卫队吗？革命是需要武装斗争的。列宁的布尔什维克就是通过它夺取政权的……”袁咨桐抚摸着石俊紧握的一支步枪，十分仰慕道。

石俊笑笑，说：“你是我们的革命同志，拿起枪支与反动派斗争是毫无疑问的。但我们这个自卫队是晓庄学校校长争取来的，它有规定，年满18岁者才能加入。虽然党团组织正利用它扩大我们的革命斗争力量，可也不能让陶校长为难。所以你暂时不能参加自卫队。但你平时可以抽些时间来学习射击与操练！”

袁咨桐开心地道：“嗯，这就够了！”作为团支部书记，袁咨桐被优先允许参加自卫队的武装训练。而石俊他们利用参加晓庄武装自卫队的机会，在为革命培养力量方面做了大量工作。打靶、跑练，一样都不少。武装自卫队里，除了石俊外，刘季平、汤藻等都是其中的骨干。他们把这支校自卫队牢牢掌握在手中。

晓庄师范“自卫队”是陶行知先生通过冯玉祥将军的帮助才建立起来的，当时筹建的理由是：晓庄一带土匪猖獗，以保卫学校和附近百姓生活安宁所用。陶行知在晓庄师范成立两周年的纪念文章中曾这样评价这支护校武装：“从前晓庄五里以内有烟馆26所，新年赌博遍地皆是，匪警也是常有。但自有了联村自卫队组织以来，民众的武力造成，公安局及驻军联盟缔结，40里周围之烟赌匪患便一扫而空。试以赌博为例，茶馆一有赌博，小学生便潜去参观。学校一年教不好的孩子，赌场一天可以把其教坏。那么，造成民众武力以扫除那毁坏教育工作之恶势力，怕也是我们应当注意的一件事吧！”如此好事，政府当然也不便出面阻挠。然而这也为日后蒋介石反动集团镇压晓庄革命组织找到了“把柄”。

自由和自主，是晓庄师范一向的校风。然而在有些问题的处理上，因为校方管得并不是很严，老师和学生自行其是的也不少。1930年3月，晓庄学校发生了一起集体“逃票”事件，引发了一场不小的风波。

事情是这样的。这年春天，晓庄中心小学的学生提议免费到栖霞山旅行修学，并去采集标本。理由是：他们都是穷孩子，再说火车是劳动人民流血流汗造的，劳动人民的孩子有权坐坐，如果连四等位都坐不起，太不公平。石俊觉得同学的话中有革命的思想，非常高兴，表示全力支持学生们的行动。于是他与叶刚一道，指导袁咨桐、姚爱兰等人以晓庄共青团支部的名义拟了一份宣言。之后，晓庄各中心小学的200多名师生，聚集到了南京和平门火车站，想在此上车。

“你看看，他们都是小孩，到栖霞山去采集标本，是正经事，你就同意他们上车吧！”在火车站，袁咨桐、姚爱兰与站长死活说着这样的话，恳请让同学们上车。

“这个我没权力做主。坐车买票，这是天经地义的事，不买票就不能上去。”车站站长坚持。

师生人多势众，正在与站长争执之时，一声火车鸣笛声，200多名师生趁机一哄而上，登上了火车。

“不能上！要罚款的！”车站站长急了，怎么喊也不行。学生们在袁咨桐、姚爱兰的指挥下，像小鸟似的“叽叽喳喳”着欢快地进了各个车厢，那高兴劲儿别提了！

“查票查票！有没有票啊？”真的来查票了！列车员开始查票，同学们紧张起来。

“谁带头的？你们谁是老师？”列车员喊着。

“找我嘛！我在这儿呢！”袁咨桐主动答应。

“你们没买票怎么可以带这么多孩子上车呀？列车员愤怒地盯着袁咨桐，气急败坏地问他。

“你看看这个！”袁咨桐也没有畏惧，从口袋中拿出一张纸。

“《晓庄学校小朋友为争取旅行上学坐火车不打票宣言》？！”列车员看后，生气地说，“我才不管你啥宣言不宣言！你们应该买票上车！”

袁咨桐拾起被扔掉的《宣言》，一字一句地高声念道：

“火车，是我们人民的火车！火车，是我们小朋友的火车！父老们，小朋友们！火车是我们人民血汗创造成功的。我们应当享有火车上的一切权利，因为我们是火车的主人。现在火车被少数人强占去了，有钱的坐头等，没钱的连四等座都坐不着，被拒绝到火车的门外，这是何等的不公平、不合理的事！父老们，小朋友们，我们要起来，一致地起来：实行旅行上学坐火车不打票！打倒火车上的阶级——头等、二等、三等、四等！铁路收归人民所有！”

“实行旅行上学坐火车不打票！”

“打倒火车上的阶级！”

“我们不买票——！”

“坚决不买票——！”

孩子们清脆高昂的口号声，响彻火车站和车厢，引来许多围观者和乘客的好奇，竟然也有人跟着学生喊起口号，场面异常热闹。甚至有的工人这样说：“娃儿们你们说得对，我修铁路、造铁路，可是我就是坐不起火车！这种制度应该改变！”

在这一趟火车上，200多名师生站的站、坐的坐，热闹非凡。许多孩子是第一次坐火车，兴奋程度更不用说。

转眼到了栖霞山站。车站站长要收票，如果没有票，必须补票，否则不让出站。袁咨桐和姚爱兰立即出面，说：“我们已经向铁道部提出申请。现在我们身边没钱，有什么事可以到学校来找我们算账。”这么一说，弄得车站站长无可奈何，只得放行。

“太过瘾了！太胜利啦！”出车站后，一向腼腆的姚爱兰竟然情不自禁地张开双臂，一下拥抱住袁咨桐，一边还在不停地叫唤着。

袁咨桐也兴奋得满脸通红，高声道：“是，是！我们胜利啦！胜利啦！”

真的是胜利了。同学们一趟“免费”坐火车后回到学校，这下给陶行知校长带来的麻烦可不小。铁道部部长孙科接到下面的报告后，大怒：“简直不像话！”可一听说是老同学陶行知学校的学生所为，又哭笑不得，最后写了一封信，称其为“荒唐之举”，并称：“以后一定要严加管理，否则重治！”

“哈哈……你们说此举对还是不对呀？”陶行知找来袁咨桐和姚爱兰等问清缘由之后，笑得弯下了腰，连声说：“要不得！要不得！”

陶行知始终站在同学们这一边，并在晓庄的大墙壁报上写了一首“打油诗”：生来不自由，生来要自由，谁是革命者，首推小朋友！

袁咨桐和姚爱兰因为此次“逃票”事件，在师生中名声大震，仿佛英雄一般。

但是，反动政府从晓庄的此次“逃票”事件的《宣言》文字中，似乎闻到了"激进分子"嫌疑。不日，首都卫戍区司令谷正伦对记者发表谈话称："实行强行不打票，并发现其宣言内多与三民主义违背……"

与此同时，在中共地下党组织的领导下，晓庄党团支部并没有因一次自我的行动而停步，他们借机用这份《宣言》，向全国小学倡议。这一举动，自然也让反动政府感到"陶行知"和"晓庄学校"是在"冒火"。

说来也巧，这个时候，南京发生了一件"和记洋行"罢工事件。在此次洋行罢工事件中，工人纠察队和英国水兵之间发生了武装冲突，手无寸铁的工人怎能与全副武装的英国水兵激战嘛！结果工人死伤无数。

惨案发生后，和记洋行的工人领袖、共产党员邓定海到市里向党组织汇报了案情。中共南京市委紧急召开会议，决定号召全市群众和工人迅速声援，并指定晓庄学校的刘季平、石俊为示威游行的正、副指挥。晓庄学生自然成了示威游行的主力之一，袁咨桐、郭凤韶、姚爱兰等党团员全部出动，走在了游行队伍前列……

这是一场与帝国主义势力和反动政府的正面较量。晓庄师生成为斗争的先锋队。在与反动军警的说理与争执中，时时看到叶刚、郭凤韶、袁咨桐、姚爱兰、沈云楼等年轻革命者的身影，他们用工人们付出的生命代价，力争事实，揭露帝国主义、反动政府的罪行。然而，国民党政府不但不支持晓庄师生们的革命行动，反而采取了最野蛮的镇压。

一场针对晓庄、针对年轻革命者的血腥屠杀由此拉开黑幕……

自袁咨桐他们发动的那次"逃票"事件和近日声援"和记洋行"的游行之后，晓庄师范的上空，不时地有阵阵黑云压来。

1930年4月7日，这一天是星期一。上午，国民政府照例举行纪念孙中山先生的总理纪念周活动。蒋介石在会上带领大家背诵完《总理遗嘱》后开始讲话。而这次讲话中，他竟然特别评说了当时闹得沸腾的

“和记洋行”工潮及随后的学潮。对此他向南京和全国的相关学校发出了警告，以声色俱厉的口吻说：“还有前天和记洋行发生工潮，随后有学生游行。此事教育界同政府要负责的。现在反动派造谣，竟说英人打死和记工友4人，这是完全没有的事……现在革命政府之下，如果有反动的行为，那就是自绝于革命，不但是徒然牺牲，而且负了反革命的名号，是绝对没有益处的。所以现在如果哪一个学校或是哪一个团体，不听政府命令，无故掀动风潮，政府必要严加制裁的！”

当日下午，蒋介石下达了关闭晓庄学校的密令，同时要求教育部门派员前往晓庄“接收”。

蒋介石对小小晓庄学校如此大动干戈，其实并非全因为“逃票”事件和参与了“和记洋行”学潮，重要原因之一是他与冯玉祥将军之间的矛盾公开化了。而前一年蒋介石在冯玉祥的“诱导”下来到晓庄学校参观，见学校有枪支武装的“自卫队”一事本身就很不高兴，加上他认为从几件事的迹象看出有“共党活动”在晓庄，于是新仇旧恨一下发泄而出。

一个字：“封”！封校。

“同志们！我们是为劳动者办的学校，为苦难的劳动者而做事！有什么错？错在何处？错到何处？让我们一起牢记我们的使命吧——教导乡下同胞做中华民国的主人！不然，我们的乡下同胞就没有出头之先！他们不出头，我们休想出头！乡下同胞没有享福之先，我们休想享福！我们若是赶在农人前面去出头享福，只此一念便是变相的土豪劣绅。与农人同甘苦，共休戚，才能得到光明，探出生路。来，我们大家一起唱《劳山歌》，为中华民国的主人努力吧！”风雨交加的前夜，陶行知如此教导师生们。

老山劳，
小庄晓；

咱锄头，
起来了。
老山劳，
小庄晓；
新时代，
推动了。
……

“然而，校庆的欢歌还没消散，晓庄人的喜悦还挂在脸上，阴云却逐渐笼罩晓庄了。其实这阴云的影子早已被陶行知和晓庄人看到，有些在外任职的晓庄人，被当地政府以‘与共党勾结’等理由辞退，而在晓庄的树荫下、墙角阴影里、草垛后面总会游荡着一些陌生的但眼光阴狠的特务，他们还跑到老百姓和学生家里去游说、收买眼线，为的是要抓住晓庄的‘罪证’。虽然他们几乎没有任何收获，因为晓庄根本就没有任何罪行，但是作为一校之长的陶行知已经嗅到了空气里的火药味和血腥味，因此他在校庆上讲的‘晓庄可毁’、‘一阵野火，半天便可以把他们烧得干干净净’之类的话，并不是杞人忧天，而是开始给晓庄人敲响警钟，并再一次凝聚晓庄人的意志，为可能到来的‘风暴’、战斗做好准备！”有人写文如此说，晓庄将面临一场生死浩劫——

1930年5月的一个清晨，这场酝酿已久的风暴终于来了！那天陶行知在外奔走筹措经费，不在晓庄。天光刚放亮，师生们像往常一样准备开始一天的工作学习，但是村上的狗却不安地叫起来，而且一阵紧似一阵。住在农民家的晓庄人白韬赶紧从小窗洞往外看，只见大队的灰衣服士兵和穿黄色制服的宪警手持上了刺刀的步枪，腰携手榴弹和麻绳，向晓庄学校开来，一队又一队，约有五六百人。他和同事们马上意识到情况不妙，连忙逃入附近的麦田中去。

这大队人马如临大敌，离校本部还有一里多远就稳住阵脚，分为两队，随着指挥官的一声口笛响，俯首直冲，向校部包围上去。一个冲锋，将犁宫包围起来，但不敢轻举妄动，直到一个宪警战战兢兢地推开门，才发现里面一个人也没有。这个意外让指挥官呆住了，因为他是受了上级的命令，说晓庄聚众千余人，有枪数百支，准备暴动颠覆政府，务必包围而歼灭之，如有反抗，格杀勿论！然而，见到的竟然是这幅景象，指挥官暴跳如雷，朝着被带来的师生喊："枪，枪，枪呢！我是奉命来缴械的！"

"什么枪呐？你是说内政部送的破枪么？"一位同学说，"放心，你们要，我们奉还就是了，枪已经修好不少，修理费也奉还！"

一会儿100多支枪就堆在了恼羞成怒的指挥官面前。他似乎因为没有发生战斗，也未能杀人，不能邀功请赏而感到不满，连声大叫："封闭！封闭！封闭你们这个造反的学校，你们都是反革命分子，土匪！"

"可是封条贴在哪儿呀？"宪警拿着南京卫戍司令部的朱笔大封条，却不知道该贴到哪里。原来晓庄方圆几十里，师生都是分散住在各处，学校既没有围墙，也没有大门。

指挥官更加气急败坏了。他大骂："混蛋！贴在那里、这里，不是都行！"他一指犁宫，又一指"书呆子莫来馆"，大概是因为这两处茅屋比较大一些。

这些狗腿子在晓庄整整翻了一天，但一无所获，只得拖着百余支破枪走了。但第二天一早，又派了一个连冲进来，自以为可以杀一个回马枪，可是仍然扑了一个空，晓庄并没有任何暴动的迹象。于是他们开始驱赶师生，但师生本来就分散住在各处，大部分住在老百姓家里，驱逐也无从下手，可伤透了这些鹰爪的脑筋，最后他们终于想出了一计：派了一连兵占领晓庄学校本部。

就这样，晓庄被封了！

晓庄被封，显然是个严重事件，因为晓庄师范虽然在南京并非重点大学，但它的影响力和陶行知先生的威望，让它具有不同凡响的教育地位，甚至在国际上都有反响。蒋介石的动作，一方面是直接对着陶行知先生，另一方面更多的是针对“藏”在学校师生中的中共组织和革命力量。

借“镇压反革命”而实现他的真正的反革命之目的，是蒋介石绝对愿意花代价的事情。封晓庄可谓一举三得，包括敲打冯玉祥以及其他“不听话”的军阀们。

此日，国民党党报“中央日报”上还专门发表了一篇胡汉民所写的“公告”：陶行知办的晓庄学校“勾结反动分子阴谋不轨，本党为肃清首都祸患于未然，特勒令封闭，陶行知本人事先未能防范，亦不能辞其罪”。

“怒！怒火燃烧起来了！”校长陶行知对此义愤填膺，当下挥笔写了《护校宣言》这一檄文，痛斥政府当局的可耻行为，并表达了全体师生的护校决心：

> 晓庄学校，被当局勒令停办了。被当局越过教育部而直接勒令停办了。被当局以秘密开会莫须有之罪名而勒令停办了。乡村教育之发祥地停办在乡村教育没有普及之前，是何等的痛心啊！中华民国的忠仆能以自己的生命换取中华民国之生命，又是何等的光荣啊！革命的教育摧残于所谓的“革命政府”之手，这是何等的令人难解，又是何等的令人失望啊！
>
> 这次当局断然以迅雷不及掩耳的手段停办晓庄学校，远因近因虽多，归总起来只是因为我们不肯拿人民的公器，做少数人的工具，不肯做文刽子手，去摧残现代青年之革命性。我们认清了教师之职务是教人学做主人。……因为我们要教人学做主人，所以对于侵犯了这主人地位的势力，都要问个明白，和它一决胜负。

此时的石俊、郭凤韶、袁咨桐、姚爱兰等地下党团员更是冲锋在支持校长陶行知和护校的最前面。他们与同反动政府和反革命势力决战了十几年的陶行知先生战斗在一起，团结广大师生，为学校的生存而战。他们心怀与陶行知先生一样的坚定信心：

在褚玉璞时代，晓庄是可以消灭的。过此以后，种子已经遍撒全社会，在人所不到的地方，已经有了晓庄的生命。我们想不到人间有什么势力，可以把他们连根拔掉。

因为走的乡村教育之路而广受大众的拥护和支持，所以晓庄师生的护校运动，不仅深受周边群众的支持，而且在南京城里受到工人、市民们的拥护。在中共组织和陶行知先生的带领下，晓庄师生们整队来到国民党政府的教育部，在大门口高呼口号，责问当局为什么封闭学校，要教育部长出面陈述理由。由于蒋介石密令“封校”本身就是越过教育部的独裁行动，所以教育部门的官员只能含糊其词，让晓庄师生“静候解决”。

“无法静候！他们根本就是不想让陶先生创办的乡村教育在中国存在！根本不想让穷苦人家的孩子们读书，根本不想让我们这些人有所作为！我们能答应他们的‘静候’吗？”学校里，袁咨桐等骨干遵照党组织的指示，在进一步发动师生，准备同反动政府进行坚决的斗争。这样的斗争，后来不仅仅是晓庄一个学校，南京市的许多大、中、小学校也加入了支援“晓庄复校”的斗争队伍之中。

“反了！他们全想反了！”蒋介石恼羞成怒。他，要抓人、杀人了！

1930年的一个秋夜，南京成贤街的一所民居，窗户透出一束昏暗而警觉的灯光，几个晓庄的老师和学生正在商讨着什么。忽然昏暗的灯光下出现了一张有些憔悴但从容而平静的脸。

“校长！”

正是陶行知。他走进屋来，屋子里一片沉静，大家都凝视着陶行知，等他说出什么喜讯或是噩耗。陶行知开口了，口气是严肃而从容的："我是来向你们告别的！"

大家都惊疑地望着他，屏气凝神，等他继续说。陶行知此时露出了微笑，说："他们下令通缉我了，这是蒋的密令，大约明天早晨就要执行，我得乘今晚十一点半的快车，赶到上海去！"

他说完这些话，灯光仿佛一下子更黯淡了，满屋寂静，谁都不愿意先说话，还是陶行知开口了："你们，留在这儿，得当心呀，他们已经下决心来干我们了，我建议你们下乡。"

陶行知在这里逗留了一两个小时，与大家详细地商讨以后该怎么办，最后，他留了一些钱，对大家说："必要时，你们得向上海跑，不要硬拼！"看到大家沉毅的表情，他略微放心，一脚跨出屋，又停住了，一转身，攥着拳头，低声而坚决地说："我们还要干！"大家心头一股热血上涌，低声地重复说："我们还要干！"陶行知眼眶一热，毅然转身，消失在了夜幕里……

13年前，乘着远洋轮船踌躇满志回到中国的陶行知；3年前，放弃高官厚禄穿着土布衣服来到晓庄的陶行知，可能没有想到这一幕，也可能早就料到了这种情况的发生。不管他想到还是没有想到，结果都是一样的，那就是陶行知临别的那句话——我们还要干！

但是未来又在哪里呢？

这是《陶行知传》一书上关于那段黑暗时刻的一段写照，陶行知被迫离开自己心爱的晓庄，离开心爱的教育岗位，甚至不得不再次离开祖国。

未来在哪里？陶行知不知。晓庄的未来更令人担忧。

德高望重的校长走了，留下的几百名弱小的师生怎么办？

1930年4月12日，几乎与3年前的这一天同样黑暗。国民党反动政府对弱小的晓庄学校，竟然出动了500多名武装宪兵和几十个便衣侦探，分乘10多辆汽车，带着铁丝网，"轰轰隆隆，开至晓庄"，准备将一份布告张贴在学校内外墙上。

“贴哪儿呀？这里连块像样的泥墙都没有嘛！”动手的军警觉得奇怪，怎么也找不到一个合适的地方贴布告。

“那就给我举着到学校四周游示！”无奈，当官的想出这一招。袁咨桐等师生们看了这滑稽的一幕，哄堂大笑。

“再敢笑？谁再敢笑？”军警们端着上了子弹的枪，对准学生。

“打呀！你们打呀！朝这儿打！”袁咨桐气愤至极，挺起胸膛往反动军警的枪口上顶。

“这小子，还真硬啊！”一个军警真想用枪托打袁咨桐，恰好被石俊一挡给挡了回去。

“别跟他们一般见识。”叶刚悄悄跟袁咨桐说。

学校不仅被封了，而且布告中明确说了此次是“解散”晓庄，更让人气愤的是还对校长陶行知先生发出了“通缉令”，上面这样写道：

> 为晓庄师范学校校长陶行知勾结叛逆，阴谋不轨，查有密布党羽，冀图暴动情事，仰京内外各军警、各机关，一律严缉，务获究办。此令。
>
> 民国十九年四月十二日
>
> （即1930年4月12日）

“毒也！”石俊看完布告内容，悲愤难忍。他知道，晓庄的革命力量将面临最严峻的考验。

“下一步我们怎么办？”袁咨桐作为团支部书记，和其他党团员都在这危急时刻，等待组织的指示。

“市委和市团委的指示是：要求我们暂时隐蔽起来，随时准备配合更大的斗争，同反动政府战斗到底！”隔日，石俊传达了组织精神。

南京城是国民党反动政府的首都，隐蔽其实也不是一件容易的事。晓庄党、团支部的骨干，被迫分散在不同的亲朋好友处躲避，三三两两，松散着、自由着等候新的战斗指令。

此时的中共南京市委，其实也处在并不稳定时期，多次遭全军覆灭式的打击后，新恢复的市委组织常常是尚在重新整合队伍时，又被叛徒出卖而丧失新的战斗力。同时，由于李立三“左”倾冒险错误路线的影响，他所坚持的要在“敌人心脏”进行武装起义的指令，更让这里的革命力量和党团组织雪上加霜。

这年5月，在李立三的坚持下，南京市地下党团组织和工会组织合并成“五月行动委员会”，准备再度武装起义，并且由秘密活动转入公开斗争，要在敌人面前举行大罢工、大罢课、大罢岗、大罢操、大罢市等“大罢”运动。石俊等隐蔽的晓庄党团干部被派往各要害单位组织工人、学生和群众进行同反动政府公开的斗争。

这一步棋极其危险，然而“上面”已经下达了“五月行动指令”，必须全力以赴，“必要时准备牺牲”。极“左”路线的影响，最后让革命再度陷入深渊，年轻的共产党员和青年团员们经受了不能回首的血腥洗礼……

石俊是领导兵工厂暴动的总指挥。

回到老家暂时躲避的叶刚回来后找到石俊，问有什么任务。石俊告诉他：回晓庄想法把学校的革命力量发动起来，组织起来！

叶刚回到晓庄，看到的景象已经不是过去的那个样了，国民党的军人竟然在给一些散落留存的学生讲课，讲的内容几近“胡说八道”。叶刚痛苦地流下了眼泪。他在去往南京的途中，发现一群国民党特务在盘查一位学生模样的女子，过去一看，果然是自己的同学郭凤韶。叶刚急中生智，上前说这是自己从乡下来城里看望亲戚的表妹。如此一番糊弄，竟然蒙混了过去。之后的郭凤韶重新投入石俊和叶刚他们领导的对敌斗争之中，到处贴标语、发传单，进行着危险而充实的工作。

“爱兰同学，你怎么在这儿呀？”一日，叶刚在街头发现了姚爱兰。原来，为了继续待在城里战斗的姚爱兰，想不出什么招数，所以把自己打扮成乡下讨饭的农妇。

“听说你家人到处找你。目前的情况城里也很不安全，你还是回老家躲一下，如果这边需要你，再出来也不迟。”在叶刚等的劝阻下，姚爱兰依依不舍地离开了同学们。临别时她问叶刚，见袁咨桐了没有。

“听说他还在南京城里的哥叔那边，他们贵州老乡在这里的人不少，好像都还是有势力的人，他很安全，你先回家啊！”

听完叶刚的话后，第二天姚爱兰就跟着前来劝她回老家的父亲和爷爷，回到了六合老家。

身在老家的姚爱兰心想着城里的同学们，所以她与叶刚、郭凤韶等一直保持着通信。有一次叶刚告诉她敌人一次次在搜捕晓庄同学，姚爱兰一着急，就赶紧想回晓庄去看一看，但家人阻止了她。无奈，她想到了本班同学沈云楼，想通过他了解更多城里的情况和晓庄的敌情。哪知沈云楼在一次行动中被捕，姚爱兰的信也被特务发现。随后特务机关派出两名乔装打扮的女特务悄然来到姚爱兰的老家六合。完全没有警惕的姚爱兰一日在河边洗衣服，两个女特务假装真诚地对姚爱兰说：“我们是南京来的，托你的同学找到这儿。你赶快跟我们回去吧！同学们正等着你呢！”

姚爱兰对来路不明的两个女人马上警惕起来：“你们是哪儿来的？我不认识你们……也不知道你们在说啥！”

“可你应该知道郭凤韶、谢纬棨吧？是他们让我们来找你的！”其中一个女特务说。

另一个又笑眯眯地道：“放心，是你的好同学让我们来找你的，他们现在很不方便，南京方面需要你回去，所以托我们来找你……”

姚爱兰冷静了一下，说：“那我准备准备。”她想借此机会逃脱。谁知她刚想拔腿，另有两个便衣特务拔出手枪，顶在了她的腰间。

姚爱兰被捕了。

“你们凭什么抓人？凭什么？”姚爱兰在与特务们争执间，喊声惊动了乡亲，于是有人赶紧向姚家报告。可当家人赶到小河边时，姚爱兰早已被敌人押到小火轮车上，远远地消失在亲人的视线之中……

“小兰！小兰——”亲人的凄唤，再也无法得到回应。

姚爱兰平时是个腼腆的姑娘，可是遇事后格外冷静，她心想着如何摆脱敌人。押解途中，有一段路需要乘船。她冷不丁地喊了一声：“我要解手。”

“事多啊！”无奈，女特务们给她松绑。这一松绑，姚爱兰一看机会来了，猛地一个跃身，跳进了江中，奋力游脱……

“抓住她！别让她跑了——”特务们气急败坏，又是开枪，又是抡篙，最后用铁钩篙将姚爱兰硬是拖了上来。

再看此时的姚爱兰，浑身是血……她昏倒了。

次日，国民党的“中央日报”竟然还登了篇“‘女共匪’投江自尽”的报道，狠狠渲染了一番。

“烈女也！”袁咨桐看到此则报道后，一面为姚爱兰同学的英雄行为感动，同时又为她万分担心。然而，此时的袁咨桐和所有坚持在南京城内斗争的青年革命者一样，随时面临着危险。

事实上，他也已经两次被敌人抓捕了，只是袁咨桐的运气比一般同学要好些，原因是他后面有“人”，而且应该说都是些“高人”。

我在袁咨桐老家习水调研采访时，袁氏家族的后人们告诉我，袁咨桐牺牲前，共有3次被捕。那位袁仕成先生不愧是位“袁咨桐研究专家”，从其口中获得的材料宛如《史记》，一清二楚：

1929年10月，咨桐第一次被捕，是因为那次“逃票”事件的后半场。袁咨桐他们带着同学到了栖霞山之后在回程出站的时候，突然被一群等候在那里的武装警察吆喝上了一辆卡车。虽然袁咨桐他们跟警察们嚷嚷，但人家全副武装，没有办法，最后袁咨桐等几位领队的学生被押解到了南京卫戍司令部。当时，晓庄师范校长陶行知接到司令部电话后，感到事情突然，立即与黄齐生先生商量如何营救。国民党南京卫戍司令部的司令是谷正伦，与黄齐生先生是同乡，又系熟识，于是由黄老先生出面，去会见谷正伦。黄老坐上雇请的黄包车到司令部后，谷正伦没有露面，由他的一个秘书接见了黄老。黄老在和秘书交谈中，首先说明来见的缘由，接着秘书板着面孔对黄老说：早已查明晓师有“赤化分子”组织和活动，晓师的校长、老师要严加管教和防范，要保证不再有类似事件发生，今后若再发生这类事件，除将肇事者逮捕严惩外，说不准今后还要查封学校呢！至于这次肇事的学生，暂时管押在部，一俟审问调查清楚后，再分别处理。与秘书谈完后，黄老先生考虑到与谷正伦的秘书争辩也不会有效果，只好坐上黄包车回学校了。后来打听到，除五个“闹事”领头的学生没有释放外，其余的学生都释放了。谷正伦看在贵州同乡和黄老先生的面上，所以把袁咨桐释放了出来。

第二次被捕是因“和记洋行”事件。

1930年4月，在南京下关的和记洋行方面杀害了3名工人引发的工潮和学潮之中，他再次被捕。那天，南京全市各大中学校如中央大学、晓庄师范和钟英、五州街中学学生约500多人集中在大操场举行了反帝示威大会。后来举行了示威游行，由刘季平担任总指挥。游行队伍行至仪凤门时，城门紧闭，10来个警察阻止队伍与下关的工人游行队伍汇合。晓庄师生在刘季平、石俊两同志的率领下，袁咨桐等70多个学生上前斥责警察，由互相咒骂发展到拳打脚踢，在手持器械的工人的协助下，砸开了城门，闹得很凶。示威游行结束后，南京反动政府与帝国主义勾结，于4月7日这一天，来到晓庄，当场逮捕了8名师生，袁咨桐又在其中。怎么办？当时袁家和在南京的贵州同乡会的人都很着急，晓庄的人自然更着急。最后还是觉得由黄齐生老先生出面最合适。“唉，去呗！凭这张老脸再走一趟吧！”

这一次黄老先生先是徒步走了一段，后来又雇了辆黄包车到达卫戍司令部。见了持枪警卫的军警，说要找他们的司令谷正伦。门卫通报后，这回谷正伦还真的露面了。谷正伦是知道黄齐生在贵州老家的影响，再加自己的老婆又是黄齐生先生的学生，所以给一回面子也不算啥大事。但谷正伦得知黄老的来意后，就劈头盖脸地说道：“黄先生又是为共产党说情来的吧！那我也告诉你：据调查，晓庄学校就是有异党活动。现在正值国家安内攘外的非常时期，内部是不容有任何的捣乱来分散实力的。这是委员长的治国之本，谁敢反对和破坏！你们搞教育的，天天讲‘教育救国’‘读书救国’，可为什么要包庇、纵容赤化分子在学校内外捣乱！”黄齐生一听这番话，也便来气了，反驳说：“我们办教育的人是以‘三民主义’为根本的，一向以孙中山先生的‘三民主义’来教育学生，不管这党那党，凡能遵守执行孙中山先生的遗教和政策的，我们就相信他，拥护他！现在帝国主义已深入我国的腹心大办工厂，剥削压榨甚至杀害我们的同胞，那些青年教师、学生，激于良心，激于义愤，向帝国主义及其走狗示威抗议，这不就是一种爱国行动吗？他们罪在哪里！我们晓师有几个学生还不到法定年龄，就被逮捕，这是什么样的正义、人道和团结！”就这样，两人你一句孙中山先生遗训，他一口蒋委员长训令，争论了半天，谁都说服不了谁。最后还是由谷正伦的一个秘书出面劝解，黄齐生先生这才气呼呼地拄着拐杖走出了司令部，一屁股坐上黄包车回到了晓庄师范学校。

回到学校后，黄齐生左思右想觉得不对头，而且从谷正伦的话中品出这回袁咨桐等学生惹出的事不小了！袁咨桐他们肯定要吃亏呀！怎么办？怎么办？半夜里，黄齐生睡不着了，坐在桌子前，拿起笔墨，当晚就给自己的学生、谷正伦的妻子陈瑾书信一封，嘱她务必本着良心，仗义执言，劝谏其丈夫不要冤屈无辜。毕后，又给他在南京当局宣传部工作的侄女黄亭芬写了一封信，嘱她与陈瑾相商，营救晓庄师生……

黄亭芬与陈瑾原是贵阳达德中学相好的同学。黄亭芬登门会见了陈瑾，递上黄老的信，毕竟两个女人之间好融通，陈瑾后来长叹了一声，说：咨桐是黄老的得意门生，是党国的人才，如果能把他救出，公谊私情也都是应该的，何况我们还是同乡、同学，身在公门正好修嘛！正在两人谈得甚欢时，谷正伦来了。这两个女人你一言、我一语，竟然让谷正伦喊了一声："行，看在你们和黄齐生老先生的面上，再放那小子一马！"当晚，袁咨桐由看守所候审室押解到谷正伦的公馆。后来黄亭芬回忆说：袁咨桐一见她，便喜形于色，不过当夜没有释放，仍将袁咨桐押回看守所候审室。但三天后，他便被释放了出来。

"其实这回释放后，国民党特务并没有放松对袁咨桐的监视，在晓庄的中统特务余仲篪一直暗中秘密监视着袁咨桐的一切行动。"袁咨桐身在南京，离家乡土城万水千山，但由于南京城里"贵州系"的要人不少，所以小小袁咨桐的事儿也能让家乡的父老乡亲大致有个了解。

这时的南京和晓庄，其实白色恐怖仍然十分严重。国民党反动派到处抓人，尤其是对共产党员和革命者，几乎是见一个抓一个，甚至稍稍有那么一点儿"证据"就会将其杀害。

晓庄学校已经在特务那里挂上名了，便衣特务和公开军警每天都在各处搜捕他们怀疑的"共匪分子"。谢纬棨就是被余仲篪盯上后被捕的。

原本已经到北京工作的胡尚志是在报纸上看到自己母校晓庄师范被解散的消息的，又受陶行知先生《护校宣言》影响，决意回到南京参加护校斗争。就这样，胡尚志便满怀战斗豪情，只身回到了南京，住在安徽公学原来的老房子里。哪知这个房子曾是他与余仲篪一起住的，而此时的余仲篪已经叛变革命，做了敌人的走狗。胡尚志等于是“自投罗网”于这位特务同学的掌中……

汤藻和马名驹也没有离开南京，他们继续在南京地下党组织的领导下，到处散发传单和鼓动民众起来斗争，结果在印制传单时被特务发现而被捕。

石俊、叶刚、郭凤韶、汤藻、姚爱兰、沈云楼等晓庄十青年先后被捕，都被关在国民党首都卫戍司令部看守所。

第一批牺牲的是叶刚和马名驹，他们于1930年8月16日被敌人杀害于雨花台，两人都才21岁。

两天后，汤藻和沈云楼又被杀害于雨花台。在狱中，年轻的烈士汤藻一次次被毒刑拷打得死去活来，然而他从不屈服。与汤藻、沈云楼同一天遇害的共有20位烈士，他们是南京市委行委书记李济平和夏初雨等青年党团员。

9月17日、20日和26日，姚爱兰、袁咨桐、石俊以及郭凤韶、胡尚志等也先后被敌人杀害于雨花台……

姚爱兰入狱后，敌人同样在她身上施以诸多折磨，逼其招供。然而她始终一句话：“我是共青团员，但是我要像共产党人那样去生！去死！”

石俊和郭凤韶牺牲的时候都表现出无畏的革命精神，让刽子手们也感到惧怕。他们牺牲前在狱中受尽敌人的摧残与诱惑，然而口中没有一个字是对革命不利的，其高尚的精神和情操，如同他们的青春光芒一样，永存于世。

“你不要演戏了！”

“我从来不演戏！”

“不是听说你演戏水平很高嘛！”

“我演戏是专门为鼓动人民起来推翻你们这些反动统治和压迫人民的敌人的！”

“死到临头还硬什么？”

“革命者从来不怕杀头，你们来吧！明天，更多的革命者将把战斗的红旗举得更高——”

这是谢纬棨在牺牲前与敌人的对话，他的话让刽子手们都在颤抖。

谢纬棨的牺牲，还引发了一段与鲁迅和后来也成为烈士的另一批革命者有关的强烈反响。这个事件的“穿线人”就是著名作家、上海“龙华二十四烈士”之一的柔石。这位与鲁迅并肩战斗的“左翼”作家联盟领导者之一的共产主义革命战士，是鲁迅最信任的学生。他在一篇题为《一个伟大的印象》的纪实体散文中，详尽记述了当时在艰难岁月里我党的一次地下党组织活动场面，其中那个16岁的湖南籍少年据说就是谢纬棨。而谢纬棨对知识分子柔石有怎样的影响，在此文中可以看个淋漓尽致：

> 这是最后的斗争，
> 团结起来到明天，
> International，
> 就一定要实现！
>
> 幽（悠）扬的雄壮的《国际歌》，在四壁的红色的包围中，当着马克思与列宁的像前，由我们唱过了。我们，四十八人，密密地静肃地站着，我们的姿势是同样的镇定而庄严，直垂着两手，微伛着头；我们的感情是同样的遥阔，愉快而兴奋；恰似歌声是一朵五彩的美丽的云，用了“共产主义”的大红色的帆篷，装载着我们到了自由、平等的无贫富、无阶级的乐园。
>
> 我们，四十八人，同聚在一间客厅似的房内，围绕着排列成一个颇大的“工”字形的桌边，桌上是铺着红布，布上是放着新

鲜的艳丽的红花。我们的会议就在这样的一间浓厚的重叠的如火如血的空气中开始了。

“同志们！苏维埃的旗帜已经在全国到处飘扬起来了！”我们的主席向我们和平地温声地作这样的郑重的开会词。

我们的关系都似兄弟，我们的组织有如家庭；我们依照被规定的“秘密的生活条例”而发言，讲话，走路，以及一切的起居的行动。一位姊妹似的女同志，它（她）有美丽的姿势和甜蜜的感情，管理着我们所需要的用品底（的）购买和接洽，并在每晚睡觉之前，向我们作“晚安”。

“谁要仁丹么？”在会议的长时间之后，她常常向我们这样的微笑地问。

为了减少椅凳的搬动的声音，我们是和兵士一样站着吃饭的。有一次，一个同志因等着饭来，这样说笑了：“吃饭也和革命一样的；筷子是枪，米是子弹，用这个，我们吃了那些鱼肉；快些罢，革命，吃饭，可以使我们的饥肠不致再辘辘地延长！”

晚饭以后，没有会议的时候，或不在会议的一部分人，就是自由谈天——互相找着同志，报告他自己的革命的经过的情形，或要求着别人报告他所属的团体底（的）目前的革命形势，用着一种胜利的温和的声音，互相叙述着，讨论着。

“这位同志是代表哪里的？”

这句话是时常普遍地被听到。

从各苏维埃区域及红军里来的同志他们是非常急切地要知道“关于上海的目前的革命的形势”。

“上海的工人，市民，小商人，对于革命怎么样？不切迫么？不了解么？”

“除了工人，一般市民小商人，大约因为阶级的关系，对于各种革命的组织与行动，只是同情，还不很直接地起来参加。”我回答。

“上海的工作是紧要的呀！”他们感叹地。“农村的革命日益扩大，日益紧张的时候，上海的工人，市民，非猛烈地起来不可！”

上海的报纸是不容易输送到他们底（的）手里的。有一次，现在的第四军，因为在山上二十几天得不到报纸，心里是非常的焦急，以后探听得某一城的某处，有几分（份）报纸，于是就在当夜，开了一团兵，走了六十几里的长路，攻进城，取得了这几份报纸回来。——这是一个事实。

在会议室里的一角，放着一张黄色的书桌，里面的抽斗内，贮满了各种“左”倾的杂志并共产主义的书报。有一位同志管理着借阅与收还的事，可是一到早晨（晚上是收回的）所有的书籍总从这个忙碌者底（的）手里传递给人们，他们，除出三五个完全不识字的农民代表外，就都在个个人底（的）手里捧着一本书，或一份报了。他们专心地似又艰难地阅读着，有时，互相地疑问着，简直似考试前的小学校里的小学生那样。

可是不识字的农民同志，也有时走向阅读者的身边问问书里所说的是什么。

“这是什么书呢？”

“《萌芽》月刊。”我向走近我身边的农民同志回答。

“我们的书么？”

“是的，关于无产阶级的文化方面的。编辑和译著的人，都是思想清楚的战士与作家。”我并将这一期的目录告诉他。

“是我们的杂志呵！”他向我微笑地亲昵地又说了一句。

在各人的手里，都有一本由我们的女同志交给他的记事的拍纸薄（簿）和一支铅笔。这样，就有一部分人。老是在那练了，涂写了。在开会的时候，他们记录着，不在开会的时候，他们绘画着。“我们的主席”，“我们的东江同志”，“女同志，你真是美丽的呀”！我竟从一个红军代表的手里看见这样标题着的三张非常精细的人像，类似旧历过年时在街坊上卖的“花纸”上所画的。我想，这是所谓“民众的艺术”罢？但画家所要研究的，也可以根据这一个——我们实在需要民众的画家。

他们也常是捻着簿子向我问字：“冲锋的冲字是怎样写的？”写好一个“彳”，叫我填上去；“牺牲的牺字可以这样写么？”又有一次，一个同志将“牺”这样的一个字问我，可是我很羞惭，不能立刻给他一个爽快的答复，因为我从来没有看见过这样写的一个“牺”字。

我也从他们所问我的字行旁，看见他们的纸上，满记录着标语似的口号似底（的）警句：“向城市冲锋”，“猛烈地扩大红军与少年先锋队的组织”等等。

有一位辽东的同志，身体高大，脸孔非常慈祥和蔼的人，他在和我作第一次的谈话时——我们是同睡在一间寝室的地板上的——他就告诉我他对于革命底（的）最初的认识和行动：他说他之所以革命，并不是为了“无产阶级”四字，他是大地主的孩子，钱是很多的，而他却想推翻“做官阶级”——这四字是他用的；他说他自己是“平民阶级”——底（的）专制，就从家里拿了一支枪，空身逃出到土匪队里去，因为土匪是“做官阶级”的惟一的敌人。可是第一次受伤了，子弹从上臂底（的）后部进，由背上出——同时他脱了衣服，露出他底（的）第一次的两处伤痕给我看。他是受过几次的伤的（以后我知道他的精神也受过颇深的伤痕），第二次是在面底（的）后部，耳朵底（的）下面，银圆那么大的云的一块。——同时，他觉到土匪是没有出息的，非进一步作推翻封建社会的行动不可，于是加入了无产阶级的革命团体。

“五六年来，我是没有家，”他说着，两眼是慈和而有光的。“到处飘流；也在石板船内，指挥着作过战。”

他的话，在这晚，是被纠察员底（的）命令“十一点钟了，熄灯，不准再讲话！”而停止了。

过后一天，他忽然给我一个纸条，上写着：

“爱是有的么？”

我很奇怪。可是在那时，我是不能和他谈爱的问题的。我也就只好用纸条，给他一个回字，问他为什么发这个疑问。

于是我就陆续地收到他几次的纸条了。我在这里总括他底（的）意思：他有一个爱人，爱人也深深地爱他的，而现在，为环境的条件所限制，结婚是万不可能。我最后给他这样写着的纸条：

“爱也是阶级的，爱的方式也是阶级的……是呀……”

可是他摇摇头，给我这样的回答：

“不，我现在要问你是怎么可以消灭我的脑里的爱的印痕。加重地努力于革命的工作，是最好的方法么？”

这样，我知道，这位同志是一个感受着冲突的苦恼的布尔塞维克。

关于恋爱——苏维埃区域里的农民的态度，和红军军队里的兵士的意识，也都值得注意的。

据从苏维埃区域里来的同志的报告：在当初农民是大半都反对自由恋爱和离婚自由的。有一件例足以记述：一个年轻的党员和一个农民的妻发生恋爱，而这个农民的妻就向这个农民提出离婚；这个农民就向大众愤愤地怨诉道：

“革命革命，革他一个卵！我们的老婆，都要革掉了！”

于是群众也大愤，竟商议要杀死这个年轻党员。事情被党的指导者知道，只得调开这个年轻党员到别处去工作了。这当然不是根本的办法。

可是在妇女的一面，却正相反；她们都要求自由，要求解放，热烈地向丈夫提出离婚，苏维埃致府的民事案，竟以离婚的裁判为第一忙了。假如政府不准，她还会在群众大会的时候，登台向群众演说，做根本的她的自身的解放自由的斗争。

现在苏维埃致府是努力地做向农民解释的宣传，允许离婚的绝对自由的。有许多地方，妇女解放是渐渐做得通了。

在军队里，有同样有趣的事实。就是兵士们也多反对在军队里有恋爱的现象的发现。这一半还因为女性的兵士太少，一半因为女同志多喜欢和官长接近的缘故。虽然，在红军里，“经济的平等”是被规定的一条原则（另一条原则是“纪律的平等”），但责任的地位有高低，而妇女的虚荣心也是还存在的。所以某一军的军长，曾有过以军事上的观点，不准女同志加入军队的禁令。

在这次的代表会议里，有我们的十六岁的年轻勇敢的少年列席。他有敦厚而稍近野蛮的强的脸，皮色红黑，两眼圆而有精神，当发言的时候，常向旁或向上投视，一边表示他在思想着所发的言，一边正像他要用着他的两眼底（的）锐利的火箭，射中革命的敌人的要塞似的。他的发言，是简朴的，稍带讷讷的，有时将口子撑的（得）很圆——他是湖南人——正似他的舌是变做了一支有火焰的球在滚着一样。他的身体非常结实而强壮，阔的肩，足以背负中国的革命的重任，两条粗而有力的腿，是支持得住由革命所酬报他的劳苦和光荣的。他是少年先锋队的队长，那想吞噬他的狼似的敌人，是有十数个死在他的瞄准里的。他受过两年的小学教育，可是会做情诗了。

妹妹呀，你快来罢！
我从春天望到夏，
又从夏天望到秋，
望到眼睛都花了！

他有一次将这四句诗念给我听，当时我对他说：“你还是革命罢，不要做情诗。”

可是他笑着向我答：

“我是不会做情诗的，情诗是你们的队伍的人做的。这四句诗也好像从一本什么诗集里读来的。你不知道么，在你们里面有做诗的革命的人？”

我稍稍微笑着摇头，同时我牵了他的两手，紧紧地握着，而且，假如当时的环境能够允许，我一定向他拥抱而高喊起来：

“亲爱的弟弟，我们期待着你做一个中国的列宁！”

关于这个勇敢的小同志，我们的主席向我们说着这样的话：

“假如他能够在上海受训练两年，一定能做一个非常好的C.Y.。不过我们不能留住他在上海，那边也需要像他这样的同志的。像他这样的少年，是到处都被需要的。”

有一次，他从我们的一位漂亮的同志底（的）西装的外衣袋里，掏块紫绸的色光灿烂的小手帕来，他看的（得）惊骇了。

“这做什么用的？”他问。

“没有什么用，装饰装饰。”我们的漂亮的同志答。

“可以给小妹妹罩在头上的呀！”他很快乐地说，同时将这稀薄的手帕网在脸上，窥望着各处。

“送给你罢，你带回去送爱人去罢。”我们的漂亮的同志笑嘻嘻地说。

“呀？”他的大的鼻子竟横开的（得）非常阔了。这样，他就仔仔细细地将它折好塞在他底（的）小衫的衣袋里。

“打倒军阀！”

“打倒帝国主义！”

“猛烈地扩大红军！”

“组织地方暴动！”

“中国革命成功万岁！”

“世界革命成功万岁！”

威武的，扬跃的，有力的口号，在会议的胜利的闭幕式里，由一人的呼喊，各人的举手而终结了。我们慢慢地摇动着，心是紧张的，情感是兴奋的，态度是坚决而微笑的。在我们的每一个人的背后，恍惚地有着几千百万的群众的影子，他们都在高声地庆祝着，唤呼（呼唤）着，手舞足蹈地欢乐着。我们的背后有着几千百万的群众的影子，他们在云霞之中欢乐着，飘动地同着我们走，拥护着我们的十大政纲，我们这次会议的五大决议案与二十二件小决议案，努力地实行着这些决议案的使命，努力地促进革命的迅速的成功。我们背后有着几千百万的群众的影子。我们分散了，负着这些工农革命重大使命而分散了，向全国的各处深入，向全国的工农深入；我们的铁的拳头，都执着猛烈的火把。中国，红起来罢！中国，红起来罢！全世界的火焰，也将由我们的点着而要焚烧起来了！世界革命成功万岁！我们都以火，以血，以死等待着。我们分散了，在我们的耳边，仿佛响彻着胜利的喇叭声，凯旋的铜鼓的冬冬（咚咚）声。仿佛，在大风中招展的红旗，是竖在我们的喜马拉雅山的顶上。

一位革命少年对柔石的影响是坚定了他对共产主义的信仰，让柔石这样一群20世纪二三十年代在上海滩的知识分子有了人生的正确选择。后来他们都加入了革命队伍，成为革命文化的先锋战士。

啊！战！
剜心也不变！
砍首也不变！
只愿锦绣的山河，
还我锦绣的面！
呵！战！

努力冲锋，

战！

这就是少年英雄给予“大青年”柔石等革命知识分子的影响。他们后来也加入了反对帝国主义、反对蒋介石反动统治的革命行列，成为勇敢的战士。1931年2月7日，柔石和胡也频、殷夫、冯铿、罗石冰、欧阳立安及中国共产党著名领导人何孟雄、林育南、李求实、彭砚耕、龙大道、中共南京市委书记恽雨裳等24人被敌人残害于上海龙华监狱的一块草地上，成为著名的“龙华二十四烈士”。

一个小英雄的成长和牺牲，让一群知识分子挺身走到了对敌斗争的最前沿。一群革命知识分子的牺牲，又引发了文化巨匠鲁迅先生的极大悲愤，于是也让我们一代又一代人读到了鲁迅先生的经典作品《为了忘却的记念》……

我们再来说眼前的这位更小的烈士袁咨桐。

与谢纬棨不同的是，袁咨桐其实只需悄悄点一下头，或者不用说什么，便可以保住一条活脱脱的年轻生命，他才16岁呵！然而他没有。他没有在死亡面前怀疑和动摇过半点对共产主义信仰的忠诚，他丝毫没有畏惧过死亡的威胁和任何引诱。

即使之前有过两次对贵州老乡的“开恩”，然而敌人从来就没有放松过对袁咨桐革命行动的监视。他第三次被捕其实也一直在敌人的盘算之中。

他属于“死不改悔”一类的青年革命者，因此敌人恼怒了。被押到监狱后，仍然有人极力想帮助他，尤其是黄齐生老先生，一次次搬出那张从来都是被人尊敬的“老脸”，一次次托人甚至亲自拄着拐杖，来到老熟人谷正伦府上和办公室求情、说理。

“是，学生们是有过激之处，可他们毕竟也是爱国之心，过激一些也不至于死罪。更何况袁咨桐他才16岁呀！”

“黄老先生你是明白人，你也确实是我内人的老师，而我也给过您老面子了。袁咨桐是年少，但他中共产党铁毒太深，这已经是第三次犯事，而且拒不忏悔和自省。老先生你是明理之人，对这样的小青年，我放一马可以，再放一马尚说得过去。可事不过三呀！”

黄齐生抹一把老泪，又直起身子，严肃道：“我只是觉得像袁咨桐这样聪明能干的国家之栋梁，如果让他们活在世上为国家干正事，又有什么不可？我是办教育的人，真理在谁的手上就同情和支持谁，从不问是国民党还是共产党！但有一点我清楚，袁咨桐他们干的不是坏事，倒是你们政府干的许多事实在不可理喻！”

黄齐生不再求执掌生杀大权的谷司令了。然而他并没有放弃对袁咨桐的营救，他仍在多方做着努力。

一日，袁咨桐在国民党军队当长官的大哥来到监狱。哥俩之间关系一向不融洽，因为自到了南京之后，袁咨桐看到大哥生活糜烂就一直不见他。这回生离死别之际，大哥的态度似乎也变得好多了。

“小弟，你毕竟年幼，对许多事无知和缺乏判断，今天走到这一步，都是大哥我的错。以前我俩谁对谁非且不去论。看在哥的面上，你就在他们给的这张纸上签个字，其他的事你甭管了，跟我走……”大哥递过一张纸。

袁咨桐看了一眼，是“悔过书”，便冷笑道：“哥，这样的东西，你可能说签就签了，可我绝不会签的。”

“你才几岁？你就不珍惜自己的命？你不珍惜，家里人还等着你呢！妈大老远还托人带讯给我，让我劝劝你。你就谁的话都不听？”大哥苦苦劝诫。

袁咨桐朝自己的大哥挥挥手，说：“你不用拿家人来劝我。这条路是我自己走的，跟家里人没关系。我既然干了革命的事，就对不起家里人了。相信土城的人早晚能够说一声我袁咨桐没有给他们、给我自己家人丢脸……”说着，袁咨桐竟然嘲讽起自己的大哥来：“不知若干年后，你这位大哥是不是也能让土城人和家人为你感到骄傲？”

“你这小子确实受共党的毒害太深了！我不管你了！死活你自己顶着！”大哥气呼呼地走了，一脸失望。

二哥也来信规劝。袁咨桐拿起笔，回信道：“我们各有着不同的处境，不同的教育，不同的见解，还有不同的命运吧？我们之间，有人在忍辱顺受，有人在观望徘徊，有人在勇往直前……一个人到了不怕死的地步，还有什么顾虑的呢？有了这种舍己为公的奋斗精神，还怕理想事业不能成功？”

几天后，袁咨桐突然被人“请”上汽车，转了几圈后，车子进了谷正伦的司令部，然后又被人“请”到司令办公室。

“你小子面子够大了。我们想靠近一下司令都不容易，你小子竟然还要司令请呢！”押解他的特务如此讽喻袁咨桐。

袁咨桐冷笑一声后，说：“知道啥叫黄鼠狼给鸡拜年吧？”

那特务朝袁咨桐后背上就是一拳：“你去死吧！”

袁咨桐哈哈大笑起来。

“笑什么？死到临头，你这小子还能笑得出来啊？”谷正伦虽然已经两次给袁咨桐“开恩”，但也是第一次见他的这位共产党“小老乡”。真是仇人见面，分外眼红！

谷正伦围着袁咨桐转了一圈，点点头：“倔劲嘛，有点像咱贵州人！”然后又说：“如果往正道上走，该是一个人才！”

袁咨桐不搭话，眼睛看着天花板。

“好吧，给你最后一次机会。”谷正伦这回还是被妻子的“枕头风”给说动的，所以做出了最后一次“挽救”的准备，故而想亲自说服他的这位“被共产党毒害得很深”的小老乡。他不信世上竟然有这么小的孩子能被共产党教育到“死不改悔”。

“年轻人任性一点是可以理解的，但太任性就是不知好歹了！”他一边拿出一份“自首书”，一边盯着袁咨桐的表情，不紧不慢地说，“你在上面签个名，其他的啥都不用顾虑。我送你出国去，留学几年后想什么时候回来，就什么时候回来。那个时候世界可能都变了，你就不用顾虑你的同志们如何看待你了……怎么样，这么安排够意思了吧？”

袁咨桐轻蔑地瞥了一眼那份“自首书”，摇摇头，没有说话。

“你是不想签名？”谷正伦问。

袁咨桐依然不吱声。

“敬酒不吃吃罚酒？”谷正伦忍住性子，继续说，“要知道，你是死刑啊！黄先生救你没用，其他人救你也没用。这里只有我可以留你一条活路，而这条路就这么简单——你签个字就行。如果你连这个都不做。那就真的不会有人再可以救你了！”

“自己定吧！”谷正伦说完这句话，再也不想说什么了。

这会儿袁咨桐倒是开口了，他说:“人都有一死，但你我死的价值不一样。只要死得值得，虽死犹荣。我为共产主义而死，值得的！”

“值得个屁！”

这是生命的最后一场较量。较量者的一边是老奸巨猾的国民党特务头子，一边是年仅16岁的青年学生。然而胜利者最后必然是后者——16岁的袁咨桐。

“枪毙！必须枪毙！”谷正伦气得七窍生烟。

“司令，他的年龄不够呀？”特务小心翼翼地凑过来报告。

谷正伦拿起大笔，在“16”的数字上重重地一勾，于是就变成了“18”……

“18”

16岁的少年袁咨桐就这样被敌人推出牢房。押至雨花台，牺牲在他的那些仍没有被运走遗体的战友身边。

那鲜红的血再次染尽了雨花台的山岗，映得天边的晚霞一道血红。

袁咨桐牺牲之后的某一日，两位从他老家来的亲人，无声地坐在半枯的荒城上，痛哭了许久。而后他们提步在旁边，俯身捡了些雨花石子，并将两首祭奠的诗篇放在下面。这诗是这样写的：

残照西风落叶黄，忽惊佳节又重阳。
黄花沦落埋丛莽，紫雁佤凄失阵行。
忠往事，叹年光，雨花台下实堪伤。
一杯薄酒聘相莫，重展遗书天异乡！

重到金陵万事非，同来何事不同归？
遭擒两次齐师救，三次谁知永不回！
云纳谏，避艰危，自提保证又相违。
堪悲大器牺牲早，壮志才华未发挥！

54年后的1984年4月23日，同一个地方，同样又来了两个人在此为袁咨桐扫墓，然后又将第三首祭诗放在雨花石下：

三到金陵万事兴，改天换地仗元勋。
昔年“梦境”成真境，为有捐躯后继人！
嗟物化，赞成仁，荒台已庇柏松青，
且将英烈书方志，聊报童年策励情！

这个写祭诗的人，就是当年与袁咨桐一起到南京上学、一起参加革命的习水土城人袁沉颖。

我到习水时，知道他曾是当地的政协副主席。

习水土城人讲起小烈士袁咨桐的故事时，众人赞叹，说：“我们这儿红军四渡赤水出了名，其实袁咨桐也是个让我们土城长脸的英雄。”

落魂雨花台的袁咨桐，你听到家乡人夸你了吗？

你知道现在你的家乡有多美吗？

你当年的理想今天早已实现。而家乡人仍在惦念的是你与那心爱的姑娘姚爱兰是否真的有过恋爱。

乡亲们坚信地告诉我：你和姚爱兰是真爱的“对象”。

我也信。我真的信。我甚至相信你们在九泉之下仍然亲密地恋爱着……

1930年的南京，除了袁咨桐他们“晓庄十烈士”之外，牺牲的革命者甚至无法一一清点。

我只知道比晓庄烈士们牺牲早一两个月的时间，就有策划兵变的年轻共产党员黄建纲、黎少云等被敌人杀害。

7月26日，电报系统的陈继昌、冯柏六等4人被杀害。

8月18日，李济平、黄祥宾等20余名共产党员在雨花台被杀害。

之后与袁咨桐等晓庄学生先后牺牲的还有中共浦镇工厂的许立双、杜秀山、袁鸿鸣、袁德昌、陈兆春、张学堂、吕占先、徐明德、王松亭等。

啊，那岁月里，真的是：风雨紫金山，血染雨花石……

第十章
“我身上的磷：希望它燃烧起来！”

在雨花台数以万计的烈士中，有一位我的老乡一直令我格外地敬重，他就是恽代英。为了写他，我两次专门到他牺牲的地方——国民党中央军人监狱的原址去拜谒。

那块地方现位于解放军某部驻地的院子内，国民党中央军人监狱有几栋房子原样保留着，但里面已经很破烂，牢房内阴暗潮湿，墙壁和屋顶上都是一碰就会掉的碎片。恽代英和许多烈士当年就被关在此地，他们最后就是从这里走向雨花台的。而恽代英是少数并不是被押到雨花台枪杀的，而就在牢房外的据说是一片荒草地上被杀害的。

现在耸立着恽代英雕像的那块地方，当年刽子手就在那里枪杀了我们党的好儿女、杰出的青年领袖恽代英。那里距牢房仅三四十米……敌人为何如此仓促地在现场枪杀了恽代英？据说是当时党内出了顾顺章这样一个大叛徒才导致了恽代英的悲剧。由于恽代英身份的特殊和他巨大的影响力，国民党中央监狱里很多人都知道他的真实身份，就连审问他的国民党狱官们也在某种程度上保护着他们认为的“国家之栋梁”恽代英，因此我们的恽代英同志在之前一直没有暴露真实身份，直到顾顺章事件出来后。这个身为中共中央政治局候补委员的顾顺章叛变后，几乎造成党中央“全军覆没”。当没有在上海打击捣毁中共中央机关和抓捕周恩来等中央主要负责人之时，顾顺章害怕了，害怕在蒋介石面前无法交代，于是突然想起了：“南京牢狱里你们还关着一个中共重要人物——恽代英呀！”就这样，恽代英的身份在1931年4月29日暴露。当日，国民党中央军人监狱突然接到命令，要求“就地枪决”恽代英。

恽代英的牺牲对我党造成的损失无法用文字形容。如果顾顺章事件晚那么一个星期，党组织已经周密安排好的营救计划将正式启动，那么我党的这位杰出领导人将可能不会牺牲。然而历史无法“假设”。

恽代英牺牲的时候年仅36岁。他牺牲得太突然，又是当着监狱内许多同志的面被敌人枪杀的。当他高呼的口号声与敌人的枪声同时响起时，同志们得知他们所敬爱的恽代英牺牲后，全监狱的“犯人”悲痛欲绝。监狱中的地下党组织当夜就做出决定：等打倒敌人、建立新中国后，他们要做的第一件事就是在恽代英牺牲的地方为他建一尊纪念雕像……现在我们看到的那座纪念雕像，就是由那些活着的同志们提议后所建起的。“每年代英的忌日和‘五四’这两天，都会有很多青年和群众到这儿祭奠他……”驻地部队领导对我说。

在延安时，毛泽东曾高度评价恽代英，说他是我党难得的一位好同志。

周恩来与恽代英感情笃深，这样赞扬他：“他的无产阶级意识、工作热情、坚强意志、朴素作风、牺牲精神、群众化的品质、感人的说服力，应永远成为中国革命青年的楷模。”

中共元老林伯渠曾感慨道：“代英同志是最刻苦的，像这类的青年，老实说，我所遇到的还是很少呢！”

“抓住青年进取心，手书口说万人钦！血腥刀俎君菹醢，卅载难忘此恨深！”董必武在恽代英就义30周年时写下如此悲情诗篇。

那些曾经与恽代英一起工作的同事、同志则这样评价他：他是一位浑身散发青春和工作热情的人，他的革命激情可以让每一颗冷却的心燃烧起来，他的才华能够征服每一个跟着他干革命、做工作的人，他又是一位特别群众化的人，他是共产党队伍中的完美之人！

在上海龙华烈士纪念馆和南京雨花台烈士纪念馆，我多次见到恽代英的后人。在听了他们的介绍后说，恽代英在我心目中，与邓中夏一样，是革命队伍中很难再找得到的天才革命家，如果他们活着，一定会跟周恩来一样，深受人民爱戴。

浪迹江湖忆旧游，故人生死各千秋。
已摈忧患寻常事，留得豪情作楚囚。

这是恽代英在牺牲前作于国民党中央军人监狱中的一首生死离别诗篇，几十年后周恩来曾将其抄写赠予年轻一代。在被押解南京之前，关在上海漕河泾监狱中的恽代英也写过一首著名的诗篇《时代的囚徒》，后来常被狱中的同志们朗诵，从那个黑暗的监狱中传出后，至今仍在中国流传。

囚徒，时代的囚徒，
我们，并不犯罪，
我们，都从火线上捕来，
从那阶级斗争的火线上捕来。
囚徒，不是囚徒，
是俘虏！

凭它怎么样虐待，
热血依旧是在沸腾！
蚊蝇和蚤虱，
黄饭和枯菜，
瘦得了我们的肉，

瘦不了我们的骨！

囚徒，时代的囚徒，
我们并不犯罪，
我们都是从火线上捕来，
从阶级斗争的火线上捕来。
囚徒，不是囚徒，
是俘虏！
我们并不怕死，
胜利就在我们眼前！
铁壁和铜墙，
手铐和脚镣，
锁得住我们的身，
锁不住我们的心！

的确，正如周恩来曾经夸奖过的，恽代英是位“能说会道又特别能干的人”。他之所以成为青年领袖，除了他很早参加革命，是中国共产党成立后的最早一批入党的同志之一外，他也是共产主义青年团的主要领导者之一，他还是《中国青年》等重要阵地的主笔。他的演讲天才与优美文笔，使他在革命浪潮中一直处在浪尖之上，并被万众所瞩目。

你看，早在1920年，他在安徽宣城师范任教时就写下了《我》这样的光辉诗篇：

我身上没有一件值钱的东西，
只有一副近视眼镜，
值几个钱？

我身上的磷，
只能做四盒洋火。
我愿我的磷发出更多的热和光。
我希望它燃烧起来，
烧掉古老的中国，
诞生一个新中国。

其实他就是“磷”。他身上的每一个细胞、每一块皮肤和每一滴鲜血、每一根骨头，都是由磷组成，他就是这样的一块为国家、为民族、为劳苦大众燃烧的“磷”——

他的诗篇中的每一个文字，都如他的思想和灵魂一样闪耀着“磷”的光芒。

昨天蓦然地想起来，
这魂魄还不曾有个地方安放。
这飘零的生活，
令心中每觉怅惘。
我待要不努力，
眼看见许多天使样的少年，
一个个像我样的堕入劫障。
我待要努力，
这罪孽深重的人类啊！
又处处地打消了我的力量。
是我对不住人类么？
是人类对不住我么？
我愉快的灵魂，
亦似乎感觉痛苦了。

这似乎是我听见了我灵魂的哀唱。
我知道我应该努力，
但我应该有更合宜的努力地方。
长铗归来乎！
何处是我的家乡？
令我这一颗柔软的心儿，
永远的这样系思怀想！

他就是这样的一片“磷”，一片蕴含了无限情感的“磷”，一片燃烧着激情的“磷”……

他的这片“磷”里闪动着中华民族精神和中华儿女忧国忧民的青春“磷”光：

嗟我中国，强邻伺侧，外交紧急，河山变色。
壮哉民国，风起云蒸，京津首倡，武汉继兴。
维我学界，风潮澎湃，对外一致，始终不懈。
望我学生，积极进行，提倡国货，众志成城。
力争青岛，事出至诚，口诛笔伐，救国之声。
愿我同胞，声胆俱张，五月七日，毋忘毋忘！

1919年，燃遍中华大地的五四运动，让恽代英开始走向政坛，崭露头角。这一年，他在武汉领导学生运动，从此也奠定了他成为中国青年领袖的地位。他所创办的《学生周刊》上的这篇发刊词，表明了他内心的政治立场和对时局的敏锐判断，以及对未来的志向。

恽代英的祖籍在江苏常州，而他自己出生在武汉。在常州人的眼里，恽氏家族与史学世家司马迁有段渊源。传说汉武帝时的平通侯杨恽是司马迁的外孙，为人铁骨铮铮，因为在皇帝面前直谏，结果被贬为庶人。日后，杨恽依然对汉武帝不满，并在写给朋友的信中流露出这种情绪，结果被皇帝降旨腰斩。杨恽的子孙无奈从此只能以“恽”为姓，后居于常州，耕读传家。到了明清时代，恽家名人辈出，成为常州望族。恽代英的祖父恽元复因多才多艺，深受湖广总督张之洞欣赏，被聘为高级幕僚，恽家从此迁至武汉。恽代英的父亲也是位擅长诗文之杰，而他的四子代英也从小跟着知书达理的母亲天天摇头晃脑背四书五经。少年时的恽代英就是位“奇才”。

他在读小学时，有一天举人出身的老师李沅衡在批改学生作业时，竟然激动得差点连茶杯都掉在地上：“奇才、奇才！奇男儿、奇男子也！”为什么？因为李老先生读着恽代英的文章，不知不觉完全沉迷，最后拍案大叫起来。

“老夫要把它抄下来！”先生竟然要抄一个小学生的文章，这本身就是奇事，而且这位先生不是手抄了恽代英一篇两篇文章，而是一大本。恽代英的文章之好，他自己也有这样的自夸：

“吾为文皆不预布局面，见题即直抒己意。亦不好矫作古语奇语。但偶一为之以为笑耳。吾作文振笔直书，新颖之思想自然由笔尖写出。此思想之由心至手、至笔、至纸，顷刻之间耳。于顷刻之前，吾固无此思想也。此等奇境，吾每作文即遇之，仿佛若仙助者。言谈之间亦然，每有隽语冲口而出，自讶其奇，确非所料也。”

“吾为文各不用稿，故每有误处。然吾好将错就错，故作周折，以自圆之。自圆之究竟有效否，殊难言之。然多能令人仍觉其自然，他人阅者决不知吾此中有何等周折也。”

“吾最不愿他人以机械心等我。”

可贵的是，恽代英良好的家教和正规的学习，使他对社会、对人生，从小就有独立的见识。他在少年时就剖析自己：“吾愿富，然亦不畏贫。富必有以利世，贫必有以守身。”“吾自以知识能力求富，为必然可能之事，故吾信吾将来必能成吾此志也。”

在母亲的要求下，恽代英从小就开始记日记，一直到地下斗争的年月才因不便而停笔。正是这样的每日记事，可一日三省，他由此也将记日记作为“最良的”修养培养和自我教育。1927年1月，他与沈葆英结婚。新婚之夜，恽代英将妻子拉到自己的书房，让她看自己保存的一箱箱书籍和一本本日记，真诚地对妻子说：“你想了解我，就看看这些日记。”文如其人，我手头有一本中央党校出版社出版的《恽代英日记》，厚厚的一本，随便翻阅，便感一位正人君子站在自己面前——这就是恽代英。你能感觉一个才华横溢的人站在你面前，你能感觉一位激情澎湃的青年站在你身边，你能感觉一位诗人站在你后面，你能感觉一位哲人站在你头顶之上，你当然更能感觉一位杰出的政治家在你前面领路……

18岁时，恽代英考入武昌的私立中华大学。这一年，远在上海的一家大刊《东方杂志》上发表了一篇题为《义务论》的文章，作者正是刚进大学预科的恽代英。

“今之持论者，大别之为二端：宗教道德家，以为人应知其义务，不必知其权利，所谓利他派也，亦谓之义务论。法律政治家，以为人应知其义务，亦应知其权利，所谓完美之利己派也，亦谓之权利论。”这是恽代英《义务论》文章的开篇语。他在此文中指出，权利论会侵犯他人利益，容易引起争端；而义务论可以防止野心，促人见义勇为，顺乎人情和民心，应该提倡和肯定。

恽代英作为大学预科生，能在当时的大上海的大刊上发表文章，这在中华大学师生中赢来一片赞誉。“奇才果然名不虚传！”让同学们羡慕的是，这篇文章还让恽代英得了10块大洋的稿费。这在当时也算是了不得的事儿。

1915年，日本帝国主义提出灭亡中国的“二十一条”时，恽代英便挥笔疾书，登台演讲。两年之后，他在学校发起了一个进步组织——互助社，后来成为中国共产党早期党员之一的林育南是恽代英发展的互助社成员之一。这个青年学生组织，强调的是自我修养，成员每人每天要报告自己在一天中所做的事，尤其要反省做得不对的事。恽代英十分注意以身作则，做得不好的地方自罚自教。有一次反省教育会上，恽代英郑重其事地检查了一次自己在过江时收票人忘了收他的票，后来他主动交了补票钱一事。“你与别人谈话，经常爱开玩笑，这样有时显得不严肃。”有人批评恽代英。“很好很好，我改。这是药石之言，我一定改！”党内同志后来都说恽代英不仅个人修养好，而且处处事事都是个高尚高贵的人，这与他从小的家庭教养和经常自觉的自我反省有关。

“蔡元培先生告北京大学诸生言，大学生专研学问与专门之重实用者有别。故大学生宜专心学业。余意不然。（一）先生以为必如此学术乃昌乎？则学术而不顾实用，不证之实用，必非实学。（二）大学生不重实用，非国家设立翰林院，则将来何以为生。（三）专门毕业生如能以科学尽职分，其不足者自必勉学，其谬误者自必改正，其研究学术之效必更远且大。”一个青年学生，敢对北京大学校长如此“狂言”，可见恽代英不畏“霸权”的性格。这里他批驳北大校长的大学生宜重视学术而不必重视实用的观点，即使现在看来，仍然是正确的。恽代英之所以能够成为青年领袖，与他独立思考、独立见解，并且能够引领他人和严于律己是有着密切关系的。因为同学们信他，他说的话、做的事，符合时代，适宜社会，对路青年人的心坎。

五四运动之时，他已经是武汉学生运动的领导者和组织者了。在那一场燃烧革命青春火焰的伟大运动中，北京大学的学生走在时代烽火的最前面，武汉青年紧跟其后，成为全国青年学生运动的一面猎猎战旗。而在武汉，领导这面旗帜的正是恽代英和年岁比他还小的亲密同学林育南。

“血，已经燃烧起来了！帝国主义者：还我青岛！誓雪国耻！”那几天，在声援北大学生的街头，在学潮如浪的游行队伍前，恽代英的才情和激情皆喷涌而出：

> 你若是个人，你还要把金钱供献给他们，把盗贼认作你的父母吗？
>
> 我亲爱的父老兄弟们，我总信你不至于无人性到这一步田地！

三江武汉燃烧了！5月9日，恽代英写的这份传单被刊发在武汉的《大汉报》上，顿时如滚滚惊雷，震荡了长江两岸的每一条街道、每一颗爱国的心。

当日，恽代英又挥笔写下四千余字的《武昌学生团宣言书》，声援和支持北大学生运动，愤怒痛斥日本帝国主义侵略中国的罪恶行径。当局军警十分害怕，包括日本军舰在内的荷枪实弹的中外反动势力的黑云一起压向武汉人民，尤其是企图阻止罢课声援北京学潮的广大学生们。

“帝国主义霸占我领土，每一个中国人都应当站起来与强盗斗争！爱国运动，人人有责！我们不怕被捕，不怕坐牢，不怕流血！”

反动军警已经荷枪实弹走到了街头。然而学生们并没有被吓倒，游行的队伍反而越来越壮大。恽代英欣喜若狂地赞美道：“今日为罢课演讲之第一日，即湖北学生与官厅宣战之第一日也！”

血，开始流淌了。

武汉街头的许多学生被反动军警的刺刀和枪弹刺伤、击中……100多名学生被捕之后，恽代英、林育南和李求实等继续指挥学生们在街头静坐，以抗议反动当局的罪行。又一批学生被当局军警打伤逮捕。

武汉街头的“六一”惨案如此形成。恽代英开始思考：爱国运动光靠学生们孤军奋战还不行，应当像上海一样，发动工人支援。

他来到了工厂、码头，并与大律师施洋一起，开始鼓动湖北各界，与学潮汇成罢工罢课罢市的爱国新高潮……

1919年6月中旬，全国学生联合总会在上海成立，恽代英派林育南和另一位学生去参加会议，而林育南从此也成为中国革命道路上的一位重要人物和中国工人运动的领袖，直到1931年被国民党反动派杀害于上海龙华监狱，成为著名的“上海龙华二十四烈士”之一。这是后话。

再说留在武汉继续进行学生和工人爱国运动的恽代英与律师施洋等，一直坚持领导了长达两个月的学潮和工潮，有力地打击了反动当局的气焰。

“必须把恽代英解聘，否则将封闭中华大学。”当局给恽代英所在的大学“开出条件”。得知此事后，恽代英主动找到校长，表示愿意为保全学校而牺牲自己。

1920年1月，恽代英辞去中华大学中学部主任职务。在这一时期，中国共产党的早期组织正在多地成立，恽代英的思想也在不断升华着。这一年，他发表在《少年中国》杂志上的《论社会主义》一文中明确地提出：“世界的未来，不应归个人主义的无政府主义，乃应归于共存互助的社会主义。”

“代英，你这位‘未来之梦’思想家，来我这儿实现理想吧！”1920年年底，恽代英收到安徽省立第四师范学校校长章伯钧的来信。章先生的那所学校亦称“宣城师范”，位于安徽宣城，是所名校。“你的‘未来之梦’不就是要到农村办教育，办实业，创造共同生活吗？我这儿由你去理想行事，由你当教导主任，你还不来？”章校长求才若渴，如此诱惑“未来之梦”倡导者的恽代英。

“去！去宣城师范革教育之命！”恽代英不仅自己决定去，而且还带着学生李求实等四人一行，全都往宣城去投奔章校长了。

“大喜大喜！如此才俊来此，令我宣城师范从此名垂千古呀！”章伯钧见恽代英等真的到来，欣喜万分。

以恽代英的才干和倾注的心血，他的“未来之梦”教育新模式很快在宣城师范得到广泛推广和实现，令人耳目一新的学校和教育方式，使这里的学生和老师都如沐春风。“秉承千古以来所养成的书篓教学非有益于开拓人的思想和心智，读书在于实用，在于做有益于社会之人，这是我们的目标和方向……”恽代英的思想与观点赢得了多数人的赞同与支持。革新的宣城师范从此焕然一新。近在咫尺的芜湖省立第五中学校长刘希平老先生得知恽代英大名后，特邀其到五中讲学，这两位年龄相差近二十岁的一老一少著名教育家也从此结下深厚友情。

恽代英在宣城师范期间，不仅教育改革风生水起，而且反帝反封建反旧政府的学生运动也一浪比一浪高。连上海的《申报》、《新闻报》都不时称赞他是“少年中国学会”的出色会员，是一位爱国志士，学问渊博，品性优良，为青年所爱戴。

1921年5月，在少年中国学会第二届年会于南京召开前，恽代英向章校长提出辞职，要去做一段时间的社会调查。章校长再三挽留，最后是恽代英答应将好友林育南调来宣城方算了结此事。

7月初，恽代英结束近两个月的社会调查，登上驶往南京的长江上的轮船。面对迎风扑来的大江巨浪，恽代英心潮澎湃，因为真正的未来其实并不平静……

果不其然。于南京召开年会期间，“少年中国学会”这一中国共产党成立之前最大的进步组织，事实上也面临着内部成员对一些政治问题的看法不统一的问题，争论与争执成了会议的主色调。让恽代英庆幸的是，出席此年会的人员有高君宇、沈泽民、张闻天、邓中夏、黄日葵、刘仁静、杨贤江、杨效春、王克仁、方东美、郤爽秋、蒋锡昌、李儒勉、沈怡、刘衡如、阮真、穆济波、赵叔愚、陈愚生、陈启天、陈仲瑜、左舜生等22人。他们中好几位后来都成了中国共产党早期领导人和中共一大代表，其中多数人后来也与恽代英一样，为中国革命事业献出了宝贵的生命，成为革命烈士。

在上海秘密召开中国共产党第一次全国代表大会之前的半个来月，恽代英在湖北黄冈主持召开了“共存社”的成立会，湖北各地派出的青年代表共24人，这在当时规模也不算小了，因为不久后在上海召开的中共一大也就十四五个人（包括会务和共产国际代表）参加。“共存社”由恽代英起草了章程和宣言，其中非常明确和清晰地指出了这一组织是“拥护无产阶级专政，赞成布尔什维克政党，成立信奉马克思主义的‘共存社’”，把无产阶级革命的目标和策略写在了自己的旗帜上。

“共存社”成立会召开不久，中国共产党在上海正式成立，恽代英便宣布他领导的“共存社”完成使命，于是多数社员在他的影响下，先后加入了中国共产党和青年团。恽代英自己也是在1921年年底加入了中国共产党的。

恽代英的品质决定了他是一位守信和忠诚于信仰的共产主义战士。成为共产党员之后，他无论何时何地，都以一名马克思主义者的无产阶级革命战士的标准要求自己的言行。1921年秋，同为“少年中国学会”会员的四川永宁道尹公署教育科科长卢作孚邀请恽代英去四川泸州的川南师范任校长兼教务主任。这所创建于1901年的新型学堂在恽代英接手时，已经非常破落。他在老校长王德熙的支持下，大刀阔斧进行改革，把德才兼备作为学生和教育家的教育方向与目标，要求培养出来的教师必须具备诚信、勇毅、勤俭、负责、博爱、进取等品格，使学生能服从真理、反抗非理。很快，恽代英全盘接手了办校权利，聘请了来自武汉、上海、重庆、成都等地的名师和进步人士，如萧楚女、李求实、刘愿庵、穆济波等，同时提出师生平等、学生自治、学校公有等口号和《十二大纲》。如此一番大胆改革，使该校迅速成为四川名校，前来求学者络绎不绝，甚至不得不设分校。

之所以说恽代英是位杰出的教育家和青年领袖，是因为他总是有许多新型的思想和不凡的实际行动。在改革学校教育制度的同时，治理学校几个月之后，恽代英便开始组织学生接触社会。他亲自挂帅，在师生中组织了一个声势浩大的到农村实践的考察游行讲演团，报名的人达30人，其中教师6人，后来也成为雨花台烈士的张霁帆等皆在其中。另有一批学生后来也都成为第一次、第二次国内革命战争时期党的干部，甚至英勇地献出了宝贵的年轻生命，他们是：余泽鸿，后跟随恽代英到上海参加革命，历任红军大学副校长、中共中央秘书长，1935年12月牺牲于战场；陈泽煌，后任中共江巴县委书记，1930年被捕牺牲；曾润百，1928年牺牲于万县，为中共万县县委书记；徐经邦、穆世济、陈江、王诚意、袁象鼎、肖士奇等均先后牺牲。

在党内和学生中，大家知道恽代英在翻译《阶级争斗》时获得了400块大洋的稿费，可是他把所有的稿费都用在了革命事业和办刊上，自己却省吃俭用，连给家人写信也只买一张一分五的明信片，然后密密麻麻写上五六百字；在成都讲学时，人们经常看到他脚穿草鞋蹲在路边啃着红苕充饥，所以他在四川有个外号叫“苦行头陀”。然而为了引领青年们走上革命道路，他会倾家荡产去支持他们。

“恽代英的人格是他用心和行动呈现给大家的。”一位受过他恩泽的革命前辈这样说。而恽代英给青年和人民群众留下的最深刻的印象是他的激情声音和充满魅力的演讲姿态——

“是的，同学们：你们走出学校大门的目的是什么？为了我们了解自己所在的这个国家、这个社会。只有这样，我们才能学会怎样做人……”

“是的同学们：怎样做人、做什么样的人，是我们读书、做事的根本。那么到底我们应该做怎样的人呢？”

“是的同学们：在我看来，应该有三条是做好人的标准——好人就是要有操守，有作为，为社会谋福利，也就是说要为大家做事、办事。这就是青年人应该做的好人！”

…………

一路上，恽代英身先士卒，又一路演讲：讲革命道理，讲做人道理。这长达一个月的旅游演讲，恽代英他们行走千余里，遍及十余县，演讲次数达二十多场，如同一支革命的播火队，将新思想、新文化传播到了川南各地。无数青年仰慕恽代英之名，不远百里千里前来求教于他，其中就有后来成为著名剧作家的阳翰笙。当时20岁的阳翰笙见到他心目中的偶像时，简直难忍心头激动之情，跟随恽代英长达七天七夜，后来他感慨此行为“如同在黑暗中认清了光明的方向”，并且明白了单靠个人的力量不能成大业，必须成为革命青年。恽代英的教诲让知识青年阳翰笙从此走上了一条正确的革命文化之路，之后他写出了一大批优秀和经典的革命剧作品。像阳翰笙一样受恽代英影响而走上革命道路，成为国家之栋梁的何止一两个，我看过许多四川籍革命老战士的回忆录，其中都曾提到恽代英的这一次“旅游演讲”对他们人生所产生的影响。

其中有一位名叫李元杰的先生，在恽代英牺牲50周年时写下回忆文章，栩栩如生地呈现出一位大革命时期的革命青年领袖的风采。

> 我同代英初次见面，是在他组织的川南师范学校童子军巡回讲演团到达我的故乡——四川合江县的时候。那时我还是一个从旧制高等小学校出来的小青年，升学无钱，谋生无术，兼之父亲早逝，寡妇孤儿，受尽土劣欺凌；社会压迫，反抗无力，彷徨于艰难的人生道上。一天我正怀着满腔悲愤在大街徘徊时，忽然听到一阵铜鼓喇叭声，迎面来了一队穿着制服、步伐整齐的童子军。前面走着一个高个子，戴着深度眼镜，跨着正步，态度庄严而又和蔼的领队人。他是一个成年人，却穿戴着青年人的短裤尖帽，窄衣紧带。加上背着背包，手持木棍，显然是一个毫不相称的童子军。这使我非常惊奇，便随着大家紧跟着队伍，边看边走。一会儿来到一个破庙——斗姆宫前面的广场。
>
> 人刚站定。那人便登上台阶向群众宣讲起来。他的浅显易懂

的通俗官语和慷慨激昂的爱国热情感动了我。尤其是他那一段反对一切欺凌压迫，主张人人平等自由，提倡新思想，改造旧社会等言论，叩击了我的心弦，使我很想和他谈谈。恰在这时，讲演完毕了，我发现我旧时同学陈江正在同讲演人谈话，我便匆匆走过去和他叙话。陈江向他介绍了我，我也立即陈述了我渴求知识、渴求进步的思想。

“很好。很好。我叫恽代英，去屋里谈。”他微笑着。我们来到大殿旁边一间破屋子里，满地铺着稻草，只有一张木桌和一条板凳。

“我们晚上就睡在这上面，坐在这里谈吧！”他指着稻草这样说。他详尽地问了我的家庭、学习情况和想干什么，我据实作了答复，并说想跟他一起去找个我能做的工作，以便随时向他请教学习。

“你能去泸州考川南师范学校吗？那儿是官费。”他思考了一下说。

“愿意去考。但恐怕考不上。”我说。

“一个人只要有决心，耐得劳，吃得苦，一切都能办到……去考吧！我们帮助你，会考上的。”他说。

“那我一定去考。”我说。

“你有路费吗？另外，你必须得到你妈妈的同意。”我已经走出房门，他叫着我说。

“我可以步行到泸州，妈会允许我的。”就这样，一九二一年底在川师考期前，我就背着包袱步行到了泸州，住进水井沟川师附近的余家鸡毛店（就是只占铺位不占房间的小客栈）。当天我就找到了代英。以后，他就叫曾润伯、陈江常拿着材料来帮助我复习功课。我拼命地阅读死记。考试前一天晚上我搞到快天亮，实在太疲倦了，不觉昏睡着了。待我醒过来时，已是红日满窗。我急忙奔去考场，但为时已晚，不能入场了。这真是晴天霹雳。我觉的（得）有些晕眩，忽然有人在我的肩膀上一拍，一看，代英站在我的身旁。

“我来看你两次了，怎样搞的？”

我向他诉说原委，几乎想哭起来。他又劝说道：“不要着急，川师不能考了，还可以去小市考川南职业学校，那儿也是官费，也有外省来的进步老师。”

“我哪里也不去考。……要跟你在一起……我宁愿在川师做个小工。”我坚决地要求着。

“不，干工作你还太年轻，还要正规学习，不能耽误自己。小市仅隔一道河，你随时都可以来找我嘛！……你应当去考职校，我叫人去给你报名，届时我要陈江来陪你过河去考。”他斩钉截铁地这样说。就这样我进了泸州小市川南职业学校。

从此以后，我一有空闲，就过江去找代英。他不断地给我新书刊看，先后要我加入了他所组织、领导的川师读书会和学行励进会。他不仅耳提面命地教诲我，辅导阅读，解答问题，修改文章，而且还常常要我劳逸适当，保重身体，甚至于给我邮票，要我写信安慰我孤苦无靠的妈妈。我一见到代英，就感到从来不曾有过的温暖。这样代英就不仅真正成了我名副其实的老师，而且成了我在那个残酷无情的旧社会里的最亲的亲人。

一九二二年春天的一个中午，我正要吃午饭，传达室说有人找我。原来是代英，手里拿着一包东西。

“我过江来同小市火柴厂的几个青工谈了话，马上要回去，你还没有吃午饭吧，我们到小饭馆去吃冒儿头（土话，即堆成圆顶的一碗饭，一般劳动人民常吃的最便宜的饭食），有话同你讲。”他亲昵地说。

“你进步很快，现在应该干些革命工作了，你愿意加入社会主义青年团吗？”吃饭时他低声地边吃边向我说。

“青年团？这里有吗？”我惊奇地问。

“现在还没有，但这个星期天下午二时在忠山亭子上就要建立，你来吗？”

“一定来！”我高兴地说。

“这是给你的。里面是些书刊和我给你买的一件背心，上星期踢足球时，我见你的背心破了。”分手时他把那个包递给我说。我没有说什么，眼里含着两眶子泪水。

星期天我准时到了。除代英外，还有余泽鸿、张霁帆、曾润伯、陈江、陈泽煌（徐经邦是下一周才来的）。代英宣布，社会主义青年团（S·Y）成立。以后大家要服从组织，遵守纪律，保守秘密，执行任务。每周集会除学习外还要作工作、生活、思想汇报，实行批评和自我批评……然后大家都发了言，集会一直开到傍晚。代英拿出一大包烧饼、泡粑来，说学校的晚饭开过了，要大家吃点。我们全都知道，这又是代英省吃节用的钱买的。他不仅是我们的老师、领导，还是我们亲兄弟、老大哥！最后，他向大家一挥手说：“喂！以后大家不要再叫我的职衔，叫我代英就行了。”从此后大家都叫他代英。

“恽代英之所以成为广大青年心目中的领袖，这与他的人格魅力和才华以及努力传播革命道理、发动群众的斗争精神及其付出是有直接关系的。他的演讲和动员能力无人可比。”一位老革命家这样说。

恽代英的革命行动和影响力，也给反动当局以沉重的打击和影响，他们不得不出面聚集力量开始把枪口对准他。

聘请他的川南师范学校首先遇上了阻力：学校被迫解除他校长一职。学生起来反对和罢课。于是当局利用这一“闹事”事件，竟然逮捕了恽代英。事情闹得更厉害，师生们誓言“踏平”旧政府教育局。

最后在双方僵持不下之际，恽代英站出来说：“牺牲我个人无所谓，学校不能受影响。”他决定辞职，离开川南……为了保护学生和学校，恽代英再一次做出痛苦的选择。

而此时，中国共产党在上海已经开始了新的伟大战略布局：成立中国社会主义青年团和创办《中国青年》。陈独秀和党中央自然首先想到了在青年中拥有广泛影响力的恽代英。

他来到了上海——这是1923年春夏之交。这之前，恽代英还到了重庆和成都，又是一路演讲，传播马克思主义和共产主义学说。他的影响力几乎让整个四川的青年们感到震撼。如郭沫若当时所说：“四川那样的山坳里，远远跑到广东去投考黄埔军校的青年，恐怕十个有九个是受了代英的鼓舞吧！”

看，这也足见恽代英的威望与影响！

在奔赴上海之时，也就是1923年6月，中国共产党第三次全国代表大会在广东召开。参加会议的有二三十人，有表决权的只有17人。中共三大在广州召开，是根据共产国际的意见以及中共代表李大钊与孙中山达成的政治共识，从此拉开了“国共合作”的大幕。中共三大决议指出：党在现阶段“应该以国民革命运动为中心工作”，采取党内合作的形式同国民党建立联合战线。恽代英到上海不久，中国社会主义青年团第二次代表大会在南京召开，他出席并当选为团中央执委会委员，出任宣传部部长，主持《中国青年》杂志工作。而他的另一项工作是受邀到国共合作创办的上海大学出任社会学系教授，主任是中共领导人瞿秋白，中文系主任为陈望道，英语系主任为何世桢，总教务长是邓中夏。当时的校长由国民党左派代表于右任担任，而这位老先生其实并不管事，实际上的校长则是邓中夏。除此之外，中共方面的蔡和森、张太雷、施存统、萧楚女、董亦湘、李达等都是这里的教授。拥有如此教授阵营的上海大学，几乎可以说是中国共产党建党之后关于培养干部的一座标标准准的“革命熔炉”。那些年轻的革命青年在这里接受才华横溢的瞿秋白、邓中夏、蔡和森、恽代英、陈望道、李达等青年才俊们的授课，政治觉悟和思想品质迅猛发展和提升。而各位教授的教学方式也各具特色：瞿秋白学贯中西，博古通今，旁征博引，深入浅出，连中文系、英文系的学生也挤着来听他的课；张太雷的课常有“雷声”起，他喜欢启发式的教育方式，总让学生自己讨论得出结论。他有一种平易近人的作风，特别受到学生们的拥戴，尤其是他谈笑风生、妙语连珠、诙谐幽默、挥洒自如的话语，总引来四座欢腾，掌声雷动。恽代英则不然，他的讲课观点鲜明，论据充足，逻辑严密，说理透彻，鼓动性极强，一堂课下来，同学们常被他的激情所感染而久久不能自拔。恽代英讲课太投入，大热天的一连讲三四个小时不歇嘴，口若悬河，滔滔不绝，汗水跟着他的滔滔语言而不断下落，直到同学们给他递手绢。

“这是啥？你们这是干什么？我可不习惯用这东西！”说完，他把手绢还给同学，自己用长衫袖子往额上一擦，而后又开始他的“滔滔不绝”……

在上海，恽代英的打扮和生活变了些，不再是在四川成都时那样的草鞋加红苕，而是长衫加油条了。他喜欢边吃边工作，定稿、审稿、编稿，同事们看不到他休息的时候。另一位他的好友邓中夏也是如此，邓中夏则多了一个毛病——抽烟。恽代英常取笑他的好友，说如果我跟你一样的话，我的长衫用不了几天就“体无完肤”。

“哈哈……你是在说我呢！”邓中夏开怀大笑起来，因为他知道恽代英在指他的毛病——满身衣裳都是被烟灰烧出的一个个小洞。

也许正是在这样一批优秀的革命青年教师的影响下，上海大学的学生中涌现出了像秦邦宪（博古）、王稼祥、阳翰笙、杨之华、匡亚明、丁玲等这样的后来影响了中国很长时间的无产阶级革命家、艺术家、文学家和社会学家，以及在大革命时期就牺牲了的名垂千古的黄仁、顾正红、何秉彝、刘华等烈士。

来到上海之后的革命者恽代英如鱼得水，每天忙碌异常又满心欢喜地工作着。他忽而“下基层”到沪西工厂给工人们上夜校；忽而又登上火车，奔赴到湖南江西交界的安源煤矿，去那里成立工人工会；忽而又与罗章龙一起到了上海近郊的松江，认识了一见如故的侯绍裘，帮助那里建起了上海市区之外的第一个地下党组织；忽而又跑到他的祖籍常州、镇江、无锡和苏州一带，帮助和检查江苏基层党组织的建设，所到之处，无不刮起“代英旋风”……

早年有革命倾向的进步青年、曾任国民党十四军政治部主任的陈斯白，当年在现场听过恽代英的演讲。他回忆年轻时的“青春偶像”时这样说：“恽代英的名字我们多么熟悉啊！他主编的《中国青年》，是我们最喜欢阅读的刊物，我们从中取得了不少的精神养料和理论根据。听说他来了，我们都万分鼓舞。我们心日中的恽代英，以为会是一个西装革履的时髦人物，而来者却穿着一件灰黄的褪了色的旧长袍，拿着旧的皮包，戴着顶棕色飞了边的礼帽。他和我们很热情地打着招呼握着手，湖北口音，架着一副深度的、腰圆而无边的铜丝眼镜。和尚头，顶骨隆起，神采内涌而气宇轩昂……”

好一个栩栩如生的大革命时期的青年领袖！

恽代英不仅动腿、动嘴，还在一路播撒红色革命种子。他在丹阳发展了一批优秀青年入党，他们后来成为丹阳党组织的创始人，如夏霖、黄竞西等。夏霖后来成为中共丹阳第一任县委书记，1927年在无锡组织农民起义时不幸被捕，几天后与其他7名共产党员和革命者一起被敌人杀害，年仅32岁。黄竞西是江苏革命英烈中的代表性人物，他在恽代英介绍下入党后，奉命组建了丹阳独立支部（直属中共上海地委领导），并任支部书记。国共合作后，黄竞西被推荐到上海的国民党江苏省党部工作，由于才能卓越，他很快成为上海滩上与侯绍裘、柳亚子齐名的著名人士和职业革命家。1927年6月下旬，以陈延年为书记的第一届中共江苏省委成立，在26日这一天，作为江苏省委委员的他和省委书记陈延年等5位省委领导全部被捕。作为“政治要犯”，面对敌人的毒刑和诱骗，黄竞西毫不动摇。牺牲前几天，他给家人写下遗书说：“我终觉得死于今，比死于昔，使人们可觉悟中国是需要继续革命的，我之死也无余恨。”“死是一快乐事，尤其是为革命的。”他又向同志们说：“现在的革命，进一算半，退一算十。不革命的，就在这时淘汰了。”并鼓励大家“继续前进，万勿灰心”。

1924年年初，鉴于党的重要理论阵地《新青年》连续发生各种争执，又由于改刊等诸多原因，其影响力渐失，加之中国社会主义青年团成立多时，中共中央和青年团中央决定创办《中国青年》。恽代英作为负责宣传的团中央领导，他便义不容辞地担起了这本杂志的主编重任。

作为青年团中央机关刊物和宣传共产主义的重要阵地，恽代英为《中国青年》可谓呕心沥血，而此间他不仅名副其实地成了中国青年和学生运动的领袖，同时也意外地收获了一份新的爱情。恽代英在19岁时，由父母包办了一桩婚事，妻子虽没有文化，但也是大家闺秀，叫沈葆秀。完婚那日，恽代英对这门包办婚姻很是反感，又无可奈何。想不到其妻是个有心人，靠聪慧和体贴慢慢让夫妻之间的心贴在了一起。可因为恽代英读书和工作在外，随着时间越长，走得也越远，一直到妻子不幸患病去世也未能再见一面。恽代英是个有情有义之人，十年守义，不曾有过歪念。一直到创办《中国青年》之后，原配妻子的四妹，悄然走进了他的感情世界之中……

她叫沈葆英，后来在恽代英的影响下，也走上了革命道路。恽代英牺牲后，是她整理出了恽代英这位中国青年领袖的诸多文稿，并写下了许多关于恽代英的回忆文章。关于她如何在恽代英引领下走上革命道路以及与恽代英之间的爱情与婚姻，沈葆英这样记述过：

> 一九二三年代英在上海创办了《中国青年》，刊物一出版，他

就给我寄来了。这本刊物象（像）磁石一样吸引着我，我一口气把它读完，然后有意识地把它放在我同班好友范明洁的枕头底下。她当时就已经是青年团员了，但我并不知道，只是看到她思想进步、斗争积极。她也很喜欢读《中国青年》上的文章，但起初她并不知道刊物是谁放的。后来她发现我又收到了一期，就问我是谁寄来的。我说："是恽代英。"她很惊奇，说："恽代英是我们领导人，你怎么认识的？"我说："他是我的老师。"以后代英经常给我寄《中国青年》，我和范明洁常常一起学习，一起交谈学习感想。

有一次，她问我："你喜欢《中国青年》上的文章吗？"我说："喜欢，非常喜欢。"她又问我喜欢哪一篇，我说所有的文章都喜欢，但最喜欢代英写的《怎样才是好人》。范明洁盯着问我："你觉得怎样才是好人呢？"我说："就是代英文章上说的那三条：好人就是要有操守，有作为，为社会谋福利。也就是说要能给大家办事。"范明洁说："对！我们青年人就是要有革命理想。闹学潮，不只是反对几个腐败的教员，是要把封建寄生虫砸碎，改造旧学校，改造旧社会。我们将来的理想社会是个什么样子，你想过没有？"我坦率地说："想过，但说不清楚。记得代英给我们讲过，那个社会不允许人剥削人，人压迫人。要人人平等，人人有工做，有饭吃。但我听他说这些话的时候年纪还小，不十分懂得。不过我还是常常想着那个理想的社会。现在通过阅读《中国青年》上的文章和'读书会'的学习，对那些道理渐渐明白了，也更向往那个美好的社会了。"

几天以后，范明洁又进一步问我："你认为怎样才能实现那个理想的社会？"我说："我毕业后就去找代英，跟他干革命。"她笑着说："毕业还早着哩，现在应该怎么办？"并接着说："我没有见过恽代英，但是我爱读《中国青年》杂志上他写的文章，还有萧楚女的文章。他们给我们指路，引导我们前进。他们现在在上海，我们在武昌。想革命在武昌也一样能行啊！”停了一会，她便单刀直入地问我：“你看过《中国青年》上登的有关社会主义青年团的文章吗？”我说看过，并问她：“咱们这里有青年团吗？”她肯定地回答说“有”。我急切地问：“你是不是青年团员？你能帮我找到青年团吗？”她说她是青年团员，如我愿意，她可以介绍我入团。我高兴得几乎跳起来，并当即郑重地向她提出了加入青年团的申请。

不久，范明洁告诉我，我入团的请求被批准了。一九二四年的一天，在省委的一个房间里，为我举行了入团宣誓。由监誓人领唱几天前学会的《少年先锋队歌》：走上前去啊，曙光在前，同志们奋斗！用我们的刺刀和枪炮，开自己的路，勇敢向前，稳住脚步！更高举少年的旗帜，我们是工人和农人的少年先锋队！

我把入团的喜讯写信告诉了代英，他很高兴，来信鼓励我要好好学习，提高觉悟。

一九二五年，我由青年团员转为共产党员……

这年年末，代英从上海调到广州，被分配到黄埔军校任政治总教官，并任农民运动讲习所教员。他写信给我，问我愿不愿意去广州，帮他工作。我回信说：到广州去，我是很向往的，但现在离毕业不到一年，是不是毕业以后再去。代英赞同了我的想法。他说时局发展很快，大概不久就会见面的。

北伐军节节胜利，一九二六年七月攻克长沙，九月就兵临武昌城下。十月，北伐军攻占武昌城后，我被分配到省立第一完小当教员。校址在都府堤，校长是地下党员王觉新。北伐军占领武汉后，广州革命政府决定迁都武汉。十二月，代英和魏以新一起绕道上海，乘船而上，于次年一月三日到达武昌。

这时代英身兼数职，他是武汉中央军事政治学校的党代表，湖北省政府委员，又是国民党中央常务委员。工作很忙，不是在这里开会，就是在那里讲演。

代英回到武汉后，亲友们都劝他结婚。有一次他和三姐沈振（葆林）谈起了我。他说："我为二姐守义十年。现在革命形势发展了，我肩上的担子很重，需要有个助手。四妹已在女师毕业工作了，又是个党员，我想和她结婚，不知成不成？"三姐早就知道我们之间的友情和双方家长的心意，就说："我先和四妹说说，你再直接找她谈谈。"

一天，代英来省立第一完小讲演。讲完以后，校长和许多人都出来送别，我也跟着出来了。走到校门口，代英对我说："四妹，我有点事想和你谈谈。今天天色还早，我想到二姐坟上去看看，你能不能陪我走一趟？"我点点头说"好"。

我们离开都府堤，沿着通向洪山的大路向东走去。出了大东门，不远就是洪山。前面矗立着一块新的高大墓碑，正面刻着"施洋先生之墓"几个红色大字。代英停住脚步，脱下军帽，凝视着墓碑，好久。他惋惜歉疚地说："伯高（施洋号）兄是个了不起的人。当年（五四运动时）我对他的外表和服装看不惯，同他有距离，还叫朋友不要接近他。现在看来，是我对他不理解，他的穿着是斗争的需要，革命使我真正认识了他。他为革命献出了生命……"

又往前走，穿过后谷岭，来到恽家的祖墓。代英先到母亲墓前，脱下军帽，行了三鞠躬礼，又来到葆秀墓前，深情地鞠了躬，低声说："葆秀，我和四妹来看你了。"他在墓旁找了块石头坐下，对我说："四妹，今天带你到这里来，是想一起凭吊二姐，对她说说心里话。"接着他对着葆秀的墓诉说道："葆秀，你离开人间已经十年了。我为你守义也已十年。封建礼教强迫女人守节，我坚决反对。而今我为你守义，是心甘情愿。这不只是我个人对你的情谊，也是为了给那些歧视妇女、不守信义的人看看，人间还有真情在。这十年里，人们用各种言词规劝我，要我结婚，我都没有接受。我原准备继续守下去。但是，今天全中国的民众都怒吼起来了，我的担子也加重了，我需要亲密的战友和革命的伴侣。我今天找四妹来一起同你商量，四妹已经长大成人，她已经是个无产阶级战士了。为了实现我们共同的理想，我希望她能和我结成革命伴侣，并肩战斗。你九泉有灵，会同意我的心愿吧。”说到这里，他的声音发抖了。他转过脸来对我说：“原谅我，四妹，我没有征求你的意见，就在二姐墓前道出了自己的心愿，你不怪我吧？你愿不愿意？”我羞涩地点了点头。因为这事在双方的家庭里已酝酿了很久，在我们多年的接触中和通信里，也都表示了彼此的关怀和爱慕。我常想，能和他一起生活、共同战斗将是我最大的幸福。

一九二七年一月十六日，我们在武昌得胜桥恽宅举行了婚礼。婚礼非常简单，只有家人和亲戚数人在场，双方的同事、战友都没有通知。当时代英工作十分繁忙，他不愿意因为私事影响公务。结婚那天，他回到家里，父亲对他说：“葆英已经来了，快去换上礼服行礼吧！”他没有依从父亲去换礼服，照旧穿着军装，斜佩着武装带。我们俩在一对红烛前行了鞠躬礼，就这样成亲了。按照军人的纪律，他仍回军校去住。很久以后，他的同事们才知道我们结婚的事。

上海五卅惨案并由此引发的学潮和工运，是1919年北京五四运动之后，中国影响力最大的一次反对帝国主义、反对腐朽政府的伟大运动。而恽代英在此次整个运动中都是“主角”。惨案是由于日本人开的纱厂残酷剥削和压迫女工引发的，尤其是一名日本领班打死了一个女童工之后，在中国共产党领导下的罢工运动滚雪球般地在全上海爆发。作为罢工的组织者和领导者之一的恽代英，不仅一直在工厂一线与工人们战斗在一条战壕里，而且利用《中国青年》不时发表文章，揭露和抨击帝国主义及资本家剥削压迫工人的罪恶行径。他在文章中欢呼工人运动的胜利和团结起来的工人力量：“四万余中国工人，以前没有工会的组织，没有罢工的预备，为了反抗日人虐待，竟能一蹶而起，坚持奋斗至于两个星期之久，逼到日本资本家不能不开对等的会议，签字允诺工人的条件。这是一个壮烈的战争啊！”“产业工人简直是一个火药库啊！资本阶级制成了这样的火药库，安放在可以致他自己死命的地方；只须一根火柴进去，便会轰然的爆裂起来。”中国有160万产业无产阶级，“他们掌管海陆交通运输市政及各种重要工业。他们的联合，是中国打倒帝国主义与军阀的惟一可靠的力量”。

在上海大学学生、上海工人罢工副总指挥顾正红被敌人残害后，恽代英带着宣传材料和仇恨，来到工人中间，组织工人召开追悼顾正红的大会，通过这样的形式与反动当局和帝国主义做斗争。在沪西工友俱乐部的顾正红追悼大会上，恽代英向一万多名工人和学生作了演说。他的极富鼓动的话语，在工人和学生中燃烧起了反帝反资本家的火焰。由此，上海学生和工人联合起来的五卅革命运动，威震全国、影响世界，当时的共产国际和苏联政府等各国进步势力和团体，纷纷发表声明和致电，表示支持中国共产党领导的这场伟大运动。在这场波澜壮阔的风暴中，恽代英始终是风口浪尖上的人物，他那身穿长衫的修长身影，每每都在疾风骤雨之中挺立着，振臂高呼着，昂首挺胸着……

他是共产党人的化身，他是青年革命者的化身，他是工友们的领军人，他是一个赤诚炽烈的反帝勇士，一直冲锋在最前列。他既要领导工人和学生在街头与帝国主义分子和反动政府的军警、恶棍斗争，还要在国共两党内部与右派分子们“打口仗”，有力反击以戴季陶为代表的国民党反共右派的疯狂进攻。当敌人和右派们企图抹杀孙中山的历史和现实功绩时，恽代英大声疾呼道：“孙中山和列宁可以并称是革命领袖，是我们东方的伟人，因为他能用革命手段改正自己的错误而领导我们去实现美好的革命理想！”“因为孙中山可以救中国，而不是什么宗教！”尽管后来恽代英被国民党右派统治的“西山会议派”开除了国民党党籍，但他仍然义无反顾地带领国民党上海党部内的共产党人和国民党左派同志与国民党右派分子进行坚决的斗争。在第二次国民党全国代表大会上，恽代英重新被推选为中央执委委员，同时担任这一要职的还有共产党员李大钊、林伯渠、吴玉章、朱季恂等。

“我们要每个同志都能够明了要真正为总理的主义来奋斗，那才是真正的国民党。”恽代英在大会上的发言，获得了多数代表的赞同，但也有国民党右派分子阴阳怪气地问他：“你说了半天，你到底代表的是共产派还是我们的国民党呀？”

恽代英轻蔑地看了看这些人，然后坦然而又严正道：“不要管我是不是共产派，只要问我是不是实行三民主义。如果有违背三民主义去做反革命的事情，便马上可以拿去枪毙。如果没有，便不能枪毙。我的理由在这里说得很明白了，如果你说我是共产派，我这个共产派便是这样主张的。”面对如此才情和赤诚的共产党员，即便是那些顽固的国民党右派分子也只得自愧不如。

1926年2月的一天，恽代英格外高兴，因为他收到了周恩来从广东东江发来的一份电报，邀请他马上到东江参加一个重要会议。恽代英读完电文，立即出发。

东江是新军阀陈炯明的老家，与香港帝国主义势力有不少联系。第二次东征结束之后，此地百废待兴。周恩来正在此时担任了这一地区的25个县级行政管理重任，他邀恽代英来此就是为了让其帮助自己一起治理东江大业。

“你熟悉教育，找出这里的问题症结，多想想解决办法。”周恩来恳请恽代英解决东江百姓比较关心的一件大事。

恽代英领接任务之后，深入相关地区的学校和教育人士那里进行调查，结果人家告诉他：“现在东江办不起学校、念不起书的比比皆是，就是因为政府拨款太少。以前广东政府一年只给津贴4000元，现在连这个钱都不给了，谁还办得起学校嘛！”

“那广东省政府应该给教育的钱到哪儿去了呢？”恽代英问一位教育家。人家气愤地告诉他：“广东这个地方，这些年一直在打仗，这个军队走了，那个军队又来了，都说自己是‘革命军’，可在我们百姓眼里，都是把百姓的钱革走了给军队，哪还有钱搞教育嘛！”

恽代英明白了：原来是军费开支太大了，反动政府在的时候军费开支高，革命军起来后，军费仍然高，所以像教育等民生问题便无法解决了。回到广州，恽代英就“减少军费开支、支持地方教育”的想法与周恩来做了交流。

“我完全赞同你的观点。适当减少一些军费，支持地方教育事业是必需的。”周恩来同意和支持恽代英的观点，而且他们共同向国民革命军政府做了认真反映，后来东江教育经费紧张的问题得到了相对缓解。

就在这个时候，“中山舰事件”爆发。蒋介石突然扣留了海军局局长兼中山舰舰长李之龙等50名共产党员，同时强迫黄埔军校内的共产党员身份的人必须脱离共产党，做一个纯粹的国民党党员。周恩来立即找到蒋介石责问为什么搞这样的“排共”。蒋介石如此说：“那个李之龙在没有我的命令下，竟然把中山舰开到黄埔来，有人说他想炮轰我们的军校，搞暴乱，所以我把他抓了起来。同时我也把第一军的共产党员集中起来看管，这是为了保护他们……”老蒋也假惺惺地对周恩来说：“恩来啊，你也是我黄埔军校的重要领导长官，该到了退出共产党的时候，做个纯粹的国民党员吧！”

周恩来断然拒绝。就这样，他的第一军副党代表兼政治部主任一职也随之被免了，同时被免去黄埔军校职务的还有军事教员聂荣臻。

“代英是国民党选出来的中央执委，派他去黄埔军校，对加强时下我党的力量极为适宜。”陈延年与周恩来商议，并报请中共中央，决定派恽代英从军到黄埔军校任政治主任教员。

“书生”恽代英从此开始一段重要的军旅生涯。黄埔军校也因此有了“三杰四凶”一说。这“三杰”，即黄埔一期的三位成绩特别优秀的学员——蒋先云、贺衷寒和陈赓。蒋先云是有名的黄埔“状元”，成绩无人可比，每次考试全部科目都是第一名。他是1921年入党的中共党员，湖南人，毕业后任蒋介石的秘书。中山舰事件后，蒋介石以“中将教育长”职务诱惑他，劝其退出共产党，结果蒋先云第一个出面声明退出国民党。后在北伐军任团党代表，在与奉军张学良部大战中，蒋先云临阵负伤，壮烈牺牲，年仅25岁。贺衷寒也是湖南籍的优秀人才，五四运动时是武昌的学生代表之一，黄埔军校毕业后思想倾右，因为政治上爱左右摇摆，最后在国民党内也未被重用，最大官至中将。陈赓为中共名将，救过蒋介石一命，故后来被国民党抓捕后蒋介石还亲自去劝说并最后放了他一马，后任第二野战军第四兵团司令员，智勇双全，乃新中国开国大将。

“三杰四凶”都是蒋介石“蒋校长”之口夸出来的，他们在黄埔军校有着极高声望。“四凶”包括了邓演达、恽代英、高语罕和张治中。邓演达是国民党著名的左派领导人，后任黄埔军校教育长，北伐时任国民革命军总政治部主任，1927年与蒋介石决裂，1931年被蒋介石杀害于南京，是雨花台烈士之一。高语罕是陈独秀的老乡，一生追随陈独秀，早年也是中共安徽领导人之一，后到北大任教。陈独秀晚年孤居于安徽，高语罕一直随其身边。陈独秀死后，高语罕为其整理文稿数载，直到1948年病逝。张治中是国民党中的左派代表人物，与中共有特殊关系。新中国成立前，他对和平解放新疆等地做出积极贡献，被尊为“和平将军”。

恽代英到黄埔军校的时间比前面几位要晚，然而之前的政治影响和个人的天才知识与口才能力，让他迅速在军校被奉为厉害的教员中的“一凶”：凶在他的口才、知识、能力和组织领导力。蒋介石其实对恽代英很器重，有一天见了他笑眯眯地问：“伙食怎么样？习惯不习惯吃呀？”第二天中午，又派专人给恽代英送来几碟精致的菜肴。恽代英心里有数，将菜肴全部分给了其他教员。作为政治主任教官，恽代英到军校后也看到了许多不正之风。他是中共特别委员会的书记，深感责任重大，他与中共特委成员聂荣臻、陈赓、熊雄等开会，强调要加强中共党员的素质培养与带领革命倾向的青年军人团结到中共党员身边，积极做好发展工作。“教育每一个黄埔军校学生走正确的革命道路是我们的责任。”恽代英这样要求自己，也要求中共党员骨干。

恽代英在《黄埔军校第四期同学录序》中写道：“中国人几乎没有人不知道‘黄埔’，青年几乎没有人不希冀能预做一个‘黄埔’的学生。‘黄埔’是新中国的建造者，‘黄埔’的学生人人都预备牺牲他们的精力生命，为被压迫的中国四万万人杀开一条血路。”

口才与文才俱佳的恽代英，使得黄埔军校的讲坛仿佛就是为他准备的，投奔到这儿的青年军人原本多是热血中华儿女，而恽代英的演讲方式与内容，又几乎都是大家特别喜欢的。每每他讲课时，同学们都围在他讲课的桌子的四周，只见他们的老师目光炯炯，激昂话语如滔滔不绝之江流灌耳……那些极右分子叫嚣又一个“凶”出现在黄埔军校。“四凶”的原意就是这样，恽代英和邓演达、高语罕、张治中并列为军校讲课最厉害的教官，故称“四凶”。

“代英同志，你啥时候把肚里的墨水倒光呀？”同舍的陈赓是个平时爱开玩笑的人，对恽代英也是如此。作为中共特别委员会书记的恽代英，平时对支委们的工作也抓得紧，开会一开就到半夜。陈赓实在吃不消，他便开始恶作剧了：一天晚上，陈赓已经困得眼皮直打架，又因为第二天还要出操，临睡时他趁恽代英摘下眼镜用凉水洗脸的时候，偷偷用墨水将恽代英的眼镜片涂黑，而后又藏了起来。深度近视的恽代英没有眼镜寸步难行，急得到处乱抓。第二天一早，恽代英起床，在床头边摸到眼镜，戴上后发现“天”还是黑的，于是又倒头再睡……等陈赓出操回来在窗户前一看，恽代英还戴着那副“黑眼镜”呼呼大睡呢！陈赓乐得手舞足蹈，连喊带叫地让同学们来参观。

恽代英羞得不行，陈赓则乐得直不起腰。“这一‘凶’一‘杰’在一起，我看天底下就别想安宁……”校长蒋介石得知此事后，也乐得脖子上青筋直起。

北伐革命开始后，恽代英奉命到武汉参与筹建国民政府中央军事政治学校武汉分校。中共中央十分重视此校建设，中共一大代表包惠僧出任筹备处主任，董必武出任招生委员会负责人，毛泽东、李立三、张太雷等担任政治教员，徐向前为军事教官。恽代英则是政治主任教官、教育计划委主任和中共党团负责人，实际上的武汉军校领导人。

1927年2月12日，武汉军校暨国民革命军总司令部学兵团隆重举行开学典礼，宋庆龄致辞。让恽代英感到特别自豪的是阅兵队伍中有一支183人组成的女生队。她们英姿飒爽地站在那儿，让整个阅兵式大为增色。而这女兵的出现，与恽代英在《中国青年》上发表的《告投考黄埔军校的青年》一文有关，她们都是看了此文后慕名而来，其中有赵一曼、胡兰畦、熊天春、陈云裳、张瑞华、杨庆桂、杨庆兰等，都是脱离家庭后走上革命道路的女性，日后在革命道路上各显英姿，最小的年龄只有十五六岁。

“同学们，今天是武汉中央军校第六期开学典礼的日子。你们从今天起，就是革命军人了！你们都是从全国各地奔赴武汉来的革命青年，都是满怀着革命的豪情到这里来从军，来学习，来战斗的。我对你们这种革命热情、革命行动表示欢迎！”作为新军校的负责人，恽代英在开学典礼上发表热情洋溢的演说。他对女生们这样说：“招收183名女生，这在中国革命史上有重大意义。中国的妇女，历来受着深重的压迫，在封建礼教的束缚下，她们是男人们的附属品，没有一点权力。俄国十月革命的炮声，惊醒了中华民族，也惊醒了广大妇女。在革命思想的影响下，中国妇女正在认识和寻求解放的真理和道路，而你们女生队的同学，是中国妇女的先锋，是中国妇女的榜样！”

如此激情的鼓动，让军校所有的男女生们热血沸腾。武汉军校共招收男女学员近4000人，中共输送了许多优秀青年，他们成了恽代英的学生，他们中的罗瑞卿、许光达、程子华、符浩等，后来都成为中国人民解放军的优秀高级将领。

然而1927年初的武汉，正处革命与反革命较量的中心。蒋介石的野心已经暴露，国民党内部发生严重分裂，左派与右派公开决裂与站队。国民党中央根据蒋介石的行为，在召开的二届三中全会上，取消了武汉军校校长制，正式委任恽代英、邓演达等为执行常委，实际由恽代英负责工作。随后蒋介石在南京和上海发动四一〇惨案和四一二反革命政变，武汉和整个中国一样，黑云压城，到处都弥漫着血腥与针对中国共产党和革命者的屠杀……在武汉的恽代英听说自己的好友、中共党员萧楚女因患病住在医院，反动军阀竟然杀气腾腾地组织一帮暴徒冲到病房，将萧楚女从病榻上拖下来杀害。如此触目惊心的现实和革命风向的转化，让恽代英震惊和痛苦。他疾呼，他愤怒，他开始新的行动……

1927年4月27日，中共第五次全国代表大会在武汉召开。82名参会者代表着全国57960多名中共党员，讨论面对时局所要做出的命运的选择。遗憾的是，在此次大会上由于党的主要负责人陈独秀等没能看清蒋介石集团的反革命行径，采取了“退”的战略战术，以至后来的整个大革命坠入严重低潮，反动派开始任意残杀共产党员和革命者，党的组织和青年团组织多数被破坏。恽代英虽然在此次大会上被选为中央委员，然而革命的发展与形势的变化，让他与其他中国共产党人一样，只能转入地下工作。因为汪精卫也已背叛革命，中共对武汉军校的领导权也从此丧失。

“四妹，我要走了！国民党到处在通令抓我……”一日，恽代英趁着夜色，跑回家，对新婚不久的妻子说。

“你能去哪儿呢？”妻子沈葆英忧虑万分地问。

“南边……我们要组织新的武装起义，不能让敌人如此猖獗！”恽代英便这样告别了妻子，只身奔往长江边的码头。黑暗中，恽代英站在船舷旁，望着鬼哭狼嚎的武汉城，悲愤交加。然而他相信“黑暗必将结束，黎明终将出现”。

他去的是江西南昌，要与周恩来、瞿秋白、李立三、邓中夏、贺龙、谭平山等中共领导人会合。他们要在南昌进行武装起义——1927年南昌起义便在这些悲愤中欲重新振奋革命的中国共产党人和革命军人们干一番大业的雄心下爆发……

南昌起义是成功的。在过去的历史书上极少提及恽代英在南昌起义中的作用，这是不公平的。恽代英和邓中夏都参加了南昌起义，而且恽代英在紧急关头同张国焘的斗争中表现出的政治立场尤其值得赞赏。“国焘同志，共产国际的错误，已经害死了中国的革命，葬送了成千上万同志的生命。去年5月，你和彭述之到广州来，也是打着中央和共产国际的旗号，用极不正当的手段，压我们接受蒋介石的‘整理党务案’，用自己的手打自己的巴掌。看来你的老毛病又犯了。这个时候，如果你要继续动摇人心，我们就坚决打倒你！”在张国焘企图制止起义的关键时刻，恽代英与周恩来等其他领导人与张国焘进行了极其严肃的斗争，足见恽代英的政治立场。如果不是赤胆忠心的党员，谁敢如此大胆地与“中央代表”和“领导”做这般无情和坚决的斗争？外形瘦弱的恽代英，在立场和信仰面前，是位钢铁巨人，没有他惧怕的人和事。

他的心目中只有革命事业和党的全部责任。

南昌起义之后，为了保全革命队伍，他奉命随起义的余部往广东转移。这一程千难万险，他与叶挺、周恩来等并肩战斗。到达广州后，他们又重新组织力量，发动了震惊中外的“广州起义”。

“什么？太雷牺牲了？”起义刚刚成功，苏维埃政权才建立几天，作为政府秘书长的恽代英一连几夜伏案起草政府宣言和命令之时，突然有人进门向他报告：起义总指挥、苏维埃政府代主席张太雷，在起义成功的第二天下午与反动军队的军舰作战中被敌舰焰火击中，当场牺牲……

“你们看清了是他吗？啊，张主席怎么可以在这个时候死了呢？他不能死！他不能死啊——”极少失态的恽代英，这回失态了，他不相信自己的好友、多年并肩作战的常州老乡就这样在起义成功之后的第二天便“走”了！

一个战友倒下了。一批战友又倒下了。广州起义建立起的苏维埃政权才三天就不得不宣告失败。恽代英无奈转移到香港，在那个小岛上从事地下工作。

在这里，他暂时有了一个相对稳定的落脚点，而且因为地下工作的需要，他接受了周恩来的建议，将远在武汉的妻子秘密接到了香港。

沈葆英后来这样回忆那段生活：

> 代英同志在香港做党的宣传工作，负责编辑党刊《红旗》。我这次来港就是在他直接领导下作宣传干事。他亲自教我搜集整理国际国内的政治资料，叫我注意敌人的内部矛盾。他还嘱咐我要提高警惕，因为香港的环境十分复杂和险恶，帝国主义的巡捕和国民党的特务到处横行，捕捉我们的同志，就是在工作室内也要随时注意窗外的情况……
>
> 代英有时在家里开会，有时出去活动，夜以继日地工作。他更加消瘦了，脸色苍白，面容憔悴，但还是不知疲倦地忙碌着。每逢有同志来我家开会，我就在楼下放哨警卫。有一天傍晚，同志们正在楼上开重要会议，我一个人坐在楼下堂屋里关上门，警惕地注意着门外的动静。忽然一阵急促的敲门声。我觉得不像自己人，就急忙上楼报信。可是就在我上楼的时候房东因不明真相，

把门打开了。大批巡捕蜂拥而上，我趁他们抓捕开会人的机会，溜进卫生间，把一卷文件塞进抽水马桶后镇定地走了出来，巡捕拿枪对着我的胸口，问谁是我的“男人”。恰巧这天代英不在。我说是刚从外地到这里找亲戚的，不认识这些人，我不顾巡捕百般威胁，只装作什么也不知道，其他同志也都说没见过我。他们见我身穿兰（蓝）旗袍，穿皮底布鞋，不像香港本地人的打扮，便撇下我，气势汹汹地把几个男同志带走了。他们走后，我赶紧把当作暗号的一串红辣椒收起，就急速地出门了。我毫无目的地走着。不知走了多远，夜深了，我才走进一间房子，以刚从外地来，找不到旅馆为由，向主人借宿了一夜。第二天清晨，我又来到街上游逛，想打听被抓走同志的消息，想找到代英同志，但他现在在哪里？我又怎么去找呢？我心里真是又着急，又难过。

正当我在街头徘徊的时候，忽见代英远远而来，我高兴极了，忙走过去，但从他的眼神中看出，不应同他在街上说话，我便尾随着他来到一个房间里。我和代英谈起这次被搜查的情况，不免流露出难过的感情。他却坚定地鼓励我说：“革命是免不了风险，免不了牺牲的。要经得起考验，我还以为你也被捕了。你隐蔽了自己，还算是机智的。被捕的同志我们会设法营救的。”我们原来的住处不能回了，衣物被褥全都丢了。就是在这种情况下，代英仍然很乐观，他说：“为了革命性命都可以牺牲，还在乎这点东西？丢就丢了，只要人在就好。”

一九二八年六月，广西省第一次党代表会议在贵县东津杨士桥村召开，成立省委，党派代英同志为中央党代表前去参加。为了避免反动派的逮捕，他化装成看风水的先生，手拿风水仪表，秘密前往。现在中共广西省“一大”旧址已修复。建在旧址左旁的史料陈列馆里，挂有代英烈士的遗像，缅怀他对这次大会的参加和指导。

不久，代英告诉我，党中央要在香港举行一次机要会议，让我参加会议的保卫工作。为了迷惑敌人，会议采取办喜事的形式，在一栋张灯结彩的公馆里召开。我第一次参加这样重大的活动，心情既兴奋又紧张，特别小心地站在大门口接待“客人”，警惕地注视着大街上的动静，看有没有可疑的人。不一会，走进了一位顶有气派的“贵客”，他中等身材，穿着浅色哔叽西装，英俊而消瘦的脸上，浓眉下一对炯炯有神的眼睛。他跨进大门时，朝我亲切地点点头，那双大眼睛含着笑。我觉得他挺可亲的，正寻思着不知是谁，代英悄悄地走过来，附在我耳边小声说：他就是伍豪！我知道，伍豪是恩来的化名。我虽然没有见过，但早已闻知他不少传奇性的故事。代英很敬重恩来同志，他每次和我谈起恩来同志时，总是流出钦佩和信赖的神情。我现在见到了他，有说不出的高兴，我多么希望和这位英勇果敢的领导人握握手啊。恩来同志似乎了解我的心情，会议结束后，他象（像）老熟人一样，走到我面前，紧紧握着我的手。我真想和他说几句话，但当时的环境不允许，我只好目送着他渐渐远去的身影。与恩来同志第一次见面，给我留下了极为深刻的印象。

沈葆英清楚地记得，她和恽代英在香港大约生活了不到10个月，后夫妇两人化装成商人，乘轮船回到了上海。恽代英在中共中央任组织部秘书长。部长是周恩来，他还兼任军委书记，军政一把抓的周恩来实在太忙，尤其是四一二反革命政变后，各省的中共组织几乎全面被破坏，所以各地负责人都秘密跑到上海来向周恩来汇报工作和听取指示。同时又要抓军事工作的周恩来无法分身，所以许多组织方面的事交给了恽代英代为处理。

这时，由于刚刚经过大革命失败的严重破坏，党的组织工作的任务十分艰巨，有的地方要清理，有的地方要重建。党中央在上海办了一个训练班，恩来、罗迈、立三等同志都去讲课。由代英担任主任，主持日常工作。他工作很忙。但是，他总是乐观的，越是紧张、艰苦，他就越是朝气勃勃。为了加强对敌斗争，代英还协助部长培训了一批特科保卫人员，就是人们常说的那个“红队”。它为同志们啧啧称赞，使敌人闻风丧胆。

在恽代英身边做秘书工作的沈葆英这样回忆：

我当时担任机关的机要员，抄写药水信件，管理和递送重要文件。为了工作的需要，我有时化装成服装艳丽的少奶奶、阔太太，有时又装成衣着朴素的家庭妇女，把恩来等领导同志交给我的文件，送到指定的地方。那时邓颖超同志是机关党支部书记，她经常检查机关的保卫工作，带着我楼上楼下仔细察看，看窗口的暗号放得合不合适；机关人员的生活和服装有没有会引起敌人注意的地方。她从天井、灶壁间、穿堂到后门，都巡视了一遍，还检查了进出的路线。她边看边叮嘱我，为了保卫机关和同志们的安全，当恩来、立三、代英或其他同志在楼上谈话时，一定要下楼到门口去放哨。她还说：恩来和代英在黄埔军校和南昌起义时，两次共事，了解很深。现在是第三次共事，合作得很好。他们辛辛苦苦为党工作，我们要保护他们的健康，保障他们的安全，这是党交给我们的任务。她还嘱咐我：对代英出去工作时到过什么地方，经过哪里，在哪里吃的饭，回来得早晚，回来时后面有没有跟上“尾巴”等等，都要注意。她还爱抚地对我说：“葆英啊！一个女同志，作为他们的亲属，把他们保护好，也就是对党的贡献。”

1928年的上海，中共中央机关的每一个工作人员，随时都可能面临生与死的考验，何况是曾经在“五卅”运动中整天抛头露面的恽代英。想每天靠化装打扮后在满街都是明的暗的敌方军警与特务面前“瞒天过海”，对高度近视的恽代英而言，其实更不是件容易的事。然而，他依然乐观地生活着，更加繁忙地工作着。他也有自己的人生乐趣。次年春天，上海滩上格外寒冷，可一条小弄堂里的小阁楼上却异常温暖：恽代英的儿子出生了！

“他出世了！像每天升起的太阳一样……中国未来必有希望。”恽代英难抑内心的激动，一边在屋子里走着，一边念念有词，“就给他起名叫‘希仲’吧！隐意希望的中国！”

“希——仲，嗯，希仲，你爸爸希望我们未来的中国，像初升的太阳一样……”刚刚产子的沈葆英轻声地呼唤着儿子的名字，脸上渐渐泛起红晕……

小希仲一出世就爱笑，邓颖超大姐几乎每天都要过来抱一抱，并且唤他为“小乐天”。而周恩来每次见到希仲则总叫他“小代”。

这个时候，恽代英的家里就热闹了，叫什么的都有。最开心的还是恽代英和他的宝贝儿子小希仲，爷儿俩乐得不停地在一边寻开心，惹得周恩来跟邓颖超跑过去“抢”小乐天……

1930年春，经历了大革命低潮的中国革命，又重新高涨起来，党内“左”的思想和政策也在发展。恽代英对于这些敏锐地觉察到了，并与之斗争。恰巧此时，恽代英受党中央的委托去福建，参加在厦门召开的福建省第二次党代表大会。之后，他又在闽西山区的长汀、龙岩、永定、上杭等地视察了翻身农民的新生活，并参加了在龙岩召开的闽西第一届工农兵代表大会。

老革命根据地的政治斗争形势和新的农民革命，让恽代英感慨万千，在此他相继写下了《请看闽西农民造反的成绩》和《闽西苏维埃的过去和将来》等文章，热情歌颂出现在东方大地上的新曙光。接着，他又在福州领导工人斗争，深得福建党内外革命者的敬仰和爱戴，中共福建省委特意写报告请示中央要求将恽代英留在他们那里工作。

“成何体统！让他去是发动群众，组织力量，推进新的革命浪潮，他竟然在那里搞‘调和主义’，其实质就是革命的对立面的‘右倾机会主义’！”时任中央负责人的李立三对恽代英在福建的做法大为不满，给他扣上“取消派”、“调和主义”、“右倾机会主义”等大帽子，并要求他立即回到上海，对他加以排斥、打击。4月，恽代英从福建回到上海。恽代英被剥夺了在党内原有的政治身份和职务。无奈的他，只能回到妻子和刚出生的儿子身边。

“我去向周恩来和邓大姐说，他们这样做对你不公平！”妻子沈葆英委屈地要去申诉。恽代英拉住她，说：“有多少好同志为党献出了生命，我们还有什么东西舍不得呢？我们和敌人的斗争一分钟也不能停止，但要正确地估计形势并讲究策略。”

在党内的重要职务没有了，但恽代英说，他依然是一名党员，一名革命战斗员，他要继续为革命工作。

1930年“五一”刚过去一星期，这一天早晨，恽代英还像往日一样出门去杨树浦与地下党组织接头安排近期工作。临出门前，妻子沈葆英依然为他整理好衣衫，同时又检查了他上下口袋里有无不该带出的文件与纸片，然后塞了点零钱，再三叮咛“当心点”、“早点回”一类的话，便送他出了家门。

“放心吧，又不是头一回出去……”恽代英抬了抬鼻梁上的眼镜，朝妻子笑笑，便消失在上海街头。

这天下午，恽代英怀揣一包传单，准备上杨树浦老怡和纱厂，跟一位党支部负责人接头。谁知他走着走着，碰上一群英国巡捕在街头搜查行人。恽代英高度近视，等他反应过来，人已经站在了离巡捕十来米远的地方，如果他转身奔跑，吃的就是枪子；如果他站在原地，就只能等待被搜查。恽代英稍稍转过身，佯装眼镜花了摘下来擦眼镜，乘机伸出右手，“哗啦”几下，用手指甲抓破了自己的脸……

“你干什么？为什么抓破脸？为什么……”巡捕没有想到这个要搜查的人竟然满脸是血，随后立即对其搜身，发现一包“共党”宣传材料。

“你是什么人？共产党？”他被捕了。巡捕房审问不出名堂，因为恽代英死不承认身上带的传单是自己的。

“那你住在何处？做什么事的？”

“我只是个失业工人，刚从武汉过来，对上海情况不熟……”恽代英回答。

“住呢？住啥地方？”

“刚来，两眼一抹黑，又没工作，没个固定地方。”

“哼，狡辩！”

“咣当——”他被当作“共党嫌疑”关了起来。

不日，恽代英又被当作“共党要犯”引渡到国民党龙华警备司令部，关在漕河泾监狱的第六工场。那里共有126名难友，他们中有工人、学生、军官、士兵以及爱国人士，其中共产党员和团员有30多人。

一连多日，恽代英观察着周边的人员，发现自己的身份并没有被敌人发觉，倒是难友中有人把他认出来后，悄悄相互告诫：恽代英老师是我们党内的大领导，才华超众，大家一定要保护他，谁要出卖他，就让谁先死！如此这般，真的没有一个人戳破恽代英的真实身份。

同志们的保护也让恽代英深为感动。他在狱中一边养伤，一边开始向难友传授革命道理，讲述党的“十大纲领”和土地政策。一开始他考虑在狱中编写教材，后来想想那样容易被敌人发现。于是再三考虑，最后觉得编成歌曲唱，那样既容易传播，又不会轻易被敌人知道谁在组织这样的革命活动。于是一首激昂的新编《苏武牧羊歌》在他笔下和口中“流出”：

全国工农都起来，
苛捐和杂税，
水旱又兵灾，
勒命租，剥皮债，
做工苦难挨。
乡村有教堂，
城市有租界，
屠杀血成河，
压迫仇似海，
这是帝国主义、
国民党统治的祸害。

革命高潮涌，
红旗遍国中，
大示威，总罢工，
全国齐暴动。
抗租来灭地主，
做工八小时，
打倒国民党，
政权归工农，
工厂、矿山、铁路、
银行一切都充公。

战斗的歌曲，在牢房中传扬，敌人气得咬牙切齿，却又不知抓谁。

南京方面的国民党政府在这年8月底，将恽代英和一批“政治要犯”一起押送到苏州国民党江苏第二监狱，在几个月后，又将其押解到南京国民党中央军人监狱。为了做好营救准备，党组织先派恽代英妻子沈葆英，乔装恽代英化名的王作林妻子去探监。

沈葆英后来在回忆这次狱中诀别的情景时这样说：

一天，帅大姐来到闸北我的住所，告诉我，由于敌人没有弄清代英的真实身份，经过党的多方营救，已被从轻判刑五年。又经过红色济难会的多次联系，现已准许探监，叫我到南京江东门外国民党中央军人监狱去看望代英。我听后非常高兴，怀着急切的心情，草草地准备了一下，就从上海搭车去南京了。数月没有丈夫消息，我突然被探监的喜讯兴奋得不知如何是好。我忙做准备去了南京。

下了火车，经过水西门，走了十多里荒路，来到江东门。我走进戒备森严的黑漆大门，穿过几条阴森森的暗道，来到探视的地方。这是一间低矮的房子，墙壁上开着个小方洞，透过方洞望去，在距离三尺的对面房子的墙壁上也开着一个小洞。我注视着对面方洞后面的动静。一会儿，传来哗啦哗啦的脚镣声，两个看守押着代英出来了。他披着一件黄色囚衣，长长的头发，腊（蜡）黄的面孔，我不禁鼻子一酸，差点滚出泪珠。我控制住自己，觉得不能让敌人看到掉泪。但一激动，把准备好的话全都忘了，只说了声：“你……你怎么样？”代英却很镇定。他平静地说：“四妹，你怎么啦？你看我不是很好嘛。我是被冤枉的，等刑满了，我们就能团聚了。你来时家里人都好吧？”我明白他说的“家里人”是指党和同志们，忙回答说：“好，都很好。”趁着看守不注意，悄悄把恩来同志的问候转告给代英，他激动地说：“他回来了，谢谢他。”并充满信心地说：“告诉家里人，不要挂念我，我争取早点出去，继续做生意，为家事尽力，我们的家会兴旺起来的。”

我把带来的包袱交给他，说：“家里人都很想你，知道你身体很弱，又受了折磨，让我带点东西来。里面有几件衣服和一点吃的，还有希仲的一张照片。”“希仲！”代英听我提起儿子，眼里放出了光采（彩）。他高兴地说：“你要把孩子带好，好好教育他，你不会白辛苦的，他长大了能帮助你。”又深情地对我说：“四妹，我不在家，抚养孩子，操持家务都由你一人承担，我心里是很感激的。告诉家里人，以后不要给我送东西来了。希望大家勤俭度日，预防疾病。人人健康平安，生意兴隆……”他还要说下去，一个看守从横道里走出来，大声吼着：“时间到了，不许讲话了，走！”我急了，连声喊道：“看守，看守，你们放了他吧。他有病，他没有罪，他是好人，你们放了他吧！”我忘了这是在什么地方，向看守苦苦地哀求。代英看着我，不说话，但也没有走。我们俩恋恋不舍，隔着两堵墙，在两个方洞后面对望着。一个看守走过来，推了代英一把，恶狠狠地说：“你还等什么！快走！”代英轻蔑地瞪了他一眼，庄严地说：“不许动我，我会走的！”他向我说了句“费心照顾好孩子，我不会忘记你的”，就转过身去，拖着沉重的铁镣，头也不回地走了。他一步一步走去，连影子也看不见了。镣铐声也渐渐消失。我万万没有想到，这次见面竟成了我们的永诀……

是的，妻子怎知这是她与代英的最后一面呵！

不是说没有暴露身份吗？不是已经说好由政治局候补委员负责营救代英出狱吗？不是说代英在监狱里后来连审讯他的敌方审讯官都认出他后也出面保护他的吗？是的，一切都是真的。然而一切变化得太快了！快到谁也没有想到的大事来了！

真的是大事啊！时任中共中央政治局候补委员的顾顺章在武汉执行任务中被敌人抓捕，随后叛变。在他的阴谋被同在南京敌营里的中共谍报人员钱壮飞发现后，钱壮飞及时派人报告了在上海的周恩来、陈赓等，中共中央机关迅速采取措施转移，才避免了一场毁灭性的破坏。之后，顾顺章自知无法再为蒋介石效力，突然想起恽代英还被关在南京监狱。

“他还在你们监狱里，他可是中共重要人物！本来是安排我去执行营救的……”顾顺章狗急跳墙出卖了已在虎穴中的恽代英。

蒋介石一听“恽代英”三个字，牙根都在“嘎嘎”响。“你去处置！”蒋介石命令军法部陆军署军法司长王震南出面“了结”。

1931年4月28日，国民党中央军人监狱的“星”字号牢房门被打开。恽代英抬头往外一瞟，发现一位胖乎乎的国民党高官手拿有他照片的黄埔军校校刊径直朝他走过来，心里立即啥都明白了。

“你就是恽代英？”王震南一边端详着，一边装模作样地问。

“我就是恽代英！”恽代英从容镇静地回答道。

“哟哟哟，是我们的中央执委呀！”王震南又在装了，一挥手，对身后的一帮特务说：“快请恽先生出来！”

特务们忙将恽代英从牢房中“请”出来，然后一帮人前呼后拥地将他带到审讯室。

“恽代英，你是中国青年的领袖，国家的杰出人才，我们都知道你的大名，蒋先生也是你的校长，他特意让我转告你，希望你能回来工作，他说绝不亏待你的。”王震南一副奴才相地说道。

恽代英一声冷笑，正色道：“我是国共合作时期的国民党中央执行委员会委员，我执行过孙中山先生制定的联俄、联共、扶助农工的三大政策。现在蒋介石叛变了，他与我们已经不是同路人了。我是共产党员，革的是国民党的命。这就是现在的庄严任务。这就是我现在的战斗岗位！”

王震南瞪大眼珠子，问：“你是要打倒我们国民党？没考虑过后果？”

恽代英笑道：“不外乎杀头、枪毙嘛！死，对我恽代英和千千万万个共产党员来说，早已准备好了。我随时准备为革你们国民党反动派的命而献身！”

“他硬！当年在黄埔军校他就硬！”蒋介石听完汇报后，气不打一处出，狂叫一声：“立即就地枪决！”

第二天，也就是1931年4月29日，在新一个五一节的前一天，伟大的共产主义战士、中国青年领袖恽代英被敌人推出牢房……

“同志们，再见了——革命总会胜利的！为我和所有牺牲的同志报仇！”

“中国共产党万岁！”

“打倒国民党反动派！”

“砰！砰砰砰……”一串罪恶的枪声淹没了恽代英和同志们汇聚在一起的口号声。

英雄倒在了距离牢房门口只有二三十米的地方，鲜血流淌了一地……

据后来在现场执刑的一名国民党老兵描述，那一天枪决恽代英时，王震南亲自到场监督，在审判官宣读恽代英的“罪行书”后，王震南命令执行官兵欲按倒恽代英，让他跪下。恽代英坚决拒绝，面对死亡他昂首挺胸。执行官让一个看守开枪，结果那看守双手颤抖得不能自已，连扳机都扣不动。随后执行官只得叫另外两名看守一起动手开枪，这才让身中数枪的恽代英倒在血泊之中。

“完了完了！代英完了！”周恩来得知顾顺章叛变后，当天曾在陈赓面前痛心疾首地说过。“代英的死，对我们党的损失太大了！假如代英不死，还会给党做出很大的贡献。”周恩来后来又说。1937年抗日战争爆发，国共合作再度形成，那天到南京谈判的周恩来专程与李克农到了国民党中央军人监狱，凭吊了恽代英就义。站在恽代英牺牲的地方，周恩来悲愤异常，热泪难忍。

在恽代英被枪决当晚，监狱内的同志们更是无比悲恸和仇恨，地下党支部立即做出三项决定：

一、大家应以代英同志的精神，继续斗争。

二、每年4月29日上午12时，全监难友默念，为代英同志致哀。

三、要求中国红军攻克南京后，在代英同志死难原址，立碑纪念，并将国民党反动派用以拘禁共产党人的中央监狱，改变为代英纪念学校。

这是一份特殊的带着仇恨火焰而做出的决定，它饱含和闪耀着同志们对敌人的仇恨与对恽代英的无限尊敬。

1940年6月29日，重庆《新华日报》发表文章说："……凡是接触过代英同志的，无不对他有好的印象……他是一位难得的革命青年的导师。"

三年之后的1943年，沈葆英带着她和恽代英的儿子恽希仲（周恩来叫他"小代"）经组织帮助到了延安。林伯渠和周恩来第一眼见了已经14岁的恽希仲，连声称叹："像代英！太像代英了！"邓颖超高兴地拉着小代，去见朱老总、叶剑英、邓发、李富春等恽代英的老战友、好朋友。

晚上，周恩来怀着喜悦的心情，亲昵地把小代拉到身边，问他："小代，知道你爸爸是什么人吗？"

父亲牺牲时仅有两岁的恽希仲点点头，说："他是一名共产党员。"

周恩来满意地笑笑，说："是，你爸爸是个最好的党员。他对同志爱，对敌人恨，立场坚定，爱憎分明。他朴实、热情、积极，了解群众，爱护人民。他会写文章，又会演说，在青年中影响很大，他是我们大家学习的好榜样。"

新中国成立之后，恽代英一直是中国共产党教育全体青年和共产党员的革命先烈的代表性人物。他的名字不仅刻在雨花台，而且留在了中华大地上……

第十一章
“共舞台”血溅雨花台

在雨花台烈士中，有这样13位共产党人和革命群众因所谓的“共舞台案”而被敌人一起拉到雨花台残杀，这起血腥的屠杀也一度在上海和南京两地引起强烈反响。

上海的“共舞台”很出名，今天你从虹桥火车站或机场出来往城里走，在延安东路高架桥的环路上可以看得到“共舞台”旧址，它紧挨着“大世界”。1925年，独霸上海滩的流氓大亨黄金荣与他的两个“把兄弟”合开了三鑫公司，在此基础上，又先后开办了荣记共舞台、荣记大舞台、黄金大戏院、日新浴室、大观园浴室等。这个位于延安东路433号、靠在“大世界”东面之场所，起初黄金荣给它取名为“共舞台”，意思是男女“共”演的戏院舞台。在中国的古装戏里，以前都是男的上台演出，女的是不能上台的。当时赫赫有名的大世界游乐场为了吸引更多的人，同时又迎合“新潮”，开创了“男女同台”的共舞台。它为黄金荣私产，1930年开张唱戏，以演出京剧为主。

1933年，共舞台更名为荣记共舞台，除了演戏外，还借用舞台拍电影。1936年3月9日下午，英国著名喜剧大师卓别林带着《摩登时代》女主演、他的未婚妻宝莲·高黛环球旅行抵达上海，下榻和平饭店。曾在美国演出并与卓别林结为好友的梅兰芳，接待了卓别林夫妇。当晚，卓别林由梅兰芳陪同前往共舞台，观看了京剧连台本戏《火烧红莲寺》。

一代京剧名伶关肃霜老师把上海称为“第二故乡”。1946年，18岁的她随师父戴绮霞、王韵武从家乡湖北到上海搭班，在共舞台（位于当时法租界的八仙桥，今延安东路）演出。1949年前的共舞台以机关布景和演出长篇连台本戏的海派京剧出名。此时，上海的京剧舞台繁荣昌盛，南北名角云集，好戏迭出。

1949年后的一段时间，人民政府仍允许黄金荣经营大世界和共舞台。直到1954年5月，上海市文化局接管了这个剧场，去掉“荣记”两字，正式定名“共舞台”。

1958年2月，越剧《红楼梦》在上海共舞台与观众正式见面，首轮就演出了54场，徐玉兰饰演贾宝玉、王文娟饰演林黛玉、陈兰芳饰演薛宝钗、唐月瑛饰演王熙凤、周宝奎饰演贾母……从此这些演员也名扬神州。之后，共舞台一直是上海舞台演出的主要场所，著名的《苦菜花》和《芦荡火种》皆于此首演。

共舞台在革命史册上也有它的特殊贡献，那就是1932年的“共舞台事件”。事件的过程大概是这样的。

1932年7月17日，中共地下党团组织和革命群众在当时被称为沪西共舞台的地方开大会，不想被国民党反动派包围堵袭，现场共有88人被捕，其中有不少是共产党员和青年团员。后来国民党把这些人分批处置，其中13人被拉到南京雨花台杀害，有近60人被判2年以上至15年不等的徒刑。这就是震惊一时的“共舞台事件”。当时南京、上海等地报刊，尤其是国民党控制的报纸，都以大篇幅报道，声称“捕获大批共党”“本案关系甚大”“事关颠覆党国”等，造成很大的社会影响。

这起“惨案”的发生，与当时国内外政治形势有着密切关系。大家知道，自蒋介石1927年4月18日宣布在南京成立国民政府后，表面上中国完成了形式上的统一，其实当时各地的军阀势力依旧林立，相互之间矛盾尖锐，军阀混战从未间断过。到了1930年，终于演变成蒋介石讨伐阎锡山、冯玉祥、李宗仁的“中原大战”。此次战争历时7个月，生灵涂炭，国家处于四分五裂状态，让日本军国主义有了可乘之机。1931年9月18日，日本蓄意制造“柳条湖事件”，最终酿成东北三省沦陷。

以蒋介石为首的国民党政府在对外关系上奉行“攘外必先安内”的方针，在国内则把精力放在打击苏区和“围剿”红军上。日本亡我之心不死，变本加厉，在1932年1月，又公然在上海制造了“一·二八”事变。在民族危机空前严重的关头，国民党阵营也出现了抗日派和内战派。中国共产党领导下的革命根据地和广大人民群众，自然坚决反对日本侵略，于是也有了一次次反蒋介石、反日本侵略的游行以及公开与蒋介石斗争的种种革命行动。尤其是1932年5月5日，南京政府代表与日本全权公使签订了《淞沪停战协定》，公然要求取缔一切抗日活动。忍无可忍的中国人民再也无法沉默了，抗日爱国的救亡运动由此在全国各界风起云涌、此起彼伏。

中共江苏省委按照中共中央指示，最先在1931年9月21日，于苏州召开了各界组成的反日会发表宣言，愤怒声讨日本的侵略行径；两天后的23日，南京又召开20万市民集会，请求政府对日宣战；24日，武进县抗日救国民众大会宣传实行对日经济绝交，兴起抵制日货运动。

这一年年底，国民党在南京召开第四次全国代表大会。会议期间，蒋介石装模作样地表示：“个人决心北上，竭尽职责，效命党国。”

“好嘛，老蒋既然有这话，那我们就要他付诸实际行动！”中共中央抓住这一机会，要求江苏省委和南京市委利用蒋介石的讲话，发起一场“送蒋北上抗日”运动。

11月25日，上海与杭州、北平、无锡、苏州各地学生一万多人齐聚南京。第二天，南京及外地学生共计两万余人，冒雨在公共体育场召开“欢送蒋总司令北上讨日大会”，会后到国民政府请愿，逼得蒋介石不得不出面。

“你说的要北上抗战！你保证！”

“对，我们要看你的手谕作保证。”学生们高呼着要蒋介石拿出实际行动和保证。

“我蒋某人说话是算数的！”蒋介天那天有点狼狈。他的“面子”更有些挂不住了，但他也不想当众失了“领袖”身份，所以借现场“没有笔”之由，扔下一句“你们要安心求学，拥护政府”的话，就溜走了。

“蒋介石说假话！他扯谎了！”身为国家“领袖”竟如此下作和卑鄙，此举引起广大爱国学生们更大的愤怒。

12月13日，上海、北平、武汉、广州、安庆、苏州、天津、济南等地又有无数学生来到南京示威。三天之后的16日，上海又有3000名学生来到南京。几个时间段和不同方向来的示威团联合起来，决定第二天举行向政府施压的总示威。

17日上午9时，万余名学生游行队伍浩浩荡荡地从中央大学出发，来到国民党中央党部和国民政府所在地示威。部分示威学生在路过珍珠桥时，捣毁了“中央日报”编辑部和排字房，遭到武装军警的镇压，学生重伤30余人，被捕60余人。上海来的学生杨桐恒（共青团员），头部、胸部被刺伤，跌落珍珠河里死亡，这更激怒了全国广大学生和民众。

在中国共产党领导下的民众抗日爱国运动，再度被推向纵深——“全国反帝大同盟”正式形成，以统一和推动全国的反帝反国民党斗争，掀起新的运动高潮。

上海是中共中央所在地，又是日本帝国主义力量盘踞时间较长的地方，因此根据中共中央的指示精神，江苏省委为了进一步扩大和统一全省反帝大同盟，责成地下党组织为召开“全国反帝大同盟”大会做准备，并通过报纸等公开了筹备大会的通告，公布了大会的日期与地点——希望各地民众团体届时推派代表出席大会。这样的宣示，可以显示出当时全国民众反抗日本侵略的决心和对国民党政府的强烈不满。

共舞台，就是预定租借的开会场地。然而与此同时国民党上海市公安局也发布了限制相关活动的“特别戒严令”。

敌我的行动已呈公开对立形势。一边摩拳擦掌，一边磨刀霍霍。

17日，在预定的时间、预定的地址，参加筹备会的各路抗日爱国的群众在地下党员和青年团员代表的组织下，从四面八方向设立的会场汇聚……

这天清晨，作为此次会议筹备负责人之一的复旦大学团支部书记温济泽与“上海民众反对停战协定援助东北义勇军联合会”（简称“上海民联”）青年部部长曹顺标（又名曹仁飚），提前赶到了沪西共和大戏院布置会场。7点不到，两人就到了位于戏院附近劳勃生路的接头地点。17岁的曹顺标人虽小，但聪明机灵，那天他手里拿着一包会议文稿和传单，到达现场时，看到布置会场的几个伙计在戏台上睡觉，便悄然把带来的纸包藏在一个墙洞里，然后唤醒伙计：“起来吧！啥辰光了！马上有人过来开会了！”说着，真的有参会的代表陆续来到。

“有点不太对劲！”温济泽突然紧张地说，“刚才我来的时候，看到戏院附近有不少形迹可疑的人，而且有的已混进会场。”

曹顺标急了：“那怎么办？”

“找陈祖骞去！”温济泽说的这人是今天会议的主席团主席。

两人赶紧去找他反映情况。

“都到这份上了，不开也不行了！”这位负责人为难地看着已经有很多人的大会现场，说。

“那怎么办？”温济泽焦急起来。

“派三个代表到附近公安局，请他们保护我们开会。”负责人叫来武翰章、周正余、刘志超三位，他们都是不同大学的学生代表。

可是这三个人去了之后就没有再回来。“出事了！”等在戏院门口的温济泽立即意识到情况不妙。

果不其然，他突然看到三辆大卡车朝戏院飞驰而来。

“快解散！快撤——！”温济泽刚喊出两声，那三辆大卡车已经到了他们戏院跟前。

“不许动！谁也不许动！”一群手持步枪的警察立即将会场团团包围。现场大乱，但谁也不知如何办。赤手空拳的参会者与全副武装的警察之间的较量可想而知。

当戏院内的参会代表们尚在不知所措之时，公安局出动的警车和100多名警员又将整个大戏院包围……

“坏了、坏了！坏大了！”代表们纷纷担忧起来。

也有人开始喊口号：“我们不怕他们！同心抗日，爱国无罪！”

“对，爱国无罪！他们能把我们咋样？”

勇敢无畏的抗议群众情绪激昂而高涨。反动当局也不收敛，全副武装的警察端枪挥棍，嚣张地喊话：“咋样？闹事者统统抓起来！”

“真抓人啦！他们真抓人啦——”

“快跑啊！”

现场开始大乱。人群开始无序地冲向前门后院，因为整个戏院只有一个前门，没有后门，而后院是高高的围墙。码头工人陈荣身材高大，只见他往墙根一蹲，又朝后面的人群一挥手，后面的人迅速踩在他的肩上翻墙而出。轮到温济泽时，陈荣竟然和他相互推让，结果后面赶来的警察已经冲到他们的面前，几把手枪一齐对准他俩，他们被捕……

再说戏院场内的人更无处逃离，持枪的警察们将现场的和躲藏在房间及厕所内的人一个个抓捕。一清点，共88人！

“走！走走！”

“统统上车！”

国民党警察吆喝着。

“去哪儿？”有人问。

“你说去哪儿？坐牢！吃官司去——”警察一边用枪托和枪刺顶

着那些人，一边骂骂咧咧地将这88人全部押上车，然后拉响警笛，三辆警车“呜呜”鸣叫着出了戏院，一路“威风”地宣扬着他们的“胜利”……

之后的几天里，上海滩真的“热闹”了：敌警察局的打手们忙着审讯、盘问，企图逮到共产党的“大鱼”；警察局外，中共中央和江苏省委、上海地区党团组织则忙着发动各种力量声讨和营救……

这样的较量似乎都在向社会表明各自的立场——

镇压者：看谁还敢“明目张胆”！

反抗者：我们爱国和抗日何罪之有？

镇压者：不服？那就示众！

他们真的干出来了：给所有被关押的人戴上脚镣手铐，在上海闹市区游街示众……用本地话说：让他们“出洋相”。

反抗者：抗日、爱国无罪，我们永远昂首挺胸，无所畏惧！

他们也真的这样做了：在所谓的“法庭”与“公审”中一概不予理睬。

“反了反了！”正在江西“剿共”的蒋介石听说此事后火冒三丈，下令将其统统押到南京，交军政部军法司处置！

于是，在7月29日的深夜，上海“共舞台事件”中的“犯人”被分装两辆车，从淞沪警备司令部里押出，上了夜间的火车，在黑暗中呼啸着奔向国民党政府的“老巢”南京，等待他们的是一场罕见的“调查”与“审判”……

“说，谁是你们的组织者和领导者？”毒刑室里，在皮鞭、老虎凳和烧红的烙铁面前，有人面不改色、心不多跳；有人屈膝投降，充当了革命的叛徒。

在88人中，出现了几个告密者。国民党“法官”利用叛徒李典（又名唐桂生），一连指认了参会者中的李逢春（即李鸿春）、王灿、李文达等人的身份，而那个李逢春又供出了中共江苏省委地址，并将在押人员中的一位叫萧明的年轻女团员出卖了，同时牵出了在上海南洋肥皂厂任党支部书记的萧万才。萧家是中共江苏省委的一个秘密联络点，萧万才又是此次大会的组织者之一。敌人从叛徒那儿获悉这一“情报”后，立即到上海逮捕了萧万才，同时在他家抄出些党的秘密文件。

萧家由此遭受“灭门”之灾——一家四口全部被抓。

“说，他是你的什么人？”

敌人把萧万才抓到南京后，让他年仅14岁的女儿萧明（化名王小宝）当面确认其身份。

“我不认识这个老头！”萧明一扭头，死不承认站在她面前的人是自己的父亲。

“听到没有？她不认你是父亲，你不感到伤心？”敌人狡猾地问萧万才。

萧万才一声冷笑，说：“我是有个女儿，可惜不是她。如果我真的有这样的孩子，当父亲的我会很自豪，因为她小小年纪也知道抗日爱国。可惜的是现在像你们这些国民党当官做老爷的人，好坏不分，连这样的孩子出来爱国也要坐你们的牢房，天下哪有这等公理？”

“啪！啪啪！”敌人的皮鞭抽打在女儿的身上，萧万才痛在心头，又不得不转过脸去不忍看这场面。

敌人找来出卖萧万才一家的叛徒来当场“对质”。萧万才和萧明就是不承认，弄得那个叛徒和审讯现场的国民党特务狼狈不堪。

最后敌人不得不放弃追问。14岁的萧明本该被判枪决，实在因为她年纪太小，后改为18年徒刑。

萧万才的儿子20岁，被判12年徒刑。

萧郎氏是萧万才的妻子，平时负责帮助丈夫保管文件，但因为双目失明，被判保释。

52岁的萧万才，是整个“共舞台案”中被枪决的13人中年岁最大的一位。萧万才是苏北人，贫苦家庭出身，与郎氏成婚后，其妻按当地风俗，随丈夫姓氏，因而叫“萧郎氏”。20世纪20年代，上海的民族工业开始迅速发展，用工量大，苏北许多逃难的人便来到了上海滩。萧万才一家就是这样到了上海。萧万才靠拉人力车和做苦工为生，女儿自小聪明伶俐，七八岁时就被送到缫丝厂做童工。家在闸北区的萧万才，后来进了肥皂厂，入了党，成了地下党支部书记。组织上觉得萧万才家革命基础好，就让他家成为江苏省委的一个秘密据点。14岁的女儿萧明后来也加入了共青团，参加了反帝大同盟，并任共青团闸北区委妇女部长。哪知“共舞台案”牵连了全家。叛徒出卖萧家后，萧万才尽全力保护了女儿和妻子，却无法再保护儿子和他自己。

“老萧，你真了不起！”难友们得知他一家人被牵连入狱，十分敬佩最年长的萧万才。

“我感到很光荣，也特别开心，因为我的女儿在敌人面前不仅不屈服，而且表现得非常机智勇敢，不愧是党的好女儿！如果全中国的每一家人都能爱国，那帝国主义就不敢再欺负我们了！”萧万才说。

在牢房，所有男犯被剃光了头，胸前挂着“赤匪”的招牌被要求拍照、留指纹，然后再戴上重铁镣。每个牢房号子里都架着拥挤不堪的双层床铺，上下通铺，20人住一间。8月的南京本来就有“火炉”之称，在这样的牢房内，更如火炉蒸烤，加之马桶尿粪之臭和蚊蝇横行，萧万才与难友们度日如年。

“想过好日子，简单呀：签字自省，脱离共产党！”敌人用种种手段诱惑萧万才他们。

“别废话！真正的共产党人不会怕死的。我们死都不怕，还怕苦？”萧万才蔑视着敌人的嘴脸，一身正气。

“最后再问一次：你真的不后悔？也不想反省？”敌人的枪口顶住萧万才，这样问。

“少废话，朝我胸口打吧！”钢铁汉子萧万才大义凛然道。

“哒哒哒……”一串罪恶的子弹，射穿萧万才的胸膛……他倒在血泊中，停止了呼吸，而脸上却那样平静。

这是为正义而死的人才会有的最后的表情。

这一天与萧万才一起躺在雨花台的血泊之中的还有另外12人。

“曹顺标！”看守叫的时候，曹顺标还在被窝里躺着。一声吆喝，让这位最年轻的小伙子知道生命行将结束，而他竟然没有丝毫慌乱，有序地为上身穿上一件汗衫，下身套上一条短裤，然后昂首走出牢房，并立即高呼“打倒国民党反动派！”“中国共产党万岁！”。

1915年9月出生的曹顺标，到1932年10月1日他生命结束时，仅在这个世上活了17年。牺牲前一天，他知道自己行将告别这个世界时，向同狱室的温济泽吐露心声说：“革命总会有人牺牲的，死没有什么可怕，自到南京后的那天起，我就准备随时到雨花台报到。如果我死了，只有两件事感遗憾：一件是我再也不能革命了；第二件事是，我活了17年，还没有恋爱过。我心里爱过一个女同志，看她也有意思，可是我们谁都没有说出口。现在只能永远埋在自己心里了，只有自己单相思了……”说完，他手握牢房的铁窗栏，无限深情地吟诵起他特别喜欢的匈牙利爱国诗人裴多菲的诗：“生命诚可贵，爱情价更高；若为自由故，两者皆可抛！”

与曹顺标并肩战斗、后侥幸逃脱敌人魔掌的温济泽，新中国成立后曾先后出任北京气象局副局长、中国社会科学院副院长。他回忆当年在监狱里对曹顺标的印象时，这样说：曹顺标虽然年龄不大，但斗争经验丰富，斗争精神又异常可贵。开始两人被关在一个“号子”（牢房）里。这期间，曹顺标的哥哥曾送过一条薄棉被。曹顺标有两个哥哥，大哥带领他和二哥参加了革命，但大哥抗战前在越南被人带走后就下落不明。二哥参加革命后也曾被敌人抓捕坐过两年牢，所以小弟入狱后二哥非常着急，托了不少关系给弟弟曹顺标送来棉被。在与二哥见面时，曹顺标表现得非常坚定和镇静，他说自己已经准备为革命牺牲了，如果到了那一天，希望二哥把他埋在大路上。二哥问他为什么，他说他要睁眼看着红军进南京城，把杀自己的敌人消灭，这样他才会闭上眼睛。二哥听后感动得不知说什么。兄弟俩紧握双手，挥泪告别。

温济泽说曹顺标跟他也说过类似的话。最后一次在候审室里，敌人一边用刑，一边还想诱惑曹顺标，年轻的小伙子根本不理会敌人的诡计。

“那你就等着去雨花台见阎王吧！”审讯官气急败坏道。

曹顺标冷冷一笑，回敬道：“我早已准备好迎接那一天的到来！”

年轻的曹顺标带着他心目中甜美的爱情和几分遗憾，离开了他所珍爱的这个世界。面对敌人的子弹，他在生命的最后一刻是愤怒的，因为他不想死，他原本还想让心中的爱情能够结果的……

第三位走向刑场被枪决的是许清如，25岁，苏北阜宁人，青年团员，互济会成员。

第四位走向刑场被枪决的是杨小二子，20岁，苏北阜宁人，团员，系上海闸北区秘密交通员。

第五位走向刑场的叫徐阿三，24岁，江苏盐城人，上海同兴纱厂地下党支部书记。

第六位走向刑场的是许金标，25岁，江苏靖江人，上海闸北营造业工人。

第七位走向刑场的是崔阿二，43岁，苏北阜宁人，码头工人。

第八位走向刑场的是钟明友，28岁，安徽合肥人，裁缝，上海英华里红军之友社成员。

第九位走向刑场的是邱文知，23岁，江苏徐州人，中共沪西区委“特科”人员。

第十位走向刑场的是陈山（曾太功），28岁，江苏宿迁人，上海内外棉三厂党支部书记。

第十一位走向刑场的是陈士生（陈纪盛），43岁，安徽舒城人，工人。

第十二位走向刑场的是王得盛（王明国），30岁，安徽合肥人，中共党员，内外棉四厂工会干部。

第十三位走向刑场的是柳日均（刘栋臣），30岁，苏北阜宁人，中共党员，上海市政工会干部。

“共舞台案”13位烈士全都在雨花台就义。那天行刑的国民党看守从刑场回来后，对在押的人说：“刚走的那13个人真有种！个个不怕死。有的身上中了好几枪，还在唱什么‘打个落花流水’(《国际歌》)……”

这就是共产党人和革命者的英勇气概！

请唱着这一曲慷慨的哀歌哟，
前进，前进，时光须惜，夕阳欲西斜！
顷刻月痕便上，星影便将闪遍千家；
一滴血尚在流尽哟，
与其为奴终古，不如战死平沙；
古英雄之魂都沦没何处？
似有微声正在为着我辈咨嗟！
民族的精神都沦没了么？
远远地似闻动地哀笳！
……
前进，前进，不断地前进哟，
马蹄边啼尽声声幽蛩，
一滴血都要流尽约（哟），付与寥天阒地，众绿茸茸！

（摘自洪灵菲《前进曲》诗句。洪灵菲是1934年牺牲在雨花台的一位著名烈士，上海左翼作家联盟负责人之一。）

轰动一时的“共舞台案”中，有13名革命者和共产党人在同一天被枪杀，这在雨花台烈士的历史中也是罕见的。有学者还发现一个情况：在这次“案件”中，牺牲与被判刑的83人中江苏省的有45人，而苏北地区的就有37人；13名被判死刑者中，苏北人9名，占70%。为什么“共舞台事件”中苏北人被捕的人数最多，判刑最重？

上海交通大学的一位社会学家做了分析，认为原因有二：第一，上海这座现代化大都市具备的吸引力。参加江苏省反帝大会的外省代表大多是青年知识分子，皆为求发展、接受现代化城市文明来沪，其中不少人参加了共产党和共青团组织或者党的外围组织。他们既是这次会议的重要成员，也是组织者。如上海民联负责人兼大会主席的刘芝明，曾留学日本早稻田大学，归国后任上海政法大学、暨南大学、中国公学教授，担任由54个民众抗日团体组成的上海“民反”负责人。当国民党警察冲击会场时，身材高大的码头工人陈荣甘当人梯，用肩膀托起十几个与会代表越过墙头逃出，刘芝明是其中之一。第二，7月17日的会议虽是以江苏省委名义召开的，但实际上带有全国性质。与会者绝大多数在上海工作或学习，外埠代表只有5人。为何江淮地区的苏北人所占比例最大？从上海人口构成看，这与江淮地区人口总量大有一定的关系。近代以来，苏北地区洪涝灾害不断，淮河流域的里下河平原由于地势低洼受灾尤甚，大量灾民为了活命，不得不变卖家中所有值钱的生产资料和家什筹集旅费，然后用泥砖堵住大门，举家流浪到上海。虽无法确切统计在上海苏北人的具体数字，但在苏北人主要聚居地普陀、闸北和杨浦三区，1949年的人口统计表明，苏北人所占比例皆超过63%，全市大概有250万人左右，其中盐阜地区人数最多。由此可知，上海虽然是移民城市，但苏北人占比几近半数；“共舞台事件”中有众多苏北人，而江淮地区人数甚多便是情理之中的事。

“共舞台案”一下牺牲了13位革命者，我们无法想象这些以学生和工人为主的进步人士会因为参加一场反对日本帝国主义的集会而被国民党杀害，并被一次残杀了这么多人！像萧万才和曹顺标这些普通的共产党员和青年团员，如果他们没有因为这一次“声讨集会”而牺牲的话，他们活到新中国成立后会是怎样的一些人物呢？这虽然无法“假设”和“预测”，但我知道，那“同案”的另外几十个被判刑的同志中，有3人后来在监狱里因病去世，其余多数活到了1949年之后。这些人中，有好几位成为新中国省部级领导，他们是：

杨超，后来到了延安，被称为“中国的黑格尔”，任四川省委书记；

刘志超，任河南省委秘书长；

陈明俊，任中国人民银行副行长；

陈广和，任全国计委副主任；

杨阿明，任浙江省副省长；

张钟，任国家档案局局长。

以及已经介绍过的任中国社会科学院副院长的温济泽等。

而我更想说的是，还有近20位革命者因长期在敌人的监狱中备受折磨，后来患上各种疾病而过早地离开了人世……他们虽然没有像萧万才、曹顺标等13位烈士那样牺牲在雨花台，却同样是国民党反动派制造的“共舞台惨案”的受害者。

历史同样铭记他们。

第十二章
爱和鲜血浇灌的信仰之花

在南京雨花台革命烈士纪念地，有一位女烈士一直享有很崇高的评价，并让参观者留下深刻印象。她就是黄励，牺牲前是中共江苏省委组织部部长。

照片上的黄励，戴着一顶鸭舌帽，调皮而又充满女子魅力，即使八九十年过去，我们依然能感受到当年的她是一位拥有卓越风采的革命青春女性。

在黄励烈士的遗物柜和图像上面，我们可以看到一枚心形的雨花石，它的色彩格外夺目。

这枚“心”是烈士的爱人杨放之为怀念他的妻子黄励所制。

黄励牺牲时只有28岁。她与杨放之两人在莫斯科相识与结婚，是标准的革命夫妻。黄励是湖南人，杨放之是河南人，都因为参加革命，被送到莫斯科的中山大学学习。在那里，活泼可爱的湘妹子黄励，深深地吸引了沉默寡言的河南小伙子，而风风火火的湘妹子也被一表人才的杨放之所吸引。黄励与杨放之是“姐弟恋”，黄励比杨放之大3岁，而黄励管杨放之叫“老杨”。他们两人几乎是在同一时间入狱的，黄励因为被叛徒出卖，没能从牢房里出来；杨放之后来被营救出狱，一直到2003年去世，享年95岁。

这对革命夫妻在大革命时期生死离别，爱情之歌唱了近一个世纪，令人赞叹！

黄励是湖南益阳人，1905年生，幼年丧父，家中靠母亲和姐姐做鞭炮、替别人洗衣服为生。后来，在舅父的资助下，黄励考取了中华大学。1925年加入中国共产党后，黄励便被组织选中派遣到莫斯科中山大学学习。去莫斯科的途中，她与河南籍同学杨放之相识并相爱。当时他俩是从上海坐船到海参崴，然后取道去莫斯科的。船上有湖北、江苏、河南等省的学生，因船颠簸得厉害，有个河南籍的同学病倒了，黄励拿出湘妹子的热情劲头，忙前忙后地照顾那位河南籍同学。身为河南人的杨放之，看与病人非亲非故的女同学黄励如此热情体贴地照顾他的同乡同学，不免对黄励产生了无限好感，而后来在交流中杨放之又被黄励的革命热情与必胜信心深深感染。在莫斯科中山大学求学时，两人的感情发展得越来越深，并且最后志同道合地走到了一起。小夫妻俩在莫斯科的婚礼虽然很简单，但却是浪漫而又有革命性的……

1928年，黄励随瞿秋白到德国柏林出席世界反帝大同盟会议。1929年，邓中夏为保护黄励夫妇，带他们到海参崴参加第二次太平洋地区职工代表会议，会后黄励就留在书记处工作，主编《太平洋工人》杂志。在莫斯科时，黄励曾怀有身孕，但考虑到孩子出生后会拖累革命事业，她决定把孩子打掉。杨放之虽心有不忍，可还是尊重黄励的选择，他陪她去医院打掉了他们的第一个孩子。

在黑海边度假的这对年轻的中国夫妻，看到列宁缔造的苏联欣欣向荣、人民安居乐业、一派欢乐祥和的景象，黄励不禁动情地说："什么时候，我们的国家也能像苏联这样就好了。放之，现在国内正需要懂革命理论的人才，我们回去参加实际斗争吧！"就这样，两人放弃了在苏联的优越生活，冒着随时牺牲生命的危险，毅然决然地回到国内，参加革命斗争。

1931年秋，黄励回国后，任中国革命互济总会主任兼党团书记。

1931年中共六届四中全会后，王明“左”倾教条主义错误统治了全党。在上海的中共中央机关和江苏省委机关不断遭到破坏。杨放之也未能幸免于难，不久他也被捕了。

1932年秋，黄励出任中共江苏省委组织部部长，此时她的处境已非常危险，因为她此前的职务是互济总会主任兼党团书记，经常四处奔波，抛头露面，所以很多人都认识她，国民党特务开始注意她的行踪。于是党中央决定派黄励去苏区工作。但她还没来得及成行，就被叛徒出卖。1933年4月25日上午11时，在她位于西爱斯路的住处，叛徒周光亚带着军警和法国巡捕逮捕了她。敌人搜遍了她的房间，在房内只搜出“大洋一元，小洋六角，手帕一条，钢笔一支，眼镜一副”。

法租界巡捕房当天就将黄励移交给江苏省高等法院第三分院，法院第二天就开庭审理。

在法庭上，黄励化名“张秀兰”，同审判官进行了一场针锋相对的斗争，把审判官对她的审讯，变成了她对国民党反动派罪行的揭露和批判。审判官指责她只承认自己是“张秀兰”是“欺骗”时，她便怒斥国民党：“你们国民党集团哪一天不在欺骗民众？你们同日本签订《淞沪停战协定》，又不敢公布，难道这不是欺骗？上海是中国人的地方，却要外国巡捕来抓中国人，这岂止是欺骗，简直是卖国！”

敌法官不得不让叛徒周光亚出庭作证。黄励见不得这类人渣，看准周光亚的脸，上前就伸手打了叛徒一记耳光，然后又朝叛徒脸上吐唾沫，还厉声骂道：“你这个无耻叛徒，还有脸来见我！赶紧滚开，不要站在我的面前，污辱了我的眼睛。”

叛徒灰溜溜地走了。法官得意地笑了，说：“这么说，你承认你是黄励，承认你是共产党员了？”

黄励干脆道：“我就是共产党员黄励，江苏省委组织部部长。怎么样？还想知道点啥？放心，别在我这儿瞎忙活了！我是不会告诉你们一件事的！”

敌法官假惺惺地说："你承认是黄励，那很好。只要你说一声从此不干共产党，保证让你前途无量。"

黄励一声冷笑，回答道："我是共产党员，要永远干共产党，什么高官厚禄，见鬼去吧！"

黄励智斗敌人出名了。无论哪个敌法官来，都被她驳得体无完肤。他们将她当作"重犯"从上海押去南京，关入宪兵司令部看守所。

在新的战场，黄励始终没有停止过一天的对敌斗争。她仍然像在狱外一样活跃，一会儿给难友们讲革命故事，一会儿教大家唱《国际歌》，还把苏联的海员歌译成中文来唱，鼓舞大家的斗志。

看守所有个所丁，叫张良诚，安徽人，从小失去父母，青年时流浪南京，被国民党抓去当兵，因办事伶俐，被送到南京宪兵司令部警务处第六科当勤务兵。警务处处长看他办事勤快，人又老实，便将他放到看守所当差。当时"犯人"称看守的人为班长，故狱中同志叫张良诚"张班长"。张良诚为人比较正直，对那些叛变投敌的人很鄙视憎恨，对那些硬骨头的革命者则十分敬重。黄励等革命难友，决定争取张良诚，让他为党工作。之后，黄励便利用机会经常与张良诚聊天，并引导他作为一个年轻人要"有志气，走好的人生路"。张良诚感慨地对黄励说："黄姐，你能帮我找到好的人生出路吗？"黄励便说："你在这里做好事，以后就会有好的人生出路的！"张良诚会意地点点头，从此他更加同情革命，愿意为革命工作。

之后，张良诚确实经常暗中帮助黄励等"政治犯"传递消息、送条子和信件，甚至把某某人叛变的事告诉黄励。而黄励也利用这一条特殊"通道"，将监狱的情况向狱外党组织进行了汇报。这些情报极端重要，为党组织及时了解敌情和营救狱中的同志，起到了关键性作用。

然而，张良诚最终没能逃脱敌人的魔掌。他被捕了。但他坦然道："我并不后悔。我选择了好的人生道路。"

张良诚事件让敌营的人感到惧怕。不久，由于叛徒出卖，黄励的

“罪”更加一等，“迅速处决黄励”的指令很快下来了。黄励得知后，拍拍后脑勺，笑道：“快了，快了，快到雨花台了！”甚至在放风时，她还在小院内边走边唱，没有半点畏惧。

1933年7月5日清晨，狱卒传呼黄励的叫声，惊醒了狱中许多难友。她们知道黄励剩下的时间不多了，就帮她换上干净的衣服，帮她理好蓬乱的头发。黄励深情地看了难友们一眼，叮嘱她们：“我们最后一定会胜利的！不要为我难过，保重身体，将来为党工作。”黄励想到丈夫还在监狱服刑，便从头上扯下一把头发，用小毛巾包着，对难友说：“我的丈夫现在也在狱中，如果有幸能活着出来，请你们把这包东西给他，我今生不能再与他并肩作战了，但愿我的一缕青丝可以陪伴他一生。”

当她步出牢房时，难友们都痛哭流涕，有人还高呼“黄大姐！”黄励边走边高声说：“我去了，同志们不要哭，要坚持革命到底！”

1933年7月5日这一天，黄励的鲜血洒尽雨花台……

1933年7月26日，在黄励牺牲20天后，那个被她拯救良心和灵魂的张良诚也被谷正伦下令枪决。张良诚在牺牲时竟然也像共产党人一样高呼“打倒蒋介石！”、“打倒谷正伦！”等口号。

黄励牺牲时，其丈夫杨放之还在监狱内。当得知年轻的爱妻血洒雨花台时，杨放之泪流满面，数日不吃不喝，直到狱中的同志们屡次相劝，才重新振作起精神。从此，这位革命知识分子的对敌斗争意志更加坚定不移。

1935年10月，在抗日高潮到来之际，通过党组织的营救，杨放之获释出狱，回到位于上海郊区的一所小学，一边休养一边教书。等身体康复后，他立即找到上海的党组织负责人周扬，投入周扬领导下的上海左翼文化运动，担任中央文委（上海）委员。从那时起，杨放之经常用“吴敏”这个新名字发表文章，甚至后来大家都以“吴敏”相称于他。

杨放之后来成为我党出名的才子。《新华日报》创办后，他是骨干之一。解放战争后期，他又担任过《人民日报》的总编辑。

新中国成立后，吴敏恢复使用原名杨放之，先后担任过中央财经委员会副秘书长、计划局副局长、政务院专家工作局局长、国务院副秘书长兼秘书厅主任、外国专家局局长兼党组书记等职。

杨放之生前多次到过南京雨花台。现在我们在纪念馆内所看到的那枚红“心”，就是他对烈士妻子的一份深深怀念的情……

黄励和杨放之的爱情在雨花台众多烈士中并不罕见，还有许多革命伴侣，他们的爱情是用生命和鲜血映红的信仰花朵，其光芒一直在历史的长河中闪耀。

我们稍稍扫描一下大革命时期的那个艰难岁月，就会发现：在革命面临最惨烈境况的时候，共产党人和革命者之间的情与爱，表现得更加淋漓尽致、光彩夺目。

苦难的1931年刚刚过去，中国共产党就确定了1932年的斗争方向和任务，即针对1931年日本侵略者在东北侵占沈阳而制造的“九一八”事变，发表了《中国共产党为日本帝国主义强暴占领东三省事件宣言》，指出了当前中国革命的方向是反对日本帝国主义侵略的斗争。然而以蒋介石为首的反动集团，一方面对日本侵略采取退缩政策，另一方面仍然以共产党为敌变本加厉地“会剿”苏区红军，打击各地共产党组织，企图实现一党独霸天下的阴谋。

实际上，自大革命失败以来，中国共产党人和革命者一直处在白色恐怖的笼罩下，在这新的一年，仍然是在艰难生存和缓慢发展……

仅南京地区，中共地下党组织在这一年年初，就又一次经历了毁灭性破坏：2月，京华印书馆党支部书记李向荣和军委交通员吴恕被捕后叛变投敌，供出市委准备暴动计划和市委军委书记路大奎等党员；路大奎被捕后又成叛徒。3月，市委书记王善堂被捕。王善堂经大叛徒顾顺章一游说，便也跟着叛变。在一个特定时期，一些革命信仰和意志不坚定的人，在敌人的重刑和诱惑下，纷纷变节脱党，而最可恨的是这些叛徒还帮助敌人把过去的同志与上级及组织一个个地出卖了，这样就造成组织和广大党员、团员面临更大的危险。市委书记王善堂叛变，竟然把全市的共产党员和组织都给供了出来。随后，市委负责人李昌芷、蓝文胜、毛剑霞等20多人被捕，之后江苏省委下属的多个地区党组织、长淮特委等300多人被捕，100多名党员牺牲……一位当时驻南京的日本外交官在后来于日本公布的日记中这样说：在中华门口，你经常可以看到当局（国民党）的宪兵用黄包车拉着判刑的共产党人从这儿走过，到执行枪决的屠场——雨花台去。车上的共产党人和反对政府的人士在临刑前仍然与押解他们的宪兵谈笑风生，无所畏惧，“实令人不可思议！”

高贵者与低贱者的差异就是一个天、一个地。天上的太阳永远闪耀着光芒，地下的魔鬼永远被人诅咒。

在大革命失败后的那些年里，革命与反革命之间的较量是血腥的、残忍的和不堪回首的。革命者面临牺牲和牢狱之灾的命运，反革命集团不断诱惑和利用各种手段镇压与毁灭他们，毁灭他们的组织与同志，直到毁灭他们的信仰与肉体。然而，真正的革命者和共产党人并不为之屈服，他们所表现出的正义和信仰，让人类最崇高的生命和共产主义信仰绽放出最绚丽的光彩。

在1932年中共南京市委被王善堂出卖后遭第七次破坏时，南京特委书记李耘生同志也不幸被捕，且在两个月后被敌人杀害于雨花台。

李耘生是山东人，老家广饶县位于山东中部偏北。这个地方有个大王镇，富有意义的是，前些年在这里发现了一本当年陈望道翻译的首版中文译本《共产党宣言》。一些农民珍藏了它八九十年，这是极不容易的事。问题的关键是，这里很早就有了“马克思主义”和“共产主义”的传播。大王镇有条河叫阳河，我的好友、著名作家李存葆曾对着这条河感叹过：“我们便断定这是条古人开凿的泄洪河。它百尺一弯，半里一拐，斗折蛇行，艰难地由南而北蹒跚游荡，漫过一望无际的旷野，注入渤海。令人费解的是：阳河在他县他乡中那样弯曲，而在大王竟是这般笔直！”“唯大王土肥水美，人杰地灵。”

这里出了一个革命青年，他就是李耘生。1923年加入青年团的他，后来到了济南参加革命，之后又与同乡刘子久两人回到故乡从事地下工作，在本村又发展一名地下党员。于是这个村上就有了第一批革命火种。那本《共产党宣言》就是这么留下来的。

领导和缔造这个村庄革命火种的李耘生后来到了外面的世界，一直到新中国成立后村上的人才知道他牺牲在雨花台，其妻子还是位了不起的人民共和国的妇女界领袖，后任中共中央纪律检查委员会副书记。李耘生的名字这才慢慢被传扬，而最早宣传和传播李耘生事迹的当数南京雨花台革命烈士纪念馆。因为李耘生是当年中共南京市委的特委书记，因为他的事迹在雨花台先烈中颇具代表性，还因为他是“我们的章大姐”的爱人。

像我这样年龄的人，都知道中国共产党内有几个“大姐”是非常了不得的人物，比如邓颖超大姐、康克清大姐等都是赫赫有名、受人尊敬的革命老大姐，因为她们不仅是人民共和国开国领袖们的夫人，而且本人都是身经百战、吃尽千辛万苦的革命家。还有一些只知其名、不知其家庭背景的大姐，如钱瑛、章蕴等。写革命烈士和题材的作品，才让我知道了原来她们的丈夫已早早地为建立新中国而牺牲了生命……这样的革命大姐和她们的爱人，在年轻时为了今天的我们，他们放下了爱情，舍弃了夫妻之爱，一心投身于革命事业，无情的浪潮最后将他们卷入了一场又一场对敌斗争的最前沿和最艰难的困境。最后他们都被残暴的敌人杀害于雨花台，用对党的赤诚，续写着夫妇两重天的爱与情，用生命之血绽放着信仰与主义之花，堪称人间最壮美、最感人的情愫……

在写李耘生烈士的事迹和他的爱情与家庭的故事时，我发现了另一位与他有着类似的人生、家庭与爱情经历的牺牲在雨花台的烈士，他叫谭寿林。

谭寿林是1931年4月22日早上，在上海被全国总工会秘书处的一个叫黄大霖（化名华文卿）的叛徒出卖而被敌人抓捕的。5月23日，身为全国总工会秘书长的谭寿林被押解到南京，一周后的5月30日就被敌人杀害在雨花台，年仅35岁。

谭寿林和李耘生这两位雨花台烈士的遗孀，就是我们所熟知的钱瑛大姐和章蕴大姐。

谭寿林烈士与李耘生烈士，都既是坚强和赤胆忠心的革命者，同时又是浪漫而多情的知识分子，因而在他们身上的故事和他们与爱人之间所演绎的爱情，感天动地，催人泪下……

谭寿林烈士其实还是位作家，他的长篇小说《俘虏的生还》，以自传体的形式记述了主人公阿曼的革命斗争与革命爱情故事，是部十分精美的革命文学作品。他本人就是一位“阿曼”式的革命者，具有共产党的钢铁意志。他曾借小说中的“阿曼”之口，这样阐述他的革命气节：“残刑酷罚，苦了我的肉体，却不能伤害我的灵魂。枷锁重重，锁牢了我的肉体，却不能约束我的灵魂。我的灵魂是追随着你，追随着我们鲜明的旗帜。”我在上海写《革命者》的时候，一次又一次到龙华烈士纪念馆和上海党史资料室，才慢慢知道了作为烈士遗孀的钱瑛大姐为爱人独守了整整42年。革命队伍中都叫她“钱大姐”或“大姐”。而我则认为她应该是位“铁大姐”。

年轻人可能并不熟悉钱瑛是谁，但一定知道《洪湖水浪打浪》这首歌和《洪湖赤卫队》这部电影，那里面歌颂的一位女赤卫队长“韩英”，其原型就是她。

“韩英”活在全国人民心目中，是一个光彩的艺术形象；活在现实中的钱瑛，则是一位钢铁铸成的女战士。

我之所以总把钱瑛误读为“铁瑛”，是因为她一生清廉、干净——

物质和灵魂皆如此，但她身上的每一个细胞、每一根秀发、每一个眼神……都是铁铸的、钢炼的！

她不能不钢硬地活着。她不能不铁硬地坚持着。因为她丈夫走了，永远地走了。

她与他在上海结婚不到3个月，她就被派去苏联学习——他没有半句阻拦，且给她许多鼓励。三百八十来天，他竟然给远在几万里之外的爱人，一共写了130多封信！要知道，那个时候，从上海寄出一封信，“走”到莫斯科至少需要近一个月时间，130多封信需要多长时间啊！

1931年春，她回到了上海，回到了爱人的身边，两人终于团聚。

“钱瑛同志，组织决定让你到湘鄂西革命根据地去，配合贺龙的部队开辟那片新的革命战场，以缓解江西革命苏区的压力。”他们团聚没多久，组织已经下达了新的指令。

“好的。什么时候走？”她问。

“明天就走。有几个同志一起去，这样会安全些。”

回家后，她对他说了离开的事。他似乎预感到这次离别会成永诀，内心非常难受，但仍同意她远离了。

在钱瑛离开后，反动派对上海地下党组织和中共中央机关、江苏省委机关的破坏越来越猖獗。作为中华全国总工会秘书长的他，正在按照党的指示，积极想法恢复被破坏的总工会工作时，突然有一天被叛徒出卖而遭敌人逮捕，从此与她彻底失去了联系……

作为“共党要犯”，他被国民党上海市公安局和淞沪警备司令部特务机关来回地“审讯”，企图从他嘴里“撬”出我党的机密情报。

被捕的一个月里，敌人在他身上用尽毒刑。仅5月16日一天，在国民党公安局侦缉队手里，他就先后被“反上吊”两小时，又被烧红的铁条烙胸部和腹部，昏死一回，醒来后再来一次……如此整整折腾了近十个小时。然而敌人仅从他口中得到一个“不”字的口供。气急败坏、黔驴技穷的敌人，只得用更恶毒的手段来残害他——他们打断他的手指和脚腕，直到他一直醒不过来才罢休。

醒来之后的他，为了强忍皮肉之剧烈疼痛，竟然自编自唱起他的《少年先锋队》歌曲：

走上前去啊！曙光在前。
同志们奋斗，
用我们的刺刀和枪砸开自己的路。
勇敢上前，稳着脚步，
要高举我们的旗帜，
我们是工人和农民的少年先锋队，
我们是工人和农民的少年先锋队……

同志们说他是个永远年轻的“少年先锋队员”。他在困难和敌人面前，永远表现出童真和无畏。

他出生在广西一个偏僻的乡村。他聪明超群，因有兄弟姐妹7人，所以他必须在很小的年纪就出去帮助父母种地，甚至还要到地主家帮工。然而他就是聪明，爱读书，而且读到县中，后来竟然考上了北京大学。他有着独特的思维和观察能力。他的文章每每出手，诗情画意，谈天论地，逻辑性极强，好像从小就该当个哲学家。

他更爱写文学作品，中学时就能写反帝国主义的白话儿歌：

亚妈咗，你勿忧，
儿今抵制有机谋。
有钱咪买日人食，
无衣咪着东京绸。
日货劣，国货要研究，

待过几年儿长大，
一定挺身报恩仇。

今天的一个中学生，能写出这般有思想、有腔调的儿歌吗？有，不多。他就是那个时代的小天才。他的儿歌竟然传唱开了，让很多家长在孩子的影响下加入了抵制日货的游行行列。

他的锋利笔力是在中学少年时就显现的。那篇《丈夫当以功济四海论》，纵横天下，说论世界，豪气冲天：

夫吾国人民，号称四百兆，岂四百兆中，皆妇人女子，而无堂堂七尺之丈夫乎。既以丈夫自任，则当多事之秋，即宜毅然出而任事，勿畏难，勿偷安，勿事事徘徊，勿相推诿，热诚以保国家。

来到北大读书时，他是幸运的，因为革命导师李大钊已经在这里开设了诸如“唯物史观”、“史学思想”、“现代政治”等课程。他是北大国文系学生，所以他有更多机会聆听李大钊教授的课，那是一种真正的受益与受用。马克思主义、共产主义学说，对一个贫苦家庭出身的青年知识分子而言是何等的解渴！

这是1923年的事。次年，谭寿林在第一代共产党人黄日葵的介绍下，加入了他渴望已久的中国共产党，从此走上了一条革命者的必由之路。他参加了李大钊领导的中共北方区委和中国劳动组合书记部北方分部的工作，负责编辑《工人周刊》。他有了更适合于他的宣传阵地，而他的革命激情开始勃发，那首《工人歌》就是他在这个时期的名作。

工人吃苦真难当，
自从进工厂，

手劳足又忙，
资本家虐待我，
残酷似虎狼。
工作十二时，
工资又微薄，
上难供父母，
下难养儿郎，
千辛万苦为人作嫁，
谁不心惨伤！
转眼日当升，
革命旗飘扬，
工友们团结起，
奋斗求解放，
有饭大家吃，
有福大家享，
努力去冲锋，
……

1925年，根据中共中央指令，广东省委负责人周恩来亲自来到广西梧州建立当地第一个中共组织——梧州支部，代号“五枝竹”，支部书记龙启炎。这年冬，为了迅速扩大梧州地下党组织的力量，广东区委决定成立广西梧州地委，中央想到了广西籍干部谭寿林。于是29岁的谭寿林回到了故乡广西，开始了他重要的一段建党和传播马列主义的战斗生涯。

此时的谭寿林公开身份是国民党广西省立宣传员养成所老师、省党部驻梧州登记员、梧州民国日报社主任和省立二中教师。这身份让他可以有足够的天地施展才华和宣传与完成革命使命。转眼就到了

1926年1月，正是伟大革命导师列宁逝世两周年之际，“国共合作”处在关键转折时刻，国民党内部已经出现严重的左右两派分裂与斗争状态，需要重新端正中国革命的方向，因此，根据中共广东区委统一部署，要求谭寿林任书记的中共梧州地委要坚定地站出来陈述我党的态度。

“我们要利用学校的课堂，向民众和同志们公开讲座……”谭寿林的意见获得了党内同志的支持，于是在梧州市第一次有了连续3天的“梧州各界纪念列宁逝世两周年大会演讲会”。谭寿林发表的《最近的国际形势》和再次发表的前些日子已经讲过的《苏联革命成功的要点》最受欢迎。他慷慨激昂、大声疾呼道：“我们站在国民革命战线上的同志，我们留心考察，我们自己问一问自己，中国国民革命为什么尚未成功？中国国民党员在今日至少要五六倍于1917年的俄国共产党员，可为什么中国国民党的力量没有1917年的俄国共产党的力量那么大？这些都是我们要反省的。同志们！我们要努力，训练我们自己，训练我们中国国民党，使之成为一个能够革命的党。记着：这是我革命青年的责任！”

在梧州的谭寿林，如一把熊熊燃烧的火炬，点燃了当地的革命火焰。1926年2月，广州和香港由中国共产党领导的工人们，再度发起大罢工。梧州在谭寿林的领导下，组织全市6万多人声援省港大罢工，形成了反帝、反腐败政府的强大后援力量，同时为广西与梧州地区反官僚、反腐败的群众运动营造了有利环境。而此时的谭寿林抓住时机，在老家组织动员农会与地主阶级展开面对面的斗争。他亲自开办平民夜读班，所编的《农民歌》在广大农村到处传播。

农民吃苦最可怜，
炎天变冷天，
穷愁不计年，

被地主和豪绅，
吃尽血与汗。
……
同胞们快起来，
努力向前边，
牺牲于革命，
心如铁石坚，
革命成功大家携手，
走向安乐园。

谭寿林领导下的中共梧州地委的革命烽火越燃越烈，刺痛了反动政府的神经。1926年，梧州人民针对反动政府设立的多如牛毛的各种苛捐杂税而掀起了一场“废捐”运动，谭寿林等中共党员们积极参与和支持群众的这场运动，并为其精心组织和引导，这就给了反动当局“除掉谭寿林等中共势力”的借口。一日，当局出动大批军警，将正在开会的谭寿林等5名梧州党团骨干逮捕，并扬言要以“阴谋暴动”之罪杀谭寿林。此举在广东、广西两省引发轩然大波……

“对手们显然想借杀谭寿林之名，威胁领导省港大罢工斗争的我广东区委！必须坚决地回击敌人的阴谋！”时任广东区委书记的陈延年立即指令相关组织部门马上行动起来，动员各界力量声援营救谭寿林。

一时间，广州和梧州及广西其他地区要求释放谭寿林的群众游行活动如飓风袭来，迫使广西省当局同意放人。但他们仍然害怕出狱后的谭寿林继续“兴风作浪”，故提出释放后的谭寿林“必须离开梧州，不得再回梧州”。中共广东区委根据当时的形势，在谭寿林等获释后，将他们接到广州。尽管只有一年多的时间，谭寿林在梧州所播下的革命种子，已经在当地生根开花……

到达广州时，身体虚弱的谭寿林却又遇到了大革命最困难的时刻：

4月10日和4月12日，蒋介石突然在南京和上海相继发动了针对中国共产党人和革命者的反革命政变，广州作为国民革命曾经的大本营，那里的国民党代表人物李济深遵循蒋介石的统一布置，也立即对共产党人进行了“清党”大屠杀。广东工人运动领袖刘尔崧、李森、李亦愚、何耀全等100多人被杀，2100多名共产党员和工人被捕，所有中共领导的全国总工会、香港罢工委员会、广州工人代表大会等团体和组织被封杀关闭。

“马上离开，重新组织和建立广东与梧州方面的联络通道……”广东区委指示谭寿林。

“行。这任务很重要！”刚从监狱出来的谭寿林身体不好，但接到这样的任务顿时令他全身热血沸腾，欣然领命。

“什么？李教授牺牲了？！”4月28日，正要离开广州的谭寿林听说了他的导师、中共缔造者之一的李大钊被奉系军阀杀害的消息，久久不能释怀。

这是一段革命最为艰难和低潮的岁月，所有的工作都难以开展。谭寿林则躲藏在故乡的一个山洞里继续努力地组织动员当地农民起义军与敌人斗争。他在那里创作了一首《土地革命山歌》，用这样的形式表达他内心的革命豪情：“杀头当作风吹帽，坐监也要闯天下……”

不久，谭寿林受中华全国总工会委派，赴香港巡视工人运动，并在那里积极组织力量支援广州起义。之后，起义失败，谭寿林化名覃树立，来到上海，任中华全国总工会秘书长。

1928年的上海，到处笼罩着白色恐怖。总工会的任务就是发动工人，与在沪帝国主义势力和反动政府进行斗争。谭寿林开始一直是协助总工会委员长罗章龙开展工作。而中华全国总工会在上海和全国各地组织的每一次工人大罢工，身为秘书长的他，既是最忙的一个人，也是最危险的工作人员之一。也就是在这个时候，谭寿林遇见了钱瑛。

这一年冬天，也就是1928年年末，经组织同意，两人结为夫妻。

后来，她到洪湖，才刚刚掀起“浪打浪”的革命风潮，在上海的他，就被叛徒出卖，进了敌人的监狱。没过多久，他又被押解到南京。

又是才一周时间，残暴的敌人就对他开杀戒了——

“姓谭的，要送你‘上路’了！”敌人叫着他的名字，将他从上海押解到南京，押解到雨花台……

“砰砰！”第一排罪恶的子弹，没有打倒他。

“哒哒哒……”第二排扫射的子弹仍然没有打倒他。

刽子手惊恐地拔出刺刀，连连向他腹部、头部、胸部猛刺一阵，又补上一排子弹……

中国共产党的钢铁战士、中国工人运动的领袖、广西中共组织的缔造者、钱瑛同志的爱人谭寿林于1931年5月23日，牺牲在雨花台，时年35岁。

“我的灵魂是追随着你，追随着我们鲜明的旗帜。”这是爱人的他留给妻子的她的最后遗言。而此时他的妻子尚未从枪林弹雨的洪湖畔回来，等她化装潜回到上海后听说他被敌人残暴地枪杀在雨花台时，她真的想带上自己的游击队伍（不，此时她已经没有了队伍，即便如此，她也想带上双枪，独自赶到敌人的老巢南京），将枪杀他的仇人们杀个片甲不留！然而组织给她布置了一个紧急任务：江苏省委急需一位妇委秘书，你去吧！注意，当前斗争形势非常严峻，需要特别警惕和加强自身安全。

钱瑛真的变成了“铁瑛”——许多革命同志都这样认为，只有那些了解她的人才知道，其实工作之余的她，常常会捧着她和他的结婚照哭上一宿又一宿、一天又一天，但在革命工作和革命同志面前，她不再流一滴眼泪，甚至不说一句“软话”。

敌人见了她怕，同志见了她也会有几分胆怯，尽管她身材瘦小，说话细声细语，但从其口中吐出的每一个字、每一句话，都充满了对敌人的仇恨和对原则的铁面无私，以及对组织的绝对忠诚。

“不许动！你被捕了！”一天，她正要去参加一个地下组织的活动，由于叛徒的出卖，她还未到达现场，就被几支黑洞洞的枪管顶住了腰际——如果换作在洪湖，她会拔出手枪，给敌人以最有力的回击，然而现在的她，赤手空拳。无奈，她只能跟着特务进了敌人的龙华警备司令部监狱。

“叫什么名字？”

“彭友姑。”

“你？姓彭？不姓钱？”敌人奸诈地瞅着她的脸，企图一层层“剥皮”。

她临危不惧，坦然回答：“就是姓彭！”

“没有在洪湖待过？”

“什么红湖绿湖，我只知道上海有个漕家浜！”

“你！”敌人恼羞成怒，又无可奈何，最后不得不使出毒招：让一名叛徒来与她当面对质。

“无耻！”她举起巴掌，使尽全身力气，替自己、更替牺牲的他狠狠地打了那叛徒一耳光，“你有什么脸面跑到我的跟前来说话？你有什么资格像人一样活在这世上？滚！滚！滚滚——”

叛徒吓坏了。敌人吓坏了。谁也没有见过一个弱女子竟然会有怒火冲天的力量和惊天动地的气概！

是的，她就是有这般气概和力量。因为你不了解她，了解她的人知道，在她还没有参加革命工作之前，就为了反对包办婚姻，她可以当着父亲的面，把自己的腕筋割断……最后畏惧的是家人，成功的是她。从黄埔军校出来，在被派到莫斯科东方大学学习之后，她发现自己怀孕了，为了不影响学习和工作，她竟然拼命地跳上跳下，企图将胎儿跳掉（没有成功）。这并不是她全部的个性，在同党内的错误路线进行斗争时，她会毫不留情地当面指出那些比她职务高的领导的错误，并且铁面无私地告诉他一二三。

自然而然，她被作为“要犯”押至南京监狱，并被判15年徒刑。没有被枪毙，是因为监狱里的同志一直暗中保护她——她们知道她的丈夫已经牺牲，他们还有一个生下后就被留在万里之外的苏联的孩子……

监狱的难友们都尽一切可能来保护她，大家的心里都有一个念想：大姐在洪湖威震四方，一家人分了三个地方（一个在阴间，一个在监狱，一个在遥远的异国他乡且生死不明），大姐太不容易，一定要让大姐活着出去。

“大姐”也从此成为她名字之外的另一个称呼，甚至连一些比她大一点的将军元帅和党的创建元老后来都这样称呼她。

在监狱，她以大姐的身份，给难友们鼓勇气、树信仰、增力量。

对年轻的同志，她会把爱人留下的自传体小说《俘虏的生还》，一段一段地读给他们听，让他们明白一个革命者也有情、也有意，更有意志和信仰、方向和目标。

她和监狱里的其他几位女共产党员组成临时支部，4次成功组织和领导“绝食”运动，并以身作则学外语——因为英文报纸上可以读到苏区和红军的一些消息，那是监狱内的共产党人唯一可以直接获取的点滴的希望之光。

牢狱的日子是难熬的。当皮鞭加老虎凳摧残你的时候，受伤的不仅仅是肉体，更是对信仰与理想的考验。但她依仗着他牺牲之后对敌人的仇恨的力量，一次次挺过了敌人的种种残忍的毒刑与诱惑，甚至让残暴的对手都不得不如此感叹：这个小女人，竟然会有那么大的忍受力啊！

1937年，日本侵略者强加给中华民族的一场新的灾难，恰恰给了她和她的难友们重新获得自由和希望的机会。8月18日那天，当周恩来和叶剑英出现在国民党的“反省院”时，一番激情和温暖的话，让她在他牺牲之后第一次流下了眼泪……

她出狱了，见到了太阳。她被分配到武汉，与坐同一所监狱的革命家陶铸等一起参加中共湖北省委的工作——那是一场民族抗日的战争。她唯一感到痛苦的是她必须按照党的要求去与那些曾杀害她的爱人的国民党人打交道、搞统战！然而她向组织表示：个人的痛苦必须服从民族伟大斗争的需要，我把个人的仇恨暂时深深地埋在心底。

国民党反动派并没有真心合作，对付共产党的办法并不比杀害谭寿林的时候手软，甚至变本加厉。当日本侵略者的飞机猛烈轰炸江城时，国民党不仅早早地先撤了，还狠毒地将长江上的船只封存了起来。无奈，她在李克农的带领下，雇了一艘小火轮，结果鬼子的轰炸机将船只轰了个粉碎……后来撤离的《新华日报》同志们发现唯独少了她——“我们不能丢了大姐呀！”那一刻，男的女的同志们都哭了，怕她有个三长两短。

“我的命跟洪湖连在一起。”这回，她流出的是感激的热泪。

她活了下来，被一只渔船的船夫救上了岸，回到了她熟悉的那块地方——洪湖边。

一面红旗向日擎，几多鲜血染将成！
韩英已死钱瑛在，赢得英雄儿女名。

她的一位叫张执一的老战友为她写过这样一首诗。

又一次“想着他的牺牲而必须活下来”的她，新的一次征程是组织上让她到重庆开展那里的地下党组织工作，于是我们这些后来人才有了一个叫《红岩》的经典革命故事读。她是川东地下党组织的负责人，而作为抗战“陪都”的重庆，蒋介石的特务遍布在城市的每一个角落，不允许任何一个共产党“分子”在他们的眼皮子底下从事反对他和国民党的事情。斗争异常严酷和复杂，“甫志高”这样的叛徒，其实只是小说里的描绘，真正的“红岩故事”里，后来当叛徒的有一大串人，重庆地下党书记、副书记，组织部部长，区委书记……领导者都当了叛徒，普通党员就无法不大批地被捕与坐牢，造成的何止是“许云峰”“江姐”等人的牺牲。真实的“红岩故事”一书是我写的，书名叫《忠诚与背叛》。我知道其实“双枪老太婆”也死在监狱，还有她21岁的儿子，以及那个被敌人摧残得最厉害的女共产党员李青林等，300多位忠诚的共产党员都被敌人枪杀于黎明之前——重庆解放的几天前，敌人对包括“江姐”在内的革命者实施了集体屠杀，死者中有比“小萝卜头”还小许多的不到三岁的小烈士……

“敌人从来不对我们革命者仁慈，难道我们就该对他们心软？既然参加了革命，面对残酷的斗争和凶残的敌人，我们就不能有丝毫的幻想，必须与他们进行无情的斗争！”这是她常说的话，既用来教育同志，也时常提醒自己。

“……英特纳雄耐尔就一定要实现。”一个女高音从破祠堂里的火堆边升起，飞入夜空，到处飘荡。

那是在一九三八年的一月，湖北省委在鄂豫皖边区七里坪的一个深山破祠堂里办的党训班快要结束了。我们这一群满怀抗日热情可是什么也不懂的青年，在近两个月的学习中，才懂得一点中国革命的根本道理，懂得一点党的知识，从远道来讲课的叶剑英同志那里，懂得一点抗战形势和战略战术。在一个寒冷的夜晚，我们在大厅里烧起熊熊篝火，几十个人随便围火坐着，训练班的负责人方毅同志带来一个身材矮小、大约三十岁年纪的大姐，向我们介绍说，她就是湖北省委的组织部（部）长钱瑛同志，要我们都叫她钱大姐，并且说她曾去苏联学习过，又长期蹲过国民党的监狱，出来才不过几个月。

钱大姐对我们说些什么，早已不记得了。但是我却记得，她在我们的鼓掌欢迎下，给我们唱了一支《国际歌》。我们都知道这是革命者的歌。钱大姐虽然不是一个歌手，但是我们听起来，唱得真好。她昂着头，晶亮的眼睛望着前方，那么坚定而富于感情，就象（像）眼见着在南京雨花台和上海龙华的那些烈士们拖着铁链走向刑场时唱的一样。我相信她正想着那些烈士们，或者象（像）她在监狱里随时准备着这么唱一样。

因为听说她去过苏联，大家欢迎她用俄文唱《国际歌》，她唱了几句，然后我们大家都和着唱起《国际歌》来，是那样的慷慨激昂，那声音乘着火光，飞出祠堂，飘进夜空，飞到远方去了：

“这是最后的斗争，

团结起来，到明天，

英特纳雄耐尔就一定要实现。”

在以后的几天，钱瑛找许多学员谈话，这是她作为组织部（部）长的份（分）内事。她也和我谈过话，问我今后的去向，我和其他许多青年一样，都向往着去打游击，到敌人后方去，她笑一笑说：“各方面都需要人，由组织分配吧。”

上面这段回忆文章是我国现今在世的最长寿的当代作家马识途所写。我们的“老马识途”，现年105岁，身体仍很健康，百岁时还专门给我题过词。前些年我写《忠诚与背叛》时，曾当面请教其所经历的峥嵘岁月往事，老人坦然地回答了我的一个十分尖锐的问题：“假若你当年也被抓捕，会不会也当了叛徒？”他听后开怀大笑，说：“可惜我没那机会呀！”

新中国成立前，马识途是西南地下党组织重要成员。他是钱瑛的部下。马老对这位老领导的感情非同一般。他曾给我们回忆道：

一九三八年秋武汉沦陷前，领导叫我动员一些工人到平汉铁路南段打游击去。我想这下我一定可以一块去敌后打游击了，谁知钱大姐要我和一批同志撤退到鄂北襄樊去，不久我被派到枣阳农村去作（做）开辟工作。我工作不几个月，清理和发展了一大批党员，建立了县委。钱大姐有一天告诉我说："你不是想到敌后打游击吗？这下行了，跟我上大洪山去吧。"原来她要去任鄂中特委书记，枣阳县委划归鄂中了。我跟钱大姐去大洪山，参加鄂中特委，准备打游击，十分高兴。但是不到一个月，钱大姐又告诉我，她被调到湘鄂西省委工作，决定调我到恩施鄂西特委去工作。说实在的，不让我去打游击，我有点不高兴，况且在国民党地区工作，又危险又憋气，更不想去。钱大姐马上看了出来，严肃地批评了我："一个党员哪能凭个人兴趣办事？叫到哪里，就到哪里，叫干什么，就干什么，到最危险最困难的地方去工作，才是好同志。"

我在鄂西担任特委书记工作了大半年后，国民党掀起了第二次反共高潮。一九四〇年夏天，钱大姐那时已在南方局组织部工作，她不顾长途跋涉和危险，专门从重庆到恩施来检查工作。她和我们一起挤住在一个农民家里。她和我的爱人小刘睡在一个床上，臭虫很多，睡得不好。我是一个失业教员的身份，每天粗茶淡饭，她和我们一起过着清贫日子，我们觉得很是过意不去，她却安之若素。她说："这总比过去坐牢舒服得多了。"她给我们讲过去坐牢，臭虫多得来不及捏死，用碗水来淹，一捉就是半碗。又说吃的霉米饭，挑出的砂子装了一口袋。借此向我们进行革命气节教育。她讲雨花台牺牲的烈士多么英勇，这些对于后来小刘被捕入狱，坚持斗争，英勇牺牲，无疑是起了很好的教育作用。

钱大姐在特委会上向我们传达了中央隐蔽精干、长期埋伏的政策，并且宣布新来的何彬同志担任特委书记。临回重庆以前，她给我和小刘谈了一次话，她说了两件事：一件是我改作第二把手，绝不是因为我过去工作不好，而是为了重点转向农村工作，要我去南路川鄂湘边一带开展活动，准备武装斗争。她说共产党人从来服从组织分配，不计较名誉地位的。我一直有一种感觉，钱大姐无论说什么，不管说得多么简单，总有一股异样的力量，使你不能不欣然同意她的主张，绝无思想包袱可背。第二件事是她对小刘说，准备调她担任南方局对湘鄂西一带组织的交通员。她说交通员是上下级的纽带，十分重要，也十分危险，要随时准备牺牲。小刘也欣然同意了，并且随即跟钱大姐去重庆，第一次担任交通(员)，用很机密的办法带回来一些中央的指示文件。

一九四一年一月，皖南事变发生了，反共高潮达到顶点，由于叛徒的出卖，何彬和小刘连同她刚生下的孩子一起被捕入狱，这是鄂西党最大的损失。我和特委的小王同志把组织疏散后，到南方局去汇报。

那时重庆形势很紧张，随时可能发生突然事变。南方局当时设在红岩村，在敌特的严密包围和监视之中。钱大姐知道我到了，怕我人生地不熟，自己瞎闯上红岩村，被敌人拦住抓去。她派老蔡下山来找到我，详细告诉我怎样上山进红岩村。老蔡画了一张路线图给我看，叫我不要迷路失了方向，落进敌人陷井（阱）里去。老蔡和我约了口号，叫我第二天天黑后上去。大姐还不放心，又叫上过山的小何白天领我到红岩村对面的山上看一看路径。钱大姐对于同志的安全如此关心，如此仔细地安排，使我感动得要掉泪。

第二天天黑时候，我上山去，一路比较顺利，但是，快到大门却把我搞糊涂了，走到竹篱笆的后面去了，我着急地从篱笆退转来，不当心把竹篱笆碰响了，马上听到楼上有警铃响起来，接着听到许多人在楼上跑，我退回来到底找到了大门，顺石梯子走上去，看到楼上的灯光，我真是想哭，到底到了家了。

我进传达室才坐下，有两位警卫同志来问我，我说了口号，他们马上说：“钱大姐在等你呢！”他们叫我从一个秘密小门进去。才一上二楼，就看到钱大姐迎面走来。她和我一握手就责备我：“怎么搞的，教了你还是摸错了，我们以为发生大事了。”的确是这样，我看到走道里有几个警卫同志手里已经拿着手枪戒备了。

我只是负疚地笑了一下，钱大姐再没有说什么，引我进了她的房间，让我坐下来，默默地给我倒一杯水，却不发话。真是难堪的沉默呀！我象（像）回到娘家，坐在亲娘的面前一样，有多少话想说呀，但是我又从何说起呢？当然我首先应该报告的是我们那里组织遭受破坏的情况，何彬同志和我的爱人小刘，还有不满一月的女儿落进敌人的虎口里去了。但是我才张开嘴叫一声：“大姐！”她就用手势阻止我说下去，她用悲痛的眼神望着我，轻轻地说：“不用说了，我都知道了。”

我没有说下去，可是看到她那种伤悼又很柔和的眼神，我却止不住热泪盈眶。这不是因为想起自己的战友和爱人的被捕，而是看到她那象（像）亲娘一般的眼神，我简直想扑到她胸前放声哭一场，但是我强忍住了，赶忙用手巾擦去我的眼泪，我没有权利在她面前流泪，因为我知道她的爱人在十年以前被捕后，在南京雨花台牺牲了，我为什么用自己懦弱的眼泪去刺激她呢？她似乎理解了我，只沉静地说：“你今晚上早点去休息吧！明天我们再谈。”

第二天，钱大姐先给我看一些文件，再和我谈，她是那么严肃而又认真地和我检查我们出事的原因和善后的处理。何彬同志这个她一直器重的同志被捕了，难道她不难过吗？但是在检查工作时，她还是毫不含糊地批评何彬同志，说他对当前的白色恐怖警惕性不高，犯了错误（后来何彬同志通过他的父亲辗转送诀别信到南方局，也检讨了自己的不慎）。当我说我们准备汇报后马上回去时，她又严肃地批评了我："你以为牺牲得还不够吗？"于是她给我解释："根据中央隐蔽精干、长期埋伏的精神，不仅你们特委的人要转移，下面的骨干也要全部转移到别的地方埋伏起来，没有暴露的基层组织可以当作根子埋在那里，将来时机一来，自然会发芽展枝，开花结果的。"

我肯定地点一下头。

"她就是这样一个人，看上去弱不禁风，但说话办事，利索干脆，走路如风，筋骨如铁。生活上是个大姐，工作上又像大哥，总之她是个特殊材料组成的人。"马识途这样评价她。

重庆之后，她又回到了上海。

这时的上海，是一个垂死的政权企图借以苟延残喘的最后一块"富国之地"，因此反动政府对共产党的地下活动更加警惕，加倍追寻"苗头"，一旦发现有"共党"活动，立即进行残酷镇压。作为中共上海局组织部部长的她，承担着更加艰巨和繁重的任务，既要发展组织，更要保存实力。一向勤俭和清廉的她，现在偏偏要天天装扮成阔太太，穿梭在"十里洋场"，以求在敌人眼皮底下开展党的工作——她的性情变得更加"铁青一块"，无论在什么场合，都很少有笑容，即使在党内，所有的话语也都是"大姐式"的。听到有人背后议论，她不以为意道："只要少牺牲一个同志，你们恨我恨得咬牙切齿也无所谓。"她清楚，在革命队伍里，多数同志也是有家有室的人，失去另一半的痛苦，她已经尝够了，"我不想让其他人也去尝试这份痛……"为这，她作为党的组织部部长，对人、对干部的要求就是比一般人严出许多。

上海要解放了！许多在地下工作的人都渴望早一刻公开自己的真实身份，去自由地呼吸一口新鲜的空气，敞开胸怀去高唱一首歌，而她，就是为了满足更多同志们的这种愿望，只身去了香港，去一家一户地做工作、作动员，将滞留在香港的那些国宝级知识分子带回祖国……

新中国成立后，她成为第一任监察部部长。周恩来总理向毛泽东主席建议时就这样认为：她是一个没有个人私事挂念的人，也是一个没有私心影响工作的人。是的，她的爱人早已牺牲在南京雨花台，唯一的一个孩子在苏联也再没有找到。

《生还》何处寄萍踪，骤雨狂风肆逞凶。
几度铁窗坚壮志，千番苦战表精忠。
丹心贯日情如海，碧血“雨花”气若虹。
三十一年生死别，遗篇再读忆初逢。

1962年清明时节，她手捧谭寿林的遗作《俘虏的生还》，一边拭着泪，一边写着如上诗篇，眼泪再次在无人的时候流淌起来……

3年婚姻中不足100天在一起之后，就是32年的漫长永别。她也从一个年轻漂亮的少女，变成一个日无笑脸的老太太——除了当年的战友们依然唤她“大姐”外。似乎，除了“女监察部部长”的性别色彩外，她就是一个典型的“革命老太太”！

她以对丈夫忠贞坚守和对党的忠诚奉献，作为修炼的最高境界。后人在议论这位革命的大姐时，总有几多唏嘘，因为她一家三口，为了革命，生死三地，绝后无继。可我想，她晚年病重之际留下的四个字“我朝前看”，难道不是一个革命者最完美的希望和理想吗？

朝前看能看到什么？朝前看，就是看到了今天的我们和我们伟大的新中国呀！

她和谭寿林，还有他们失落在异国的那个孩子，当看到今天我们蒸蒸日上、如此繁荣富强的祖国时，定会在九泉之下笑颜盛开……

在雨花台采访时，我多次默默地来到烈士纪念馆，发现那里有好几位烈士因为革命而痛失了爱人，于是他（她）们中的某一个人牺牲之后，另一个人则义无反顾地接过战斗的旗帜，继续冲锋在白色恐怖或者硝烟弥漫的战场，甚至都在坚守着对已在天国的爱人的那份最深沉的爱……

李耘生和章蕴就是这样的另一对。他们应该算是天生一对，你看：她家在“湖的南”，他出生在“山的东”——湖南和山东隔着千山万水，偏偏，两人生在农历的同年又同月……

之后，“革命”让这两位远隔千山万水的一男一女，终成有缘人——

他，生在山东广饶一个叫大王镇西李村的普通农村的泥腿子娃儿，按理不会有什么出息，但偏偏这里有一所很革命的“刘集振华高等小学”。学校是当地的辛亥革命中涌现出的进步青年创办的。他进这所小学，便从小受到了反帝反封建的革命思想的教育。同时，这所新式高等小学的办学质量也十分了得，作为好学生的他，自然有机会考取青州当地最好的中学——山东省立十中。求进好学的他，考进十中后如鱼得水，因为该校不仅有一批文采出众、博学多才的先生，更有一群直接参与了五四运动的革新社会的精神导师。

他在这里有幸结识了中国共产党山东建党的重要骨干王翔千老师。王翔千在十中是教书先生，又是中国共产党早期山东组织的负责人之一，与中共一大代表王尽美、邓恩铭共同发起和创建了山东的马克思主义小组。在王翔千老师那里，他第一次知道了“马克思”，第一次知道了“布尔什维克”以及“阶级”的革命声音：

> 在这世界的群众运动的中间，历史上残余的东西，什么皇帝咧，贵族咧，军阀咧，官僚咧，军国主义咧，资本主义咧——凡可以障阻这新运动的进路的，必挟雷霆万钧的力量摧拉他们。他们遇见这种不可当的潮流，都像枯黄的树叶遇见凛冽的秋风一般，

一个一个地飞落在地。由今以后，到处所见的，都是Bolshevism战胜的旗。到处所见的，都是Bolshevism的凯歌的声。人道的警钟响了！自由的曙光现了！试看将来的环球，必是赤旗的世界！（李大钊语）

不久，他加入了青年团，又在王翔千的介绍下，与王尽美认识了。

贫富阶级见疆场，尽善尽美唯解放。
潍水泥沙统入海，乔有麓下看沧桑。

年轻的山东无产阶级革命者先锋王瑞俊在把自己名字改为“王尽美”时，就从此坚信马克思主义和共产主义，他如此赋诗曰。

认识王尽美，也使我们的主人公的思想发生了“尽美”的追求境界——成为具有共产主义情怀的革命者。这时，一场伟大的反帝运动，让他发生了革命行动上的变化，这个反帝运动就是上海的“五卅”运动。我们自然应该把他的名字换成前面已经介绍过的李耘生烈士了。

当时的李耘生只有19岁。19岁的他因为王尽美的召唤，到了山东的革命中心——济南，从此有机会与革命家王尽美、邓恩铭并肩战斗。李耘生的勤奋与实在，得到了王尽美、邓恩铭的赞赏，很快青年团济南市委的工作就交给了李耘生负责。那是一个激荡的时代，同时又是一个革命烽火熊熊燃烧的时代，年轻的革命者在这样的时代大显身手。

1925年1月，已经是中国共产党党员的李耘生，第一次来到上海，出席中国社会主义青年团第三次全国代表大会。李耘生是18位有表决权的代表之一，这18人包括了任弼时、彭述之、黄日葵等。他们代表了全国2400名青年团员，配合中国共产党，领导着全国青年的反帝反封建反官僚腐败政府的斗争。李耘生领导下的济南、青岛等地的青年运动成为全国革命的一个热点，他也因此成为中共领导机关关注的一位冉冉升起的政治新星。北伐战争开始之时，李耘生被调至党在武汉的领导机关工作。也就是在这里，他有幸结识了生命中最重要的同志加爱人……

与李耘生同年同月生的她，原名叫杜韫章。这名字是父亲起的，他希望女儿日后成为美玉一般的女子。可是湘妹子的她没有听从父亲的意愿，20岁到了武汉念大学后，因为参加革命工作，就把姓去掉，再把“韫章”这两个字调了个个儿，改叫为比较好读的“章蕴”二字。

章蕴——这名字可就太响亮了！如今的年轻人不太知道，党的十一届三中全会后的一段时间里，这“章蕴”好比“中纪委”的代名词，让许多腐败分子闻风丧胆……因为那个时候章蕴是中央纪律检查委员会副书记，人称“铁大姐”。

这是后话。我们来说上海解放后出任第一任妇委主任之前的那个年轻的章蕴——

虽然与后来的爱人李耘生远隔千里，但因为是同龄人，章蕴的人生观发生变化的起因，也是上海的一场轰轰烈烈的“五卅”运动！这场运动，让章蕴急切地想找到人生的方向。所以她到武汉，说是上大学，其实更急迫的是想找到一条她期待的革命道路。

说来也巧。她到武汉的生活依托就是姨父家，而姨父的姐姐有两个儿子，偏偏一位是中共党员，一位是青年团员，他们把湖北的一位重要的女共产党员徐全直介绍给了章蕴。

20岁的她，看着才比自己大两岁的徐全直，内心一下难以平静：人家已经为革命出生入死、走南闯北好些年，以她的经验和能力，就是一位成熟精到的大姐了呀！

“章蕴同志，现在你跟着我一起向党旗宣誓！”徐全直举起右臂，看着大眼睛、圆脸蛋的年轻湘妹子跟着她徐徐举起右臂，开始庄严地宣誓：“牺牲自己，服从组织，努力革命，永不叛变……”

“从现在开始，你就是我们党的正式同志了。记住，无论何时，一定要把党的最高利益放在比自己生命更重要的位置上，尤其是在今天的大革命时期，我们会遇到许多生与死的考验，必须心如铁一般的坚强，不能让我们的眼泪在凶恶的敌人面前流出哪怕是一滴……”

“我做到！”已是同志的她，保证道。

“现在，北伐革命军马上向武汉方向胜利开来。越是此刻，反动军阀势力越会对我们疯狂反击，因此，当前你要配合青年部长陈定一重点负责妇女的发动工作，给敌人以最重的回击！”徐全直向章蕴布置战斗任务。

“明白。”章蕴接受任务后，立即到陈定一那里报到。两人迅速就学生和妇女两方面工作进行了安排。

“白天我们分头行动，晚上回来再开一个骨干碰头会。”陈定一是位帅气而充满激情的青年，临别时他对章蕴这样说。

章蕴默默地向自己的直接领导和战友点点头，两人便各自消失在茫茫人海之中……发动和组织女工的工作既劳累又有收获的喜悦。傍晚，当章蕴拖着既兴奋又疲劳的身子往回走时，发现灯光暗淡的大街上，行人走得匆匆，而且脸上都很慌张。

“又发生什么事了？”还没等多想一念时，她的目光突然碰到了街头前面的一个灯柱上挂着的一只篾笼……里面装的什么东西呀？她上前凑近一看：天哪，是一颗血淋淋的人头！

章蕴心头一紧：又是哪位同志遇难了！她心里一急，步子就跟着往前迈过去几步……

“啊——”当章蕴看清那颗人头相貌时，差点没大声喊出来：那正是早上与她分手的陈定一！

章蕴的双眼顿时被悲怆的泪水模糊了。她多么想扑上去将篾笼放下来，将战友的头颅抱回去……可，可不行，她知道周围一定暗藏了无数密探，他们正像猎狗一样潜伏在暗处等待机会捕捉革命者。

“我的好兄弟、好同志啊！”这一夜，章蕴哭红了眼，也哭铁了心：她发誓要用自己的生命为同志和战友报仇，要用生命的全部为推翻反动政权而努力奋斗！

她从此分担起了烈士陈定一原先的那些工作，不得不像风一样地走路，火一样地燃烧于革命风云岁月里的每一刻时间之中……人们开始称她为“铁大姐”。她也自豪地说：“革命者，其意志就要像铁一样坚硬。”

“章蕴同志，组织决定派你去硚口区任组织部部长，配合新来的区委书记工作。”一天，组织上的领导这样对章蕴说。

章蕴和李耘生就这么相遇了。

李耘生聪慧、幽默，性格乐观。他革命者的形象像一颗明珠落进了章蕴的心里。后来，他任区委书记，章蕴任组织部部长兼妇女部部长，两人在一起工作，彼此非常尊重。

哪知，这对从相慕到相爱的革命青年，在获得组织批准正准备在1927年春天结婚的时候，蒋介石却在上海发动了四一二反革命政变，敌人的屠刀仿佛在一夜间向所有的共产党人砍来……

“为了保存革命实力，现在，大家可以做出选择：或留在党内，但得随时准备牺牲；或退出组织，但希望退出组织的人不要出卖党的机密……现在你们可以选择了！”李耘生在召集的党员会议上，用异常沉重的语气说道，随即又用锐利的目光询问大家。

“我留下，永远留在组织！”第一个说话的是章蕴。

“我也留下，决不退党！”又一个党员说。

“我留下……”

“我们都留下！”

“好！大家的选择让我高兴，是高兴我们平时向党所宣誓的话现在是获得承诺的时候了！”李耘生把手第一个伸向了自己的爱人。那握手的一瞬间，两人的目光碰在了一起，这碰出的是爱情与革命的一生承诺！

随后，李耘生担任了中共武汉市委书记。那时，共产党人的每一次职务升迁，就意味着多了一份牺牲的可能。可那是个什么岁月？那是个革命者今天不知明天事、今晨不知晚上事的岁月！所有的革命者都已经转入地下，即使市委书记的家，也只能在最贫困的角落“窝”起来，事实上也必须如此，而且没有经费，生活全靠自己维持。章蕴小两口的生活也只能靠章蕴一个人支撑着，她还负责地下党组织市机关的文件管理和武器看管与搬运。那时她已怀孕，放置武器的箱子很沉，她只能假装不费力地搬来搬去。

不久，章蕴出事了：有一天她出去给另一个同志送信，因为走得慢，被一个认识她的工人盯住了。好在那坏家伙并不知道她是党员，只知道她在工厂当教员，经常讲些反政府的话。

她被捕了。

敌人并不知道她的真实革命身份，看她又是孕妇，关押着审讯也没有获得任何有价值的东西。“关起来再说！”那个时候，只要是有“革命嫌疑”的人，统统被捉被杀。

她的姨父帮了忙，找关系、托关系，最后关押了一个多月，她被“无罪误捕”释放，与李耘生团聚。

李耘生根据中央安排，去南京出任地下党组织市委书记。“可是，你去了，我咋办？”肚子越来越大的章蕴焦虑地问爱人。

“我已经向组织请求了，此番远行，我把你的组织关系一起带走了。”他说，“现在你的任务是回老家安安心心地把我们的孩子生下来，然后我在金陵等你……”

她明白了。“可我怎么回湖南呢？”她发愁起来。

“有我呢！”他说，“我必须先把你送到你老家后才走呀！”

这回是她第二次流泪，因为她知道没有他的话，她和孩子将无法到达湖南老家。

爱人肩负的责任重，送她回老家的两三天后便与她依依惜别。“好好把娃儿生了，我在那边接上组织关系后就通知你过去。”

她点点头，一直看着他消失在长长的弯道上……

母亲一直担心的事还是发生了：她遇上了难产。产婆使尽浑身解数也没能保住胎儿，她则被折腾得大病一场。就在这当口，南京传来消息：他被捕了。

因为一时没有接上当地的组织，一天他在大街上走时，竟被在山东读书时的一位反动同学指认了出来。好在那家伙并不知道他现在的真实身份，于是国民党当局无奈只得按照在山东闹学潮罪判他10个月徒刑。

“我要马上去。”她拖着虚弱的身子，挎着一把雨伞，告别了母亲。

在南京的日子是凄凉的，因为她既没与组织接上线，又在异乡陌生地，为了让狱中的他安心，她边打工边为他送去所要的书籍和生活品。铁窗内外的每一次见面，便是爱的传递和相互的鼓励。她为他送去各种各样的书籍，甚至编好号……

10个月后，他被释放，两人终于又团聚了。

1930年，他们的第二个孩子来临了。就在这个时候，他们因工作需要，来到了上海。身为共产党的“大官”，他却几乎身无分文，只能给妻子租一间五六平方米的亭子间。那里面，除了一张床外，只能放一只箱子，箱子下面搁着一张小凳子。孩子生下后，无处安放小摇篮，年轻爸爸的他灵机一动：“把箱子当作小床不是挺好吗？”

她苦笑道：“就你聪明嘛。”

一日，他外出没有回来。白天劳累了一天的她，晚上实在太困，便不知不觉中睡过去了。等她被奶水涨醒后，发现孩子今晚怎么不哭不闹？再侧身一看：一直开着的箱子盖何时合上了？她“噌”地跃起身子，掀开箱盖，只见娃儿的小脸颊憋得发青……好在破箱子上有几个穿了的洞，不然后果不堪设想。

这个小生命叫“晓林”，他出生在一个动荡苦难的岁月，也是反革命势力对革命者镇压最残酷的年份。

孩子在一岁岁成长的时候，敌人对革命者的镇压也在一年比一年更残酷地进行着。中共江苏省委和上海地下党组织及南京地区的党组织里，不断有蜕变分子出卖党内同志，尤其是党的负责人。身为南京市委书记的李耘生没有幸免于难，1932年春，叛徒将他出卖。然而这一次特务们并没有在家里抓到李耘生，却把他的妹妹和两岁半的孩子抓走了……章蕴又因怀孕提前返回老家待产，才逃过一劫。

正在湖南老家的她，才知他那一头出了事不久，又一封署了假名的电报让她心胆俱碎：老李患传染病住院。

她一看便明白：爱人的他又遭逮捕了！

心急如焚的她，无奈因为即将临产，无法前往南京探望他。以为老家可以安身，哪知不几日，湖南的报纸上又登出通缉她的“通缉令”。母亲只好将她藏匿在姐姐家……

他取名“早力”的女儿在忧患中降生了。但狱中的他怎样呢？章蕴躺在床上一边瞅着肉嘟嘟的新生娃儿，一边思念和担忧着远方的爱人。

远方的爱人此时在敌人的狱中。在狱中的爱人仍然执着坚守着革命者的信仰，在同敌人做着最后的斗争——出卖李耘生的反动学生并不知道李耘生作为地下党组织负责人的真实身份，敌人也不知他就是组织郊区武装斗争、令他们胆战心惊的共产党大干部，所以李耘生坚持声称自己叫“李涤尘”，是名带领学生罢课的教师。然而，敌人并没有因此放弃追寻这位“样子很特殊的人”的真实身份。

一日，监狱看守抱着一个可爱的小男孩来到李耘生所在的7号牢房。那一刻，李耘生愣了：“我的儿子怎么来了？”

他并不知道这是敌人用的毒计：让不懂事的孩子来认爹！

果不其然，两岁的儿子，已经被抓数天，正在日夜思念自己的爹妈，当儿子一眼看到自己的父亲时，突然哇哇大叫起来：“爸爸！爸爸！我要爸爸——”

孩子的哭叫声，撕碎了李耘生的心，他无法不再理会…… 他从铁窗内伸出双手，捧着儿子稚嫩的脸蛋，靠在自己脸颊上，不停地喃喃着：“爸爸也想你，想你……”

“走！”特务们露出了狰狞的笑容，抱起孩子便走。“爸爸！我要爸爸……”孩子撕心裂肺的叫喊声，也撕裂了李耘生的心。

敌人的毒计得逞了：李耘生的身份彻底暴露了。

“现在你面前有两条路：一是把地下党组织的名单交出来，立马放你走；二是一纸判决下来，立即枪毙。”头衔很高的特务分子出现在李耘生的面前，似乎很“文雅”地来谈条件。

李耘生坦然道：“看来只有后面那条路可选择了。”

“何必呢！人生苦短，没必要一条路上走到黑。”说客道，“你们共产党内比你职务高的人到了我们这边来，也有的是……”

“那是他们。我不会。”李耘生说。

“肯定？”

“肯定。”

大特务拍拍衣服上的尘土，站起身要走，又不甘心地放下一句话：“好好想想，还有些时间给你留着，也许那时你的骨头会有所变化……”

“不会。真正的共产党人都如孙悟空，越炼身子骨越硬，还能变成火眼金睛！”

“那就等着瞧吧！”大特务气呼呼地走了。

李耘生冷冷一笑，昂首回到牢房，哼着那首他特别喜欢的《游击队员之歌》。

5月1日国际劳动节前夜，牢房里一阵骚动，一队囚车呼啸而过，鸣笛声响彻晨空…… 又一批共产党人被敌人残暴地枪杀。

第二天早上的《民生报》上刊登一则消息：“南京警备司令部昨晨（30日）6时，在中华门外雨花台刑场枪决共产党人25人，兹名单如下……”这是国民党反动派向无产阶级的劳动节宣示的淫威，也是在对牢狱中的李耘生他们进行的一种心理战术。

“现在给你最后一个机会，只要在这份书面声明上签上名字，你就可以被释放了。”敌人把一份“忏悔书”放到他的面前，这样说。

他愤怒了，回答道：“要杀就杀，我决不会在这种肮脏的地方签任何一个字的！”

1932年6月8日，凌晨时分，狱吏高喊一声：“李涤尘！出来！”

他知道这是他生命的最后一刻了。他从容地整了整衣服，转而将铺旁的书一本一本理齐，对着同室的难友们说：“没有什么珍贵的礼物，这些东西留给你们做个纪念吧！”随后，他昂首迈步，走出了黑暗的牢房……

雨花台的刑场上，刽子手们最后一次问他还有什么遗嘱，他慨然回答：“家信早已写好，遗嘱就是盼望亲人们与你们斗争到底，直至消灭你们！”

“哒！哒哒……”罪恶的子弹射向他的胸膛，鲜血顿时溅红了雨花台的那片草地。他安详地倒在地上，最后的目光中闪过爱人的她和孩子们的面容……

27岁，与引领他走上革命道路的王尽美同样的年龄牺牲在敌人的枪口下，他完美地完成了一个革命者最艰巨的历练。

他走了，可她更苦了。首先是再次失去了与组织的联系，如同一只断线的风筝，不知飞向何处。身边尚有一个刚刚出生的女儿，还有身在远方不知是死是活的儿子，以及他的那个有眼病的妹妹……她揪心一般地疼，揪心一般地无奈。

一宿又一宿的彻夜思考，年轻的共产党人的她以一个共产党人对真理百折不挠的追求精神和湘妹子的倔强性子，给自己立下三条原则：一是，一定要找到党，回到“母亲”的怀抱；二是，除去做工挣钱糊口和抚养儿女外，绝不给国民党做任何事；三是，不再结婚，清清白白、干干净净地为爱人守护他们的纯洁爱情。

她把女儿放在母亲家，独自一人外出找党。从长沙到武汉，每到一个地方，她都是先找个工作，再熟悉周围的人，等待可能出现的思想进步的人，而后向他们打听党的组织活动……这是多么艰辛而又危险的事！20世纪30年代初的岁月里，打听共产党，就意味着“找死”——用民间的话说就是这个样。但她必须这样做，否则她将一生无望，更对不起爱人的他……

她更名改姓，当过电信局接线生，做过捡烟叶的临时工，帮人养过蜜蜂。在做接线生时，她听说有个平江人的勤杂工李嫂，便出钱托李嫂回老家平江找找红军。可李嫂一走便杳无音信。苦苦等了几个月的她，只能另想办法。

于是她想到了自己的两个弟弟。她让大弟弟到苏区走一趟，并且给他写了一张纸条，缝在弟弟的帽子内。那纸条上面写着：“项英收，章蕴托。”她知道红军里有个项英知道她爱人李耘生，那样就会派人来找她。

她这么想，可大弟弟最后连到苏区的机会都没有。又是一次失望的寄托。

其实，这时的党组织也在到处寻找她。1936年秋的一天，突然有个陌生人走到她身边，悄悄地说：“请你今天到某某地方去一下，有人要见你。”

她根本不认识这人。但为了找党，她必须冒一次又一次的险。这回，她没有失望，来找她的是中共湖南地下党组织的负责同志，叫袁仲贤。袁仲贤是黄埔军校出身，曾任解放军三野参谋长，后成为新中国第一代外交官。

“从现在起，你回到党组织来了！”袁仲贤的一句话，让她热泪盈眶。那一刻，她纵然有千言万语，却只说了句：“请组织相信我，快分配我到最艰苦最困难的地方工作吧！”

这是一个纯粹的共产党人的胸怀。当年的他们就是这样走过来的，怀着如此崇高和坚贞的信仰。

从此，她就是一团革命的火焰，一颗革命的种子。走到哪儿，就在哪里生根、开花、结果……

在湘潭，她仍然以接线生的身份努力工作着，国民党党棍自以为嗅觉很灵，却不曾想到新来的女接线生竟然是共产党员！甚至在“三缺一”时的麻将牌桌上，她常常成为“搭子”。无意间，她获得了警察局局长口中吐出的许多重要情报。

她来到了新四军剧团，在江西到苏、皖、沪一带的敌后进行宣传鼓动。那些大城市里生活惯了的女团员们不适应艰苦生活，她成为她们的大姐，帮助小姐妹们克服一个个生活困难，甚至在遇到日本鬼子时，她精准的枪法多次掩护了战友的安全。剧团团长朱克靖是位1922年入党的老资格革命者，是一位参加过北伐战争和南昌起义的老同志，但中途因与党失去联系数年，后重新回到组织后在剧团工作。章蕴始终将他视为可靠的战友和兄长。1947年，朱克靖在对国民党做策反工作中被敌人杀害，牺牲在雨花台，是我党烈士中的一位杰出英雄。在朱克靖困难的时候，她给予了他积极的支持与帮助。

很快，她以专注、专心、专业的奉献，在新四军里成为大名鼎鼎的“女三杰”之一，另两位是邓六金和李坚真。章蕴的年龄在“女三杰”中居二，故人称“章二姐”。那时新四军辗转到苏中地区，当时担任中共地下党组织东南局青年部长的陈丕显才是个十八九岁的小青年，章二姐不厌其烦地教小弟弟陈丕显如何做地方百姓的工作，像爱护自己的亲弟弟一般。后来，陈丕显成了她的领导，她仍然无时无刻不像照顾亲弟弟一样爱护着他。陈丕显曾说：“从组织上，我是她领导；从思想上讲，是她帮助我。”新四军的老战友们，只要见到她，都会亲切地称她“二姐”。

敌后的反“扫荡”和反“围剿”是一场场你死我活的斗争。即便在这样随时可能牺牲的生与死的战斗之中，她依然没有忘记爱人的他最后留下的话："过去一百斤的担子两人分担，以后只好由你一个人来挑了……"当年她和他一起在城里从事地下工作时的老房东，因为"通共"也被关进监狱，李耘生在牺牲前曾让其带过一封"家书"。房东后来怕麻烦，将唯一的遗物焚烧掉了，但牢牢地记着上面这句话。

爱人的话，凝成简洁的4个字便是：一肩双担。

她将此作为对烈士丈夫的爱的誓言……1945年，抗战进入尾声时，"一肩双担"的她，正式向组织申请找回自己的儿子、烈士的遗孤——晓林。

几经周折，15岁的晓林出现在母亲面前。然而她不敢相信这竟然是自己的儿子：又小又瘦，发育不健全……

这怎么可能是我那活泼的儿子嘛？她缓缓地走近孩子身边，轻轻地挽起他的裤腿，她一眼就看到了那个十分熟悉的橄榄形疤痕……不错，就是我的儿子晓林！

她一把抱住瘦小的儿子，泪水一下子浸湿了孩子的小胸脯……"妈妈让你受苦了！"她哽咽得说不出话来。她决定把孩子带在身边，要让他成为和他革命烈士爸爸一样的大男子汉！

在奔向延安的路上，她骑在马背上，让自己的儿子也骑上马，与她一起奔向延安……

参加完延安的会议，她重新回到苏南地区，出任苏豫皖地区党委副书记。夺取城市胜利，成为当时"三野"解放军的一大任务。城市需要妇女干部，她被指令出任妇女干部学校校长。那正是一个大学校，光人数就达一万多人，于是她也就有了"女军长"的称号。新中国成立之时，陈毅把她领到毛泽东面前，介绍说："这是我们三野的女军长。"

毛泽东笑呵呵地把手伸向她，然后幽默道："那你们为啥不给她授衔？"

领袖的一句话，笑翻了那些驰骋战场的将帅们。

1949年5月26日，她一身戎装，随部队走进了她熟悉而又有些陌生的大上海，奉命接管国民党妇女运动指导委员会。作为中共华东局妇委书记兼华东区及上海市妇联主任的她，开展了一场特殊的上海妇女解放运动……

那一天，她来到她和他当年住过的新闸路胡康里B623号的那个亭子间时，她久久地抚摸着那已经被风霜吹散的门板与墙壁，百感交集，热泪纵横。

“你我誓言建立的新中国、新上海……现在实现了啊！你睁开眼睛看一眼好吗？……”她蹲下身子，掬起亭子间旁的一把土，闻了又闻，仿佛闻到了爱人的味道……

后来，她出任中央纪律检查委员会副主任之职。“你是革命的老大姐，我们信任你。”一位中央负责同志如此支持她。

她因此也在一起又一起大案中仗义执言，让党内清风习习而起。

“铁大姐”的银丝一根根地布满她的头顶，然而她的内心依然思念着她的爱人——1982年6月，在李耘生烈士殉难50周年之际，她带着子女，从北京专程来到南京雨花台。

“50年啊！分离的亲人，你让我想，你让我念……”站在烈士遗像面前，她心潮难平，不能自已，泪水顿时模糊了双眼，银丝在无风中抖动——那是她的身子在剧烈颤抖呀！

50年啊！50年的坚守，50年的苦与难、悲与伤……她独自担当，独自煎熬，独自企盼！

她都经历了，也走了过来。

祭奠的肃泪仍在流洒，夜晚的月光依旧清淡。她像当年在黄浦江畔守着孩子等待他回家的时分一样，提笔给爱人的他写下50年不曾再续的一封特殊的“情书”：

回首雨花台畔，别语匆匆遗愿。

五十易春秋，日日在肩双担。
双担，双担，未敢白头言倦。
……
回首雨花台畔，休说离愁千万。
血雨又腥风，奔走后方前线。
弹冠，弹冠，双庆地旋天转。
骇浪恶风难忘，换得神怡心旷。
春色满人间，告慰英灵如上。
如上，如上，胡不破云归望。

1995年，这位忠诚于共产主义事业和忠贞于爱人的老共产党员，走完了她艰难而壮丽的一生，回到了她九泉之下的爱人身边。在她去世之前的一个月，她对北京发生的“王宝森案件”十分气愤，奋笔写道：“腐败风气是建设中国特色社会主义的死敌。”当有人向她介绍党中央正在提消灭贫困问题时，她又欣然提笔，说：“消灭贫困，达到共同富裕，这是具有中国特色的社会主义本色，到成功之日，全世界人民视之，都会向往。”

现在，我国已经全面消除绝对贫困。我想，她知道后一定会和爱人在天堂的高远处发出朗朗笑声……

我似乎已经听到这样的笑声。

而在这笑声中，我又看到了另一对“爱人”，他俩的名字一个是大家熟悉的原国家主席刘少奇，一个是年轻人并不熟悉的雨花台烈士何宝珍。他们也是一对爱人，只是他和她分别太久、太久。而其实他即使在成为人民共和国的主席之后，仍然在心的深处珍藏着对她的爱：她“英勇坚决，为女党员之杰出者”。

我想，躺在雨花台冰冷世界城的烈士何宝珍如果听到爱人的他这样评价自己，也一定会热泪盈眶……是的，她会流泪，因为从参加革命那一天起，她就吃尽了世间女人所吃过的所有苦，经历了所有革命者所要经历的各种难——

何宝珍，湖南道县人，1902年出生，父母都是普通农民。因为受封建社会的影响，几岁时，就有大人要她穿“三寸金莲”鞋。“太疼了！我不要！不要——”何宝珍哭喊着就是不愿裹小脚。

她竟然成功了。第一次反抗让她知道了不愿做的事可以自己说了算。后来她要上学，凭着她的执着和聪颖，一直上到了去长沙念书。

在长沙那个叫“清水湾”的地方，她认识了改变她一生命运的“贵人”——毛泽东和杨开慧。他们像大哥大姐一样待她，她感到胜似亲人般的温暖。

毛泽东像待妹妹似的待她，有一天笑呵呵地对她说：“宝珍这个名字声音很好听，但字义太俗气。我改两个字，如果以后你认为不合适，也可以不要。”说着从抽屉里拿出纸和笔，写了两个字。何宝珍一看，是“葆贞”。

何宝珍激动得眼睛里闪着泪光。

毛泽东接着解释：“‘葆’字是保持繁盛的意思，‘贞’是革命贞节。字义改了，但发音还是没有变。你觉得怎么样？”

“嗯，好！我特别喜欢。以后我就用‘何葆贞’作名字了！”何宝珍开心地拿着写有“葆贞”二字的纸去告诉杨开慧。

杨开慧笑了，说：“他就是满心革命斗志，所以能给你想出这般字来……‘葆贞’确实意味不一样了！”

何宝珍则兴奋地拿起纸，举到头顶，然后旋转着喊了起来：“我叫何葆贞喽——”

这是一个都是由年轻革命者聚集在一起的革命大家庭式的地方——毛泽东和杨开慧把何宝珍（我们仍然用她原名叙述）介绍到了自修大学读书，于是她在这儿见到了一个个她十分热爱的“革命大哥”：李达、何叔衡、恽代英、张秋人、邓中夏和毛泽东的堂妹毛泽建等。

而更重要的一个人就在此时走到了她身边：那是位看样子刚20岁出头的年轻小伙子……

“来来，我给你介绍一下，他叫刘少奇，安源来的。”有一天杨开慧领着何宝珍，悄悄来到毛泽东的书房，指指那个正在同毛泽东交谈的新来客，说。

“就是领导安源工人罢工的那个刘少奇？”何宝珍问。

安源是工人夜校和工人罢工的策源地。李立三在那儿与刘少奇一起领导工人运动。

毛泽东来到安源。杨开慧和何宝珍也来到了安源。“留在这儿吧，我们需要你这样的革命女同志。”李立三看好工作勤奋又有主见的何宝珍，于是向毛泽东、杨开慧要人。

何宝珍似乎也喜欢安源这里的工作岗位。因为刘少奇安排她给工人补课，并且告诉她：“教工人知识，是一项非常崇高的革命工作，而教书的人自己就必须首先成为一个崇高的人。”

“那——我能成为崇高的人吗？”何宝珍有些胆怯地问。

刘少奇看着眼前这位天真烂漫的新同志，笑了，说：“你把书教好了，你就能成为崇高的人！”

“那——你得帮助我呵！”何宝珍用一双会说话的眼睛扑闪扑闪地看着刘少奇。

“自然，自然可以相互帮助嘛！”刘少奇被看得脸有些发烧了。

“嘻嘻……”何宝珍抿着嘴跑得老远，而在她身后留下的是一串欢快的山歌声。

都在忙碌着，都在忙碌中度过一个又一个月。只是何宝珍除了给工人补习之外，比较多一些地关注刘主任（当时刘少奇任工人俱乐部主任）的身体，因为她发现刘主任总是干咳，而且脸色很不好。她内心在为他担忧……

“宝珍同志，今天跟你谈件事……”一天，李立三来找她，送上一份《工人周刊》之后，认真地说。

“有什么任务尽管交代，宝珍我努力完成。”何宝珍一心想的是工作，哪知李立三来谈的是“个人问题”……

“我准备把你介绍到少奇同志身边去。”李立三说。

何宝珍没有反应过来，问：“干什么工作？”

李立三说：“他身体不好，需要有人照顾……”

何宝珍愣了一下：“我……又不是医生，只能帮他做做饭。”

“除了做饭，更要关心他的冷暖。”李立三说。

何宝珍半是明白又半是糊涂地点点头：“嗯，我努力服务好……”

李立三嗓门提高了：“啥服务嘛！是让你做他的爱人！”

“啊？这……”何宝珍的脸顿时绯红，她羞涩地喃喃道，“你，你这么突然……”

李立三拍拍脑袋，笑了：“怪我急的！”然后他瞅了瞅何宝珍的脸蛋，又认真地轻声问道，“你是同意的吧？点下头就是……”

何宝珍根本没有想到自己的婚姻大事来得如此突然，幸福又来得如此之快，于是从内心深处发出了“我同意”这样的意愿——她重重地点了点头。

“好嘞，我完成任务啦！”谁知李立三竟然高兴地哼着小调就往外跑。他是去告诉毛泽东、杨开慧，自然主要是去告诉战友刘少奇。

何宝珍与刘少奇结婚就这么简单，这么自然。安源是他们产生爱情和建立家庭的地方。安源也是毛泽东、杨开慧与刘少奇、何宝珍这两对战友相处得最亲密无间的地方……

作为安源煤矿工人的第一位女老师，何宝珍特别受到工人们的喜欢。何宝珍在这里也获得了最宝贵的两样东西：婚姻与革命经验。而她内心更高兴的是她现在可以用自己的行动帮助她心爱的人——丈夫刘少奇同志做些勤杂活。这是她最幸福的事儿。

在这样的幸福中，她又收获了一个更大的幸福：他们有了第一个小宝宝“斌斌”。斌斌的出世似乎也带来了奇迹：刘少奇的身体状况也开始慢慢好转。

其实，在安源的这段时间里，何宝珍收获的不仅是爱情、婚姻和做母亲的喜悦，更重要的是她在刘少奇和组织的帮助下，思想觉悟与理论水平有了迅猛的提高。雨花台纪念馆的青年学者胡卓然给我找到了何宝珍发表于1924年6月11日、18日《湘报》副刊上的一篇题为《女子教育与社会改造》的文章，当时只有22岁的何宝珍能提出和阐述这么深刻的一个社会问题，可见她不是一般的仅能当领导夫人的家庭妇女，而已经是位比较成熟的职业革命者了。

在谈到“改造社会”时，她这样说：“现在一般关心改造社会的人研究所得的结果，都是主张劳动阶级和有觉悟的学生一起来干。在教育不普及的中国，劳动界固然是无知识无觉悟。干这一回事，全靠着学生善于领导、善于组织。否则，纵使一时能够激起革命，也是非常危险。”

关于“改良教育”，她认为“非容易做到的事，况在军阀势力之下呻吟，也不啻与虎谋皮，徒劳无补”。同时她指出：“不过我们所谓改良教育，不是改良普遍的教育，只要有少数的学校，持有一种改良的目的，养成少数的特殊的人才就够了。”

关于“女子教育”问题，何宝珍着重论述了自己的见解：“若说女性，可就不同了，自美国社会学者乌德首倡女性中心的学说，证以多少实例，谓女性的道德、勇敢、决心、胆量与男性比较，均在优越地位。当时虽惹起多数人的反对，及乎近代学者爱迪斯所著的《男与女》一书上极力评定女性的真价值，指责男性中心的谬妄，这种学说似乎已成了铁案，故倘能脱除我们的法律、习惯、制度的不正当的待遇，授以更深的教育，尽量发展我们的个性，则我们自然会管束我们的本能替社会牺牲的。那么，以之干‘社会革命’，或将来‘管理政权’，要比男子干的结果要好，这是毫无疑义的。不然，纵使革命成功，或者会再有袁世凯二世，也未可知。”

“在中等以上学校的学生，没有一个人不以英雄豪杰自许，更没有一个人不以改造社会自任的。就是做起事来，好象（像）具有满腔的热血，确有奋斗，努力的精神向社会方面走的，回想近几年的爱国运动、政治运动也可窥见一斑，但是在社会上活动的人物，为什么不见有几个为人类谋幸福的人呢？”

因此她认为“女子教育”问题，实质上是“社会问题中的一部分”。“妇女问题不解决，整个社会就定会多一层障碍。”因此她坚持认为：“欲使我们彻底解放，非格外努力，使我们渐渐地明白自己的地位不可。”

从上述这些论述中，可以看出何宝珍对社会的认识和对中国妇女问题的分析，具有不一般的思想深度，这也是毛泽东、李立三及刘少奇等对她格外欣赏的地方。“宝珍就是我们革命队伍中的一个宝嘛！”毛泽东和李立三曾多次当着刘少奇的面夸他年轻的媳妇。

“还要多到实际工作中锻炼锻炼……”刘少奇总是这样说。

“宝珍，组织安排我要马上离开安源，到新的地方去工作……”突然有一天，从矿上回来的刘少奇，对正在给孩子喂奶的妻子这么说。

何宝珍知道丈夫又要到新的战斗岗位上去了，便急切地问：“我能跟你走吗？”

刘少奇点点头，但说：“斌斌不能带。”

妻子愣了：“那他怎么办？”

“托人帮助寄养……”

“他这么小就……”

“革命很危险，我们不能连累革命。”

何宝珍哭了，哭了很久。最后，为了跟随丈夫到远方去革命，她不得不放弃了儿子。斌斌被送到了老家的亲戚家寄养……

女人之苦，莫过于失去孩子。何宝珍为了跟随刘少奇从事党的工作，经上海辗转到了广州。

1925年1月，中国共产党在上海召开第四次全国代表大会，通过了《对于职工运动之决议案》，从此革命的主要任务是发动城市工人运动。刘少奇也从此成为中国工人运动的领袖而南征北战……何宝珍就这样跟随丈夫同样走南闯北。

夫妇俩忽而被派到上海，忽而又到了长沙。工人运动是街头革命，每一次罢工和上街游行，都是一次生与死的考验。刘少奇作为工人运动的领导者和组织者，他必须走在工人游行队伍的最前面……在长沙，他被捕了。

何宝珍心急如焚，多方联络营救。刘少奇是中国工人运动的领袖人物，他被捕的消息一出，震动全国各界，于是声势浩大的抗议反动政府的群众运动一浪高过一浪，直逼得关押他的反动政府放人为止。

北伐革命开始，刘少奇再度回到广州，何宝珍随行而至。1926年，第三次全国劳动大会召开，作为全国总工会的负责人，刘少奇的工作更加繁重。何宝珍一边要协助丈夫，一边还要担起家庭琐事（这时她的儿子斌斌和母亲也来到了广州）。身为革命者的何宝珍肩负双重任务，但她无怨无悔，默默地支撑着每一天……

刘少奇白天在外工作，晚上回来吃上几口饭又埋头伏案起草各种文件。那时的他抽烟很猛，屋子里常被熏得烟雾腾腾。"少抽点吧，为了你的身体，也为了革命不是？"何宝珍知道抽烟对需要思考的丈夫非常重要，可身体和革命难道不重要吗？

刘少奇点点头："有道理。先减一点吧……"

为丈夫这"减一点"，何宝珍有多高兴啊！因为在她心目中，丈夫的工作重于泰山，不能有半点闪失和耽误，而他的身体又是毛泽东、李立三两位"大哥"特别交代要她照顾好的。身为孩子的母亲，又身为老人的女儿，何宝珍本人又要下工厂，到妇女姐妹中间去宣扬革命道理、领导妇女协会，因此其母都称她像头耕田的牛，"整天只知埋头干活”。

在北伐革命节节胜利之时，国民政府也于1927年元旦宣布迁都到武汉。何宝珍随刘少奇提前到了鄂地，正当他们和其他共产党人一起准备跟帝国主义在华势力决战的时刻，蒋介石撕破脸皮，在上海发动了四一二反革命政变，武汉国民政府一片混乱，右派势力执行蒋介石的命令，也对共产党人大开杀戒。毫无疑问，刘少奇又是国民党重点追捕的对象。这时的何宝珍又成了保护丈夫的最重要的“警卫战士”。有一段时间，组织安排刘少奇一家住在白鹿洞，而国民党特务很快派出一支队伍搜捕到这儿。何宝珍一听立即将刘少奇转移到一户工人家里。他们刚落脚，敌人就追到了跟前。何宝珍急中生智，让刘少奇躺在床上，盖上一条薄薄的床单，装成快要死的可怜样儿。敌军警到这户工人家搜查时，看到床板上躺着一个又瘦又弱的中年男人，问这人是谁，周围的群众都说这是个染上传染病的人，快不行了。敌军警一听，赶紧跑到别处去搜捕了。刘少奇就这样又被何宝珍保护了一回。

“你行。看来我瘦成皮包骨也能救一回自己……”平时不爱开玩笑的刘少奇，这回也乐着说了句玩笑话。

几个月之后，在妻子何宝珍的精心照料下，刘少奇的身体有了明显好转，组织决定让他随中共中央机关秘密回到上海。何宝珍随之而去。

此时的上海，已经不再像何宝珍前几次来时那样，一切工作都得秘密地在地下进行，并且稍不留神，随时会被遍布的明枪暗哨的敌人抓捕，一旦被抓获，也几乎只有两条路：或屈膝投降，或接受被枪决的命运。

“收拾一下，明天我们到北方去……”冬天刚过，1928年初春，刘少奇又要动身到新的战斗岗位。那天列席中共中央临时政治局常委会议回家后，他对妻子说。

“那我赶紧收拾一下。”何宝珍已经习惯了丈夫的这种工作节奏。

但这次他们去的是北方的滨海城市天津，那边的气候对肺有毛病的刘少奇来说，又多了一层危险。

“你听说过因为天气冷而得肺病或者肺病加重了的吗？”刘少奇说完这话就只管忙着准备自己需要带的东西了，妻子只能在一边摇摇头，顺其而行。

“顺直执行的路线有问题，内部的事太让人担忧！”一向很少与家人讨论党内事务的他，这回就北平和河北（原称顺天府与直隶省，故党组织简称为顺直）的党内问题这样跟何宝珍谈了自己内心的观点。

自一年前奉系军阀张作霖杀害了李大钊等20名革命党人后，北方地下党组织一直处于半瘫痪状态，中央派蔡和森前往重整，但内部并不团结，又在实际中执行的是原来中央的右倾错误路线，故全局工作处处被动。刘少奇为了打开局面，不顾身体，先是去天津，转而又出任满洲省委书记，奔波于白山黑水之间。除了面临重重危险之外，他的身体健康再度恶化，这把何宝珍急坏了，她每天既要躲避敌人的追捕，又要关照丈夫的身体。尽管如此，还是出事了。有一天，刘少奇在奉天纱厂与所在厂党支部负责人谈罢工事宜时，被一名叛徒出卖被捕。

“叫什么名字？”警察盘问。

“成秉真。”刘少奇操着一口浓重的湖南话，说的“成秉真”是他的一位远房表哥，有名有姓，敌人找不出破绽。

“你是从哪里来的？到奉天干什么？”

“从武汉来。因为那边找不到工作，活不下去，所以来奉天投奔同乡混口饭吃。这不，事情还没做到，就被你们抓了起来！”刘少奇回答得天衣无缝。

但敌军警并没有那么轻易放了他。这下急坏了何宝珍。好在满洲省委积极配合营救及狱中的刘少奇没有被敌人抓住任何破绽，所以不久他被释放了。

“走，我们还往北走！”刘少奇对妻子说。

“还要往北？到冰天雪地的哈尔滨去？”何宝珍这样担心地问。

“说对了！就到哈尔滨。”

刘少奇来到哈尔滨的任务是检查这里的党组织健全问题和指导铁路工人的复工斗争。富有工运经验的他，很快打开了局面，然而寒冷的天气让刘少奇的身体每况愈下，肺病再度复发。唯一能获得安慰的是妻子何宝珍的笑脸和温暖的心，让他坚持战斗……

“立即回沪！”中央得知刘少奇的身体状况，电文指示他回上海治疗。

夫妇俩再度回到他们熟悉的地方时，共产党人和革命者的鲜血随处可见……身在旋涡中央的刘少奇、何宝珍夫妇几乎每时每刻都处在危险之中。

“革命就是这样。这才是最考验共产党员的。”刘少奇回答得很简洁，但看问题则极其深刻。

1930年6月，刘少奇受中央委派，担任中国工会代表团团长，率团到莫斯科出席赤色职工国际第五次代表大会。留在上海的何宝珍此时已经有了她与刘少奇的第三个孩子“毛毛”(刘允若)。

革命烽火仍在燃烧。从莫斯科回来主事的王明，更加疯狂地推崇从共产国际的“导师”那儿学来的那一套完全不符合中国革命国情的“理论”，在“左”倾教条主义错误支配下，打击拥有不同意见的同志。

身为中央职工部负责人的刘少奇处在风口浪尖之上。1932年，他在党内接受“检查”之后，被派到了江西苏区。这一走，他与妻子何宝珍竟成永别……

这时的何宝珍也被调到中国革命互济会总会担任领导职务和援救部部长。在大革命时期，共产党人和革命者常有牺牲和伤亡，也时常有人被捕入狱，“革命互济会”就是我党领导下的以救济革命被难者为主要任务的一个重要组织，它公开开展活动，也吸收其他社会进步人士，是在白色恐怖地区的一个很受欢迎的人道运动组织。尤其是在国民党背叛革命后，对共产党进行全面“清党”的腥风血雨中，大批革命志士被捕入狱，互济会的工作十分繁重，后来也失去了公开活动的可能，因此何宝珍他们当时一方面所承担的任务特别重，另一方面组织内部又接二连三地出现叛徒，故像她这样身份的共产党人又增加了更多政治和生命风险。

“人们常说：救人一命，胜造七级浮屠。你为我们的事业每救一位革命者和党内同志，意义就要大得多啊！”刘少奇曾经这样鼓励妻子。何宝珍当然知道自己肩上的责任和每天所要经受的风险。特别是顾顺章事件发生后，济总会本部也遭受严重破坏：先是宣传部部长罗俊被捕，后又是援救部部长被捕；秘书长朱思纶被捕后又叛变，出卖了一批济总会成员。何宝珍和后来同样成为女烈士的黄励（江苏省委组织部部长）就是在这种情况下被紧急调入济总会的。

“当时何宝珍同志领导我们的济总会，就像地下救火队一样，过不了几天就有一起重要任务去完成。那时她化名王芬芳，我们叫她王大姐……”一位曾经与何宝珍一起工作过的老同志这样回忆。

有人入狱了，就要有人去救助。这是何宝珍他们的工作职责。她当时的公开身份是教师，一有任务就马上出面去请律师，或者遇到重大人物和事件，就得动员和组织社会力量。“无论环境多么险恶，生活多么艰苦，也无论要她做什么工作，只要是党需要，她就尽自己的力量去干，而且干得非常出色，得到了同志们的高度赞扬。”《何宝珍传》上这样写道。

其实何宝珍他们所干的工作就是“求人”的事。求朋友，有时还要硬着头皮和脸面去求根本不认识甚至是敌方的人，这就需要极大的勇气和耐心，并且不得不做些“低三下四”的违心事。但为了革命，为了救援那些有难同志，她忍辱而进，不畏艰难。1933年3月28日，全国海员总工会党团书记廖承志不幸被捕。廖承志是国民党左派著名领袖廖仲恺和何香凝的儿子。蒋介石对廖仲恺的儿子反对他十分恼怒，早想下毒手。这回似乎机会来了。

“必须想尽一切办法救出廖承志同志！”党组织这样交代何宝珍。

要救廖承志，就必须搬出他的母亲何香凝。何宝珍接到任务后立即想到这一点。因为蒋介石可以杀共产党人的廖承志，却不敢动国民党元老何香凝的一根汗毛。

何宝珍想到这里，就立即动身去法租界找何香凝。然而敌人也早已料到共产党会有这一手，于是在何香凝住处附近布满了密探。何宝珍显然需要冒极大风险。

几次接近何香凝住处，却就是进不去。何宝珍经过仔细观察，找到了突破口：一日，她打扮成送东西的佣人见到了何香凝，并将廖承志被捕的消息告知了老人家。

“蒋该死真的该死哟！”老人家气得一时失神。何宝珍不得不陪着老人家，等她清醒后慢慢与她商量对策，并获得其同意。

不日，何香凝按照她和何宝珍商定的方法，发出了一封《致全国军事政治长官电》的公开信，把蒋介石集团如何逮捕她儿子的事通报全国，呼吁所有正义的人们和国民党内廖仲恺的旧部长官们帮助营救，并且连日接受记者采访。用现在的话说，廖仲恺儿子被捕的事一下弄得满世界都知道了。这还了得！先有宋庆龄过来帮助声援，后有蔡元培等上书，再有他们联合邀请上海律师团出面打官司。中国民权保障同盟也召开了紧急会议声援，鲁迅等名流一起参加，共同呼吁蒋介石“放人”！

这蒋介石不怕共产党，就怕自己的人闹他“面子”，这是他最受不了的。

让蒋介石更受不了的是，在何宝珍的帮助下，老太太何香凝竟然不顾自己一大把年岁，亲自跑到上海警察局要人！国民党警察局长哪敢得罪这么个“元老级夫人”嘛！于是赶紧请示国民党“大内”宋子文。宋子文一听也傻了，亲自给蒋介石打电话："再弄下去，何老太若有三长两短，可就不妙了啊！"蒋介石气得直跺脚，最后也只得回应宋子文："看着办吧！"

廖承志出狱了。何宝珍却被敌人盯上了。

3月底的一天，一群便衣特务迅速包围了何宝珍的住处。何宝珍感到情况不妙后，迅速抱起3岁的小儿子毛毛（刘允若），将其塞给了邻居一位阿姨，只说了句"帮助我照看一下，过两天有人来领的"，便回到自己家里，忙着销毁文件。也因为平时有保密的习惯，她身边的文件很少，加上平时她与邻居们关系好，所以敌人逮捕她时没有在现场发现什么。

但特务们已经认定她是个"共党要犯"，将其押至警察局特务部。

一番盘问，什么结果都没有。

特务们开始在何宝珍身上使用毒刑，妄图逼她屈服，然而又是一无所获。特务们只得笼统地将其称为"要犯"押解到南京。在这一路上，何宝珍看到了自己的亲密战友夏之栩及化名为张秀兰的江苏省委组织部部长黄励等。

南京的敌营监狱内，有许多"讲究"，像何宝珍这样的虽属"要犯"，但又弄不出"实据"的，特务们只得将其关在宪兵司令部看守所。这里的老监房破旧不堪，一间房"塞"了几十个人。女监房内更是空气污浊，气味难闻。何宝珍是互济会出来的，自己在家又是个带孩子的妈妈，她在监狱内便当起了受人欢迎的勤杂员，不像个老师，更不像位领导夫人。

因为敌人获不到任何新的"证据"，最后判了何宝珍15年刑期，把她关押到了南京老虎桥监狱，全名叫"江苏第一监狱"。何宝珍到这儿发现，里面的女政治犯中有她熟悉的同志，以及后来与她同囚室的帅孟奇、夏之栩、钱瑛和耿建华等，她们的年龄都接近，所以平时为了方便和保密，互称"老大"、"老二"、"老三"什么的。何宝珍进来后，同室难友就称她为“小大姐”。

帅孟奇在《女党员之杰出者》一文中这样回忆她在监狱里所认识的何宝珍：

> 突然哐啷一声，牢门开了。大家惊异地朝门口望去，一位新难友被推了进来。她，三十来岁，细瘦的身材，个子不高，身穿一件咖啡色的旗袍，女教师模样。从她那披肩的长发，苍白的脸色和衣服上几处颜色不协调的补丁看去，大概她已被关了好久，也经受了不少磨难。但清瘦的脸盘上一对大大的、活泼美丽的眼睛，却闪烁着倔强、坚毅的光芒。她一进屋，身后的牢门又咔哒（嗒）锁上了。
>
> “你……”老三愣住了。
>
> “还认得我王芬芳吗？真没想到能在这里遇见你。”新来的姐妹机灵地接口说。
>
> 这就是何宝珍。她当时以教师职业为掩护，担任上海互济会的营救部（部）长。为了营救被捕的同志，到处奔波，不幸自己也于三月底落入魔掌。在公安局被拷打了几次，没有问出结果，就被解往南京宪兵司令部。审讯中，她没有暴露自己的身份，被判处十五年徒刑，投入监狱。然而，除了老三以外，老大、老二是后来才知道她是刘少奇的妻子的。
>
> 三号号子原是个“老气横秋”的号子。说它“老气横秋”，一则是因为这号子里的人年龄大些，不够活跃，二则在监狱里自然地形成了以钱瑛、我和夏之栩为中心的领导核心，使这个号子更显得严肃。自从宝珍来后，这个号子突然变得热闹起来了。她机智、聪明、活泼、开朗。
>
> 她曾讲起在南京宪兵司令部牢房里的一件趣事，逗得大家哈哈大笑。那时她和黄海明同牢，海明带着一个一岁的女娃。一天，

熊天荆路过她们的牢房，从窗孔里塞进了一个小纸条。还没来得及打开看，就听见门外看守嚷嚷拿号子钥匙。宝珍急忙将纸条丢入空便桶内，从海明手中接过娃娃说：“你去坐在便桶上，我来唱歌。”于是她逗着娃娃，高声唱着：

“同志们，前进，迎着胜利勇敢前进……”

……

闹腾了好一会儿，看守到别的号子去了。她们便把纸条拿出擦净，打开一看，原来是让她们转递给男号子的。于是又想办法将这张污染的纸条夹在食品里送给了男牢。那个时候传递情报，谁还顾得上讲卫生呀！

在宪兵司令部的牢房里，姐妹们称宝珍为“大姐”，及至到了这里，她年龄小，就只好称她“小大姐”了。

小大姐会唱戏、唱歌，而且还擅长表演。她常常把旧戏曲填上自己编的新词，演唱给大家听。她那丰富的表情，诙谐的动作，常常引得大家捧腹大笑。大家最爱听她那出骂蒋介石的京戏：“骂一声，蒋介石，你这卖国的奸臣……”在饭后小放风的时候，看守把号子门打开，让囚犯出来刷碗。这时，别的号子的难友要小大姐表演一个，她也痛痛快快、大大方方地站在门口来上一段。她给牢狱里带来了欢乐，给姐妹们带来了精神上的鼓舞。

小大姐很关心体贴同志。她看到我和耿建华行动不便，总是抢着刷碗、提水、倒便桶。她趁这个得便出去的机会，接触其他号子的姐妹，打听消息，为同志们排解疑难，向看守做工作。总之，同牢的战友都喜欢她这乐天的性格。

……

在狱中，难友们常常为改善生活进行绝食斗争。每次斗争，小大姐都积极参加。记得，当时职工国际派到中国来的牛兰夫妇被捕，恰巧也关在这个监狱里。社会上的进步人士不断声援，要求释放他们，牛兰夫妇也在狱中绝食。为了援救牛兰夫妇，难友们向监狱当局提出释放牛兰夫妇，允许向监内送书，送食品，改善伙食，每周吃一次肉等要求。接着就开始了绝食。要取得绝食斗争的胜利，必须大伙心齐，否则不是饿死人，就是坚持不下去，使斗争失败。阴险的监狱当局就采取分化的办法，先下令把几个判无期徒刑的拉出去打一顿，然后由狱长跑来训话："你们这些人闹什么？！留得青山在，不怕没柴烧。关几年就可以出去。你们别跟着那几个无期的闹。她们是没指望的，你们还有希望。"但是姐妹们团结得很好，没有一个动摇的。平时饭量好的人，两三天后就开始呕吐，到后来都吐出了绿水，但大家仍然坚持着。俗话说，"七日不食则死"。七天过去，监狱当局害怕饿死人，不得不答应大伙提出的要求，斗争胜利了。不久，牛兰夫妇被释放出狱了。走前，牛兰夫人到牢房来看望了难友们。

绝食斗争的胜利，使监狱内的情况改善了不少，外面可以来探监，可以送书，送食品进牢；伙食也改善了些，每周吃一次荤菜。但是没隔多久，监狱当局又下令禁止送食品进狱了。一天，最凶恶的"二科长"来查号子时，宝珍质问他："为什么不许送吃的？""二科长"说她带头闹事，下令将她拉出去打。姐妹们火了，大家都闹了起来。为了这次闹监，每人都遭到一顿毒打，于是又开始了绝食。四天以后，狱方只得再同意恢复向牢内送食品的制度。

还有一次，因为政治犯在普通犯人中的宣传，引起了监狱当局的注意。一天，突然在政治犯牢房中进行大搜查。这突如其来的搜查，大家没有防备，以致在我的铺板上搜出了正在起草的职工运动报告。狱方如获至宝，"二科长"奸笑着质问："你不是不识字的工人吗？这回又怎么解释呢？"我反驳道："在监狱里闷得慌，不识字，还不兴学？这是抄书练字。"宝珍机敏地接口说：

“我是她们的老师，我教她们认字。你们对这个号子有什么不放心啊？一个小脚，一个半瞎子，一个老实得连话都不说的。我嘛，一个小学教员，平时就爱唱唱，对这些人有啥搞头啊？”耿大姐和老三也都证明这是练字抄书。“二科长”把那本《世界知识》拿去仔细查看了一番，幸亏写的报告刚开了头，前段讲世界工运发展史，都是从那本杂志上抄的，狱方无话可说，把我责打了一顿就算了事。

在监狱里是苦闷与孤独的，尽管每天何宝珍有干不完的活，除了帮助囚室难友们做些苦力外，她还运用济总会的经验和做法，通过内外各种关系，为难友寻求营救与可能的帮助。但每当夜深人静时，何宝珍的内心充满悲苦，她是3个孩子的母亲，大儿子长到1岁时就被送到了老家，不知现在是否安好，长成什么样了；二女爱琴刚出世几个月恰遇大革命失败，只得托付给奶妈；最让她放心不下的是3岁的小儿子毛毛，被捕时毛毛是被她临时托付给邻居的，真有同志去领他吗？可怜的伢子啊……想到这儿，何宝珍无法忍住泪水。

她更担心的是他——丈夫刘少奇。他到了江西，那个又潮又湿的山区，他的肺病不又得复发吗？他那瘦弱的身子骨能抵挡得住吗？工作又那么忙……

一切都是在煎熬之中。一个女人，一个革命女人，一个被困在监狱里的女人，所要承受的这些心痛之事有多么难、多么苦啊！

何宝珍这份煎熬，有谁人可知？可体谅？可同受？

没有人。唯有她独自承受。

突然有一天，已经被判15年的她，又被宪兵们提审！这种情况通常是敌方又发现了新的“线索”，案子立即变得复杂和危险了……

果然如此。何宝珍被出卖邓中夏的那个女叛徒林月英出卖了。林月英本来并不认识何宝珍，因为她“咬”出何宝珍的同事后，又从敌方那里了解到监狱中仍然有济总会的人在不断发出任务指令，让监狱外的人执行工作命令，于是便盯上了何宝珍，认定她是济总会的负责人。按如此“线索”顺藤摸瓜，何宝珍的真实身份便暴露了……

“是死是活两条路，你自己选择。想活，老实招来；顽抗，就别怪我们不客气。”敌人这样对她说。因为所有刑具都用过了，遍体鳞伤的何宝珍就是不吐一个对革命不利的字。特务们也累了，便问她个干脆的。

烈女何宝珍也来个干脆：“要口供，没有；要命，就在你们面前。拿去吧！”

1934年深秋的南京雨花台，秋叶如血。烈士的鲜血洒在那片如血的落叶上，红如霞光……

爱人，你在哪里？

爱人，你可听到我对你最后的一声呼唤吗？

爱人在远方……

爱人在天堂……

革命者的爱人，再一次用鲜血绽放出了信仰与主义的花朵。

这花朵，血红、血红。与红旗一样的颜色。就是红旗的那个颜色……

第十三章
政治局委员是硬汉

在雨花台数以万计的革命烈士中，罗登贤是位令人肃然起敬的先辈。他不仅职位很高，任中共中央政治局委员，而且是一手创建东北抗日联军的中共领导人。自然不用说大革命时期他在香港、广州等地，为革命做出了卓著贡献。

1933年，他在上海与廖承志、陈赓一起被捕。廖承志因为有一位让蒋介石都怕的老妈何香凝，一番折腾，出狱了；陈赓是因为曾经在北伐战争时救过蒋介石一命，所以蒋介石不得不放他一马。唯独罗登贤跟蒋介石“缠”不上任何关系，同时他又是被捕人员中职务最高的中共领导人之一。为了掩护战友，他选择了牺牲。

堂堂中共中央政治局委员、硬汉罗登贤不为所动，共产主义信仰坚定不移……所以他只能一条道走到底：在雨花台的“主义”祭台上洒尽最后一滴热血！

与罗登贤在香港和广州的腥风血雨中并肩战斗过的邓中夏在入狱后第一个打听的党内同志就是罗登贤，当邓中夏听说他的亲密战友已经牺牲在雨花台时，感慨而言：“太可惜了！我要去见老朋友了……”

罗登贤的事迹，在过去的党史教育和革命传统教育中，大多数人较少知道。而在此次书写雨花台烈士的采访与调查中，我内心有种强烈的夙愿：必须让这样的英雄进入我们全党和全国人民的视野中，让他们的血没有白流，让他们的精神永存于我们心中。因为这样的高级领导、这样的高级领导中的硬汉其实并不太多，所以特别珍贵。

我之所以在罗登贤烈士的头衔上安了“硬汉”二字，一则是在牺牲的烈士中他的职务可能是最高级别了，他除了当过政治局委员之外，还曾在1928年当过一段时间的留守中央政治局常委；二则是他在被捕入狱后坚定不移、痛打叛徒的刚硬风骨。然而我们党的这位高级领导、工人领袖不仅鲜为人知，并且几乎是一生与苦相伴……

确实，罗登贤的“命”从来都是“苦”字当头。

1905年出生于广东南海县的罗登贤，从小父母亲因病先后去世，是其姐姐将他拉扯大的。在家乡活不下去了，姐姐靠到香港摆地摊来养活他和一个小弟弟。罗登贤后来被姐姐接去念私塾，可“野”惯了的罗登贤不愿念八股文，于是教书的先生就欺侮他。姐姐为此生气，常打骂他。英国人统治的香港，那洋人压迫和欺负中国人的一幕幕情景，化作仇恨的种子全都种在了罗登贤幼小的心灵里。

10岁时，罗登贤就跟着姐夫去当学徒工。他在香港的太古造船厂当了4年学徒，又做了6年钳工。辛亥革命前后，孙中山领导的国民党在广州和香港一直进行工人中的革命运动，而北京的五四运动对香港工人作为独立的政治力量登上历史舞台起到了重要影响。1921年，香港成立了第一个工会组织，并且在上海、广州、香山、汕头等地成立了分会组织。林伟民任负责人。1922年，香港工人在著名工人领袖苏兆征、林伟民的领导下，举行了数万人参加的香港工人大罢工。成立不久的中国共产党对香港工人运动极为重视，派出劳工组合书记部负责人李启汉到香港，慰问并指导工人大罢工。年仅十五六岁的罗登贤是太古船厂的罢工骨干，并开始在香港工会成为中坚力量。

1924年，中国共产党在广东有了正式组织，同时根据总书记陈独秀的建议，设立了广州地方执行委员会，直属中共中央局领导，并决定成立香港党的组织，由广州地委“就近指挥”。当时这里的党组织十分重视从工人中发展党员。因为罢工而被反动当局抓捕的罗登贤出狱后，立即受到党组织中的工人代表的重视。1925年，刚出狱不久的他在罗珠和陈日祥两位党员的介绍下，正式入党。

这一年，上海的五卅惨案震惊全国，同时也标志了大革命高潮的到来。5月31日这一天晚上，中共广州地委负责人陈延年、邓中夏、周恩来、杨匏安、李启汉、苏兆征等人出席党员紧急大会，随后，邓中夏、杨匏安等急赴香港，迅速发动香港工人举行声援大罢工。罗登贤此时在香港，因为他在工人中有威信，所以邓中夏和苏兆征把一些接头联络的重任交给了他。由于香港当时是港英当局当道，对从内地引发传播来的工人运动十分警惕，时常派出大量便衣警察日夜盯梢抓人。罗登贤的联系工作非常危险，但他凭借机智、镇静和勇敢，一次次化险为夷。在邓中夏和苏兆征等领导下，省港大罢工后来历时一年多，不仅有力地声援了上海和内地的五卅惨案引发的反帝运动，而且在香港也震荡了英殖民统治，在中国工人运动史上写下了不朽的一页。

年轻的罗登贤在香港工人中的威望迅速提高，同时他也成为中共领导人陈延年、邓中夏的得力助手，成为南方工运中的一颗耀眼的政治新星。尤其在一直负责指导和领导省港大罢工的邓中夏眼里，罗登贤是位“没有一点物质嗜好、随身只带一张草席和破帐的，又在每一次罢工与游行队伍中走在最前面的人”，这样的人才是革命最坚定的人，这样的人才是中国革命之希望！在邓中夏的眼里，罗登贤这样的优秀工人领袖难有替代者。

罗登贤开始站在了斗争的前台。

国内的北伐革命开始，20万香港罢工工人浩浩荡荡开进广州，支援北伐。罗登贤成为队伍中的旗手，走在最前头……

1927年，蒋介石发动四一〇惨案、四一二反革命政变，革命中心的广州同样处在腥风血雨之中。广州工人武装和共产党人首当其冲地成为牺牲者和受害者。一夜之间，萧楚女、刘尔嵩、邓培、熊雄、李森、何耀全、张瑞成、毕磊、沈春雨等数百名中共优秀党员和革命者壮烈牺牲。所有工会组织和中共组织不是被解散，就是只能转入地下。这时，中共广州市委因特殊的工作需要正式成立，罗登贤是市委委员，他与后来在刑场上举行婚礼的著名革命家周文雍开始并肩战斗，营救被捕的革命者和地下党员，同时继续组织大罢工。

著名的广州起义在这一年年底发动，由张太雷、叶挺、叶剑英、周文雍等领导，罗登贤是起义第一联队的总指挥。他率领敢死队冲锋在最前列，与叶剑英领导的教导团队伍，攻克了敌堡垒市公安局。广州起义到最后阶段十分惨烈，起义队伍中多数战士都拼杀到最后时刻。罗登贤无数次率领敢死队员与敌人肉搏拼杀，数次死里逃生，成为最后撤离苏维埃政府总部的起义领导人。

“悲愤！悲愤！”撤离的一路上，罗登贤的脸始终是黑的，默不作声，但他的眼里迸射出复仇的火焰……

1928年1月，中共中央负责人李立三到广东出任省委书记，23岁的罗登贤由于在起义中表现得英勇顽强，被任命为省委常委。在第一线工作的罗登贤对广州起义的主要领导人持批评态度，广东省委遂派黄平和罗登贤赴上海向中央汇报广州起义具体情况，周恩来接见了他们。后来中央重新派邓中夏代理省委书记。当时的广东省委在香港。一日，省委按约定的时间开会，可有几个人一直没有到，罗登贤意识到情况不妙，立即决定停止会议，让已经到会的人赶紧撤离，自己则准备开始藏文件，就在这时，敌人包围了会场……罗登贤机警地将几张用薄纸写的文件吞进了肚子里。这次因叛徒出卖而造成邓中夏和罗登贤等被捕。而罗登贤是参加革命后第二次被捕。李立三从上海回来，见省委领导几乎全部被捕，迅速组织营救。罗登贤通过组织和姐姐的营救，又没有被敌人发现“证据”，最后安全出狱。有人后来问他“怕不怕坐牢？”。罗登贤说：“我从参加革命的那天起，就没有怕过坐牢和杀头。”

罗登贤不可能在香港继续抛头露面了。他被调往上海，从事党更重要的工作。

罗登贤到上海之时，黄浦江岸一派肃杀寒流的景象。甚至连中国共产党第六次全国代表大会也在苏联境内的莫斯科召开。这个时候，中共中央在上海组成一个留守中央，处理和应对日常工作。李维汉、任弼时任留守中央负责人，邓小平为秘书长。4月2日，负责工运的临时中央政治局常委罗亦农因叛徒出卖而牺牲。经尚未出发到莫斯科开会的临时中共中央政治局常委研究决定，补选罗登贤为临时政治局常委，与另两位临时政治局常委李维汉、任弼时一起主持工作。

留守中央的工作并非那么轻松。尤其是济南发生了济南惨案，全国的反日运动需要中共中央及时把握斗争的方向。摆在罗登贤等中央领导面前的第一位任务是，如何正确认识当前斗争的时局，以什么样的方式指导各地斗争。经过罗登贤等临时中央领导的反复讨论，决定要把群众的反帝与反国民党伪善面目的斗争结合起来，形成强大的反日和揭露国民党反动派伪善面孔的新的民众运动，同时组成革命的统一战线。罗登贤凭借在香港多年的工运工作经验，深入上海各工厂和工会地下组织开展工作。

“现在的形势这么复杂，老蒋他们也在到处借着民众的反日情绪拉拢工人与市民，而且他们又利用‘黄色工会’（原先由国民党控制与收买的部分工会组织）出面对我们的工作进行捣乱。”不少工会组织向罗登贤这样反映。

“我们必须让群众认清谁是真正的敌人，什么是罢工的真正的目的，要把争自由、争民权和反对帝国主义，当作同一斗争任务。为工人或店员争取合法与正当的权利作为罢工的具体的斗争目标，让大家从斗争中获利，从获得中看到我们的斗争的意义。”罗登贤通过中共江苏省委和上海区委，引导地下党组织和各工会组织，谋求罢工和斗争的利益最大化和看得见、摸得着的实际胜利成果，取得明显成效，甚至还团结和争取了一些“黄色工会”。

在中共苏区革命史上，有一个以中共中央名义写给毛泽东的“六四来信”。根据毛泽东、朱德同志向中央报告苏区红军的发展方向和游击战争等问题，留守中央回了一封很重要的复信。此信就是罗登贤作为临时政治局常委所参与的给毛泽东、朱德同志下达具有革命方向性指令的“六四来信”。信中这样指出：中国革命现在仍然是资产阶级民主的性质，当前应发动广大工农群众，实行土地革命，造成割据的局面，向四周发展，从而推进湘、鄂、粤、赣四省交界暴动局面的发展。井冈山的毛泽东正是看了此信，受到极大的鼓舞，认为“全部原则及政策都切合实际，应依照执行”。在1927年大革命失败，党中央领导十分困难的情况下，罗登贤他们能够在复杂的形势下，做出正确的判断，并及时给远在苏区的毛泽东、朱德队伍和全国其他地方的革命组织，发出方向性的指令，实是一件功德无量之举。

中国共产党第六次全国代表大会于1928年6月18日至7月11日在莫斯科召开。罗登贤虽未出席大会，但因其领导工运的显著功绩及工人出身的干部身份，他被选为新的政治局候补委员。他和李维汉、任弼时等临时中共中央常委在上海领导国内斗争的几个月的工作，得到了充分肯定。

之后，罗登贤以政治局候补委员的身份，协助政治局常委、中华全国总工会委员长项英继续领导全国工运。由于项英承担了另外的许多中央领导工作，中华全国总工会的具体领导实际上是罗登贤在负责，他是全总的党团主任。

党的六大之后，中共的一项主要任务仍然是城市工人运动。而大革命失败之后的上海、南京、广州等城市的工运实际上开展得极其困难，每一次罢工的组织到实施，罗登贤他们不仅要周密组织策划，还需要到一线去帮助基层工会开展具体组织发动工作，同时常常需要亲自出面行动，还不时要在报刊上发表文章鼓动，甚至一次次抛头露面。

危险也随时可能降临……

“不到一线去，不与工人在一起战斗，怎么能体现党对工运的领导呢？”罗登贤这样回答。

“不去亲自参加战斗，何知战斗的惨烈与艰难呢？党的作用就是在大家能看得到的地方，由共产党员和我们的干部走在别人前面。”罗登贤的这种把自己的安危放在一边的工作作风，让他在上海工人运动中拥有崇高威望。

1929年年初，他被任命为最难当又最危险的江苏省委书记，在他之前，已经连续有陈延年、赵世炎、罗亦农等数位优秀的中共领导人牺牲在这个岗位上。

罗登贤的出任本来就并不是一件什么诱人的事。然而江苏省委对中央任命罗登贤竟然持反对态度，他们主张由本省的工人出身的中央政治局候补委员徐锡根来任书记。这样就造成了著名的“江苏问题风波”。

最终由周恩来出面同江苏省委同志进行了耐心的谈话，化解了江苏同志对中央的意见与矛盾，检讨了违反组织原则的问题。于是新的江苏省委于1929年1月31日召开了第一次会议，省委书记罗登贤主持会议，中央政治局候补委员彭湃任江苏省委常委兼军事常委，中央政治局候补委员徐锡根任省委常委并主管职工工作，李维汉任省委常委兼组织部部长，任弼时任省委常委兼宣传部部长。

新官上任，就遇到了春节年关。这是城市工人和市民“一般最有迫切要求的时期”。富有斗争经验的罗登贤，清楚这个时候的资本家最容易在工人中制造开除、辞退和减少工资等损害工人利益的事。“年关没有工人的斗争，资本家则是更顺利地向工人进攻”，因此“无产阶级政党应跑到工人群众中去，找出他们迫切的要求向资本家提出，以群众的力量逼其答复”。罗登贤要求省委按中央的要求，在年关前后积极发动和组织工人与资本家进行斗争。他亲自起草了《党、团江苏省委通告第一号——关于城市年关斗争》的工作部署，具体布置了斗争工作安排。

“你们要抓群众关心的‘小’的问题，越小的事可能越容易斗争成功，而工人和群众会从这些小事中看到斗争的信心和希望！”罗登贤的这些以“小”为目的的斗争部署在后来的罢工斗争中广受工人和市民的欢迎。与此同时，他亲自组织建立了上海工会联合会，利用这一新的形式开展工人运动。

上海工会联合会成立后的第一把“火”，是在估衣工人中燃烧起来的。

4月，当时由于资方拒绝工会介绍的失业店员，沪西一带的估衣庄劳资双方发生冲突，资本家向巡捕房报告，结果失业店员数人被捕。工人对此愤怒，开始举行罢工，一直发展到全市260多家估衣店、1600多人参加罢工。资方为此发出威胁：限罢工店员三日之内复工，否则解雇和停发工资。果然，三天之后国民党警察出面查封了估衣工会并下令逮捕工会负责人。

“我们应以百分之百的力量联成一个总的组织来反抗资本家的压迫！”罗登贤领导的江苏省委立即发出呼吁，同时通过其他工会开展罢工声援估衣工人。先是全市的中医药业2500多名店员罢工，同时又有闸北开泰丝厂2万余名女工参加罢工，再有电气工人加入罢工行列……之后又有自来水厂工人等罢工。如此声势浩大的上海大罢工，震撼了国民党反动当局。国民党派出军警开始以暗杀罢工组织者和街头暴力阻挠罢工等形式，与罢工群众对峙，一直到7月31日，出现了直接枪杀汤久芳、李有臣等工人领袖的事件。

在罢工斗争的生死关头，罗登贤代表的江苏省委发表《宣言》，号召工人和市民们“组织起来！”“斗争起来！”“武装起来！”，“反攻帝国主义、国民党、资本家，最后只有我们工人来管天下，才能得到彻底的解放！”

这是一场继五卅运动以来，发生在上海街头熊熊燃烧的工人群众反帝、反国民党统治的伟大斗争烽火。如周恩来后来评价的那样：“在这时，敌人一切的统治威严扫地，黑暗的地域顿成了革命的世界。”

斗争虽然最后并没有取得彻底的胜利，但它依旧如每一次城市暴动一样，让革命阵营付出了巨大代价，然而罗登贤的斗争精神和斗争经验以及斗争所带给在大革命低潮中的中国共产党人与广大革命者的，是一种巨大的鼓舞与信心。尤其是他在任江苏省委书记期间，促成了后来影响深远的“反帝大同盟”的建立。

1929年下半年，罗登贤调任到周恩来身边，任中共中央组织部副部长，协助部长周恩来工作。

在这一段时间里，罗登贤不仅要协助周恩来处理复杂的党内人事问题和全国各地随时可能被破坏的地下党组织，同时还做了一件意义堪比“反帝大同盟”的事——领导“济难会”（也叫互济会）开展相关工作。上文已经介绍过何宝珍工作的这一组织，它专门从事营救革命志士和安置烈士后事等事务，既是个公开的社会组织，又是党领导下的革命群众组织。罗登贤出任中组部副部长后，实际上代表党中央在领导着全国的这一革命组织，并且卓有成效地开展了相关工作，成功营救了关向应等党的重要干部。

1929年冬，中共广东省委在上海召开第一次党代会，根据巡视员报告的“广东省委有许多地方是成问题”的意见后，中央再次对广东省委调整改组，罗登贤被任命为新的广东省委书记。4年前他作为一名普通工人加入中国共产党，转眼间罗登贤已成为革命重镇的广东省委书记。在乘坐轮船前往香港的途中，罗登贤迎着海浪，心潮澎湃……他想到了自己童年时第一次到香港当学徒的光景，也想到了跟着邓中夏组织省港大罢工的情景。现在，他需要独立地主持广东省委工作，责任和担子重啊！

与大革命时期的香港和广东相比，1930年年初，罗登贤到这里所看到的和所了解的革命形势，其实是倒退了，反动势力占了上风，革命势力则处在低潮。身为广东省委书记的罗登贤，需要冷静地处理复杂的省港两地的斗争形势，同时又要按照中央指示精神办，这就更需要政治智慧和果断决策。此时的中央，仍然是以李立三为代表的“左”倾冒险错误占据领导地位，所制订的以武汉为中心的全国总暴动和集中全国红军进攻中心城市的冒险计划，涉及和影响到广东省委的实际工作。为此，罗登贤被要求组建中共南方局，随即开展南方相关地区的城市暴动。作为南方局的负责人，他需要在香港、广州等地穿梭工作，并指导厦门、广西、海南和云南等地的暴动计划。在这一段时间，罗登贤在执行李立三“左”倾冒险错误路线过程中，犯了一些“左”倾错误，但罗登贤知错能改，勇于学习提高，在1943年中央政治局会议上，周恩来充分肯定了罗登贤，称他是位对党赤胆忠心的好干部，是勇于知错改错的代表性人物。

中共六届三中全会后，中央确定了“巩固、发展和扩大苏区与红军”的方针，像原来在上海的大批党员被抽调到了苏区，中央机关也开始从上海转移到江西苏区。此时，建立一条从上海到苏区的秘密交通路线，成为中央和中央特科部门的一项重要任务。

罗登贤接受周恩来指派，与中央特科吴德峰等其他同志一起建立了一条经上海—香港—汕头青溪（大埔）—永定，最后到达江西苏区的长达千里的秘密交通线。此条秘密交通线路开通后，一直保护完好，始终未被敌人破坏，承担了传递中央与苏区之间的重要文件、护送干部安全进入苏区、向苏区运送物资等重要任务。

硬汉罗登贤在党内再次“硬”起来。在六届四中全会上，他再次当选政治局候补委员，并被任命为中华全国总工会执委会代理委员长兼党团书记。在1931年3月28日的中共中央政治局常委会议上，组织决定让罗登贤参加常委工作。不到一个月的4月24日，中共中央特科负责人顾顺章叛变，对中央机关造成极大威胁，根据中央安排，罗登贤以中央代表身份，前往满洲省委视察工作。

这是一次临危受命。身后的上海中央机关处在风云变幻之中，前面的白山黑水，又处在日本侵略者的铁蹄之下。罗登贤化名光生、德平、达平等，来到东北。当时，东北地区的党情民情之复杂，非三言两语说得清楚。罗登贤先抵沈阳，后来继续"北上"，最后到达哈尔滨，落脚在北满特委驻地——东北商船学校附近。这里的地下党员冯仲云家，成为罗登贤的"新家"。冯仲云与妻子薛雯听说中央新派来的"达平同志"就是大名鼎鼎的省港大罢工和广州起义领导者之一的罗登贤后，格外敬重这位远方来的"中央领导"。

冯家有一则故事：罗登贤到冯仲云家时，冯家夫妻刚生下一个女儿，一直没有取名。罗登贤来后对冯家的这小女娃特别喜欢，常常抱到自己的怀里逗她乐，并称女娃"囡囡"。在这个小囡囡两岁半时的1934年10月，冯仲云和薛雯得知与他们并肩战斗的东北抗联创立者罗登贤在南京雨花台牺牲后，悲痛欲绝。为了纪念自己的战友，他们特意将女儿的名字改为"冯忆罗"。

冯忆罗把罗登贤视为亲人，常常会到雨花台祭奠罗登贤烈士……这是后话。

再说罗登贤到哈尔滨后，所知的中共满洲省委处在异常残酷的斗争形势之中，几任省委书记都是临危受命，有的还未上任，半途就被敌人逮捕或杀害了。当时的东北，日本关东军和日本特务机关到处暗杀和绑架反对军国主义的人士，更不用说组织民众抗日的中共组织成员了。罗登贤到达哈尔滨时，满洲省委刚刚被破坏，叛徒供出了省委主要领导的住址，于是罗登贤与冯仲云一家立即转移，后来又在另一处地方找了个"新家"。

1931年12月，中共中央正式任命罗登贤为满洲省委书记兼组织部部长，重建中共满洲省委。"需要把省委办公地从奉天搬到哈尔滨，在那里建立反日斗争的抗日中心。"罗登贤的这一决策，为创建东北抗联起到了关键性的作用。

在哈尔滨，罗登贤提出：“现在需要把可靠的人找到，把瘫痪的组织重新建起来。”很快，杨靖宇、李秋岳、周保中、赵尚志、金伯阳、罗烽、姜椿芳、韩光等骨干，一一被罗登贤召见并一起投入统一的抗日行动中去。

后来成为东北抗日联军第一路军总司令的民族英雄杨靖宇，就是罗登贤请示中央，获得两千元赎金后将他和其他两位革命者从监狱里营救出来的。另一位后来也成为东北抗日联军领导人和民族英雄的赵尚志，被罗登贤任命为中共满洲省委军委书记，与他并肩战斗在白山黑水之间。

“没有人什么事都干不成。”罗登贤任省委书记之前的满洲省委总共才有200多名党员。庞大的东北仅靠这些人无法满足抗日斗争的需要。罗登贤上任后的第一件事就是大力发展党员和抗日积极分子。通过反日和抗日运动，罗登贤还营救出被国民党和奉天军阀关押的不少革命志士，如后来任中共北满省委书记的金策和东北抗日联军第三路军参谋长的许亨植。

“东北的共产党员中有一批极其优秀的人才，他们应当成为抗日斗争的骨干和领导。”一段时间之后，罗登贤的心目中有了一个清晰的用人方向。

“监狱里没有累着我、伤着我，所以今天我活着出来了，就要更好地参加抗日斗争。现在是国难当头，我舍得性命去干！”杨靖宇在罗登贤找他谈话后，当即这样表示。

“好同志！”罗登贤拍拍这位同样是硬汉的战友，立即任命杨靖宇为全满反日总会党团书记，兼任哈尔滨市道外区委书记。

杨靖宇后来成长为东北抗联重要领导人，功勋卓著，让侵略军闻风丧胆。1940年2月23日，这是一个大雪纷飞的日子，抗日英雄杨靖宇将军因被叛徒出卖，在冰天雪地里与敌人周旋几十天，拼杀尽最后一颗子弹后，被敌人枪杀在雪地里……当时一群惨无人道的日本鬼子蜂拥而上，争抢着割下了杨靖宇将军的头颅，并好奇地剖开了他的腹部——因为敌人无论如何也不相信一个人在断了粮食数十天后还能继续战斗。可当鬼子们剖开杨靖宇将军的尸体后，却完全骇然了：那空荡荡的肠胃中，没有一丁点儿的食物，只有一些枯草、树皮、棉絮……将军实现了他生前给自己的领导罗登贤的誓言："真正的共产党员是不怕死的，更不可能投降！"

正是品质中都有一个为了革命和共产主义信仰而"硬"的性格，罗登贤与杨靖宇特别投机。

张甲洲是罗登贤培养的另一位东北抗日青年领袖。张甲洲与他的一群在关内读书的同学回到家乡，看到日军侵略暴行后，发誓要做抗日排头兵。当时的伪满洲国是在日本人严密控制下的，已婚生子的张甲洲以筹备婚礼之名，将抗日志士联络在一起。在5月16日这一天，张甲洲带领参加"婚礼"的200多人，举行了抗日誓师大会，宣布成立了东北的第一支人民抗日武装。罗登贤为了加强对这支抗日武装的领导，派军委书记赵尚志去任参谋长。能说会干的赵尚志在罗登贤的言传身教下，迅速成长为指挥战斗的军事领导人才，曾先后出任东北抗日联军第三军军长和杨靖宇将军牺牲后的抗日联军总司令。1942年2月12日，在与日军的激战中，赵尚志壮烈牺牲。毛泽东曾评价赵尚志是"有名的义勇军领袖"，其"坚决抗战、艰苦奋斗的战绩是人所共知的"。

罗登贤担任满洲省委书记的时间虽然并不长，但他在东北参与建立的抗日联军与培养的一大批杨靖宇、赵尚志式的英雄与抗联队伍，有力地给日本侵略者以最致命的打击，威震东北大地，影响深远。

1932年秋，罗登贤被调回上海。临走时，他深情地抱住冯仲云家的囡囡，说："罗伯伯要离开你了，你要好好地长大！不知道你长大后我还能不能见到你。希望你将来长大后能够接我们的班啊！"

罗登贤依依不舍地放下囡囡，向冯仲云夫妻告别，向战友杨靖宇、赵尚志等告别……

不想，他回到上海才几个月，就被敌人抓捕，于1933年8月29日，牺牲于南京雨花台，年仅28岁。

这样一位杰出的工人运动领袖、军事家，曾多次出任中央政治局候补委员、临时政治局常委的党的高级干部，每每在革命的重要关头，总是被派往最危险、最艰难的工作岗位，然而他无私无畏，乐于承担风险与责任，却数度被错误路线“牵”入困境，最终被敌人杀害，实为悲恸！

罗登贤被捕后，狱外的宋庆龄、何香凝等动用了强大的社会资源和力量来营救他们，中共方面也一直在全力做营救准备，可是蒋介石在无奈释放廖承志和陈赓之后，并没有放过罗登贤，还装模作样地“公开”审判罗登贤。

在所谓的法庭上，罗登贤将“法官们”驳得体无完肤。

无奈，敌人使不出什么招数，就拉来叛徒想当面侮辱罗登贤。一日，叛徒出现在罗登贤面前。此人叫余飞，曾是湖北省委常委，以前认识罗登贤，所以现在来当说客。罗登贤一见这种“软骨头”，二话没说，冲上前去，就将余飞一顿痛打。这一事件使罗登贤这个共产党“硬汉”的名声大振。

人称“活阎王”的国民党南京政府的刽子手谷正伦，便拿罗登贤“出气”：用刑！各种没有用过的刑都用上！他这么命令道。

罗登贤被一次次打得皮开肉绽、腿骨屡断……然而罗登贤除了骂国民党反动派外，没吐一个“痛”字。

“我个人死不足惜，全国人民未解放，责任未了，才是千古遗憾！”在生命的最后一段日子中，罗登贤这样感慨地对同志说。

罗登贤血洒雨花台的消息传到苏区后，中共中央立即做出决定沉重悼念。在中华苏维埃第二次全国代表大会开幕式上，毛泽东率全体代表为罗登贤默哀。不久，中共中央机关刊物《红色中华》发表纪念文章：

> 罗登贤同志是中国共产党中央政治局委员，工人组织家，东北义勇军领袖，中国革命运动英勇的领导者……
>
> 罗登贤同志，为了中国广大群众的解放，在国民党统治下进行长期的艰苦的斗争，献身革命的精神，是我们每一个革命者的光荣的模范，苏维埃中央政府为了纪念罗登贤同志，曾在粤赣省设立了登贤县，今年的“六二三”纪念节中，上海的革命工人和劳动群众将举行盛大的纪念周，纪念罗登贤同志！反对国民党法西斯蒂（的）白色恐怖！反对日本帝国主义吞并中国！反对国民党出卖中国！
>
> 我们苏区的革命同志们，应当坚决的（地）走向前线为了完成罗登贤同志的遗志而斗争，粤赣的特别是登贤县的工农群众，更要百倍加紧的（地）动员起来，为了“登贤县”这个光辉的名字而斗争到底。

罗登贤和登贤县的名字，在中华人民共和国的史册与版图上闪耀着光芒。而在我的心目中，“罗登贤”三个字就是共产党硬汉的化身……他永垂不朽，永远挺立！

第十四章 省委书记的名字叫“保尔”

在南京雨花台烈士纪念馆和上海龙华革命烈士纪念馆里，我都看到了一个特别的名字，他叫“保尔”，也是当年牺牲在雨花台的烈士，而且是江苏省委书记。

他由此引起我的特别关注，因为今天的我能够成为一名作家且当了三届中国作家协会驻会副主席，就是在我刚刚能够看懂图书的那个特殊年份中，意外地被一个叫“保尔”的苏联民族英雄所吸引，并由此一生都走在了文学道路上。

保尔·柯察金是苏联作家奥斯特洛夫斯基所著的一部红色经典作品《钢铁是怎样炼成的》中的主人公。保尔从小参加游击队，后来成为一名钢铁般的战士，在战斗中负伤后，他坚决要求到最艰苦的铁道上工作。在那冰天雪地里，伤寒摧毁了他青春的身体，最后导致他全身瘫痪和双目失明。但保尔依然坚强地活了下来，并拿起笔，写下了著名的自传体小说《钢铁是怎样炼成的》。这是一部闪耀着无产阶级战士人性光辉的足以震撼人心的励志小说，它不仅在苏联青年中曾经引起巨大反响，而且在中国也影响了一代又一代人。保尔是革命青年的榜样，是革命者的化身。大约在20世纪60年代的中后期，有一个暑假，我到邻居家，见桌子上有一本被撕得没头没尾的大厚书，于是就拿起来看。这一看，竟然让我一辈子的命运发生了变化：学着保尔去恋爱，去寻找“冬妮娅”，去寻找丽达，去参加军队，去当工程兵、铁道兵，而后再当作家……。我一直说，保尔是我一生的偶像，甚至在年轻时经常模仿保尔的那种瘦削刚毅的形象。保尔的精神确实对我影响极大，我能走到今天，与他的“保尔精神”不无关系。

保尔对我们20世纪五六十年代甚至再往前一点的四五十年代的人来说，都具有巨大的人生影响。

一本书确实能够改变和影响一个人的一生。保尔就是这样的人。

我们现在说的这个“保尔”，真名叫许包野，是原江苏省委书记，但是在过去的党史中大家极少知道他，更不了解他所经历的那些艰难岁月中的人生故事。甚至在他牺牲后连党组织一度都不知道他是谁，他的家和亲人在何处，直到他牺牲52年后才弄清楚，原来他就是那个被中共中央专门从境外调到上海、重新组建连续被敌人多次破坏的江苏省委并出任省委书记的许包野同志。

1931年，中国共产党在上海完全处于极度困难的工作状态下，作为最重要的下属执行组织——江苏省委由于需要不断开展具体的工作，也就成了敌人主要的攻击对象。而由于国民党与共产党的力量悬殊，加之党内叛徒频出，从陈延年、赵世炎到罗亦农等数任江苏省委书记被敌人残害，他们都是中共的重要领导，他们的被害给我党造成巨大损失。中共中央甚至为了加强江苏省委的力量，不惜让负责中央工作的主要领导人出任江苏省委书记，包括项英、罗登贤等都曾担任过此职。然而从当时江苏省委书记的任职时间来看，大多时间都不长，只有罗登贤和李维汉任职的时间较长一点。1931年下半年，中央决定将长期在境外学习和教书的老资格共产党员、正在莫斯科中山大学任教的许包野调回国内，出任江苏省委书记——因为党内叛徒出得太多，而党内外几乎没谁认识突然出现的许包野。这绝对是为了保密与安全起见。从这一方面，我们也能了解当时的斗争形势是何等的复杂与艰苦！

许包野还有一绝：他回国后，先在厦门生活和工作了一段时间，在那里出任了几个月的市委书记，之后调到上海出任江苏省委书记时，为了防止敌人破坏省委的阴谋再度得逞，他用了化名“保尔”，这就更没人知道此人是何许人也。“保尔”是许包野在苏联时用过一段时间的名字，回到国内从事地下工作再使用这名字，有两层含义：其一便是让敌人捉摸不透他的底细——通常敌人破坏我地下党组织主要靠我们党内的那些叛徒，“保尔”这名字一下让了解和熟悉党内领导人的那些叛徒也无从找到这位新任省委书记的背景线索，更不知其长相等情况；其二，江苏省委书记原来都基本上是中共中央的“头面人物”兼任的，那些人都是中共的著名人士，多少在上海滩上露过面，更不容易进行身份的隐蔽，而许包野不一样，他在国外待了整整11年，又从未来过上海，再加上他一口潮汕口音，根本没人听得懂他的话，所以一般没人将他同共产党的江苏省委书记一职联系起来。

中共中央的考虑，可谓用心良苦。

许包野，1900年出生于泰国暹罗。算命先生最初给他起的名字叫“许金海”，显然是希望其长大后发财致富成为侨民中的富商。但对中华传统文化格外推崇的父亲却在他7岁时，将整个家都搬回了广东澄海老家。幼年时许金海就进了私塾读书，后来又进入新式教育的澄海中学。这所吸纳西洋教育的著名中学给了许金海特别重要的人生启蒙，并且使他的思想意识有了质的升华：要做一个对社会和国家有用之人。

1919年，中学毕业的许金海恰遇五四运动的洗礼，更加明白了救国的意义。也就在那一年，他听说北京大学的蔡元培校长正在出面组织招考赴法留学生一事，顿时心潮澎湃，立即报了名，并自起“许包野”大名，意在雄心与志远。

汕头“乡试”，澄海的许包野名列第三，成了公费留法学生。许家十分光彩，乡里乡外，刮目相看。

出国留学对许包野来说，有种鸟儿挣脱笼子一般的自由之感。但有一件事让他很沮丧：他身边已经有了一个不识字的农村姑娘做他的媳妇。这是老家的风俗习惯：男人们出“海”去了，不能像风筝似的飞走了，必须有一根“线”扯着他，让他能够不忘本和不忘根。许包野也不例外。

许包野在留法时，正好遇上了中国革命初期的一批才俊，如周恩来、蔡和森、向警予、陈毅、李富春、邓小平等同学，他们的革命激情和斗争精神一直在影响着这位原本抱定“科学救国”、“实业救国”理想的澄海青年。许包野学的是哲学和法律，这是两门高深的学问，而当时的欧洲，马克思主义和共产主义学说正风靡一时，特别是在留法的进步学生中广为传播。许包野作为哲学和法律专业的学生，他对《共产党宣言》《国家与革命》这类书的学习与研究自然比一般人更方便和深入。

1922年，周恩来等中国学生在巴黎成立“少共”时，许包野已经从里昂大学转学到了德国哥廷根奥古斯特大学继续学哲学，兼修军事学。对读博士的留学生而言，没有家庭的较丰厚的经济实力支持，包括周恩来、邓小平等人在内只能靠勤工俭学来维持生活，而学哲学的许包野到了德国后，其学费和生活费一下要比法国高出三倍，一年所需的费用远超出了家庭所能负担的。但崇尚教育的许氏父亲则完全满足了儿子的需要，这也体现了潮汕人对教育的高度重视。

哥廷根茂密的山林和迷人的冬雪让身为潮汕人的许包野着迷，尤其是那里的古建筑，更让这位中国学生置身在欧洲古老文明的宁静与优雅之中，“是一种完全的诗意式生活和学习”。让许包野感觉更自由的还是这里大学的学习气氛，因为那里的课程、专业和教授，作为学生完全可以自由选择，而且是绝对的自由选择，论文也用不着非写不可，如果你有钱，读上十年八年的也没人催你非毕业不可。难怪人们说当年爱因斯坦在研究广义相对论时，非得跑到哥廷根来不可。

自由的氛围对研究学问来说可谓意义重大。与同时旅欧的中国留学生相比，许包野的学习时间和环境远超他人。在革命队伍中，他是海外学习时间最长（11年）、学历最高（双学位博士）、外文最好（懂多国语言）的一位罕见的革命者。1923年10月10日这一天，对许包野来说非常重要，因为以往一门心思搞学问的他，遇上了一位举止稳重、理着平头的军官出身的中国留学生，他叫朱德。几次集会和相处，许包野觉得朱德是位可以信任的“大哥”。这一年，许包野在朱德的介绍下加入了中国共产党，而朱德自己则是由周恩来秘密介绍入党的旅欧支部负责人——他的公开身份是国民党驻德支部执委。

参加革命后的许包野开始以自己所学的马克思主义哲学理论和思想，与朱德等进步留学生一道从事革命活动，结果引起了德国政府的不满。1925年年初，朱德去了俄国，许包野也被德国政府驱逐出境，到维也纳继续完成哲学博士学业。

次年，许包野在拿到哲学和法律双博士学位后，受组织派遣到了莫斯科，在专门培养革命家的东方大学和中山大学“中国班”任教。当时的许包野，风度翩翩、知识渊博，不仅成为许多中国革命青年留学生崇拜的偶像，还因为他兼任莫斯科地方法官，所以也迷倒了很多年轻的俄罗斯姑娘，但许包野始终钟情于他的“尔”——妻子叶雁蘋（原名叶巧珍，是许包野为其妻改的新名）。

在莫斯科中山大学教书的日子里，许包野还兼任了莫斯科市的地方法官，出席各种案件处理，市民们对这位中国面孔的法官极为信任。在中山大学教书的5年中，许包野结识了中共许多重要干部，其中不少都是他的学生，如后来同样成为雨花台革命烈士的江苏省委宣传部秘书长、宣传部部长陈原道等。

1930年，一位名叫尼古拉·奥斯特洛夫斯基的苏联青年战士作家写了一部《钢铁是怎样炼成的》，立即轰动全苏联，于是“保尔”便成了无数革命青年的偶像和榜样。

“同学们，你们现在不要再叫我许老师了，叫我保尔！”年轻的许包野教授在当时应该算是很紧跟潮流了，他在讲台上这么一介绍自己，更引来学生们的热烈掌声。

“保尔”老师就这样出名了。那段时间到苏联莫斯科东方大学和中山大学学习的中国青年，都知道有位中国面孔的“保尔”老师。

现在，“保尔”突然出现在上海滩上秘密的江苏省委内，真让那些不曾在苏联唱过《莫斯科郊外的晚上》的敌人们一时间有些摸不着头脑。而这，也正是许包野和当时中央所希望的在特殊环境下新的江苏省委能够得以继续展开正常工作的一个重要环节——敌人太狡猾，环境太恶劣，非常时期，非常手段！

然而事情并非那么简单。国民党反动当局企图将共产党的首脑机关和江苏省委彻底地扼杀在上海的行动，在20世纪30年代前后的那段岁月里，可谓“翻江倒海”，而且也确实产生了效果。

许包野是1931年“九一八”事变后，应共产国际要求回国的。离开祖国11年，有着哲学和法律两个博士学位以及5年莫斯科东方大学、中山大学任教经历的红色教授许包野借道满洲里，秘密回到了久别的祖国。那一刻，他跪下双膝，亲吻了自己祖国的土地，发誓要把日本侵略者从自己国家的土地上赶走……

为了隐蔽革命身份，他特意绕道先回到了老家澄海，与家人团聚。尤其是见到已经长高到与他齐肩的儿子和为他孝养老母及全家老少的妻子叶雁蘋后，许包野更是百感交集。“你是许家功臣！”许包野深情地对妻子说。他又对儿子说：“任何时候，母亲为上！”

仅在家住了半个月，党组织就派他到厦门组建福建省和厦门地下党组织。一则为熟悉国内党组织的工作，二则为到上海出任江苏省委书记做准备。

为了不引起敌人的注意和跟踪，许包野脱下西装、换上长衫，装扮成一名海员，先乘轮船到了新加坡，再转至厦门。

此番厦门之行，让许包野大感意外的是，当时厦门形势十分严峻，与他接头的党内同志不敢轻易认他。因为许包野接受中央指令从莫斯科回国，仅有中央的一个“联络秘语”，没有其他任何材料，更没有“介绍信”之类的凭证。无奈之际，许包野对当地的组织同志说：“我听说我的二弟许泽藻在你们这儿工作，他若在场可以为我作证。”

“听你的描述这个人好像是我们这儿的许依华同志。以前他在省委工作，现在转到我们厦门来了，是我们的宣传部部长。”厦门的同志说。

“快叫他来吧！”许包野赶忙说。他与弟弟11年没见，早已思念不已，更何况在特殊背景下的异乡厦门相见。

“哥！真是你呀！哈哈……我的好大哥啊！你让我和嫂子他们想死了呀！”不一会儿，一位年轻利索的小伙子突然出现在许包野面前，然后一个箭步冲出来，抱住了许包野，连声道。

他就是许包野的二弟——共产党员许依华，即许包野在家称呼的弟弟“许泽藻”。

一对共产党员亲兄弟，相隔11年相见于他乡，让厦门的同志十分感动。

然而许包野虽为中央特派到厦门，可厦门党组织需要与苏区的中央对接并确认他的市委书记职务。这个过程非常复杂，因为蒋介石此时正全力以赴在江西指挥“剿共”，苏区形势非常危急，加之福建龙岩一带也是国民党反动派重点的“剿共”区，厦门与苏区之间的地下交通线也就变得十分脆弱和危险。所以此后的半年时间里，许包野只能作为一般党员参与厦门党组织的工作。

一番周折之后，被正式确认身份和职务的许包野，仿佛为了补上以前的工作，全身心投入厦门党组织建设和配合减缓敌人对苏区压力的厦门地区的对敌武装斗争。他的经验和工作能力在任中共厦门中心市委书记期间得到了充分发挥，至今仍被厦门一些老同志回忆起。

至1934年6月许包野受命离开厦门时的两年多时间里，他不仅在白色恐怖中恢复了厦门党组织，并且在厦门岛上发展了17个支部、150多名党员；厦门中心市委所属的闽南地区十多个县、市党员发展到近千人，正是这支力量，让厦门和闽南地区的武装斗争风起云涌，有力地配合了中央苏区的革命斗争。

现在，“保尔”来到了上海。

来到上海的“保尔”所看到的“东方巴黎”，形势远比他想象中的欧洲式的革命风云要严酷得多。身为江苏省委书记的他竟然只能与党内一个同志接头和见面，因为敌人放出的大批叛徒，几乎已经渗透到了我党上海中央局和江苏省委的每一个要害机构和人脉线上，这就是当时国民党当局实施的所谓“细胞战术”。

这种“细胞战术”非常恶毒，对我党组织造成了严重破坏，就跟现在的“癌细胞”一样。国民党特务机构一旦发现嫌疑对象便实施逮捕，关押后便派出劝降水平较高的特务对其进行威逼和恫吓，劝其叛变。在严刑拷打和特别手段的诱骗下，一些意志不坚定的人就叛变了，这些人就成了敌人对我党施行“细胞战术”的武器，他们或直接寻找残存的组织人员，或若无其事地重新回到组织里“继续革命”，像“癌细胞”似的注入我党组织内部。这些“癌细胞”对我党组织的破坏和同志的生命安危损害极大，因为他们有时装得比革命者更“马克思主义”。由于地下党组织被破坏得特别严重时，一般都是单线联系，于是甚至有叛变者假冒自己是中央或上级新任命的“某某书记”，既骗下面，又骗上级，结果稍不留神，我党组织就可能被“一窝端”……

“保尔”就是在这个时候上任江苏省委书记的。在他之前的几任书记被抓的抓、杀的杀，今天侥幸脱险，明天又遇更险之境地。许包野到上海前已经考虑到当前的复杂形势，出发时就在厦门带了位女共产党员，两人假扮成夫妻到的上海。哪知一到上海，组织就告诉他，不能与此女在一起，因为她的丈夫已经当了叛徒。

中央特别指派原江苏省委秘书长杨光华作为许包野在上海的接头

人，负责上接中共上海中央局的高文华。杨光华别名子才、老周，湖北人，1927年入党，参加组建洪湖地下党组织，曾在贺龙领导的工农革命军任党代表，当过中共湘鄂西临时省委书记。因为在党内受“左”倾领导者的排斥，他后调到上海中共中央局互济总会工作，1934年3月任中共江苏省委秘书长。此人革命信仰坚定，所以中央派他协助“保尔”重建江苏省委。

杨光华比初来乍到的许包野更了解上海的敌情，所以他建议新的江苏省委领导之间实行“一个人只知道一个地方”的组织方案，即杨光华只知道宣传部部长的家，宣传部部长只知道书记“保尔”的家，书记“保尔”只知道组织部部长的家，组织部部长只知道省委秘书长的家。但敌人的手段也狡猾，他们得知中共江苏省委又新来了一位书记，便利用埋伏在党内的变节者诱捕杨光华和许包野，以此作为再度破坏江苏省委的突破口。

一日，一位姓龚的变节者突然跑到杨光华住处，说他是中共上海中央局的人，想见江苏省委新书记，有“中央精神”要传达，想以此诱骗“保尔”入敌人圈套。由于实施了“一个人只知道一个地方”的制度，杨光华还真的不知道许包野的住处。等此人走后，杨光华马上联系“上线”高文华，问有无其人。高文华说，他是我原来领导被捕后的新领导呀！

杨光华和高文华默默对视了半天，也不知姓龚的到底是不是真正的中央派来接头的“上级”人物。

如此险情，比电影和小说里编织的故事还要惊险！

杨光华和高文华只得一边接触一边等待着更多的观察机会，不敢贸然行动。

此时的省委书记“保尔”，每一分钟都可能处在危险之中。

又是一天，杨光华的住处突然来了一个陌生人，和杨光华对上暗号后，急促地说：“我是特工队的，老高让你赶紧离开此地！现在什么都不要带，直接跟我走！”

杨光华只得跟着此人走，不一会儿遇见高文华，高文华又将杨光华带到法租界的一个文件印刷处。这时，一位工人模样的人对杨光华说：“龚有问题！敌人已经查到你的住处，中央局要求你转移，龚总是建议你去新疆饭店，但正是这一点使我们发现了龚的可疑之处，因为中央特科队早知道那个新疆饭店正是敌人埋伏抓我地下党人的地方。所以虽然现在我们尚不能判断龚到底是否叛变，但必须对他采取必要措施了……”杨光华惊出一身冷汗，然后重重地点点头。

“保尔”的工作仍在秘密进行着。江苏省委的工作远比想象中的要严峻得多，每一个党内同级同志，都有可能是暗藏的变节者。许包野要以其丰富的经验和严明的组织纪律制度，尽可能做到在自己遇到不测之时，最人限度地保护好组织。这个巨大的难题考验着他，也考验着所有革命者。

“龚被组织隔离起来了，但又被他偷偷溜跑了……”有一天，高文华告诉杨光华这一消息。

“这不是危险更大吗？”杨光华警惕万分。

“所以，我们估计他会迅速与敌人取得联系，实施对‘保尔’书记和省委的再一次袭击！”高文华继而说，“而且从我方掌握的情报看，敌人已经注意到‘保尔’书记，只是他太机灵，始终掌握不了他的具体行踪。因此，你要尽快把这一情况告诉‘保尔’书记，让他特别小心。”

杨光华照办。

但突然又有一天，一个店员打扮的人出现在杨光华面前，神情异常紧张地告诉他：“高文华可能出问题了，你马上跟我到新的地方。”

杨光华也不知真假，只得跟此人走。

到了新地址，杨光华一看是龚某人，不由内心大吃一惊，但立即故作镇静地问：“你怎么跑来了？听说你环境不好，不能外出了。”又故意道：“像你这样重要的党内负责同志，一旦出事，会给党组织造成极大的损失啊！”

龚一听，马上哭丧着脸，说：“是啊，我的处境不太好，现在又与中央局失去了联系，连个住的地方都没有。你看是不是带我去江苏省委那里暂时住一段时间，以便同中央局接上关系？”

露马脚了！杨光华心头“噌”的一颤，这小子真的当叛徒了！他是想利用自己找到江苏省委，找到“保尔”书记，甚至找到中央局机关更多的线索……

太危险了！杨光华心头想到这些，马上想到了应对措施，说：“我现在也和中央局失去了联系，老高又出事了，我们现在也不住省委机关了，只能今天住这旅店，明天又换个地方。这样吧，现在又到了我去接头的时间，你在这儿等我，等我把新地址要到了，马上来告诉你。”

说着，杨光华抬腿要走。“慢着，”龚某拉住杨光华的袖子，说，“你等一下，我给你写个地址，等你把新地址找到后，就马上到这个地方来找我。”

“行！”杨光华这下更断定龚某是彻底地变节投敌了！可耻！

我中央特科队开始行动了。这是周恩来亲自组织的专门为除掉叛徒而设立的一个特别行动队，也叫“红队”。它先后由陈赓、李克农、潘汉年领导。

除掉龚某的行动困难而且复杂，因为此人的后台正是国民党特务机关的“王牌”——中统特务总局。

“红队”的行动先是由杨光华给龚某写个条子，告诉他：“中央局在找你，请于9月15日到英租界四马路谦吉旅馆以熊国华的名义开个单间，即时有人来找。”条子由许包野交给那个丈夫已经当了叛徒的女人再转交龚某（之前姓龚的突然有了一次联系，这更让我组织确定龚已叛变）。龚某接到这张纸条后，心里很紧张，他知道“红队”的厉害，所以狡猾地说：“我现在环境不好，我另派人去与中央局的人见面。”

许包野他们看出龚某害怕的心理，但又知道他“立功”心切，于是又让杨光华写纸条说：“中央局领导是不允许一般人认识的，你若不去，则取消此次见面机会。”龚某一想也是，既然是中央局重要负责人见他，不可能随便见个生人。

“那行，完全同意安排！”龚某终于上钩了！

许包野等人立即联系“红队”，在说定的地点击杀姓龚的。

当晚，两个黑影闪进谦吉旅馆后，从登记簿上得知“熊国华”住在二楼34号房间，于是悄声上楼，小声敲门与里面的龚某“对上号”后被邀进屋，随即屋内传出“砰砰”几声枪响，一时间旅馆内乱成一片。

黑影趁机消失在夜幕中。不多时，一辆救护车抵达旅馆，一群巡捕从34号房间抬出了血流满身的“熊国华”（龚某人）……

许包野和“红队”以为万无一失，哪知比电影情节更曲折的事真的发生了。身中3枪的龚某，竟然死里逃生，活了过来，并被中统方面安排进英租界条件最好的仁济医院治疗，且有巡捕严密守护着。

怎么办？此人实际上已经知道中共上海中央局书记的情况，并对“保尔”书记及江苏省委的基本情况也了解不浅，只是中统特务总局本想钓出更大的“鱼”而没有让他早下手。现在，一旦负重伤的龚某苏醒过来，势必给中央局和江苏省委带来不可弥补的损失。

形势紧迫！必须立即再做计划，干掉龚某。

什么办法？“强攻！绝杀！”许包野亲自和“红队”负责人制订方案。

9月26日下午3时左右，仁济医院的探视时间到了。4名化装成病人“家属”的“红队”队员，手持鲜花，向大门紧闭的病区径直而去。

“哎哎，你们有探视证吗？”门卫将“红队”队员拦住询问。

“有啊！你看这个……”两支手枪枪口黑洞洞的，对准了门卫的胸口。一瞬间，门卫已被吓得举起了双手。

这时利索的“红队”队员将医院的电话线切断，随后径直走进龚某的病房。

“你们……”未等龚某反应过来，一阵枪声伴着“无耻叛徒”的骂声，在病房内响起。

龚某当场断气。绝杀成功。等大批巡捕和便衣中统特务赶到医院病房时，“红队”队员早已安全撤离。

“熊国华被杀事件”一时轰动上海，沉重地打击了国民党反动派的嚣张气焰。

中共江苏省委书记“保尔”的工作暂时有了一定的保险系数，曾屡遭毁灭性打击的中共江苏省委又重新恢复工作……

这是许包野化名“保尔”在上海最为惊险、紧张与复杂的3个多月“江苏省委书记生涯”。

1934年9月，由于信阳县委书记被捕叛变，河南全省地下党组织的活动基本处于停滞状态。中央得知后，急令许包野赴河南出任新的省委书记。

这回“保尔”变成了“老刘”。然而此次中原之行，许包野这位中共高学历的领导者没能逃过敌人的眼线，在一次与当地的地下党组织负责人接头时，因被叛徒出卖而在旅馆内遭敌人抓捕。

大革命失败之后的那几年中，中国共产党许多杰出的高级干部就是在这种防不胜防的情形下被捕并很快牺牲了，实在可惜，令人格外悲痛。

深藏不露、在险恶环境中艰难辗转的许包野，在斗争形势最危险的上海滩上平安度过，却在河南省身入囚境……

他的身份这回彻底暴露在敌人面前，以致敌人对他采取最疯狂的毒刑，企图从他嘴里撬开通向中共中央核心情报之门……中国“保尔”这回受的磨难比苏联保尔高出百倍，敌人在他身上用尽恶毒手段，十根竹签被一根根地插钉在他的手指甲内……

“啊——”一阵阵钻心的疼痛，让许包野狂嚎不息。

“说，把你们的机密说出来！”每一次昏迷之后醒来，敌人就开始逼供。

“不……我不知道！知道了也不会告诉你们……”许包野咬紧牙关，愤怒地回答。

“来，钉他的脚指甲！”敌人又绑住他双脚，开始将一根根长长的竹签往许包野脚趾内狠狠地插……

“你们……没有人性！你们……终有一天会失败！”许包野不再狂嚎了，只有低吟的怒吼声，直到再次昏迷。

又一次昏迷。

无奈，蒋介石签发命令，将“共党要犯”许包野押解到南京中央军人监狱。

“怎么样？可以招了吧？看看你这个样，多半要残了！还能为共产党做啥事嘛！像你这么大的领导，如果投靠到我们国民党，蒋委员长一定会给你个正儿八经的省长当当……”说客一批批来，但又一批批失望地走了。

“做梦！”“保尔”如此回答。

“上刑！”敌人无计可施，只能用更严酷的毒刑来折磨许包野的肉体和意志。

“起来，饥寒交迫的奴隶……”“保尔”用法语、德语、俄语唱着《国际歌》，以对抗敌人的毒刑。

“什么叽里咕噜的！”敌人气得直跺脚骂道。

“他换花样，我们也给他换换花样……”敌人开始玩花样了：用盐水灌“保尔”的手脚的伤口，再用小刀割破“保尔”的耳朵，并扎他的大腿和小腿，一直到皮开肉绽，而后再用烧红的烙铁烫其胸脯和肚子……他们想以此来彻底摧毁这位钢铁炼成的中国“保尔”。然而，敌人的所有企图都失败了。

许包野直到被敌人折磨致死，都没有吐出一个对不起党的字。因为伤势过重，他牺牲在牢房内……时年35岁。

远在老家的妻子——“尔”（叶雁蘋）一直不知丈夫到底在何方。即使到了新中国成立后她仍不知其去向……没有人知道“许包野”是谁。因为老江苏省委的同志也只知道曾经有个“保尔”当过他们的书记，但时间不长，而且又是化名，并且同志之间相互单线联系，所以一直不知其人到底是谁。那位在澄海老家的妻子叶雁蘋，从青丝少妇一直等到1982年重病在身、自知没有多少日子时，才向人提出要找找自己的丈夫。这事立即惊动了当地政府和党组织，于是寻找叶雁蘋的丈夫成了几个省市党组织的一件大事。

1985年，“许包野”就是“保尔”的事终于得到证实。1987年，广东省人民政府正式追认许包野为革命烈士，并举行了一个隆重的纪念仪式。然而，苦等了丈夫52年的妻子因为身体原因没能到现场。几个月后，叶雁蘋与世长辞，与她离别了半个多世纪的丈夫在另一个世界团聚……

被乡下妻子苦等52年没有任何音讯的“保尔”的故事，如今被更多人所知晓、传扬。无产阶级革命家许包野的名字，也被列在了南京雨花台革命烈士纪念馆和上海龙华革命烈士纪念馆内，受到人们永远的瞻仰。

而类似许包野这样的中国共产党地下工作时期的英雄，还有很多。他们为党的信仰和理想、为缔造新中国牺牲了宝贵的生命。他们的名字与精神，永远铭刻在中华大地上……

在雨花台，一位叫郭纲琳的女烈士也给我留下深刻印象。她是一位青年团干部，先后任无锡市中心团委书记、上海闸北区团委书记等。郭纲琳平时喜欢大雁，在监狱里她对难友说：“雁是高尚的鸟，它们是合群的，最有组织和守纪律的。”郭纲琳在枕套上亲手绣了一只展翅高飞的大雁，以示自己坚信共产主义远大理想。

郭纲琳牺牲后，当时的《大美晚报》这样报道她的事迹：郭纲琳女士“态度之从容，为从来犯人中所罕见，面容冷酷，时摇头发平静之冷语…… 站立被告席中无半点忧色”。另一个外国记者这样报道：“郭——这位青年的女孩子的眼睛里有一种威严不可侵犯的光芒，比古代皇后还富于权力。那种光芒射向法官，法官失色；射向国民党那位可怜的官员，那位官员低头。结果弄得不是法庭在审讯犯人，好似犯人在裁判法官。”

这就是中国共产党人，“保尔”式的、郭纲琳一样的中国共产党人！

上面我们说到“保尔”在上海从事地下工作时有一位叫高文华的“上线”，是与中央接头的秘密交通员。新中国成立后，高文华任水利部副部长，是湖南籍老革命家。这里我再说一位雨花台的革命烈士，也叫“高文华”，不过非许包野接头的“上线”，而是一位无锡青年，黄埔军校毕业生，而且还是位革命激情充沛的共产主义英勇战士。

高文华从小才华横溢，革命志向远大。1924年，刚满16岁的高文华报考了黄埔军校，成为第三期学员。当时学员队总队长是张治中，他很看好虽然身材瘦弱但才华超众的高文华，因为这位“无锡小伙子”人机灵，又能写一手好文章。尤其是在第二次东征战斗中，年龄虽小的高文华冲锋在前，不怕死的劲头让老师们印象极深。惠州一战中，高文华立了战功。而也在此时，高文华结识了黄埔军校里的共产党员，他秘密加入了中国共产党组织。

北伐开始，高文华随军战斗，一直向江西、浙江和上海挺进。此时，即将打到老家无锡附近的高文华因为蒋介石发动四一〇惨案、四一二反革命政变，不得不离开北伐军。

“你只要留下，总司令说了，可以让你去当师长。”蒋介石派白崇禧来劝说高文华。

“我们是两条道上的人，在国民党内当再大的官，我也不感兴趣。”高文华断然拒绝。

“哼，你小小年纪，本可以前程无量，偏偏不知好歹，以后自己找苦吃吧！”话不投机，白崇禧气歪了嘴。

然而反动派并没有罢休，多次企图暗害高文华。党组织安排高文华离开军队，回到故乡继续从事革命工作。

当高文华穿着一身破衣衫、手提一只旧皮箱回到家时，父亲奇怪地问他：“怎么从广州回来了？我给你找的金饭碗你为啥不要呀？这个模样回家让乡里乡亲怎么看你？”

高文华笑笑，说：“这回我真的自己找到了金饭碗哩！”

“啥金饭碗？你说！”父亲问。

“我干的是让千千万万受苦人都能过上好日子的‘金饭碗’。”高文华理直气壮地说。

父亲一听就来气：“那可是要被杀头的呀！”

高文华摇摇头，说：“儿在黄埔军校4年，也打过仗，已经不怕死了。再说，我为了干革命这个‘金饭碗’，死何足惧！”

党组织原本要送高文华等到莫斯科深造，后来因为“八七”会议，形势发生变化，国内更需要人才，高文华就被留在无锡，与当地党员骨干组织著名的无锡和宜兴暴动……

斗争是残酷的。无锡和宜兴农民暴动在大革命失败后的苏南地区影响甚大，反动派对暴动的农民起义军的镇压也特别疯狂。两个中共县委数度被破坏，夏霖、乔心全、孙选、张杏春、严寿鹤等7名干部被反动派当场斩首。已经暴露身份的高文华，此时被省委任命接替乔心全出任无锡团委书记。

那个时候，组织的新任命，很大程度上意味着牺牲风险的增加。化名程清的高文华转移到乡村继续投入新的暴动战斗。他用掌握的军事知识和宣传鼓动的才华，积极动员青年团员行动起来，参加革命队伍，将当地的反对国民党统治的战火熊熊点燃……

这年春的一天，寒风吹拂着江南大地。正当高文华与团委的干部们在汤家桥的一个秘密据点开会时，国民党县公安局突然包围了会场，高文华立即将身上的党团员名单吞进肚里。反动警察冲过去按住高文华，企图“撬”开他的嘴，但为时已晚。

抓住“共党要犯”，而且是位黄埔军校毕业的“要犯”，国民党无锡当局有些得意忘形，想从高文华嘴里“掏”得他们可以立功受奖的东西，于是对他轮番施以毒刑，又百般诱惑，然而最终一无所获。

“押南京来！”一纸伪公文，高文华被押解到南京。当年曾与白崇禧一起“规劝”过高文华、此时已是国民党民政厅厅长的缪斌听说高文华被捕了，很得意地要“再会”老同学。

可他想错了。正如高文华在给家人的信中所说：“真理终永恒地存在于宇宙中，现在善恶不能分清，但总有分清之一日！”

因为拿不出实证，最后高文华被判9年徒刑。

“9年啊，现在你这么年轻，9年后出来就是老者了，可惜呵！”黄埔老同学假惺惺地过来说。

“嘿嘿，”高文华一声冷笑后，反问道，“看你们能不能坐得稳9年？”

之后，他在给家人的信中这样讽刺敌人：

“哈哈！这不是9年的吃饭票已经找到了吗？这不是9年的生命保险也已经得着了吗？这不是9年期的大学校已经给了我入学证书？这样不是一件快活的事是什么？这消息在我都是一种愉快的好事情！”

1928年7月起，高文华被关押在南京老虎桥的江苏省第一监狱，代号“354”。国民党反动派为了折磨共产党人和革命者，设置的监狱根本不是人所能待的地方，不说狱吏们一个个都是刽子手，单单里面的环境就让你无法待下去……更让“犯人”无法忍受的是，即使在这种条件下，刑具上的肉体摧残和暗无天日的精神折磨，如果不是有坚定的信仰，很难有人数月、数年坚持得了！原本身体就比较瘦弱的高文华，深知自己陷入了另一个“慢屠杀”的战场。他以高昂的革命意志，在写给家人的信中如此说：“我们虽然苦，但我们的良心没有受罪。我们虽然苦，我们依旧有我们至高无上的精神和愉快！我们是真理的追求者！我们是最公正无私的人！我们是最快活的人啊！”

同牢房的同事和同志，有些人在入狱后产生了思想上的波动。高文华便忍受着自己被用刑后的痛苦与折磨，将这样的难友找到身边，对他们说：“有人往往将奋斗误会了，以为一定要在战场上才是奋斗，一定与人家用力决斗才是奋斗，其实前者不过是战争，后者不过是决斗，哪里是真的奋斗呢？真的奋斗是要有人类真理的精神，要有努力奋勇的气概，要为达到真理而不顾一切（一切包括社会国家的冷笑和压迫）。为人类争真理的英勇气概，才是奋斗。所以一个真的奋斗者决不顾虑牺牲的大小，成功的多少或者是失败的。”

他是一个真理的精神捍卫者，是一个理想的追随者。在知道自己快要牺牲的前夕，他一边强忍着头痛，一边奋笔疾书，写下了1700多行的叙事长诗《人祸》。这如长城一般延伸的长诗，如火焰喷射、如霞光万丈、如江流奔涌、如涓涓细流，讴歌了他对党的忠心与赤诚，鞭挞了国民党反动统治的无耻与罪恶，是生命的呐喊，是信仰的照明。

呵，全世界起了火焰；
不，全世界全是火焰。
红的火光愈加浓厚，
一切灰白的都化成了火焰，
一切封建的都由火焰烧灭。
把粗暴的东西抛向火中烧；
把压迫的建筑抛向火中烧；
把野蛮的行为抛向火中烧；
把原始的遗传抛向火中烧；
……

他要烧掉整个旧世界！
他要点亮整个新世界！
面对死亡，他无比坦然，因为——
呵，我纵然上过战场，但我在那里负着洋枪！
只要装上了子弹，便什么凶暴的军阀，
只要经我的瞄准，
立刻就可以射杀！
那么，我就自己被杀，又有什么恐怖？
又有什么悲伤？
呵，我纵然见过血淋淋的死首，
但那是英烈的战死，又有什么悲哀？
又有什么忧愁？
呵，我纵然是几日无吃，我纵然是几日无喝，
但只要是有效的努力，
便把生命去牺牲，又有什么可惜？

是的，一个原本瘦弱的年轻生命，被抛置在死亡的地狱途中，本来就如一盏行将熄灭的灯火，然而高文华以其坚毅的意志和崇高的信仰，将这灯火捻成最最明亮的光束，让活着的每一分、每一秒，都照耀着黑暗征途……

1931年3月的一天，瘦得只剩一身骨头的高文华，给家人寄去自己在狱中的一张照片。他在照片上题字说：

他快活着，如像以前。
他毫无忧伤，为的他全无牵挂……

高文华的病体在监狱中已经被彻底地摧残。8月28日，母亲从老家

得知后急急赶到监狱，见儿子奄奄一息，顿时老泪纵横。

“快来救我儿子！你们快来救救我儿子——”母亲声嘶力竭地喊着，但空荡荡的牢房里没有人回答她。

母亲立即起身，疯一般地奔出牢房，冲到大街上跪下双膝，乞求路人给点“救命钱”让她去为儿子买药……

当第二天母亲带着药物赶到牢房时，儿子却早已在凌晨咽了气。“儿啊！我的儿啊——”母亲的悲号，震荡了整个牢房。

母亲雇人将儿子高文华的遗体推出牢房时，轻轻地将一本他平时常看的英文版《共产党宣言》放在他的胸口。母亲知道，这是能让24岁的儿子安心离去的“宝贝”……

第十五章
“老天”与《沙家浜》原型人物

在雨花台的众多烈士中，我不曾想到，有一位是我非常熟悉的人物，他就是我从小便听说的《沙家浜》中的主角之一，叫任天石，是抗战时期的常熟民抗运动的司令、中共常熟县委书记。

京剧《沙家浜》改编于上海的沪剧《芦荡火种》，京剧《沙家浜》中与阿庆嫂接头并布置任务的以“郎中”为名的中共地下党常熟县委书记程谦明，在《芦荡火种》中叫陈天民，编剧文牧先生就曾这样说过，“陈天民”的名字，就取于任天石中的“天”和民抗的“民”字。

对《沙家浜》这个故事，我作为沙家浜人，自然比编戏的人知道得更准确些。首先“沙家浜”这个地名过去是没有的，现在的沙家浜镇是后来才设立的，这当然是有一定根据的，因此当时一些靠近阳澄湖的聪明的乡镇干部就想到了“抢”这地名。现在的沙家浜镇是过去的唐市公社所在地，我们家乡人称之为“老唐市”。老唐市的优势就是离阳澄湖近，我们小时候出远门主要靠水路，所以我记得第一次乘木帆船到苏州，走的就是唐市。那一次印象太深刻，晚霞映照下的阳澄湖要多美就有多美，而且这种美以后再也没有见过：那整片湖水是清澈见底的，木帆船在风的鼓动下，飞驰而行；水草在湖底泛起，荡漾着柔情与浪漫；在水草之中，有无数排成队的鱼儿在我们的后面追赶，组成了一条长长的鱼群，清晰可见，无限壮观……那一刻，我第一次体味到什么是“阳澄湖”，什么叫湖水之美，什么叫晚霞下的湖面之美……那一幕我一直想写一篇唯美的散文或诗篇，可惜一直没写出来。

唐市后来与横泾乡合并成了沙家浜镇。现在的沙家浜镇已经是全国特色景观旅游名镇，每年接待各地游客几百万人次，成为著名的红色革命教育基地和旅游胜地。

其实，沙家浜镇和《沙家浜》戏，既有一致性，又非同一概念。

在抗日战争时期，除上海之外，常熟、江阴、无锡等地都是抗日重镇，烽火硝烟不断。我小时候经常听爷爷、奶奶和邻居们说，日军从长江口上岸后，一路烧杀抢掠，某某某被打死、打伤。我在小时候就见过好几个伤残的人。而我小学念书的那半片庙宇就是日本人炮轰的结果，我同桌同学的一个舅舅就是死于这次炮轰之中。日本侵略军的罪行处处皆是，血痕无法抹去。当时在我们老家一带的地下党，就在新四军和游击队的领导下，开始拿起武器，与日本驻军进行斗争。但由于抗战时期地下斗争的活动常常被伪政府造谣惑众，弄得好人变成了“土匪”，共产党、新四军也常被误认为“共匪”。《沙家浜》的戏中所说的“胡司令”，其实真人很瘦削英俊，也特别狡猾阴险，为抗日干过好事，也在百姓那里干过不少坏事，所以在新中国成立之初被解放军抓捕于上海某个隐蔽之处，后来被枪决。

《沙家浜》里的“阿庆嫂”就是一个艺术形象。在常熟，有关“阿庆嫂”之争，从来就没有断过，这很正常，因为“戏”中的人物通常都是作者从无数个典型人物中“各取一分子”，然后组合成一个人，这样就成了完整的艺术形象。“阿庆嫂”也是如此。

不过，早在20世纪80年代，我在部队当新闻干事时，就曾采访过一位与“阿庆嫂”比较接近的原型人物——陈二妹。她是董浜人，当时她还在农村住着，我采访她后，写的一篇文章在《北京晚报》上连载了六七天。

陈二妹跟我讲，她在镇上开的一家“涵芬阁”茶馆，当年就是新四军和地下抗日力量经常开会的地方，新四军负责人谭震林曾多次在她这家茶馆召集各武装力量领导人开会。我专门去过现在仍保存完好的“涵芬阁”茶馆，从其地理条件看，也非常适合搞地下活动，因为它的后面是一片河潭，比较宽阔，一旦茶馆出现问题，可立即乘船撤离。河潭对岸有一片芦苇，藏于此中很难被人发现。这样的地方在我家乡一带随处可见，所以从事地下抗日活动的人、新四军伤病员在这一带隐蔽起来是很容易的。日军想找到他们也很难。

我所认识的这位“阿庆嫂”的关键点还有其二，那就是她的丈夫陈二，是真有其人，而且死得很惨。陈二被日军抓到苏州后关在监狱里，以毒刑逼他招供新四军伤病员及地下武装力量的情况，但陈二宁死不屈，最后日军逼着他吃饱肚子，然后灌水，让其肚胀得疼痛难忍，最后把他装入麻袋里，再用刺刀刺……一直到血流满地、奄奄一息时，再将其投入河中淹到气绝。

日军经常用这种方式镇压反抗他们的中国武装力量和革命者、共产党人。我所认识的另一位“陈天民”，姓仲，其儿子是我小时候的熟人，这位“陈天民”新中国成立后任苏州地委副专员。抗日战争时，他也被日军抓捕过，而且日军将其拖在轮船的船尾，扔在水中，然后轮船猛烈加速，水中的他就在这种情形下几度被呛得大口大口地吐鲜血……

日本侵略者的暴行，让我家乡的许多爱国人士纷纷起来反抗，并加入到了“民抗”队伍中去。

我还曾经采访过一位家乡的老人叫陈月盘。说起任天石，陈月盘禁不住老泪纵横，这是我没有想到的。“50多年了，可就像是昨天的事呀，”陈月盘用那双颤抖的手，抹了抹眼角边淌下的泪水，说，“任天石在我们常熟近代革命史上是位最了不起的英雄。他就是后来《沙家浜》戏中的那个以中医身份到‘春来茶馆’送情报的县委书记‘陈天民’。我听写《沙家浜》的作者说过，戏中的‘陈天民’就是照任天石的名字搬过来的，‘陈’和‘任’音相近，中间的‘天’字没动，‘陈天民’的‘民’却隐含任天石‘民抗’司令的‘民’字。任天石是我们土生土长的常熟梅里塘桥人，1913年出生在一个中医世家。初中毕业后，任天石回家学医。‘九一八’事变后，思想进步的他，积极投身到抗日救国运动中去。从那时起，我们这些激进人士经常在一起碰头。1932年，任天石考上了上海的中国中医学院。3年后他完成学业回到家乡，在常熟城里开了一个诊所。这时他认识了常熟的地下党负责人李建模，从李建模那儿看到了不少马列主义进步书籍，从此走上了革命道路。1937年初，任天石参加了中共地下党组织的常熟人民抗日救国武装自卫会。1937年常熟沦陷后，任天石就开始职业革命生涯，与敌人开展地下武装斗争。次年原红军团长赵伯华回到常熟，任天石便与赵一起举办了革命武装军事骨干训练班，不久便成立了常熟地区第一支由共产党人掌握的武装队伍，简称‘民抗’，任天石任负责人。1939年叶飞率领的新四军‘江抗’来到苏南后，任天石的‘民抗’与‘江抗’会合，两支革命武装队伍沉重地打击了敌人的嚣张气焰。任天石的名声也在当地响了起来，成了人人皆知的英雄。1940年，任天石已是中共常熟县委书记了，由于我坚决不出任常熟县长之职，结果任天石又兼任了常熟县长之职。在他的领导下，常熟人民在阳澄湖一带与敌人展开了艰苦卓绝的斗争，特别是夏光他们的新四军伤病员队伍，既要养病，又要打仗，难得很哪，要不是任天石和我们坚定有力的配合，新四军伤病员这支队伍是无法坚持到革命胜利时刻的。”

经过老人的回忆，我也从这位当年的当事人20多年前的叙事中，意外地听到了雨花台烈士——任天石的事儿。

对“沙家浜”那段历史，那中间死去和牺牲的人，我知道很多。这中间有几个人是我们常熟人一直都非常怀念的，那就是当时的抗日队伍领袖李建模、任天石和薛惠民，他们三人被我家乡人称为“常熟三英雄”。其中任天石最为出名，他也是牺牲在雨花台的烈士。

任天石的名气自然如上面所言，与他作为《沙家浜》戏中的“陈天民书记”原型人物有关，更重要的原因是任天石在常熟有“老天”之称，这可不是一般人能配得上的。

关于雨花台烈士任天石的传奇，《沙家浜》戏里的指导员郭建光的原型人物夏光最清楚不过。夏光原是新四军六师十八旅参谋长，后任解放军三十军参谋长，新中国成立后，任华东海军学校校长。他曾这样回忆任天石：

> 初次见面，他是一个瘦小、像个“秀才”样子的爱国青年。以中医为职业。据说最初他曾立志“不为良相，便为良医”。他医术高明，治病救人，在人民群众中的威信是很高的，后来与其他同志一起搞武装时，就用他与群众的联系动员群众参加抗日。当时我和杨浩庐以已愈的伤病员组织新“江抗”，人员很少。新“民抗”总部人员也很少，只有不到二十人，部队的人数也不多。为了重建武装，坚持阵地的任务，天石总是很积极热情地支持我们。我们的关系相处得很好，在一起努力完成党的任务。比如在刚组建特务连时，我们对边远地区进行扩大武装宣传。一次，在任天石同志的支持下，临时调动了不脱产的自卫队员二百余人，穿起老江抗留下的黄军服，与特务连一起行军到边远镇开会。会后，衣服脱下集中保存，各自回家。群众反映新四军人也还不少，壮大了新江抗的声势。因为当时我们在搞武装，胡肇汉（《沙家浜》里的胡司令原型）、强学增、杨忠等也在重搞武装……
>
> “老天”虽然当了“民抗”司令，但从不搞特殊化，也不随便开支，同大家一起吃大锅饭，一起睡稻草铺，生活是很艰苦的。当时党内生活，党的纪律是很严肃认真的。天石有脾气，但我没有看到他发过火，他平易近人，不是动不动就训人的。

曾任新四军营政治教导员、常熟警卫团团长、中共苏常太工委书记的陈刚，是与任石天一起组建常熟“民抗”的老同志，他这样评价任天石：

> 任天石为人正义而富于感情，当时他正有志于医学方面深造，想通过医道济世救民。学习毕业后，他回到塘桥行医，以后又在常熟城内挂牌，按期出诊，对那些贫苦的百姓不仅不计医资，有的还要给药。他的医术也是很高明的，有“良医”之称，故很得贫苦人民所尊敬和社会上的赞誉。
>
> 他在建立武装的过程中仍经常为群众治病，深受群众的好评。党对天石是非常信任的，在“民抗”进行整顿工作的时候，为了扩大“民抗”在群众中的影响，就注意把“民抗”的番号和天石的名字连在一起，在群众中宣传“民抗”是“任天石部队”、“老天部队”。
>
> “老天”这个亲切而又高度崇敬的称呼，在常熟人民的心中是永远不会磨灭的。任天石为什么被称作“老天”呢，我想也许是像一般的称为“老李”、“老张”那样表示亲热之感吧，但我认为这样解释是不够的，在常熟人民心中把任天石同志看作老天爷一样，看作“及时雨”、看作救星，认为他能带领部队解救人民于水深火热之中。天石同志正是为革命事业，为人民生存而艰苦奋战，英勇斗争，直至最后壮烈地献出宝贵生命的。

在所有雨花台的烈士中，“老天”任天石是我感到特别亲近的一位，因为他战斗和生活的地方，都是我从小非常熟悉的，比如他的出生地梅李，与我的出生地相隔也就10分钟的汽车行程。梅李镇过去到现在一直是常熟下辖的一个大镇，旁边有条盐铁塘河流，与长江相通，所以梅李是水陆交通要地，自古有名。在常熟十八镇中，梅李属于“第一镇”，这里在历史上出过不少名人，其中名医最盛。任天石的父亲任伟才就是当地有名的中医。任天石从小跟随父亲学医，耳濡目染，不仅医术精到，治病救人的情怀也非同一般。民国时期的常熟，受上海、苏州的革命浪潮影响，这里的知识分子也一直跟随“大潮”在奋进。辛亥革命、五四运动，都对常熟知识分子影响极大。任天石所上的梅李小学，开设于1764年，是20世纪初最早改成现代教育的小学。“溶溶一水盐铁塘，围绕虞山东北乡，李塘时代威武奋扬……”任天石从小唱着梅李小学校歌，内心日渐滋长起革命的激情。正义、平等、民主、真诚、革命、牺牲……在那个时期的学校里，这些词几乎天天会被灌输到任天石这样的孩子的心灵中去。

上海的那场轰轰烈烈的五卅运动对常熟的青少年来说，影响和冲击力是前所未有的。常熟籍旅沪学生顾治本、李强、周文在、曹元标等，是“五卅”游行队伍中的骨干。他们回到家乡的游说，如同星火般点燃了同乡青少年们的革命激情，于是常熟梅李等地的共产主义革命运动也开始酝酿成熟。1926年2月，李强（新中国成立后任外贸部部长）出任书记，成立了常熟第一个“特别支部”。次年，少年的任天石考上常熟城里的私立孝友初级中学，开始参加学生自治会里的爱国社会活动，接受新思想教育与实践。小小年纪的他，因为与同学们一起进行反对校方收费高、克扣伙食的斗争，结果被校方开除离校。

15岁的任天石第一次开始思考人生道路：随父学医，治病救人！太多贫苦民众的患者，让他选择了从医之路。

家传医道，高明精湛，加上任天石好学上进，在1932年夏天，离校4年后的他考上了上海的中国医学院。重入校门的任天石，如海绵一般地吸吮知识，很快成为学校同学中的佼佼者。上学次年，他破例被聘为学校的学术刊物《光华医药杂志》编辑，以往只有教授才能任此职，而一个二年级学生出任此职，可见任天石的学理水平之不一般。他的毕业论文《头痛》，被教授们批语“论病理不背乎生理，谈闻治兼及于卫生，允称完善之作”。

教授们哪知，写出如此高水平论文的任天石不仅医学造诣高超，而且他在这个时候已经熟读了诸如《共产党宣言》、《哲学的贫困》和《资本论》等马列著作，尤其喜欢看《新青年》和改刊后的《中国青年》等进步刊物，所以任天石所道的“头痛”，与他后来参与创办的《艺丝》周刊一样，内含抨击时政、为民呐喊之革命意义。

上海是反帝大同盟的发起地，中国共产党提出的《抗日救国六大纲领》和《中国人民对日作战基本纲领》深入民众之心，任天石开始对提出进步主张的中国共产党充满敬佩之心，于是心头也有了加入中国共产党、打倒日本侵略者的雄心壮志。

“医可治一人，治数人，却无法救治一个民族！”在一个个繁星密布的夜晚，任天石一次次沿着躁动的上海南京路和外滩的石子路，思考着人生与未来，他从街头所感受到的一场场波澜壮阔的反帝运动的浪潮中，悟出“革命”、“奋斗”才是救国之道。

他在获取行医执照和毕业证书后，毅然告别上海，回到家乡，投身到反帝的抗日斗争之中。

“与日本侵略者斗争，既要动员民众，更要武装民众，真刀真枪地干！”

任天石投身革命的时候，正值中共江苏省委连续两次被破坏的严峻时刻。而任天石参加的“武卫会”常熟分支部，则义无反顾地在长江沿岸的浒浦一带将革命斗争活动开展得风生水起，并渐成常熟反帝革命中心。

1937年7月7日，北京“卢沟桥事变”是中国抗战的转折点，日本帝国主义的全面侵华，与全中国人民奋起反抗的统一战线的建立，都从这时开始。每一个中国人的心中都在燃烧民族的怒火。

鬼子，要想夺上海，

几十只军舰，开到黄浦江。
八一三，东洋兵，
打进闸北来，大炮轰轰开，
飞机掼炸弹，杀我老百姓，
炸我火车站，
东洋鬼子杀人放火实在真野蛮……

常熟虽说是出状元和文化人的地方，但在八九十年前，要说乡间真正有文化的莫过于像任天石这样念过大学又整天开药方子的人，才算是知晓天下者也。这首《八一三》的诗作，是任天石揭露日本鬼子暴行的作品之一。凭借他过去走东家串西村的“郎中”生涯，乡亲们对任天石的鼓动非常信服，所以在他的感召下，梅李一带的群众纷纷加入抗日敌后援助队，有力支援了前线抗击日寇的战斗。历时3个月的上海“淞沪会战”，任天石倡导下的梅李没少出力，而凭借着在上海读书时的同学关系，任天石的“援后”交通也没有断过。

1937年11月中旬，中国军队阻击日寇失败之后，全线后撤，先是上海沦陷，再是常熟沦陷……日军沿途一路烧杀抢掠，仅常熟就有15000多名平民被杀害，70%的人成为难民。任天石的家乡梅李是日军西进的必经之路，100多名中国守军在任天石等当地抗日力量的支援下，苦战数小时，最后基本全部牺牲。日军为了报复“梅李之仇”，在中国守军战斗的万渡桥一带，扔下100多颗炸弹……

面对强大的侵略者，任天石不得不带着一家老小，分乘几条木船，渡过长江，抵达苏北高邮临泽。一路所见侵略者横行霸道、无恶不作的行径，令任天石悲愤至极，他毅然向大家宣布要去延安参加八路军。“你怎么能走呢？你走了以后我们这些父老乡亲不都成日本鬼子的‘肉饼’了吗？”亲人和乡亲们拖住任天石哭喊着乞求他。这一幕，让任天石欲哭无泪。

“那好吧！你们暂且在这里避避难，我回梅李看看，然后再想法带大伙儿回家。”任天石只得这样答应亲人与乡亲们。

才几天日子，此时的江南，早已满目疮痍，改天换日了：不是民房在火光冲天地燃烧，就是河道上到处漂浮着尸体……梅李也不再是以往的梅李，日本人统治下的伪政权搜刮民财、镇压革命，反动伪警还到处抓人，百姓人人处在水深火热之中。

“不拿起武器，已经没有活路了！干吧！”任天石主动找到当地私人武装头目，联络他们一起抵抗日伪反动暴行。

第一支由任天石牵头组织的塘桥武装自卫队正式成立，所有枪支也都是由他集资和自己掏腰包换来的。那个时候，枪支只能在黑市买到，价格极贵。无奈，任天石最后不得不把父亲和他人合资创办的中药铺也给盘掉了。“平时我们的生活全靠下河摸螺蛳、捉鱼虾，睡就更不用说，不是东家的稻草，就是西家的猪棚羊圈……”我听曾参加抗日游击队的大姨妈这样说过。

“那时常熟各地自发组织的抗战武装大大小小也有不少，但大多是以自保为主。任天石与众不同的是他能够把梅李一带的这种武装组织起来，合成一股劲。武器不够，他通过在上海读书时的社会关系，筹措更多的比较好一些的武器来装备队伍。”陈月盘也介绍过“老天”的本事。

“光有几支好一点的枪也解决不了根本问题，只有找到抗日的正确方向才是正理，我要找共产党一起抗日！”任天石找到了熟人陈刚（共产党员）提出这样的请求。

“好啊，我们正需要联合你这样的武装一起抗日呢！”陈刚迅速将任天石的情况向组织做了汇报。当时常熟地区的党组织负责人李建模当即表示支持任天石的意见，并马上派出陈刚等人到任天石他们的自卫队帮助军事训练。

1938年8月，由中共常熟县委直接组织和领导的常熟人民抗日自卫队（简称“民抗”）第一大队成立，任天石任副大队长。

由于任天石对家乡情况熟悉，又常以郎中身份出现于各乡村之间，群众基础好，可谓一呼百应。开始只有二三十人的“民抗”，不久就发展到了一二百人的队伍。他们在敌后不断打击日伪，为苦难中的百姓出气，深得民心，也沉重打击了敌人的嚣张气焰。

1939年春，中国共产党领导的新四军东进，第一支队司令员陈毅决定新四军第六团向苏南东进，独立开展抗日斗争和建立根据地。于是在这个时候，新四军第六团对外改称为“江南抗日义勇军第二路”，简称“江抗”，叶飞任团长。常熟地区由李建模、任天石、薛惠民领导的“民抗”，此时与“江抗”会师，从此开始了苏南地区旷日持久的抗日战争。这时已成为中国共产党一员的任天石，已经是身后有数百人的“民抗”司令员。他利用家乡的地理优势，声东击西、左右出击，打得日伪军不敢贸然下乡“扫荡”。

“‘老天’的队伍就是行！小鬼子都害怕。”我听爷爷多次说过这样的话。

“老天”到底行在哪儿？我在写此书时，有一天有人从南京给我发来一份电子文件，一看，原来是任天石的后人发来的，是一位曾与“老天”并肩作战的老“民抗”队员的回忆文章，叫《任司令夜诊》。我摘下片段：

> 1939年6月“民抗”总部成立，任天石任司令，大家都叫他“任司令”。
>
> 现在，任司令正在给二三十个新参军的青年战士讲课：“同志们，你们都是从上海下来的，尽管生活艰苦，也比我们农村强，走的是水泥路，喝的是自来水。现在，你们刚下来两三天，就能不怕艰苦，认真操练，相互之间团结友爱，这是一个良好的开始。你们讲，来到我们‘民抗’部队学到了点啥？”

“报告司令，我们学会了出操和打枪！”

“我懂得了啥叫罐头里笃肉，原来是爊螺蛳！”

“哈哈哈……”话音未落，就引来一阵欢快的笑声。

“报告！我听到一首老百姓唱‘民抗’的歌谣。”一个十五六岁的小战士站起来，脸涨得红红的。

“这位小战士，你姓陈吧？你听到了唱‘民抗’的歌谣？你到前面来，把你听到的说出来给大家听听。”任天石饶有兴致地发出邀请。

“是！我来说给大家听。”一个瘦小个子的大男孩有点怯生生地走到队伍前侧站着。

“正月里来迎新春，村里百姓舞龙灯。‘民抗’是龙头前面引，百姓是龙身后面跟。”

“啪啪啪……”热烈的掌声使这个小战士满脸通红，带点兴奋又有点害羞回到队伍里。

“好！刚才小陈唱的歌谣太好了。这说明老百姓对我们‘民抗’部队的信任和拥护，也说明我们和老百姓的关系是鱼和水的关系，是亲如家人的关系。”

任天石正说着，有位战士举起手来：“报告，任司令，我想提个问题。你说老百姓和我们亲如家人，那中午老百姓送你两碗荤菜，你为啥不肯收呢？”“对啊，对啊！”有几位战士也附和起来，带着疑问把目光投向任司令。

任天石挥挥手示意大家安静下来：“我知道你们会有人不理解，让我告诉大家。吃饭时，李大伯给我们送来两碗荤菜，蒸咸黄鱼和百叶结烧肉。我给他端回去了。为啥？不是嫌少，也不是他烧得不好。”

“那为啥呢？”许多双眼睛里充满了疑问。大家在静静地听。“李大伯家里很困难。我们不吃，他这两碗菜可以吃一个礼拜。我们吃了，李大伯就要吃一个礼拜蔬菜。更重要的是，我们是共产党领导的抗日部队，我们有铁的纪律，不拿群众一针一线就是很重要的一条。我们如果像军阀部队那样，跑到哪里就吃到哪里、抢到哪里，老百姓还会拥护我们吗？”

“不会！”大家齐刷刷地响亮回答。

“对！我们任何时候都要想着老百姓，想着人民的利益。我们爱护老百姓，老百姓才会支持我们！现在解散，大家吃饭去。”

战士们散去了，有个人却急匆匆地走了过来，任天石一看，是他的警卫员陈祥根，连忙问：“祥根，有啥事情？”

“任司令，你先去吃夜饭，等你吃了夜饭我再说。”

“吃夜饭晚一点不要紧，你先说有啥急事！”

“任司令，被你看出来，我就不瞒你了。淼泉殷家宅基殷增兴的儿子殷全全脸上生了个毒瘤，有段时间了，现在越来越肿，外加高烧不退，家里人急得不得了，就托人找到我，要请你‘天老爷’去看一看。只是……”

“只是啥？”

“只是那个地方离古里镇、离大东门都蛮近，万一敌人出来搜查就会有危险。”

“不怕！我们换身衣裳，快去快回。外加今朝没月亮，便于隐蔽。我来叫参谋长派几个战士先走一步，过去探探路，做点准备工作。”“好！”说着两个人分别回到屋里，更衣打扮。

“任司令，你还是先吃饭吧。”

“不，替小孩看病要紧，我早到十分钟，殷家就早定心十分钟。”

任天石和陈祥根化装成捉鱼人样子，身上披件蓑衣，背上背顶蓑帽，就划了小船往淼泉而去。为了避人耳目，他们尽量靠在沿河树荫底下行驶。经过三十分钟，任天石他们来到殷家宅基附近，参谋长派出的“民抗”队员已先到一步，把殷增兴和他的儿子接到宅基附近的芦苇荡里。有人在芦苇荡的小船上举一盏围灯，再几个人围起来，头顶上遮一条土布被单，任天石就在这昏黄的灯光下，为殷增兴的儿子动手术，将伤口里的脓挤干净，再将带去的几味草药合成的药膏敷在上面，用纱布包扎妥当，然后再留了几天的药膏，又将啥时候换药等注意事项都一一交代清楚。殷增兴一边听，一边不断地点头：“任司令，你真是我们穷人的天老爷，你救了我儿子的命，我们一辈子也不会忘记。”

任天石双手直摇：“增兴，你千万不要这样叫，我当郎中就是为别人看病的。我也不是天老爷，老百姓才是我们‘民抗’部队的天老爷，你们时时处处拥护我们、支持我们，使我们如鱼得水。”说着，任天石关照殷增兴赶紧把孩子送回去早点睡觉。

正当任天石他们送走殷增兴父子准备返回时，“嘭嘭嘭……”日军的小汽艇声音由远及近。“不好！有敌情！”说时迟，那时快，几个“民抗”队员马上划动小船，从芦苇荡的北面向南面划去，划过几十米又马上跳到岸上向麦田里奔去，一边奔，一边向日军的汽艇开枪。敌人一看果然有游击队，就将小汽艇调转方向追去，追了一段路，只见四周乌黑一片，也不知麦田里埋伏了多少人，不敢贸然追击，还害怕游击队会断了他们的后路，不敢恋战，调转船头往城里方向驶去。任天石他们趁日本鬼子去追击“民抗”队员的时候，也迅速划船离开，返回“民抗”驻地。

从此文中可以看出，郎中出身的任天石之所以在民众中被称为“老天”，不仅是因为他带兵有道、打仗有策，更是因为他爱民暖心。

“日伪越压迫，‘老天’他们越得民心。包括《沙家浜》戏中的新四军伤病员能够在敌后方养病休整，就是因为有任天石他们这样的‘民抗’武装保护和群众的有力支援。”常熟上了年岁的人都这么说。

也许还有当过郎中、做过名医的缘故，与任天石一起工作的领导干部，对他的工作总是给予褒奖。谭震林曾这样总结任天石的工作作风：一是踏实细致，二是善于接近群众。“有了这两点，再大的困难，也能药到病除。”谭震林在会上要求“江抗”和“民抗”干部们向任天石学习。

也许同样是因为深谙中医之道，所以任天石不仅有一副好口才，还写得一手好文章。你听：“犹豫就是妥协，畏缩等于死亡。”“光明的大道已经放在我们面前，紧握着手勇敢地踏步前进！”诸如此类的话语，从一位拿枪的“司令”口中说出，它就充满了强烈的感染力、影响力、鼓动力。

1940年，任天石的同乡战友李建模（1945年牺牲于一次战役之中）调往外地任职，任天石出任中共常熟县委书记。在“老天”领导下的抗日烽火越燃越烈，“老天”的抗日意志威震敌营。为了瓦解伪军，他不止一次深入前线，对阵向伪武装阵营喊话：

“同胞们！你们也是中国人，也是中华民族优秀的子孙，痛苦压迫受够了，还不在这时机共同起来吗？虽然已经透露自由幸福的曙光，可是还得大家来努力完成呀！”

“我们已经有着十万余强大的武装部队，战斗在大江南北黄河两岸，从京沪津浦到平汉路，整个大地原野已经走遍了抗战勇士的足迹！”

“巨大而一举一动足以震撼世界的苏联，给予了我们的抗战以热烈的同情与无限的援助。填不满欲壑的无耻的剥削者——帝国主义，正在作（做）残酷野蛮的侵略争霸的决死战，日本强盗的入不敷出，泥足难拔的今天，正是中华民族解放复国的前夜！”

“同胞们，一起奋起抗日的复仇火焰吧！”

“老天”在喊，“老天”在怒，“老天”在战斗和行动。他用生命与热血，唤醒每一个有良知的国民；用子弹和刺刀，攻向敌人的阵地和心脏……

1941年，任天石出任苏南第一行政区督察公署专员，在苏常太一带建立人民抗日民主政权。当日伪武装一次次集结精锐力量进行“清剿”时，“老天”的部队就成了人民的“保护伞”。敌人对“老天”恨之入骨，又无可奈何。

1945年8月15日，日本宣布无条件投降，举国上下欢庆抗日胜利。然而，蒋介石的国民党反动集团企图独吞抗战胜利的果实，内战一触即发……根据中共中央命令，我苏南地区的人民抗日武装队伍开始北撤。任天石率部渡江到江北。中共苏中区党委宣布成立十地委，任天石任常委兼社会部长，负责沪宁沿线城市上层人士的统战工作。

1947年春节前的一个夜晚，寒风肃杀，任天石等秘密返回老家，与当地联络人接头，商议为江北武装筹措武器，不料被敌匪包围抓捕。

“想活命可以，马上用金条来赎！”敌匪给出的条件很狠，任天石怎会同意用为人民武装购买武器的金银换自己的性命？

“少来！老子没钱，只有命一条！”当时尚未暴露的任天石如此说。

“好嘛，没钱就别怪我不客气了。”就这样，一群敌匪将任天石押解到了国民党上海警备司令部。

这是党组织和许多同志都没有想到的事：一位在敌后身经百战、出生入死，从来是死神绕着他走的人，竟然被几个为钱而甘舍一切的匪徒困于无奈之中。

到上海敌警备司令部后，任天石也并未暴露真正身份，他一口咬定自己是做生意的商人，买枪也是为自卫所用。但敌特们不吃这一套，他们看任天石的“气质”，想着他一定是个共产党的什么“头目”，只苦于没有证据。于是敌人便使用重刑，将任天石打得死去活来，可仍然一无所获。如此40多天折腾，最后把他作为“重要案犯”押至无锡的国民党城防指挥部监狱关押。敌人有一招很毒，他们虽然从任天石的口中找不到“证据”，却能听出他的口音是无锡一带的人，于是就来了一计：不定期地将任天石押在轿车中，在无锡城中转悠，制造“共产党领导干部投降”的假象，以混淆视听。正是无巧不成书。有一日，任天石上厕所时，见到了第十地委所属的长江工委委员田学甫，以为此人也是被关押在监狱，便以一手紧握拳头，表示相互激励，与敌人斗争到底。哪知这姓田的早已变节，他看到任天石后，便知道自己“碰运”了，立即向敌人报告了任天石的真实身份。

一时间，敌人兴奋不已，在上海的《新闻报》上声称任天石是“‘江抗’代理总司令”“中共常熟地区行政督察专员”“中共华中大区负责人”云云，总之他们逮住了“中共一条‘大鱼’”。

对这样的“重要案犯”，蒋介石集团一般都会先用各种高官厚禄加以诱惑，如不从就是毒刑逼供，再不然就是枪毙或判重刑。他们对付任天石也是这一套。

身为“老天”的任天石，对党忠诚，信仰坚定，于是选择了不屈不挠，斗争到底。

敌人将其押至南京军事监狱，等候最后的“判决”。已知生命即将结束的任天石始终没有半点畏惧，依然对革命前途充满乐观。在狱中，他连续用数个夜晚，将写给陈毅等领导的信，让同牢的难友背熟，向组织转达他至死不移革命信仰的决心。我们前面说过，“老天”不仅足智多谋，而且也有一手好的文笔。在南京狱中，他写过一篇题为《天雨庭前的梧桐树》的文章，写得很优美，也很壮美。

嫩绿娇艳的梧桐叶，正似小孩子一样的热情和活泼，随风飘拂，奋勉地遮掩着炎热的太阳光，让所谓犯法的囚徒们从万般纳闷中得到些微的凉快！

当狂风侵袭它的时候，丰满鲜洁的色泽，被踌得一张张反过身来，露出米白色的倦怠，有时甚至把它躯干吹得全部都在摇撼。但，不因受到了创伤而变它本来的形态，相反，还在挣扎着，给囚徒的一点期望与安慰。

啊！受不尽的魔（磨）难，春风才过，霪（淫）雨相继着下个不停，枝叶被淋得好像陷水将死的人一样。水已不能容纳，从肚里向外泛呕。水珠一滴滴从叶面上流下来，筋疲力尽地抬不起头来（一样），跟随着水珠的滴下不断的（地）向上弹动，含示着奋发精神在反抗。任凭百般摧残，不到秋风是不会扫落的啦！

点缀着淡妆素服活泼细小的梧桐花，没有一点市尘厌恶的俗味，矗立在顶立的，更流露出天然的美丽，雄豪坚毅的姿态，虽是，将总会遭受到肃杀的季候，它始终深深的（地）吸取着生活的泉源，扫净了绿叶，枝干依旧不枯萎。

秋风年年有，毁灭不尽的梧桐叶，只见它年年在增添着引人喜欢的娇嫩，依旧在炎热的阳光中给囚徒们一点凉快，直到牢房变废墟！

1948年4月的一个漆黑的夜晚，敌人又开始在牢中喊着“调号子”。狱中的难友们都知道，这是又要有人上“雨花台”断头了……

“任天石！轮到你了！”狱吏在喊任天石的名字。

“‘老天’……”难友们低泣起来。

任天石则站起身，穿好衣服，像平时一样不慌不忙地收拾好东西，然后交给同室的一位叫孙皎的难友：“留作纪念吧！”说着，他转过身，昂首走出牢房，唱着《国际歌》，登上刑车，朝雨花台而去……

又是一阵刺耳的枪声。我的老乡、我故乡人民心目中的“老天”倒在了血泊之中，时年35岁。

“老天”其实是不会死的。任天石的名字也融入“沙家浜”而永远镌刻在我故乡的那块大地上……现在每年前来瞻仰的参观者多达近千万人次。

英雄不死，“老天”永恒。

第十六章
旋律奋扬中的“北平五烈士”

“人生自古谁无死，况复男儿失意时。多少头颅多少血，续成民主自由诗！”这首诗是埋葬在雨花台的一名烈士在牺牲前所作。他叫谢士炎，是在1947年被叛徒出卖后遭逮捕，并于次年牺牲于南京雨花台的。

1949年4月，中国共产党领导下的中国人民解放军渡江大军的第三野战军第八兵团司令部里，司令员陈士榘和政委袁仲贤一起从参谋手中接过一份刚刚从北平发来的我军管委会主任兼北平市市长叶剑英发来的专电，电报上说“你们务必在国民党监狱里找到一位叫谢士炎的人”。

“听说他是打入敌营内部的我地下党员……”

“那就必须得想尽一切办法找到他！找到这位谢士炎……”

随后的渡江大军如秋风扫落叶般地横扫敌军，六朝古都在人民解放军的猛烈进攻下获得解放，蒋家王朝迅速崩溃。

“找到那个谢士炎了没有？”攻克南京“总统府”后，三野第八兵团司令员陈士榘问他的参谋。

“找到了……”

“太好了！人呢？”陈士榘司令员一听差点叫起来。可参谋告诉他：“他已经牺牲了……”随即又补充道：“我们是在雨花台乱坟堆里找到跟他一起被敌人枪毙的5位烈士的遗骸的……”

参谋拿出几张照片，给陈司令员看。那照片上有5位烈士的遗骸，其中有位烈士的尚未腐烂的布条上写着“谢士炎”三个字，其余分别是：丁行、赵良璋、朱建国、孔繁蕤。

这就是有名的“北平五烈士”。他们是战斗在敌营中的一群年轻人，一群具有理想的国民党军官、后来都成为反对蒋介石反动集团的勇士，而在新中国成立之前，他们用生命换得对信仰的崇高礼赞。

青秧又从山边绿到我的翼下，
箭似的心，
泛过茫茫的天涯。
春风带来了几分温暖，
可惜呵，花开又花谢，
我只在梦里回过家。
燕子又衔春泥，
飞过那窗下，
思乡的心，像弹道的火影……

这首歌曲《春》的作者不是大音乐家，而是“北平五烈士”中的赵良璋——一个27岁就牺牲了的英雄，一个南京籍的烈士，一个过早离开了我们的音乐家，一个飞翔在蓝天上多次与日寇搏杀的战斗机飞行员……

赵良璋是一个具有很高造诣的音乐天才，因抗日救国的理想而投身于军队，成为战斗机飞行员。当他看到自己的阵营里那些腐败而丑陋的一桩桩、一件件事后，心中产生了厌倦，开始寻找新理想。他通过阅读进步报刊后发现，延安和中国共产党才是他真正希望献身的地方，于是他冒着生命危险，从成都跑到重庆，找到了红岩村的八路军驻重庆办事处。

“我要参加共产党！我要跟蒋介石反动集团斗争，你们能介绍我到延安去吗？”有一天，赵良璋化装成普通游客，独自来到歌乐山的红岩村那里，趁周边的国民党特务不备之际，一溜烟跑到了红岩村。

一个国民党的飞行员，独闯红岩村，要求加入共产党，听起来像是“编”出来的“戏说文艺”。其实，我在多年前写的另一本叫《忠诚与背叛》的书中还真有过同样的故事，那书就是专门重写“红岩故事”的，所以当时我多次到了周恩来领导的红岩村那个地方，听党史专家们讲过类似的故事。也是突然有一天，一位国民党的军官跑到了中共办事处的红岩村里，当时我方办事处的人不知如何办，那天正好叶剑英在，所以最后是由叶剑英亲自出面来处理此事。当我方询问清楚来者确实是位希望逃出国民党反动魔窟，回到人民中间来，参加革命的抗日统一战线的军官时，就说服他回去，首先保证自己的人身安全，再慢慢根据情况，发展他加入革命队伍。经过一段时间的考察和观察，叶剑英向周恩来做了汇报，认为来的这位“张姓”国民党军官确实有反蒋基础，于是决定正式发展其为我方潜入国民党内部的地下党人员。为此，“红岩村”特别派出刚从延安来重庆的张露萍同志作为这位投诚的国民党军官的联络人，名义上是其正在谈恋爱的“妹妹”。张露萍不负党的重任，后来不仅发展了这位张姓国民党军官，而且另外又发展了几名投诚的国民党军官。这些国民党军官原先都是蒋介石总参谋部的电台机要人员，后来为我党、我军做出了重大贡献，把国民党、蒋介石的许多重要情报，通过秘密渠道，送到了延安和红岩村。但有一天敌营在“晚点名”时，发现其中一位潜伏的我地下党员没有在营房，于是就派人去他宿舍寻找，结果在他的宿舍里找到了此人加入中国共产党的“入党志愿书”等底稿。于是敌人顺藤摸瓜，将这几个潜伏的机要军官一网打尽，而且通过诱饵又将身在成都的张露萍也抓捕“归案”。此案震惊了国民党高层，蒋介石为此差点枪毙戴笠。后来张露萍等5位年轻的中国共产党党员被敌人全部枪决，牺牲时这些人表现得特别坚强勇敢，令杀害他们的国民党杀手心惊胆寒，其中一个枪杀张露萍的国民党士兵因此患了精神病。

“中共美女间谍案”——张露萍等几位烈士的事件很出名，我的《忠诚与背叛》出版后，有人将其改编为影视剧，广为传播。

这回赵良璋独闯红岩村似乎又是另一出好戏——

那天接待他的是红岩村办事处工作人员薛子正同志。薛子正对这位“不速之客”既热情接待又不失警惕地问赵良璋“为什么”、“你是什么人”等问题。于是赵良璋就一五一十地将自己的身世及命运一股脑地亮了出来。

赵良璋说他是南京六合人，1921年3月1日出生，父亲是一名商店店员，以微薄收入接济家庭生活。他年幼时，父亲就去世了，后来母亲也去世了——他赵良璋就成为孤儿，被寄养在姑母黄赵氏家里。“十来岁时就在江北卸甲甸的一个厂子里做过工”，姑母对他挺好，让他读书。1937年12月，侵华日军占领南京。赵良璋跟着亲戚一起从南京辗转撤退到大后方。

“我恨死日本鬼子了！撤退途中看到中央空军军士学校在招考飞行学员，我就报名了！”

赵良璋真的被位于成都市簇桥镇的国民党中央空军军士学校录取，成为该军校的第二期学生。参军后，赵良璋先在位于成都草堂寺的中央陆军军官学校成都分校度过了入伍训练阶段，接受了各类军事训练。1939年3月，赵良璋正式入读中央空军军士学校，作为一名蓝天骄子，开始学习飞行。中央空军军士学校是中国历史上第一所完全由中国人办的飞行学校，学校的飞行教官都是中国人。当时，赵良璋和同学们冒着侵华日军航空兵对成都的空袭，刻苦训练。而成都多雾多雨，可以升空训练的日期不多，学员们的飞行训练也是在艰苦条件下慢慢延续着，所以这个空军院校的淘汰率普遍很高。据同一军校的毕业生讲，该校每期学员合格入学人数约800人，到毕业时只剩下约100人。而学校的学员经过350次至400次飞行起落、180小时至200小时飞行训练的水平毕业，才能正式成为一名飞行员。赵良璋经受了这些考验，在1942年前后完成了高级飞行军士训练。不久，中央空军军士学校第二期学员军衔改为空军少尉二级，作为中央空军军官学校十二期特别班毕业生看待。赵良璋也因此成为国民党空军的军官。

作为一名飞行员和国民党军官，其实待遇也不算差，然而具有远大理想和志向的赵良璋思想开始发生变化，这是因为在军士学校学习期间，他与同学朱璧谱、朱铁华（后均成为地下组织成员）等人志趣相投，经常在一起阅读进步书籍，谈论前途和理想。

“要我看，今日之中国抗日胜利的希望，唯延安和延安的那些真抗日的八路军们……”尽管是秘密的、私下的交流，但赵良璋的政治倾向十分明显。

> 一片荷叶一滴露，橙红的太阳亲着笑过。
> 郎啊，那是你的眼睛，从早到晚盯着我，
> 任刀砍剪也不分离过。（女唱）
> ……
> 一支野草一滴露，满腔的愤怒涌上心头。
> 妹啊，那是你的家园，几十年来受折磨，
> 要赶尽鬼子才有太平哟！（男唱）

一心想投身抗日战斗的赵良璋在军校学习期间，就开始学谱作曲，他的乐感和音乐天赋极强，一首经典歌曲稍听上一两遍，就能流畅地哼起来，且模仿能力又特强，于是年轻的学友们总见他“整天乐呵呵的”，其实他是在练声练谱。像这曲《一片荷叶一滴露》的男女对唱的歌曲，反映的就是一对男女青年在爱情中充满了对日本侵略者的仇

恨与抗日的决心。其歌曲乐感和节奏就是从传统民歌“嫁接”过来的。不管哪一种情况，作为“业余歌者”，赵良璋身边的人就是喜欢他谱曲的歌，因为唱起来上口，又能同当时抗日的情绪和决心相吻合，深受同一队伍里的官兵们喜爱，赵良璋因此也广受同事们的关注。

也许正是这些“歌”与“歌声”拨动了觉悟者那根敏感的心弦，于是在茫茫人海和复杂的兵营中，有一双炽烈而锐利的目光正在注视着这位年轻的歌者……

其实，在抗日战争时期，由于蒋介石和他的国民党集团采取“不抵抗”和反共政策，所以他们的“国军”中有许多像赵良璋一样的热血军人愤愤不平、暗中筹划，决意要同国民党决裂，开始走一条光明道路。

“这样下去，非臾死不可！”说这话的是后来与赵良璋等一起走向雨花台的另一位烈士，叫丁行，比赵良璋大13岁，也是轰动一时的“北平共谍案”5名烈士中较年长的一位。

丁行，生于1908年，其父是前清贡生，所以丁行7岁起就跟着父亲念“四书五经”。他天资聪颖，学习勤奋，全县学生数次会考，小丁行均名列第一，人称“神童”。可这“神童”却从来不崇拜“神爷”。一天，他带着几个小伙伴，把城隍庙里的“城隍爷”用绳子拉倒并将其摔得粉碎。“哈哈哈……我看你还抖不抖威风了！”此时的神童，变成了彻头彻尾的顽童。

高小毕业后的丁行，考入夏县堆云洞平民中学。从这个时候开始，他受到了很多革命思想的熏陶。不久，该学校被“山西王”阎锡山取缔，这时的丁行又转入夏县师范讲习所学习。毕业后，17岁的他被委派到本县下留村小学任教。

1927年8月间，运城二师学生、中共党员孙云生（又名孙雨亭）介绍丁行加入中国共产党。同年9月，由孙雨亭和丁行等几个党员，组成中共夏县委员会。之后，丁行等党员在大革命失败后的严峻形势下，积极发动当地农民进城暴动，然而由于敌强我弱，起义最终失败，丁行的几位战友相继被捕。农民暴动虽然失败了，但丁行等却受到了革命斗争的洗礼，开始了职业革命生涯。

起义失败后的丁行，逃往陕西，后经老乡介绍，加入了高树勋部队。高树勋后将部队划归给西北军池峰城，丁行便投身于他的麾下。丁行在池峰城手下当差，由文书、书记、秘书，一直升至军部秘书处长。利用特殊的身份，丁行一直在从事党的相关工作。

1938年初，全国的抗战形势如火如荼。丁行在所在部队的同意下，邀集了30多位进步作家和文艺骨干成立了战地服务团，丁行自任团长，后随军队到达徐州前线。这段时间里，丁行在台儿庄与著名诗人臧克家一起生活了20余日。臧克家曾这样回忆道："台儿庄的主力是三十军。我先到二十七师，师里有个战地服务团，由共产党员丁行负责。团员有蒋牧良、叶以群、欧阳筱、李辉筱……我们一道谈战争形势，戎马匆匆，但紧里有松。午间，我们常靠着草垛聊天，蒋牧良常与丁行下棋。"

台儿庄大捷，丁行效力的长官立下战功，升任国民党军队第三十军军长。

但是就在这看起来丁行可以顺着长官的升迁而飞黄腾达时，同在国民党三十军里的杜新良、张振林、刘鲁民等13位革命同志被军统特务抓捕，丁行的身份很快也被暴露。在这危急时刻，丁行借长官的信任，借机迅速脱身，独自来到重庆。他通过关系，找到冯玉祥将军。一番好说歹说，冯将军介绍他进了蒋介石所办的训练团。这个训练团是蒋介石专门用来培养国民党亲信骨干的，丁行暗暗叫好："这下可以直接去'摸'老蒋的老虎屁股了！"哪知人家不愧是培养嫡系的，所以丁行这样的"嫌疑分子"马上被人告密而遭清除。

"长官，你都看到了吧：只要有人一说我是你的人，背地里马上就有人使暗枪来了！"丁行左思右想，最后还是觉得要找自己的"靠山”——三十军军长池峰城。

“你就是我的人咋啦？！我看谁敢来抓我问罪嘛！”池峰城被老部下一激，怒发冲冠。随即他把丁行介绍给了第十一战区司令长官孙连仲，当其秘书。

“好，池长官介绍来的人，我接！”孙连仲与池峰城是“铁哥们”，有这样的保护伞，丁行自然以为可以继续从事他暗中宣传革命的工作。哪知蒋介石不仅对共产党实行法西斯政策，还对自己的军队同样采取了许多见不得人的手段，中统特务在各军种部队布满暗哨就是一例。丁行的活动，很快又被潜伏在十一战区司令部的国民党特务发现。

“请吧，丁先生！”特务们得意地将丁行押到囚车上，将其软禁在湖北恩施深山里的一间破茅屋内……由于丁行死不承认自己“通共”，后经组织多方营救，半年后丁行终于又恢复自由。

1945年抗战胜利后，根据组织的指令，丁行受命继续回到曾经工作过的国民党军队第十一战区司令部，随孙连仲北上，担任保定绥靖公署军法处少将副处长兼河北省政府机要秘书，同时他还兼任孙连仲的家庭教师。

“你的任务就是利用孙连仲对你的信任，争取他的起义……”党组织的指令非常清楚。

“明白。”丁行郑重地接受了这一重要任务。

这时，党给他的主要任务是策反孙连仲，丁行欣然接受，同时利用自己与文化界的各种关系，进行反对内战的宣传。他用笔名“何彭”，给南阳《前锋报》和北平《时报》写的社论与各类文章达数十篇。他被捕前发表的最后一篇文章《在内战最前线》，对国民党部队的黑暗腐败进行了无情揭露。不用说，丁行利用在“长官”身边工作之便，给许多被抓捕的革命者和共产党人，一次又一次地“开后门”。为此，熟悉他的著名诗人臧克家于1961年在《人民文学》发表的纪念丁行的长诗《梦》中有这样记述：“……凭着你的身份和关系，白色队伍里撒红的种子；前门外点名要逮捕人，后门口你送走一个个同志……”

1946年，蒋介石彻底撕毁“双十协定”，向解放区发动全面进攻。此时的北平城里，特务、警探、党棍遍地皆是。尤其那些从事敌营策反任务的人，面临的危险性极大。

“你就是待在国民党的军队里，我们天天都在提心吊胆。这回你要给共产党做事，能不遭杀身之祸吗？”亲朋好友来劝丁行暂避风险。谁知丁行摇摇头，坚定地说：“我的战友们正在出生入死地战斗，我岂能当一名可耻的逃兵？”

1947年，正当人民解放军与国民党反动军队大决战开始之时，经过丁行与其他几位在敌营中从事地下工作的同志的不懈努力和积极争取，国民党十一战区司令孙连仲开始动摇，表示愿与我方进行起义谈判。就在此时，丁行随孙连仲一起出席了蒋介石召开的涿州军事会议，而就在这个会上，蒋介石对全国的军事战场做了部署。丁行则将这一重大军事情报完整而及时地报告给了我人民解放军总部，为整个解放战争的胜利做出了重大贡献。

然而，原本一件完美的事，但因为我方在北平的地下电台被敌人的北平行营二处电讯侦察机构侦破，又因我地下电台负责人李政宣与报务员孟良玉叛变，于是敌人顺藤摸瓜，一下将我北平地下情报网络人员100多人抓捕……

这就是轰动一时的“北平共谍案”。

抓捕所谓的“共谍分子”的情况各不相同。丁行的情况是，“北平共谍案”发生后，报到蒋介石处时，蒋介石气得直拍桌子，跟情报部门和国防部头目们说：“北平和保定的我们队伍内部，已经差不多快烂出洞了！你们查！立即去查个彻底！”

之后，丁行就这样被捕。

被捕后的丁行立即意识到自己不能再像以前那样一次次依仗老长官孙连仲，因为他也被撤职。过去孙连仲凭着参加过台儿庄大战立下战功的老本，蒋介石也买他三分账，这会儿彻底玩完。然而，忠诚于共产主义信仰的丁行无私无畏，在毒刑面前毫不畏惧。为了鼓励后人继承其遗志，丁行借提审的机会给家里打电话，让他们不要为他担心，并给刚出生的孩子起名“令吾”，暗示他已入狱……

北风起，寒连心，
无家的人儿孤零零。
天天徘徊荒野地，
无衣服无食啊，不见娘亲。
眼看太阳要过去，
太阳啊过去，又是黄昏。
冷风冷夜恨不尽，
要想温暖等明天……

这首《北风寒》是赵良璋作曲的另一首歌。他唱着这首歌时，他的那些战斗在敌人心脏的战友们正一个又一个被敌人抓捕。因为就在丁行被捕之时，敌人已经将一张巨大的追捕“共谍”的大网，在北平地区的国民党军队里撒开……

“奶奶的，你们快看快看！这么重要的国军军事分布图，竟然也落在了共产党手中呀！”中共北平情报网的地下电台利用的是当时公开身份为北平电报局局长的李政宣。

关于李政宣被捕和叛变的过程大体如此：

1947年9月，已经对我北平地区情报机构十分警惕的国民党特务机关，在用雷达侦察到我电台正在工作时，立即派出重兵包围并一举抓捕了负责人李政宣和正在值班的报务员李毓萍等4人，而这几个人又立即叛变。要命的是，这几个人原来都是中共地下组织从西安方面特意调到北平工作的，他们来北平之前一路上又经苏州，与当地地下情报组织联络过。到北平后，他们又负责沈阳、承德两地的我地下情报网的建立与联络工作。因此他们叛变后，不仅供出了北平的我党地下情报网人员，还同时把上面几处的地下工作者都供了出来。因此在“北平共谍案”发生后的几天之内，这五个地方的中共情报人员，除少数闻讯撤往解放区外，其余人几乎全部被捕，共达100多人……

每一次书写一个革命烈士时，总有一种难以压抑的心情在我的胸膛里翻滚……因为几乎每一位烈士的被捕和牺牲，都是被自己的“同志”所出卖的，也就是说，那些背叛革命、出卖同志的人实在太可憎、可恨。他们总是为了保自己的一条命，而不惜他人的命，甚至多条他人的命。

为什么是这样呢？是人性的丑恶？是人性的脆弱？是人性的自私？是人本来就怕死？

也许是。而且许多时候也确实是这样。然而最根本的是每一个加入中国共产党的人的信仰问题。信仰坚定者，是不会出卖党、出卖同志的，而那些信仰不坚定的人，往往就会不顾一切地出卖他人、出卖组织，最后出卖了他自己的灵魂。

是这样的。

然而，真正的革命者、共产党人是不会背叛信仰和同志的。牺牲在雨花台的那些烈士就是这样的人。

“北平共谍案”牺牲在雨花台的5名烈士属于这样的人。

关于这个所谓的“共谍案”被捕的人很多，对中共地下组织确实是个巨大的损失。蒋介石当时十分恼怒，连连下达指令，他对所有被捕的共产党人，尤其是潜伏在国民党军队里的“共谍”，恨得咬牙切齿：“该杀就杀！该重判就重判！”于是那100多个被捕人员中除了几个“叛变分子”外，其余的都被判了重刑。5名军人是“重犯中的重犯”，因此蒋介石下令“押解南京处置”。其目的，一是想通过“训导”，让其“悔过自省”，这样老蒋和国民党可以挽回些面子；二则，如果不能“自省”，就立即枪决，这是给全国民党军队的人看的。

最后，丁行、谢士炎、赵良璋、朱建国和孔繁蕤5人于1947年11月30日被敌人用专机从北平押解到南京，接下来的日子是接受国民党的所谓“军事法庭”的一次次严酷的“提审”及毒刑……

这5人中丁行年龄最大，赵良璋被抓时26岁，朱建国比赵良璋大5岁，孔繁蕤大赵良璋3岁，年岁排列在“老二”的谢士炎，官位虽与丁行同是“处长少将”，但因为当过蒋介石的侍从官，所以“分量”更重些。

谢士炎在赵良璋被抓的那个年龄时，其实就已经比赵良璋等要“风光”得多，而且在家乡人的眼里，他一直是一个正在冉冉升起的“武状元”。

说谢士炎是“武状元”并非溢美之言，而是事实。

谢士炎出生于1910年，他谢家叔伯兄弟中有9位毕业于军校，其中6人是国民党高级军官，堪称“国民党陆军将官门第”。父亲谢绍先，民国初期曾在湖北陆军任军需等职。伯父谢绍安，参加辛亥革命武昌起义，很得孙中山赏识，后来在国民革命军总司令部官居要职。少年时期的谢士炎，勤思好学、聪颖过人，且十分崇拜岳飞和文天祥。1926年秋天，谢士炎跟随在国民党军中任职的伯父来到南京，投考了南京工程兵学校，正式开始了军旅生涯。之后谢士炎就读于黄埔军校长沙分校（中央军事政治学校第三分校）第六期步兵科和中央陆军交通辎重兵学校，先后任陆军步兵营排长、交通兵团第一团副连长等职务。1935年，谢士炎以优异的成绩考入陆军大学第十四期深造。在陆大学习期间，谢士炎不仅军事成绩优异，还熟练掌握了英、法、俄三国外语。这在当时的国民党军队里是少有的人才。1938年，他从陆军大学毕业后被分配到国民党第八十六军，与广大爱国将士一样同仇敌忾、奔赴疆场，先后任该军第十六步兵师第四十六团团副、代理团长、团长。1942年在衢州战役中，谢士炎率部与十倍于己的日寇激战数昼夜，歼敌2000多人，击毙日旅团长。顾祝同誉其“壮年有为，能文善武”，当地老百姓尊称他为“武状元”。

然而除了抗击日本侵略者之外，谢士炎其实早已对所在的国民党和国民党军队失去信心，决心站在人民革命一边，为民族独立和解放做贡献。

据谢士炎的儿子谢鹏介绍，谢士炎早在抗战时期，就与共产党有所接触。由于任过蒋介石的侍从官，在一般人的眼里，谢士炎是个“忠诚于党国”的铁杆军人，可谢士炎是个例外。谢鹏介绍，批准谢士炎加入中国共产党的叶剑英生前曾回忆说，谢士炎应该是在1938年第二次国共合作时的武汉接触到了共产党。

衢州战役和浙赣一带的抗击日本侵略军的多次战斗结束后，谢士炎被调至湖北恩施第六战区司令长官孙连仲参谋处任科长、副处长、参谋处处长。由于这位“武状元”军事素养扎实，又有实战经验，为人光明磊落、正直无私，所以同样是抗战功臣的孙连仲十分看重他。

1945年8月，日本宣布投降后，谢士炎受命参加芷江洽降。他在谈判中举止得体、文雅大方，一派标准的中国军人风采。不久，他又被推荐为武汉前进指挥所办事处主任，参与武汉的日军受降工作。怎料，谢士炎此行却遭遇了他人生中最大的劫难。

8月30日，谢士炎到达武汉上任，身着崭新少将军服的他，在机场发表书面讲话。当时现场的记者这样描述：“这天的谢士炎，仪表堂堂，代表了中国军人的高大形象。他言语铿锵，内含着正义必然战胜邪恶；风度翩翩，显示了文武双全的特有气概。”

以为同侵略者的斗争结束后，国家和政府会重振河山，造福民众。哪知，摆在谢士炎面前的一幕幕国民党的丑恶行径，让他越来越无法接受和忍受。那些趁接收日军占领地之际发横财的反动军阀及“接收大员”们贪污腐化、抢劫民财的种种丑陋相，令谢士炎无比愤怒，于是他起来抵制和抨击，结果反被造谣诬陷，说他在受降过程中贪污受贿，擅自接受日方宴请，夜夜笙歌，荒唐无度，还接受当地奸商的别墅、金条、轿车等。在一番所谓的“调查”之后，谢士炎竟然锒铛入狱。

从“抗战英雄”沦为“阶下囚”，谢士炎彻底认清了他以往所服务与效忠的“党国”是些什么货色了！

为了国，为了家，
我拿着枪骑着马。
生活在战斗的黑夜里，
也驰骋在火热的阳光下。
战斗四年了，
我没有回过家。
眼前是黄金一片，
又是割的时候哟。
回去吗？不！
我不能把枪放下！
不能把枪放下——！

在同僚好友的积极奔走下，入狱3个多月后，谢士炎终于被释放。出狱后，谢士炎生活拮据，原来的老上级、时任第十一战区司令长官孙连仲得知他的困难处境，对他发出了邀请。而就在这个部队里，他常听到有人在哼唱这首《我不能把枪放下》，慢慢地，谢士炎也学会了这首歌，并且对每一句歌词有了自己的理解：“我不能把枪放下！不能放下！”

是的，我不能把枪放下！不能！绝对不能！谢士炎在心中疾呼着、呐喊着。

而现实中的谢士炎，他是孙连仲长官部高参、军务处处长。其实，对这些高官厚禄，谢士炎并不感兴趣，他只是在寻觅着真正属于自己理想的机会与时刻……

机会似乎来了。1945年抗日战争结束后，国民党和共产党之间出现严重军事冲突的可能性日益增大。就在这时，美国政府派出代表，来到中国参与国共双方的军事调停，这个军调部门设在北京，简称北平军调部。

军调部中，中共方面的委员是叶剑英，国民党方面的是郑介民，他们两人心照不宣，都是各自党派的情报机构领导。故而在军事调停的背后，却是一场看不见硝烟的暗战……

1946年，谢士炎来到北平，任国民党第十一战区长官部一处少将处长，并参与拟定国民党军队进攻张家口的作战计划。就是这样一位重要的国民党军队的“作战计划”参与者，一转头，他便把整个作战计划交给了中共地下党员、第十一战区外事处副处长陈融生。据说，谢士炎当时并不确定陈融生是中共地下党员。但为了尽快把这份重要的情报送到共产党手中，谢士炎决定采取“破釜沉舟”的办法，他做好了最坏的打算，带着手枪直接找到陈融生。

那是一个暗夜，谢士炎推开陈融生的宿舍门，开诚布公地问他是不是共产党员，并说自己有一份重要的军事情报要交给中共代表，并且当即呈交上一份国民党军队进攻张家口的详细计划。“融生兄应该明白，这事要是泄露出去，你我两人只能同归于尽。”这个时候，谢士炎已经把手枪从腰间掏了出来，对准了陈融生，意思是你看着办吧！

“这个确实太危险！也太重要了！”陈融生被这突如其来的事弄得也一下子不知如何是好，问题的关键是，身为地下党员的他，能不怕其中有诈？无奈陈融生只好先敷衍答应下来，并口头答应“不妨帮处长试试这事”。

“要不这样，你马上去找辆车，我去找共产党方面的人？争取今晚把情报送出去！”陈融生试探着说。

谢士炎想了想，用目光重重地盯了一眼陈融生，说：“好吧！我马上去弄辆车……”说着就出了门。

谢士炎一走，陈融生立即通过秘密电话，用暗语向北平地下党负责人徐冰做了报告。等谢士炎开着车回来时，两人就搭上车子，直奔与徐冰约定的地方，将谢士炎手上的情报送达。

回来的途中，谢士炎握了握陈融生的手，说：“从今以后，我有事就来找你！”

陈融生点点头，说：“组织相信你！”

后来谢士炎送出的这份让中共方面马上识破国民党当局假谈判、真备战阴谋的重要情报，很快被送到了叶剑英手里。军调部的工作会议上，当这份国民党对共产党军队的作战计划一亮相，国民党方面的谈判代表的脸都绿了。

“查！彻查！”蒋介石后来下令军统方面拿出一切力量对潜伏在十一战区内部的中共情报机构及相关人员下毒手就是出此缘故。

谢士炎这一功劳奠定了我党对他信任的基础。一心想追求共产主义信仰的他，也随之向传递情报的中共地下党组织提出入党申请。

“按照当时党内的规定，秘密入党是什么手续都不办的。可是他不行，他这个脾气就是比较倔强，说我入党是光明正大的事情，我就要办这么一个手续，”谢士炎的儿子谢鹏介绍说，“后来应该是经过李克农的安排，说既要满足他个人的愿望，又要绝对保证秘密”。

国共代表共同组成的“军调部”，大家表面上看起来和和气气，握手、喝咖啡，背地里却是剑拔弩张！当时，叶剑英住在翠明庄宾馆，进进出出都在国民党特务的严密监视下。我的好友郝在今所著的《中国秘密战》一书中有一段介绍叶剑英与谢士炎见面的情节：

> 叶剑英外出的时候，他先派下面的人骑着自行车、摩托先出去，国民党蹲守的特务赶紧就跟上去了。然后，叶剑英的轿车突然就出门了，这时候国民党特务已经人力不够了，就没跟上……

据谢鹏介绍，叶剑英带着秘书马次青来到了谢士炎家中，进行入党宣誓仪式，整个过程很短暂，“最多也就十几分钟，因为谢士炎家也不是什么冷僻的地方，一个少将处长的家，随时都可能来人”。为了节省时间，谢士炎的入党志愿书是马次青事先写好的，谢士炎就签了一个名字。

今天，在南京雨花台烈士纪念馆里，有一份手写的竖排体的谢士炎的入党志愿书复印件，摆在琉璃展柜内。上面这样写着：

入党志愿书

余誓以至诚，拥护共产主义，在毛泽东同志领导之下，加入中国共产党，为无产阶级革命，尽终生之努力。

介绍入党人：马次青

具志愿书人：谢士炎

中华民国三十六年二月

这份地下工作者的特殊入党志愿书非常珍贵。

秘密入党之后的谢士炎，又多次利用参与国民党高级军事会议的机会，向党提供了一系列重要军事情报，为华北、华东的解放做出了贡献，中共中央曾在内部多次通电嘉奖。

一方是战役频频胜利，另一方则是情报频频泄露。“北平那边的部队内部出了事！出了内奸！”蒋介石马上意识到事情的根源，于是下令重点侦破北平地区的共产党地下情报组织。

一天，正在全城搜寻的国民党特务们在北平城里发现了一个可疑的电台信号，而且传出的电波非常活跃，但一时不能确定准确位置。于是军统特务派出大批执勤人员，挨家挨户彻查，最后在京兆东公街24号院发现秘密电台，现场的我党地下工作人员全部被捕，秘密电台总台的相关秘密材料被一卷而空，发报工具及未销毁的电报底稿均被查获。地下电台负责人李政宣被捕后随即叛变，声称在叶剑英处见过谢士炎。敌特专家们立即调阅谢士炎曾起草的作战计划，发现与署名“刘福”的电报底稿笔迹相同，由此推断出谢士炎为中共秘密工作人员。

“姓谢的，你被捕了！”谢士炎被捕后，敌人问他是不是共产党员。谢士炎知道自己已经无须隐瞒什么了，便自豪地告诉他们：“国民党已经腐败透顶了，所以我谢士炎信仰共产主义！”

因为谢士炎曾经是蒋介石的侍从官，对他不能随便处置，“上面”肯定有特别的吩咐，所以关在北平时，就不断有人来当说客，条件是：只要宣布脱离共产党，可官复原职。老实说，这样的“条件”在敌人的特务阵营里也是够令人羡慕的。

“我谢士炎会答应吗？”回答给说客们的话据说让蒋介石都没有面子。

“押到南京来！”

乘坐的飞机从北平军用机场起飞的那一刻，谢士炎十分清楚等待他的最后命运是什么。他在蒋介石身边待过，了解此人的手段与手腕。

丁行和朱建国、孔繁蕤也知道。

最年轻的飞行员、音乐家赵良璋更知道，甚至当听说要押解他到南京时，他竟然高兴地大声叫嚷起来：“要回家了！回老家了！”

“哼！别得意得太早，你这回是真的回‘老家’去了！”特务们这样调侃他。赵良璋反过来嘲讽他们：“我是要回‘老家’，可你们恐怕连老家都回不了啦！”说完，他在飞机上高唱起来——

我攻后背你打胸腔，
内外合作手足要帮忙。
我们是无敌的游击队，

出没在敌人的后方，
扰乱敌营破坏交通，
活跃在敌人的心脏。
把敌人的后方变成前线，
把前线展到敌人后方……

其实，身在国民党军队、心向延安和抗日前线的赵良璋，在创作歌曲时为了暗示歌曲赞颂中国共产党领导下的人民军队，他总是在旋律或曲谱上做“文章”。比如《游击队进行曲》这首歌，赵良璋在作曲时专门将“我们是无敌的游击队”一句的旋律，套用了当时《八路军进行曲》开头“我们的队伍向太阳”这句的旋律，愚蠢的敌人并没有注意到这一点，而那些隐蔽在敌营中间的地下革命者，一唱这歌，就会想到光荣的《八路军进行曲》。赵良璋用音乐和旋律抒怀内心的向往与抗日的决心，令人敬佩，而另一方面也可以看出他的音乐天赋。

《游击队进行曲》这首歌曲，应该是赵良璋早期的作品，从目前所掌握的资料来看，可以认为是他首次公开发表的一首战斗进行曲。从时间上推导，它是赵良璋还在军校接受飞行训练的1941年初创作的。因为1941年8月10日出刊的《青年空军》杂志第3卷第34期的封2页上，发表了赵良璋作曲的另外一首《空军节歌》。“空军节”是国民党空军为了纪念1937年8月14日全面抗战后首次空战而设立的。从他创作歌曲的时间段来看，在成为一名抗日飞行员后，赵良璋经常处在亢奋的打击日本侵略者的激情状态之中，所以他把业余时间和溢出的爱国激情放在创作歌曲之上。这也从另一方面可以看出赵良璋自学成才的音乐天赋。

八一四，八一四，中国的空军齐奋起！
八一四，八一四，中国的空军齐奋起！

抵抗！抵抗！抵抗日本帝国主义！
死敌歼敌于长空！一鸣奏奇功！

八一四,八一四，中国的空军怒吼了！
八一四,八一四，中国的空军怒吼了！
粉碎！粉碎！粉碎侵略者的迷梦。
四十年的仇耻，以炸弹雪报……

我们目前还没有看到哪一位国民党籍的军人能像赵良璋那样作为一位非专业的作曲家创作出一首又一首具有革命性的高亢的战斗歌曲，所以赵良璋的音乐当时在他所在的部队乃至国民党空军里都很有影响，并得到广泛传播。

作为中国空军队伍里的一名优秀飞行员，赵良璋曾在1943年到过印度接受美国教官培训，几个月后因病回国。经赵良璋的妻子蒋平仲后来回忆，赵良璋回国后作为飞行员“曾参加中日战争数次作战”。之后因为身体原因，赵良璋调任到驻四川新津的空军第十一总站做地面工作。蒋平仲回忆说，这个时期，赵良璋和军校的那些进步同学们一直保持着联络通信，互相鼓励，这些人曾经有计划“一起赴延安”。

抗战胜利后，思想进步的赵良璋就彻底下定决心要脱离国民党军队，于是就有了上面讲的他辗转来到重庆，独闯红岩村的一幕。

赵良璋不仅是个有激情的青年，同时说一不二。在与党组织接上头后，他当即写出了两万多字的国民党空军概况材料，并将其交给了组织。党组织也十分信任赵良璋，同时一直在暗中保护着他。

1946年年初，国民党在北平成立空军第二军区司令部，赵良璋奉命调任司令部情报科中尉参谋。赵良璋到了北平后，经朱璧谱介绍，与当时我党在北平军调部工作的马次青同志接上组织关系，被发展为党的地下情报员，由马次青直接领导，主要任务是收集有关国民党空军行动的情报。

1947年1月，叶剑英的秘书马次青等来到赵良璋家中，通知他党组织已批准他加入中国共产党。

“我太激动了！从今天开始，我赵良璋要为自己所追求的真理和信仰赴汤蹈火……”宣誓之后，他紧握着马次青的手，这样表达内心的忠诚。

5名“共谍重犯”被押到南京后，国民党军事法庭不断对他们进行提审和残酷动刑，企图在精神和肉体上摧垮他们。但曾经是“同党”的国民党反动派们真的傻了眼，5位将士没有一人屈膝求荣，个个对共产党赤胆忠心。

在“北平共谍案”中，我发现当时的一些敌区报纸上总有一个叫“石𡸣”的名字，后来请教历史专家才知道，原来“石𡸣”就是孔繁蕤。

比赵良璋大3岁的孔繁蕤，出生在河北省沙河县田村的一个普通农民家庭。他从小聪明好学，在学校里的成绩一直名列前茅。1931年九一八事变时，他正在县乡村师范读书。一天，他和几个要好的同学找来一本中国地图手册，眼望着被日军占领的东北大好河山，孔繁蕤气愤至极，当场表示要投笔从戎，去当一名救国救民的军人。但后来一打听情况，他十分失望，因为当时报军校必须有高中毕业证书。“难道一张高中毕业证就挡住我们报考军校、报效祖国的大门吗？”正当孔繁蕤愁眉苦脸闷闷不乐时，他忽然看见桌上放着一本借来的《岳飞传》，于是喜出望外地自语道：“没有书可以借，没有高中毕业证书难道就不能借？”

第二天天没亮，孔繁蕤就一个鲤鱼打挺从床上跳起，奔跑着来到邻村的一个叫石𡸣的同学家，借得一张高中毕业证书，随即当天就匆匆登上报考军校的列车。由于成绩优异，孔繁蕤被首批录取为国民党中央陆军军官学校第六分校十五期学员之一。

“石𡸣”从此成了孔繁蕤的名字，一直到被枪决时，他的“判决书”

上都是“石崿”大名。

与赵良璋等一样，身在国民党军队中的孔繁蕤，起初虽也有些看不惯身边人的恶习，但还没有想到脱离国民党军队。当抗日战争全面爆发之后，蒋介石和国民党集团所采取的消极抗日、积极反共的政策，令他越发反感。尤其看到在日寇进攻面前国民党军队一溃千里的状态，孔繁蕤彻底绝望了。

跳出“泥坑”，投奔共产党！内心怀着这样的信仰，他曾多次偷偷给《解放日报》写信联系，可均未达到目的。

1942年8月的一天，孔繁蕤在湖南湘潭见到在国民党某军任中校团长的沙河老乡刘海英，愤愤道：“人家共产党领导的八路军、新四军正全力向华北、华中的日本人进攻，听说咱们家乡一带都成了八路军的天下了。咱们这些中央军不跟日本人打，却向共产党背后插刀子，真窝囊透了。”

抗日战争胜利后，孔繁蕤随十一战区长官部前进指挥所飞抵北平，任该所战区参谋处少校情报主任参谋。当他看到蒋介石积极准备打内战，接收官员到北平后到处发“劫收”财时，心中极为愤恨。当时，与孔繁蕤同宿舍的另一位情报处的参谋，正是谢士炎“持枪夜访”的我地下党员陈融生。因为同住一宿舍，所以两人常无话不谈，孔繁蕤时常流露出弃暗投明的愿望。陈融生经过一段时间的观察和考验，觉得时机合适时，他将毛主席的《论联合政府》等进步书籍介绍给了孔繁蕤阅读，并试探性地与其交流弃暗投明之事。孔繁蕤当即坚决地表示：“找不到共产党，我宁愿开小差回家当小学教师，也不替蒋介石打内战卖命。”

“那好，我带你去见一个人。”陈融生便将孔繁蕤引荐给了当时在“北平军调部”工作的中共地下党联络人徐冰同志。

“我渴望找到共产党已经好久了。既愿意干，就不怕牺牲，我坚决接受您交给的任务！”在徐冰面前，孔繁蕤如此坚定地说道。

经过一段时间的考验，徐冰正式介绍孔繁蕤加入了中国共产党。从此孔繁蕤成为我党北平地区的一名在国民党军队内部的地下情报员，并与同在一个战区的另一名地下党员朱建国等人编在一个情报小组。

“哎呀，原来你也是……”孔繁蕤第一次以组织同志身份与朱建国接头时，兴奋得差点叫了起来！

这时的朱建国是敌十一战区司令部参谋处少校参谋、代理作战科科长。朱建国比孔繁蕤大两岁，也是接受徐冰直接联络的地下党员。这位江苏睢宁人，也是在1938年年初参加了国民党第五战区抗敌青年团，后到中央陆军军官学校学习。满怀一腔爱国热情的朱建国，进入国民党军队后就后悔自己投错了“抗日之门”，应该到延安去。他从一开始就一直在想办法与抗日的进步的共产党和八路军联系了。所以从军校毕业后，他就通过一位老共产党员的介绍，携带了一份百万分之一比例的国民党军事地图，跑到了解放区。这样一个国民党军官，又没有任何组织关系，所以解放区的党组织热情接待之后，将其送回了国统区。就是这样一次“冒险”，更坚定了朱建国跟共产党干事的决心。几经周折，朱建国与国民党第三集团军司令部书记官、中共地下党员朱晦生取得联系，并经其介绍后，正式加入了中国共产党。

“你的任务是：潜伏在敌十一战区内，准备策反这支部队。”组织交给朱建国的任务非常明确。“北平共谍案”之前，朱建国一直在自己的岗位上不断地将敌作战计划、战斗序列、兵力部署、调动及北平城防兵力配备火力网等重要情报送到我方，同样受到了中共中央前委的内部表扬和嘉奖。

叛徒的出卖，让朱建国和孔繁蕤等前后脚被捕……从而造成我方在解放战争中北方地区地下情报网最惨重的一次损失。

关于“北平共谍案”之“要犯”押解到南京的过程，牺牲的烈士已经无言可述。但是当时“同案”押解到南京的还有一批人，与赵良璋和谢士炎他们同机的后来活到迎接新中国成立，并在之后出任中央人民政府办公厅副主任、国家民委副主任的余心清有过一篇很详细的回忆文章，他这样说：

> 十一月二十九日的夜间，我仍和平常一样地失眠，忽然听见杂乱的脚步声，自一道一道的铁门走进来。他们急促地交谈着，不像是平时提人的动作，接着就有一间房子的房门被打开了，搬铁链子的声音，和其他一种什么铁器“哗啦叮当”的响声，使我起了异样的感觉。我唤醒了石峥（这几天好多因嫌疑被捕的难友，都取保释放了，这间房子只剩下我们两个），对他说：“今天夜里，一定有什么大变故，你听他们正在搬动着更多的铁链子。”同时远远的一个牢房门也被打开了，有人在点着难友的名字，而且吩咐他们穿起衣服来。停了一会，就听见铁锤子砸钉子的声音，这分明是在钉脚镣，我们的心都悬了起来。附近牢门都传来了叽叽咕咕惊慌的说话声。接着又是打开监门的声音，又是一个一个地砸脚镣声，被砸的人有时还喊着：“太紧了，震麻了我的腿，请放松一点砸吧！”
>
> 这时，我给石峥说：“象（像）这样挨门叫，我们肯定有份的，也一定有资格带（戴）脚镣的，赶紧作（做）准备吧！因为听见有经验的人说过，脚镣常常会把踝子骨外的皮肤弄破。我们应当多穿一双袜子。”我用了一双毛袜裹在两条脚胫上。后来开门的终于开到我们的屋子来，我和石峥也被喊出去。他们叫我平坐在地上，伸直两只脚，很客气给我找了一副链子较长的镣，先把铁圈圈套在脚颈（胫），然后安上铁钉，在一块铁砧上，叮咚地捶着，把铁钉的两端砸出两个帽子来，最后用手去拉一拉，看看是否结实。钉完了，若是他们不将我架起，我就没法使自己站起来了。我带着这有生以来第一次的脚饰，慢慢地走向牢房。这铁链摩擦在水门汀上的声音，好象（像）是诗韵上的节拍，感到奇妙地快慰！多

么光荣的一件事啊！这是政治犯的铁十字章！只是钉了以后，第二步他们玩什么把戏，大家都捉摸不定。难友们在各屋里纷纷议论着，整个监牢乱成一片。

那长着獠牙的看守长，对着许多屋子的难友们，好象（像）传递一个报告似地（的）说："请你们安心！这是要把你们解到地方法院，从（重）新审讯。"紧接着是许多人的问话："是上天桥枪毙吧？"因为这时候，大家不约而同地都具有这种敏感。这小子连声地说："我以人格担保，决不是！"石嵉问我："他的话可靠吗？"我说："决无此理，象（像）我们这种案子，特务们怎肯松开手，移到法院去办理。"他带着气忿（愤）说："是不是拉到天桥去枪毙？"我说："也不象（像），因为集体的枪毙，是暴露特务们的罪恶，他们不敢干；他们的杀人，都是偷偷地干的。况且枪毙也用不着先钉上脚镣，从没听见过有给死人带（戴）脚镣的。""那么你以为究竟是什么花样呢？"他这样追问着，我想了一想："大概是解到另外一个地方去。也许是南京。"我们没法再睡下去。

这时候，说话的声浪愈来愈大，象（像）夜深的大海上，涌起波涛。有许多难友把那门上的小铁盖捣开，把嘴贴在长方形的小孔边，向着对面或隔壁房中的人喊着说："我们在枪毙前得喊口号啊！老×你领头喊，好不好？"另外一些人在谈论着他们连遗嘱都没法写；还有叹气地说着："死了完了，只是老婆孩子也得饿死。"整个监牢成了无政府状态，也没有什么人来干涉我们。

大约在天明前三点钟，伙夫抬进来两大桶稀饭，很客气地对每一个屋子里的人说："稀饭随便吃，吃多少，有多少。"多么善良的心肠啊！稀饭是上好的白米煮的，并且煮的特别稠，这时又不断地传来许多喧嚷："同志们！吃饱了，免得去做饿死鬼！"

鸡叫了，夜更冷。我那位许久不见的高足，夹着一个皮包，走进我的屋子里，对我说："今天是到南京去，要受训，我也陪着去，请安心，没有什么。”不一会功（工）夫，我们被命令把铺盖集中在甬道上。同时，拥进来一大堆身材不同、服装各异、形形色色的特务，他们都拿着电筒和手枪。有一个家伙手中拿着一本名册，劈头就念起我们的名字。我是第一名，朱建国第二，我们二人站在一排。一个穿着黄色军服的军人模样的家伙走过来，掏出一付（副）雪亮的手铐。这样的手铐子，真家伙、美国造，我除了在电影上看见过，这还是第一遭看到。我的左手，朱的右手，紧紧地被锁在一起，那家伙还说：“我们是奉命办理，请委曲（屈）一下。”当我们走出屋子，天还没有亮，一天的寒星瞪着大眼睛，注视着大地，注视着我们这些手足加铐的人们。

院子里停了两辆大汽车（是向长途汽车行征用的），还有七八辆小轿车，许多人从办公室里跑进跑出，做出很紧张很严重的样子。我们被架上汽车，这是因为手脚受了约束，不能走。在车上他们又重复点了一次名。解我们的人，是一个管二个，管我和朱建国的就是那个方才给我们带（戴）上手铐子的家伙。

乱了一阵子，我们的车开动了，一直向西走，经过了“绥署”大门，经过了我的门口，想不到我能又一次走过这里。出了西直门，仍向西行，我更猜着了我们都是向着西郊飞机场前进。街上冷清得没有一个行人，狗也没有叫一声。我的朋友们，我的小女儿，正在睡梦中，我们和他们就这样离开了。

车在机场上停下来，另外一个车上跳下二十几个宪兵，一色地带（戴）着钢盔，拿着美式卡宾枪，在我们的四周“保卫”起来。天已经大亮了，我才看见了谢士炎、丁行和梁蔼然，我们有许多话要说，不知道从那（哪）里说起，舌头象（像）是不大灵活了，刚说了“你还好吧？”几句开场白，一个特务带着命令的声调说：“这里不许说话。”我们默默地对坐着，彼此用眼睛互相凝视。

北风呼呼地刮着，象（像）刀子一般割裂着每一个人的脸和手，我的两只脚冻得麻木了，寒气透达骨髓，陈斌穿着一件夹大衣，冷得遍体发抖，牙齿咬得吱吱地响，两肩缩作一团。

因为装了一肚皮稀饭，这时大家的一个共同问题来了。许多人向押解的人要求下车小便，有的喊起来说："憋不住了。"等特务的头目"批准"之后，一对一对地挤下车去，尿是解决了，身体冻得更僵硬起来。

在车上等候了足足有两个钟头，预定的一架"专机"，临时马达发生故障，又改换了另一架，检查和发动马达，直弄到午前十一点钟，我们才成此"荣行"。

我们一共被解走的，是二十三个人，除了四位女难友和我们之外，还有李政宣九岁的儿子，承他们的仁爱，孩子没带（戴）上刑具。李政宣，这投降的家伙，只带（戴）上了一副手铐，所有近视眼的眼镜，都被"保管"了，只有他的鼻梁上还架着一副玳瑁边的"加立克"，大概是酬奖有功，特予优待吧！

上这座"专机"时，两旁围满了机场上的职工。还有保密局负责的重要特务，其中最大的一个，我认识他，是特务们北平分局的负责人马汉三，这家伙在抓我的时候，卖了不少力气，现在又来给我送行！他却没有料到，在半年之后，他因为贪污和别的罪过被解到南京，在我们五个难友被枪杀的地方，先被处决了。

押解我们的人，一共是十五个，领队的特务叫双榾，矮矮胖胖的，长着一脸横肉，两只眼睛射出了豹子吃人时的光芒。在我们坐（座）位安排定了之后，他站起来对他的喽罗（啰）们说："同学们！你们预备好了没有？"那批小子异口同声地答道："预备好了。"他象（像）下命令似地（的）又说："各位同学，你们各守岗位，不准移动，不准说话，不准打盹！"然后他和那个姓谷的分坐两头，喽罗（啰）们仍然照着名单上的秩序；一个看两个，夹在我们一对一对的中间坐着，好严重的场面，我们这样被专机带到了“天堂”。

那姓双的小子，他一直地用眼睛扫射着我们，飞过沧州的时候，驾驶员送给他一个纸条，要大家不要移动，他把这条子交给喽罗（啰）们传观，一个一个立刻正襟危坐起来，我侧目看到这条上的字，这是解放区的上空，这批强盗们胆战心惊了！

在高空差不多飞了五个钟头。我在机上不断祷祝，盼着这架飞机最好是在飞临解放区的上空时，发生故障，被强迫降落，如果做不到的话，就愿意机件发生故障，撞在泰山顶上，或者油箱爆炸燃烧起来，我们就可以来个高空礼葬，也省得朋友们为我营葬地。可惜这种美丽的想象都没有实现，我们终于“安全地”降落在明故宫机场上。

北平的监狱生活，总算是告了一个结束。南京是这杀人不眨眼的魔王的魔窟。蒋介石的王座在这里，特务的首脑部也在这里，这里将有什么“花头”，我们还没有接触到，但是，可以想象到的是，这里的做法一定和别处不同！在这里我们将受到一个新的考验，这是蒋介石和他的特务头子们，亲手监制的……

如余心清所说，被押解到南京的这批“要犯”，特别是身为国民党军人的赵良璋、谢士炎等五名地下党敌营情报人员，从到南京的那刻直到他们牺牲，在长达近11个月时间中，他们经受了非人的折磨和严峻的信仰考验。

……

牢里面比他们生活更恶劣的还多着呢！尤其是由各地解来的“匪谍”，日用品、手巾、牙刷、肥皂、手纸，这些东西，用不着说是买不起，连买一包盐的能力也没有。他们面黄肌瘦，遍体长着浓（脓）疮，长着虱子。寒冬，他们颤（战）栗着，盛暑，他们渍腻着。人类幸福的伟大创造者，在这里付出他们更多的代价！

……石崞没有一点接济，他是最孤苦伶仃。拖着肺病，经常咳嗽。我最后在会审的时候看到他，更瘦了。他需要营养，但得不着。背显出弯曲，说话的声音很低，深陷的眼珠，已失掉光采（彩），短的黄胡须，生在惨黄的脸上，他好象（像）深秋里的一片落叶，令人一见有说不出的凄然之感！

丁行的家在北平，他时常挂念他的家人在那里怎么活着？他没有一点积蓄，作（做）事的时候，完全靠着薪水度日。他告诉我，现在照顾他家的只有一个当着小学教员的兄弟，但是收入养活一个人都不够，怎能照顾他的家庭呢！我对他说："徐惟烈不是和你很好吗？总不至于不管吧？"他哼一声，再没说什么。后来我回到北平，他的太太流着眼泪给我说："自从丁行被捕之后，家里没有吃的，就托人写个签呈给孙连仲，要求他批点米面给我们，签呈是请人送给徐惟烈转递，以为他是一定帮忙的。谁想到他把脸一翻，就将签呈扔给送去的人，并且发着脾气说：'我不管，谁叫他当共产党！'所幸多年相随的一个勤务兵，在外面摆个香烟摊，不时将一些赚到的钱送到家里来，其余就靠着兄弟接济。"我听到这里，更了解了革命为什么要讲阶级成份（分）的道理。

有一天下午，我被放到院子里洗脸的时候，桶里的水，结成了很厚的冰，我惊奇地看着，昨天不是还暖和得穿着夹衣，怎么一夜的工夫，水变成了冰？太阳一出来，这块冰不是又要变成水吗？回到屋里，我写成下面一首诗，给徐这一类的人当象赞吧！

昨夜北风一紧，
你就变了心，
变得那般冷，
变得那般硬，
变得象（像）今天的人情！

等到寒冬溜走，
等到北风不再吼，
你又变成了：
“一江春水向东流。”

同难朋友中，遭遇最惨的，要算谢士炎。他被捕后，有个朋友买了一张半飞机票，将他一家大小三口，送回汉口。他的太太借住在汉口一个亲戚家里，日子是怎样活着，没有人知道。不到半年，他太太忽然中了风，从此半个身子不能转动地躺在床上，终于在谢殉难前半个月死了。听说后来有一位家门姐姐，把两个孩子带回湖南去了。谢在得到这个消息之后，一直是痛苦着。

到南京后，难友余心清虽然不是与赵良璋、谢士炎和他熟悉的石嶂关在同一个牢房，但因为是同一个监狱，所以彼此还能了解些情况。余心清被同志们在南京国民党军人监狱里的表现深为振奋与感动。他说：

他们一共有十五个人，关在三间紧连着的监房里，三间房门白天经常打开，互相间可以随时来往。这是他们经过相当的奋斗才争取到的。他们坚强地、亲密地结合在一起，遇到任何一个问题发生，他们用一致的行动来对付，遇到任何一个看守员或看守兵，无理地侮辱他们其中的一个人，他们总是集体地起来反抗！同监牢的人，说他们：“把革命带到牢里了。”

他们的生活过得很有规律，每天一早起床后，各人做着自己爱好的运动。洗过脸，大家开始读书，直到吃早饭的时候。饭后下下围棋象棋，谢的围棋最高，朱建国学得最快，陈斌的围棋也是这时候学会的，后来我们一起住的时候，他还教我们。午睡后又开始学习，晚间都是开“座谈会”，讨论着各种问题。

> 他们读着各种的书，历史与英文是主要课本，因为这里仅能得到这两类书，读英文的人特别多而起劲，陈斌和赵良璋都是他们的义务教员。终日朗朗地（的）读书声，传到户外，传到别的监房，传到每一个人的耳朵里，同时感动着每一个人。全监的难友们，送给他们一个头衔，呼他们为“经院学派”。
>
> 一个革命的战士，当灾难降落在身上的时候，是该本着这样的精神去迎接的！

可以说，在监狱中的五烈士每一个人的表现，都值得讴歌成一部悲壮的史书。只是他们都牺牲了，对此所有的记忆都是残缺的篇章。然而即便如此，我们依然能从那些幸存的难友的回忆中，获得一些宝贵的史实。

赵良璋的同学朱铁华，曾经与赵良璋一起被关在南京监狱。他侥幸获生，后来写过如下文字回忆与赵良璋在一起的那段囚徒生涯：

> 良璋在一年多的牢狱生活中曾先后被关在伪空军军法处看守所，宁海路十九号保密局看守所，羊皮巷伪国防部军法处，首都特种刑事法庭，伪国防部军法局，最后关在水西门外军人监狱。
>
> 良璋被关在伪空军军法处时，被连天审讯，有时通宵达旦，进行所谓疲劳审讯，审讯室是一座独立建筑，周围布满了岗哨，真是五步一岗、三步一哨，森严的（得）很，但良璋对敌人想得到的东西一字未露。但良璋为了有意掩护朱铁华、冉瑞甫，说在一个偶然的机会里在北平朱璧谱的家里见到过一个叫马次卿的人，是给朱璧谱的堂姐送家信的，在间谈中马问良璋在空军中有什么要好的朋友没有，良璋提到了朱铁华、冉瑞甫。其他的什么也没有说。所以直到后来，敌人判了朱、冉等人“系共产党争取的对象，但尚未成功”而释放了。

> 后来我们和良璋一起被关在首都特种刑事法庭的时候，良璋谈到他被捕前曾到过南京和一个叔叔家里，已知我被捕，但原因不明，我的几个兄弟劝他离开掩蔽一下，良璋说不要紧。我们听了很怪他为什么不走！良璋说：“我认为北平（的事）是万无一失的，再说如果北平出了事，你们为我的关系被捕，我走了怎么过意得去呢！”良璋对地下党的信任，对朋友的真挚达到了如此纯真的地步，我们是既怪他，又爱他。
>
> 在伪空军军法处关了十来天，敌人没有捞到什么东西，就把良璋等几个飞行员解到保密局去了，在保密局看守所的头半个多月，良璋被几经提审，任良璋坚持斗争，敌人没得到任何东西，案情没有什么变化。后来一天傍晚，这个看守所解来了许多“犯人”，后来才知道这卅多人都是从北平解来的，而且和良璋都是一个案子的，审讯得很紧，良璋被提讯的时候也多了。我和良璋分别关在对面的牢房，良璋除了在墙上用手划字告诉我出了一个叛徒李政宣外，良璋精神面貌、思想情绪一直很好，还自己写词谱曲，创作了《囚徒之歌》等歌曲，在良璋的牢房里还不时可以听到压低了的但正气洋溢的歌声，可惜这首歌却没有保留下来，但这和良璋谱曲，海燕（薛介民，1958年在台湾被捕，1962年也被杀害）作词的《假如我为了真理而牺牲》是一脉相承的。后来良璋告诉我，他不仅谱写了歌曲，而也就在这期间给平仲（赵良璋妻子）写了遗嘱，因为叛徒李政宣把什么都出卖了。

其实赵良璋的《囚徒之歌》并没有失传，而是有另外的人帮助在监狱里保存了下来。这是赵良璋烈士留给我们的又一首十分重要的歌曲与精神遗产。

《囚徒之歌》的词曲都是赵良璋自己独立创作的，歌词这样写道：

江水流，江水长，
手镣足铐泪汪汪，
夜里不能安安睡，
白天不见太阳光。
头发长，衣服烂，
骨瘦如柴口里干，
冬天北风冷透骨，
夏天蚊虫苦难当。
火山终有熄灭日，
黎明之前必黑暗、
黑暗、黑暗！
囚徒要解放，
时间一到起来反抗，
打破了牢笼奔他方！
打破了牢笼奔他方——

赵良嶂的这首《囚徒之歌》，是迄今为止发现的唯一一首雨花英烈同时作词作曲的狱中斗争歌曲。它的旋律铿锵有力，充分配合歌词而表达了坚持抗争的狱中斗争精神。词曲相辅相成，珠联璧合。整首歌曲的最高音区出现在结尾，象征着黑暗不会长久，反抗过后，黎明终将到来，歌曲就以这激情澎湃的高音旋律而结束。作为一首狱中斗争歌曲，赵良璋的《囚徒之歌》是雨花英烈坚持狱中斗争的生动写照，是一种在悲愤基调下激荡和洋溢出的不屈的战斗精神，难能可贵。歌曲的前半部分，展现敌人监狱里虐待囚徒的景象，“夜里不能安安睡，白天不见太阳光”，“头发长，衣服烂，骨瘦如柴口里干”。而在这首歌的后半部分，赵良璋以昂扬的笔调呼吁难友们坚持斗争，“火山终有熄灭日，黎明之前必黑暗”，“囚徒要解放，时间一到起来反抗，打破了牢笼奔他方”，表达了身在深牢而向往光明的明天的强烈心愿。

据朱铁华回忆，赵良璋的这首《囚徒之歌》，在当时的南京军人监狱里很是流传，它低沉而激越的音调和悲怆而又悲愤的歌词，对身陷囹圄者来说，极易产生共鸣，因而大家都十分喜欢传唱。毫无疑问，一首好的战斗歌曲，如同一剂强大的精神亢奋药。赵良璋用歌曲不仅更加坚定了自己对共产主义的信仰，而且也深深地激励着难友们。

朱铁华这样回忆他们后来在监狱里的那些日子：

后来也是和良璋关在一起的时候，良璋对我谈了前前后后的情况。良璋说：“开始在保密局，敌人没有拿到什么东西，说我和共产党的关系，我一概都回绝了。但北平的人解来后，李政宣出卖的东西都来了，情况变了，问得很紧，法官赵公嘏还威胁说：‘赵良璋你放明白点，我这里楼下地下室，什么刑具都有，要你死，你就活不成！’我才不吃他这一套！但后来一次审问，赵公嘏摊牌了，他把我给党送的情报一份份的摆出来，问我‘这是不是你干的？！’我一看，材料依旧，手迹仍在，我好汉做事好汉当，我绝不后悔！他摆出一件问我‘这是不是你干的？！’我响亮的回答他‘不错！’‘这是不是你的？’我说‘不错！’连着摆了三件、四件……我说‘都不错！你们看着办好了！’”

良璋为党做了很多有益的工作，但万没有想到原以为万无一失的北平地下党出了李政宣这个叛徒，把一切情报底稿都留存下来，存在敌人手里，情况已经如此，良璋敢作敢当，把个人生死置之度外，在这次审讯后，良璋已经料到牺牲在所不免，所以连给平仲的遗书都写好了。

1948年约在3月份，敌国防部军法局以看守所人满为患为词（辞），别有用心的（地）把良璋、谢士炎、丁行、石𬬍、朱建国等有军人身份的十二人关到了水西门外的军人监狱。押解转移的当天恰巧良璋妻子平仲和其他人的亲属探监，不让接见，都挡在门外大街上，十二个人拷（铐）着手用铁练（链）子穿（串）了一串出门上囚车时，良璋意外的（地）在大街上围观的人群中看到了自己的亲人，感到十分欣慰，良璋以他一贯的乐观精神和革命豪情，含笑频频点头招手，但没等说上一句话，很快就被解走了。

在军人监狱里，良璋与十二人被关在孝监一号和二号，1948年4月份良璋与十二人和仍关在军法局的余心清同志被押解到伪国防部进行了一天所谓“会审”，早上去旁（傍）晚才回来，由伪国防部第二厅厅长郑介民主审，陪审的法官、记录杂七杂八坐了一大排。提审良璋，良璋虽然明知案情严重，但去审判厅（庭）和回来时，态度十分镇静，互相都以关切的心情和眼神迎送受审的同志，在敌人的监视下，互相一言不发。晚上回到监狱后都议论开了，大家的结论：这次“会审”是走过场，事情都是在保密局做定了的。但大家担心既然“会审”，那就是定案，可能很快就要拿我们这个案子开刀了。但在监狱又关了好几个月，这期间监狱里已杀了好几起刑事案件的人，良璋等十二人尚安然无事。当时外面内战烽火遍地，良璋等人考虑的已经不是个人安危，而关心的是解放战争向南推进的消息。这些消息是从当时包东西包咸菜进来的片纸支（只）字中得到的，当敌报吹嘘其战斗捷报从东北到了华北……正说明解放战争又向南推进了，良璋等人听了十分欣喜。这是大家生死相联（连）的战争，是大家舍命为之工作的战争，在身系图圄中怎不为之欢欣鼓午（舞）。因此在军人监狱里关的时间虽然很长，六个人关在一个斗室里，但良璋等人精神很好，有的人仍在攻读英语，有的阅览东周列国志等书籍——这是当时许可买和许可亲人送进监里来的书。大家有时谈笑风生，遇到苦恼的事时互相慰勉——谢士炎同志的夫人就是在这期间在武汉死去的，丢下了两个孩子。倦了就在那个几步一回头的斗室中活动活动身体，十二个人准备有朝一日还能投入新的战斗！

但这个表面平静的日子正在酝酿着一场不幸，不久敌人终于向良璋一案开刀了，时间是1948年10月20日早晨。大家起来洗过脸后，监狱气氛突变，不放风，不开饭，孝监忠监两长排监房死一样的沉寂，大家心里明白，这是一向监狱里杀人的征庚（候），各监房靠院子的铁栏杆上不时有人在向外探望，想看出个究竟来。这天说来也巧，良璋放出来洗脸后，串到我们孝监一号来了，开始大家等着放风，还一如往常有说有讲，看情况不对头，大家心沉下来，靠墙坐在统铺的床头在听动静，不时也低声议论：不知今天又该拿那个案子开刀了？“会不会是我们这个案子呢？”谁莽闯（撞）的（地）一问，然而没有谁愿意说出口，因为关在一起的时间长了，彼此的案情，互相都清楚。良璋、谢士炎、丁行……的案子是很重的，大家但愿都能等到解放的一天就好了。

不幸的事终于发生了，九点来钟，外面的头一道铁门钉（叮）钉铛（当）铛的（地）被打开了，那个满脸横肉的典狱长带着一串狱卒走了进来，还没有十分看清楚就向右转到良璋所在的孝监来了。大家心都紧了，但愿不是我们这个案子，但孝监的铁门打开后，典狱长这群杀人犯就在我们孝监一号站住了，一边呼名叫谢士炎、丁行“出来！”一边拧开一号监门。谢士炎公开的身分（份）是少将作战处处长，丁行是少将军法处付（副）处长，两人早有准备，泰然自若，十分稳重的（地）走下统铺，穿上鞋和大家微颔示意，站出了门口，大家都站起来以深切的尚不知吉凶、不知所措的目光看着他两人。良璋此时已知自己在所难免，突然跨前两步拥抱我并说：“铁华，这办不了我！”我说：“还不一定。”接着隔壁孝监二号一边喊赵良璋一边开门（良璋监房原在二号）。良璋听到喊声，早想过似的迅即脱下身穿的皮夹克（已在雨花台陈列）一手从裤袋里掏出一块手帕全递给我说：“留着做个纪念”，回头和朱璧谱拥抱，和石嶂、周启祥点头以示告别站了出去。随即把石嶂又叫走了，从二号叫走了朱建国。良璋等人就被带走了。我扑向了通向院子的铁窗，失声喊：“良璋！”良璋走在谢士炎、丁行后面，急回头，边走边微笑着向我们点头，扬扬左手，似乎不是走向刑场，和其他四个同志举着坚定的步伐，很快消失在院子的头一道铁门外面了。良璋绝笔书中说：“人生无不散的筵席……我是带来勇敢与信心就义的，我倒了，但顽强的性格仍使我精神永不灭亡……”其从容就义，视死如归的精神，三十多年后的今天仍宛如在眼前。

良璋他们被叫走后，孝监一号还剩下的三个人——朱璧谱、周启祥和我怀着一种一时说不清的生离死别的苦涩心情，站在窗前，然后又无力的（地）梭在床头，怀着希望未必……他们也许还会回来的望想在期待着。大约一小时过后，口号声随着一排枪声，就从监狱的前院撕心裂肺的（地）传来，一切都完了！良璋、谢士炎、丁行、石嶂、朱建国完了！不！他们没有完，长驱直下的解放战争，虽然还来不及解救他们，但他们已经用自己的鲜血为解放战争奠下了一粒纯洁的基石……

这是朱铁华在1983年留下来的回忆文章，今天读来，仍然让我们落泪。一位天才音乐家就这样长眠在雨花台上那些被无数英烈鲜血染红的土壤里，而几乎无人知晓他曾经激励过多少热血男儿奔赴战场，去捍卫国家的尊严与民族的重振！就在写此文的前一天——2020年12月13日，这一天是国家公祭日，我和上海音乐学院的师生们在上海龙华纪念馆一起祭奠被日本侵略军残害的30万同胞的“南京大屠杀”事件时，我向当代音乐家讲起了赵良璋的故事，在场没有一个音乐专家知道他的事迹，这多少让我伤感。我相信，赵良璋假如活着，一定会是像聂耳一样伟大的音乐家，然而他牺牲了，牺牲之后就没有人再知道他是个音乐家了，也因为他曾经是国民党军队里的音乐天才，所以真正知晓他谱写革命歌曲的人就更少了。而像雨花台的多数烈士们的事迹，其实在当今中国，真正知晓的人很少很少，然而也正是这样的“很少很少”，我才更加意识到宣传和传播雨花烈士与烈士精神更加重要之重要！

呵，难道不是吗？话是要说了才能够让人知道和明白道理的。

歌，是要唱后才能激发人们昂扬奋进和勇往直前的！

让我们一起再唱一首赵良璋写的歌曲吧，并以此悼念与他一起牺牲在雨花台的丁行、谢士炎、朱建国、孔繁蕤这“北平五烈士”吧。

夏日的天空像海洋，
数不清的星星，
向我迎着笑脸，
好像望见遥远的友人。
数不清的星星，
向我迎着笑脸，
我说不出别后的思念，
说不出别后的思念，
思念……

在今天的雨花台烈士陵园里，可以看到“北平五烈士”之中丁行、谢士炎、赵良璋、孔繁蕤的墓碑，去过雨花台的人都会去瞻仰。

第十七章
黎明前如此黑暗、如此悲壮

我关注到一个情况，被杀害的雨花台烈士，在两个时间段是最多的：一是大革命失败后的1927年至1933年全面抗战爆发之前，二是1948年至1949年新中国成立之前、国共大决战的岁月里……从这两个时间段可以看出蒋介石国民党集团对中国共产党和革命阵营所采取的极端措施和激烈的阶级斗争、政党斗争之间的大搏杀。第一个时期，蒋介石国民党反革命阵营想趁中国共产党力量弱小的时候，将其扼杀在革命的摇篮之中，可以说是大开杀戒，欲将之“一网打尽”。然而，以蒋介石为首的反革命集团最终并没有达到其目的。而在这一段黑暗的岁月里，共产党人和革命者牺牲了千千万万，但他们勇敢地挺了过来。那个时期的雨花台真的是血流成河啊！渡江战役之前的一两年中，雨花台又出现了一次革命烈士被害特别多的时期，全国快要解放了，蒋介石国民党统治摇摇欲坠，处在垂死挣扎的边缘，因此蒋介石及其反革命阵营进行了疯狂的反扑和最后的顽抗，而中国共产党领导下的人民革命的解放战争，如秋风扫落叶般地打垮了国民党反动统治，人民军队乘胜前进，横扫垂死的反人民的抵挡历史车轮滚滚向前的国民党军队。为了尽量减少不必要的敌我之间的伤亡，我党和我军加大了对国民党军队的策反工作，而这个时候，蒋介石集团的最后疯狂，除了妄图在正面战场上与我军进行生死存亡的较量外，又加大了对参与策反的中共地下工作者、觉悟了的国民党军队人士的打击力度，对他们进行残酷的镇压与打击。这种“最后的疯狂”，也造成了雨花台烈士在这一阶段牺牲得特别多，而且国民党特务机关及整个反动统治集团对从事地下工作的策反人员和军队内部准备起义的人员所采取的措施，就是一个字——“杀”！

在这种背景下，雨花台再一次变得阴森恐怖、尸横遍野……

下面所讲述的这位烈士，正好因为有同监狱的幸存难友和新中国成立后人民政府抓捕的杀害他的几名敌方的刽子手对他的回忆，我们才得以全面完整地“复原”他牺牲前的那悲壮的一幕——

牺牲的烈士叫卢志英，山东人，是1925年入党的老资格中共党员，曾任中共中央军委驻南京的地下组织特派员、中央特科情报员。1928年结婚时，周恩来夫妇专门为其送过鸳鸯枕套。卢志英是身经百战、屡在敌营中进进出出的我党特工人员，在上海、贵州等战场上都曾担当重任，出任过抗战时期的江南地区抗联副司令兼参谋长。在红军长征和人民解放战争时期，卢志英曾周旋于上海十里洋场为我军筹运军需物资。尤其是他运用与国民党上层的各种关系，准确地掌握了蒋介石5次“围剿”苏区红军的情报，也正是他的特殊贡献，才使当年弱小的红军队伍没有遭受灭顶之灾。然而就是这位为我党和人民军队立下奇功的人物，却在解放战争中的一次撤离时被敌人抓捕，牺牲得意外而壮烈……

事情是这样的。

1947年2月28日，国民党特务首先占领了上海马斯南路107号原中共驻沪办事处。由于解放战争全面爆发后，抗战时中共设立在原国民党统治地区的一些办事机构纷纷撤离，上海办事处根据周恩来的指示也已撤走。这时，周恩来考虑卢志英在上海工作时间太长，指示他与潜伏下来的地下组织交接完工作后马上撤到解放区。然而就在这个时间段内，敌人已经开始将魔爪伸向留在上海的中共人员，对他们进行抓捕。卢志英就是在这个时候被叛徒出卖而突然被捕的。

出卖卢志英的叛徒叫张莲舫。他在得知有一天卢志英要出席一个会议时，便将情况报告给了国民党中统局特务。1947年3月2日下午，卢志英到居住在河南路天后宫附近的一位同志家开会。卢志英去一看，主人不在，马上感觉情况不对，立即从那人家中退出，但为时已晚。卢志英虽机智地逃脱了两个骑自行车的特务的追捕，却在一条路上被前后特务夹追着。最后，特务们将他绑进一辆汽车，押到了特务机关。

第二天，一群武装特务到卢志英家，逮捕他的妻子和儿子、侄子时，家人才知道卢志英被敌人抓捕了。

之后的一段时间里，上海滩上不断传出有“共党分子”被抓被捕的消息，造成整个上海滩人人恐慌的局面。为了挽回影响，国民党中统局不得不在8月17日的各大报上发表消息，称“破获共匪间谍机关”。而且文章还特别提到此次破获行动抓到了“中共华中政治分局联络部上海市特派员”卢志英，罗列了卢志英“企图策划叛变”等11项“罪名”，也公布了一起被捕的“党羽”卢克绪、傅有斋、陈惠和、吴秀珍、吴宝琳、庄枫、姚永祥、杨莹、孙毅强等人名单。

卢志英后来作为“要犯”，先被押解到苏州的国民党监狱，来自南京方面的“要员”几次三番地与他谈“合作”，皆被卢志英拒绝。

“上重刑！”敌人用酷刑折磨他，老虎凳、电刑一起上，打得卢志英腿骨折断，伤痕累累。然而卢志英没吐出一个字，没做一件出卖同志和损害组织的事。

敌人又出一招：让被抓的卢志英一家在监狱“团聚”，想以此动摇卢志英的革命意志。

妻子张育民见丈夫被敌人折磨得不像人样，悲痛欲绝。卢志英见妻子时，竟然强忍疼痛，站起身子，一个立正和敬礼，而后笑着对妻子说：“老太太，你来看我，好呀，那你让我说几句以前没有机会说的话……”

特务们本以为可以借此机会诱降这一家人，哪知反而给卢志英提供了一个“交代后事”的机会。“悔，已无用，”只听卢志英对妻子说，“育民，孩子是未来，你要让他们好好学习本领。只有学好了本领，才能为人民、为国家做事。你自己呢，出去以后，不要去麻烦亲友，日子再苦，也要撑下去。没有工作，就在弄堂里找点事情，帮助那些看门的、擦皮鞋的、拉黄包车的补习文化，让他们懂得如何去对待生活。如果有一天胜利到来，一定要捉住那些坏蛋，一个也别让他们跑掉！”

“赶紧走——走、走！”特务们彻底失望了，推着卢志英的妻子和被捕的儿子与侄子离开了卢志英。

这年秋天，卢志英被押解到南京国民党宪兵司令部监狱。这是一座人间地狱，进去的人即使不被枪毙，也很难活着出去。而自从被关进牢房之后，卢志英每天目睹敌人在监狱里无情地对待“犯人”的非人道行径，常常悲愤至极：

> 铁镣啷当恨倍添，狱卒狰狞肆凶残。
> 伤心最是囚婴泣，凄凄切切震心弦。

——这是卢志英听到监狱中有婴儿不断的啼哭声，他悲愤难忍。

> 不期被难又同室，倾吐衷肠两相知。
> 闻君伉俪已就义，常留肝胆照青史。

——他在年轻时特别喜欢写诗，但在革命的艰难岁月里不能轻易动笔抒情。监狱内，一幕又一幕战友与同志间的悲欢离合，让他感慨万千。

卢志英是山东人，从小受从医的父亲影响，有一颗好学上进之心。1924年，他离开家乡，远赴东北，考入绥宁镇守使署军官讲习所。在这里，卢志英接触到了革命书籍，同时又对军事理论怀有浓厚兴趣。是年秋天，卢志英被分配到东北陆军第三混成旅工兵营第一连当司务长。从军之后的他，目睹各地军阀混战、到处生灵涂炭的景象，内心十分痛苦，他立志走出旧军队，去寻找新的人生。而这时的南方革命风起云涌，卢志英看到了希望。随后，他毅然脱离奉系军队，只身南下。他先后到达郑州与洛阳，结识了国民党的进步人士王乐平和续范亭等人，后又经他们介绍，进入洛阳陆军训练处任队长。在这里，卢志英结识了中共地下党员南汉宸。

卢志英开始正式走上革命道路。这时，他在续范亭任旅长的下属二团一营任营副。其间，卢志英又认识了中共秘密党员刘仲华和姚继民。

1925年，刚接触革命工作不久的卢志英，听说刘仲华、姚继民要到新疆的军队搞策反，便主动要求一起去。就在这一过程中，卢志英由刘仲华、姚继民介绍，加入了中国共产党。从那一天起，卢志英将自己的一生都奉献给了党的事业。他向组织表示："世界上唯有为解脱奴隶的命运，才是伟大的斗争。"

1926年，卢志英调任国民军第三军第六混成旅。7月，北伐战争开始后，受党的指令，卢志英率领一营骑兵起义，但最终失败。他在战斗中左腿负伤后却依然临危不惧，拖着鲜血直流的伤腿，冲锋陷阵，带着起义部队突出重围。随后，他根据组织指示转至冯玉祥部工作。

1927年，卢志英被选入有苏联顾问和中共党员刘伯坚任教的国民军高级军官教导团学习，练就了一身过硬的军事指挥本领。

1928年春，卢志英化名卢涛，到陕西关中一带国民党军队中从事军运工作，公开身份是陕西省蒲城县保安总队长兼承审员。面对四一二反革命政变的恶劣环境，他毅然在蒲城发动士兵起义，不幸被当地驻军逮捕。

卢志英在被捕期间，遇见了他的救命恩人，也是后来成为他爱人的张育民。当时，正与党组织失去联系的中共党员张育民，在蒲城以教书为掩护寻找党组织。当她听说有一批共产党员被捕关押在当地驻军师部里时，便下决心将这几个人救出来，以求找到党组织。正巧，师长的女儿在张育民任教的学校里上学，与师长夫人有过一面之缘的张育民就利用给这位国民党师长女儿补课的机会，将5双长筒丝袜托人送进了监狱，交到卢志英等人手里。丝袜里面夹了一张纸条，写着袜子是泾阳县官道村的张文治（张育民之兄）送的。张育民瞅准机会，用在劳作课上使用的橡皮泥偷印了牢房钥匙模，配了牢房和镣铐的钥匙。就这样，在一个风雨交加的晚上，张育民利用偷配的钥匙，只身深入虎穴，打开了监狱的牢房，救出了卢志英等3位革命者。生死情谊，让卢志英对张育民刮目相看，也产生了感情。

卢志英出狱后根据党组织安排到北平从事学运工作。当他得知陕西遭受灾荒后，写信邀张育民到北平来学习和工作。就这样，一对革命恋人走到了一起。1928年8月，他俩结婚时，周恩来、邓颖超夫妇赠送给他们一对绣着“伍、邓”二字的粉红色鸳鸯枕头。

在北平期间，卢志英一边工作，一边学习，经常晚上住在学生宿舍，白天在学校教室里旁听，竟然在并不长的时间里陆续学会了英、法、德、日四国语言。由于当时党的活动经费十分紧张，所以作为职业革命者的卢志英夫妇的生活极其俭朴，家中一贫如洗。多数日子里，夫妇俩一天仅靠3个铜板度日：中午一人一个铜板，晚上两人再共用一个铜板，只能买只烤红薯两人分着吃，后来不得不靠典当衣物度日。而为了革命事业，这对夫妇竟然丢舍了两个亲生骨肉：一次是因为坐牢；一次是在长征路上遭遇敌人追击，为了掩护其他战友……

党的六大后，中央为加强对中央特科的领导，成立了特务委员会，由周恩来实际负责。由于卢志英在党内是出了名的机敏干练、智勇双全，所以1930年他被周恩来调到上海中央特科工作。由于卢志英能说会道，善于辞令，故他周旋于国民党军、警、宪、特及上海滩的三教九流之间，游刃有余，收集了大量有价值的情报送到党中央。

在蒋介石发动四一二反革命政变后，南京作为国民政府的首都，白色恐怖令人心颤，中共南京地区党组织接连遭受破坏。1932年7月，中共江苏省委地下组织也几乎全军覆没。11月，党中央决定调卢志英到南京，打入敌人心脏。

临危受命的卢志英到南京后，通过各种可能把党的力量揳入敌人要害部门，连续发展了打入国民党复兴社的郭春涛、李捷年、贾绍谊等，以及打入国民党中央党部、外交部、铁道部、立法院等部门的王昆仑、王维甫、崔震山、左恭等。其中，卢志英重点发展了国民党中央候补执行委员、国民政府立法院立法委员王昆仑和国民政府外交部国际司五科科员胡济邦加入中国共产党。这是众多中共谍战中堪称经典的一幕。

1933年秋的一天，卢志英与王昆仑见了面，交代给他一个重要任务：为我党高级干部办理去苏联的护照。

“保证完成任务！”王昆仑接到任务，首先想到了胡济邦，因为胡济邦进国民党外交部工作就是他安排的，并且进的是护照司。

可是由于组织原则和保密要求，王昆仑和胡济邦互相并不知道对方的真实身份。替人办护照要冒很大的风险，可当王昆仑向胡济邦提出来要办几份去苏联的护照时，胡济邦心照不宣就给办了。之后，两人又假扮情人，瞒过军统大特务沈醉的监视，将护照安全送到上海党组织手中。“他至少让我办过16本护照。”胡济邦后来这样回忆。

几乎在同一时间，王昆仑获悉蒋介石要发动对中央苏区的第五次“围剿”，企图“一战定乾坤”，彻底灭杀苏区红军。王昆仑感觉事关重大，立即约见卢志英。

见面后，卢志英告诉王昆仑：“我已经计划要到苏区去，你送来的这一情报太重要、太及时了！下一步争取把老蒋的‘围剿’作战计划弄到手……”

“我走后与你接头的人是王世英。”卢志英如此这般，又向王昆仑做了交代。

王昆仑不负重托。胡济邦利用在国民党政府兵工署署长俞大维家中任家庭教师的身份，偷偷拍下了俞大维在庐山开会带回的文件，而后又与王昆仑假扮情人，迅速将胶卷交到了中共地下组织成员王世英的手中。

这时，卢志英又通过另一条“线”打入敌人内部——国民党元老莫雄在中共上海地下组织的安排下，正式组建江西第四区行政督察专员公署和第四区剿共保安司令部。莫雄与中共特科人员刘哑佛是故友，倾向进步，同情革命。在周恩来的亲自安排争取下，莫雄成了志愿加入中国共产党的我党朋友，并且利用他的特殊身份，一直与中共保持着合作关系。

1933年年底，莫雄被蒋介石任命为江西第四区行政督察专员兼保安司令，并特许他自组人马。莫雄拿着两份委任状和组织表立即去上海找到好友严希纯、刘哑佛等商量，请共产党派人来同他一起工作。就这样，在莫雄的专员公署和保安司令部里，便有了几十位中共地下党员潜伏其中。卢志英就在这个时候与刘哑佛以及项与年等党内情报人员一起潜伏到了莫雄的司令部，其妻张育民同在南昌开设了“张育民诊所”，作为党的秘密联络站。

这时卢志英的公开身份是莫雄的保安司令部内的上校主任参谋。由于卢志英的人格魅力，他很快赢得了莫雄的信任，两人成为无话不谈的朋友。

为了尽快让莫雄获得蒋介石对他“剿共有奇迹”的信任，卢志英根据组织的指示，精心谋划：让该区的红军潜伏下来，在一段时间内不动声色；这样，莫雄他们的保安司令部就向蒋介石报告了所谓“共匪”在德安专区“绝迹”的“战果”。蒋介石大喜，授予莫雄所辖第四专区为“剿共得力，全省第一的‘模范区’”作为嘉奖。卢志英也由于在这样的“剿匪”中“指挥有方”，所以可以经常出席南昌剿共行营召开的高级军事会议，甚至破格参加了蒋介石在庐山设立的军官训练团第三期学习班，由此探取了大量情报。

1934年10月，蒋介石在庐山牯岭召开“剿匪”的绝密高级军事会议，在这次会上宣布了由德国军事顾问塞克特拟定的并早已付于实施的“围剿”中央苏区的“铁桶计划”。莫雄原本没有资格参加这种规格的会议，但由于他“剿共”有功，加之会议又在莫雄管辖的地盘上召开，因此蒋介石破格让其参加这一庐山国民党高层“剿共”绝密高级军事会议。如果此次会议制订的“铁桶计划”得到完全实施的话，我党领导的中央红军极有可能面临全军覆灭的危险。

“就是死我们几个人，也得想法把情报送出去！”卢志英接到莫雄冒险送来的蒋介石制订的“剿共”“铁桶计划”时，对几位地下情报人员如此说。随后，卢志英带领项与年、刘哑佛，连夜用密写药水把情报写在《学生字典》上送出，最后由二人历尽重重关卡将情报送到瑞金。中央领导人以这份情报作为重要依据，提前战略转移，开始了远远摆脱敌人“围剿”的二万五千里长征。

“我们这些人能够活着走出来，在敌营内部搞情报的同志功不可没！”长征途中，毛泽东等这样赞叹卢志英等人的贡献。

之后，卢志英在苏南、苏北的敌后抗日斗争中也是屡建奇功。他甚至在上海为了方便获取日军情报，孤身独闯龙潭虎穴，结识了日本吴淞海军司令保岛，并利用其关系，一次次为抗日根据地输送大量物资，所以连敌营的人都称其为“刀尖上的舞者”——勇敢而完美的化身，一次次给党组织和同志们以惊喜。

……

中国的残暴者及其一群，

虽然凶暴了二十年，

你们的末日即将来临；
纵然有帝国主义者全力支持，
也挽救不了你们失败的命运！

1947年3月，因叛徒出卖，卢志英在上海被国民党特务抓获，这是他第三次入狱。他自知这一次逃脱魔掌并不容易，所以，他做了最后的斗争的准备。当他闻得辽沈战役大胜，淮海、平津两大战役正在胜利推进之时，面对特务们更加疯狂的摧毁，他这样呐喊、这样歌唱！

以往，无论在正面战场，还是在敌后情报战线，卢志英总是令敌人心惊胆战的一员猛将。在监狱，虽已知道自己的生命临近结束，他仍然没有放弃任何同敌人战斗的机会，表现出一位共产党人的革命种子和战斗旗帜的崇高境界。

卢志英在被捕后失去自由的日子里，曾舍命保护组织和同志。当时，组织是被内奸破坏的，损失严重，卢志英断然指示，要有关的被捕者把问题朝他一人身上推，让他一人承担责任，务必不让敌人知道更多的组织秘密。有条件争取出狱的，就应尽量争取出狱，以利再战。所以组织破坏虽严重，但相当重要的一部分党的有生力量终于得以保全。

与卢志英同一监狱的陈惠和、牛协、金乐一等人这样回忆道：

只要是一颗生命力强的种子，落在任何地方都会发芽茁长。卢志英同志是一团火，到处照亮人们的眼睛，温暖人们的内心。

在牺牲前的一个多月，卢志英发现自己牢房的隔壁关了一名年轻的女党员，她叫孙稚如，南京人。当晚，卢志英利用墙上茶碗口大小的一个洞，与孙稚如进行交谈，发现对方是位思想进步、性格开朗的青年，十分高兴，于是便经常鼓励对方与敌人进行巧妙斗争，并把自己写的诗给孙稚如看，教她唱《国际歌》《青年近卫军》等歌曲。

“天快亮”、“路难行”、“生要站着生”、“死也站着死”，卢志英与孙稚如经常一起唱着这首《跌倒算什么》相互鼓励。

在卢志英牺牲前的最后一个多月的日子里，孙稚如一直看着她崇敬的人是如何乐观地面对死亡、如何教她人生道理、如何在最后时刻大义凛然的。出狱后的孙稚如写过一篇题为《视死如归不动摇》的回忆文章，这样回忆卢志英：

> 一九四八年十一月二十五日深夜，一群特务闯进我家中把我抓走了，关进监狱才知道这一夜是南京全市性的大逮捕，我被关进南京宪兵司令部看守所。难友们当时作了首诗：
>
> 冬眠不觉晓，处处闻狗叫。
>
> 一夜警车声，不知捕多少。
>
> 狱中除关押了刚抓进来的青年学生外，还关押了在京沪杭一带做秘密工作的卢志英，关押了进步刊物《文萃》杂志的三位同志：陈子涛、骆何民、吴承德。正巧我的牢房与卢志英的牢房仅有一墙之隔，墙上有个象（像）茶杯口那么大小的洞，这个洞口就成了我和卢志英同志经常交谈、传递书刊、诗稿和食品的地方。如有人进来，我就把棉被从床的一边抱到墙洞口。
>
> 我们有好几次在洞口谈到很晚才睡。我经常把卢志英和我谈的有教育意义的话，利用放风机会，传给和我关押在一起的女难友们听。他常常讲一个人坐了牢，应该怎样战斗下去，不仅这么讲，而且他本身就是这样做的。他被敌人逮捕后，上过老虎凳，灌过辣椒水，吊起来打过。腿由于上老虎凳受了伤，脚上一直带（戴）着镣铐，还要让他睡上铺。最初，他的妻子、孩子也都曾被抓了进来，分关在两处。那时儿子卢大容才九岁，后来总算放了出去。他说：“被捕时，搜去了金条、钞票。审问我时，我说是商

人，是面包公司的老板，他们半信半疑。管他们相信不相信，我始终坚持这个身分（份）。”

为了帮助、教育、鼓舞我们这批初次坐牢的青年难友，卢志英经常说：“你们青年学生在被审问时，不要怕，要摆出不在乎的样子，死抱住‘不满现状’这一句话，甚至还可反问对方，‘你对现状满意吗？’”又说：“凡是牵涉到的人，问得紧，就根据桌子上放的报纸或其他什么，随便编造一个名字，胡诌乱编，弄得他晕头转向，但始终不要改口，否则就露了马脚。平时还要默记已讲过的假名字。”他还常常说：“在牢里一日三餐，吃得差，除了吃、坐、睡，长期不注意锻炼不行。要做做操，在床上也可以做嘛，不要垮掉，使身体放出去仍可以学习和工作。”“在牢里有些书不让送进来，但《古文观止》《唐诗三百首》《英文字典》是不禁止的，那我们就看这些。还可以利用买油条点心，让家里用当天报纸包着送进来，这样，报也看到了。有些人坐了牢就消极了，说什么‘已经坐牢了，不知哪一天放出去，哪天死哩，还读什么书？’这是不对的，我们就要在牢里坐一天活一天，活一天，就要学一天。也说不定有朝一日放出去，那牢里的光阴不是利用了吗？”后来，我们就一道背诵古文观止，朗读唐诗，读英文字典。他还利用牙膏皮在草纸上、报纸边上写过不少诗，从洞口传给我看。其中有一首诗，我记得内容有以下几句：中国的残暴者及其一群，虽然凶暴了二十年，你们的末日即将来临；纵然有帝国主义者全力支持，也挽救不了你们失败的命运。他还口述过一些诗，有些是控诉国民党反动派的罪行，有的是对难友们的同情；有的是对妻儿的怀念；有的是对前途的憧憬，语句悲壮，动人心弦。可惜年久，记忆模糊了。我至今还记得一些难忘的诗句：

任凶狗狂吠乱嚎，视死如归不动摇。

……

近在咫尺隔铁栅，妻泪儿啼悲人寰。

……

一九四八年十二月二十七日晚上八点半光景，卢志英的牢门打开了，被关押的《文萃》杂志三人的牢门也打开了。从洞口传来了卢志英脚上镣铐被卸下来的声音。看守人员恶狠狠地说："等着！"锁上牢门走了。我立即在洞口向卢打听发生了什么事，他轻轻地对我说："今晚突然下镣铐，看来枪决的可能性很大。"他长叹了一声说："好在胜利在望，死也甘心。你们要坚持下去！你如果有机会放了出去，帮我设法向有关方面反映，金条和钱都被敌人搜去了。……我受过刑，在牢里始终说自己是面包公司的老板。"又说："你帮助我带封短信给我的妻儿。你如果有机会见到我妻子，告诉她我牺牲了，心里很坦然，用不着来为我收尸，因为这对她反而不利。……"他还关心着陈子涛等三人，说："对他们，看来下毒手的可能性也很大，也许会押往别处去。有机会你要打听打听他们的下落，转告他们的家属。……"我听了泪水直流，心如刀割，一边用尽全力仔细听，一边用棉被堵住哭泣声。他还从洞口传递过来一条围巾和收藏着的一支好不容易弄来的小铅笔头，说："送给你作个纪念！"我说："小铅笔头我留下，以后这里难友们用得着的；围巾你自己围上吧！外面刮着大风，又在下雨，冷呀……"我把围巾又从洞口送过去，他又传过来，我实在不忍心拿。我说："外面冷，再说把你押到什么地方去也不得而知，还是你围上吧！"他这才收回去，说："那好，围上，我还要把衣服、鞋袜穿穿好，弄得整整齐齐地走出去，表示我们是有骨气的！……"

卢志英牺牲后，他的妻子张育民一直不知道丈夫到底是死是活。南京、上海相继解放后，她向上海市公安部门报告了自己所知道的丈夫的一些事，希望政府帮助寻找其下落。很快，卢志英被害于雨花台的事被查清，并且公安人员也在严厉镇压反革命的过程中抓捕了杀害卢志英的凶手任宗炳。

据任宗炳交代，1948年12月27日，南京宪兵司令部特务队长潘立新在特务队二楼上，召集特务队员任宗炳、卢仕尊等，要求他们集中待命。当晚9点，一个不知姓名的特务头子，带领侦缉处副处长周剑心、特高组组长杨香及李侠等6人，也聚集到特务队部。人员到齐后，那个特务头子向他们下达指令，并做出分工。任宗炳等3人为一组，其他6人负责另一组，每组处决一个“共党犯人”。任宗炳一组就是负责第一个被害人——卢志英的。

具体操作是这样：卢志英被叫出囚室后，被带到值日官室，随后等待在那里的特务卢仕尊上前猛力扼住其喉咙，再有杨香、李侠等将事先准备好的沾有毒药水的毛巾捂着卢志英的嘴，一旁的任宗炳等则负责把卢志英的双腿捺住。不到几分钟，卢志英就停止了挣扎，昏死过去。于是特务们就将其抬至停在监狱天井内的卡车上，直驶中华门外的雨花台，将其抬入棺材内，盖上棺盖，钉下钉子，埋好土……

这一天，我党在上海创办的著名抗日进步刊物《文萃》杂志的主编陈子涛、印刷厂负责人骆何民同时被害，方式与卢志英一样，敌人的手段极其残忍。《文萃》的另外一名发行负责人吴承德当晚没有被害，1949年1月被转到南京实验区室的一个看守所，后又押回上海，之后又押至杭州，最后押到宁波，于1949年5月9日被敌人枪杀，牺牲于上海和宁波解放前夕。

卢志英牺牲时43岁，骆何民牺牲时35岁，陈子涛最年轻，只有28岁。吴承德与陈子涛都是1920年出生的，他仅比陈子涛多活了几个月……

弟兄们死了，被人割了头，

被敌人穿透了胸！
活着的弟兄，要纪念他们，
他们做了斗争的牺牲！

这是卢志英在牢中的呐喊与疾呼！这是多么悲壮的呐喊与疾呼呵！这是多么渴望的复仇与期待呵！

写到此处，我仿佛看到人民解放军打响三大战役和渡江的船只在驶向南京和上海之时，国民党反动集团与反动军队的狰狞与狼狈，而在这狰狞与狼狈之时，他们为了垂死的挣扎，将大半个中国的天抹得更加黑暗——黎明前的那般血腥是如此的令人呕吐与憎恨……

其实，以蒋介石为首的国民党反动集团从抗战刚刚结束甚至还在抗日的关键时候起，一直在对共产党和帮助他们一起抗日的共产党人进行暗中的防范并准备随时下毒手。当日本天皇的《终战诏书》还没有落音，蒋介石手下的干将们，就开始对共产党尤其是对一直在国民党军队内部协助他们抗日的我党干部和地下党员采取“闪电”式行动，于是刚刚收复的南京和南京雨花台又开始成为屠杀共产党人和革命志士的祭台——

徐楚光，1926年考入黄埔军校武汉分校第五期步科班，1927年加入中国共产党，1929年奉命打入国民党军队之中，从事情报和策反工作长达20年，于1947年被国民党保密局特务抓捕，1948年10月被杀害于南京雨花台，时年39岁。

一位写过徐楚光传记的作者如此评价他：“徐楚光是一位思想感情极为丰富的人，他有知识、有能力、有魅力。如果为了个人，他完全可以选择优渥的生活，而他却像无数优秀的共产党员一样，置个人利益与生死于度外，选择了为国家独立、民族解放而奋斗的事业，为广大人民谋幸福的艰苦道路，并为此献出了宝贵的生命。”

正如毛泽东所言：“我们要消灭敌人，就要有两种战争：一种是公开的战争，一种是隐蔽的战争。”

在雨花台烈士纪念馆中陈列的革命烈士，多数是过去党史中常说的在“白区”斗争中牺牲的共产党人和革命者。

战场上的烈士牺牲时，可能是因为一次冲锋陷阵，或是在一次与敌人拼刺刀时中了一刀。然而隐蔽战线上的斗争和牺牲，常常是在你根本想不到的时候，突然被捕被抓，而在敌人的各种威迫下经受种种折磨与考验之后，你或许能在信仰上挺过来，然而你却无法避免死亡……这种死亡，所要经受的东西其实通常会比在正面战场上吃一颗子弹、挨一刀多得多。

用“艰难的奋斗”与“悲壮的牺牲”一对短语来形容那些隐蔽战线的烈士们可能比较贴切。

徐楚光的一生，就可以用这10个字概括：艰难的奋斗，悲壮的牺牲。

他是湖北人，一个乡下农民的儿子，1909年他出生时，正值孙中山领导辛亥革命的前奏。随后的“讨袁护国运动”及五四运动、中国共产党诞生等大事，对成长中的徐楚光影响很大。他4岁时母亲因病去世；6岁时，父亲在参加讨伐袁世凯的革命战斗中牺牲。徐楚光从此成为孤儿，靠叔叔们抚养。徐楚光有四个叔叔，只有一个二叔娶亲成家，其余皆因为贫穷而成了光棍。他的妹妹12岁时不得不给本乡的一户农民当童养媳。这样的命运在徐楚光小时候也算是贫困家庭的孩子们的普遍命运。

因为叔叔们过得都不景气，所以小小的徐楚光反而成了徐家的希望了。叔叔们认为，必须送他去读书，好让他日后能为徐家光宗耀祖。徐楚光不负叔叔们的期望，15岁时考上县立中学，这是他第一次正式走出大山，也是他奔向“外面的世界”的重要一步。因为他在县城读书期间，恰逢轰轰烈烈的“国共合作”大革命运动形势，各种先进的思潮对一个中学生的影响毫无疑问是特别深刻与重要的。

他敬仰孙中山。在孙中山病逝时，徐楚光悲痛欲绝，代表学生发文吊唁：“仰先生平生奋斗四十余年，殚心瘁力，唯兴我邦国，高扬民族之大义，唤起独立自由、民主共和之精神，为国人海外之众目敬仰，留浩然正气于天地人间……”

吊唁当晚，徐楚光夜不能眠，写下一首《浪淘沙·悼孙文励吾志》词：“……遗嘱铭我心，效法孙文。革命成功靠后人。吾辈肩上有重任，忧乐同行。”

这是徐楚光少年时的远大志向。

1926年7月，北伐革命开始，3个月后，革命军攻占武汉。国民党中央政治会议决定在武汉设立黄埔军校政治科，俗称“黄埔军校武汉分校”，由著名政治家邓演达任总负责人，董必武、李汉俊、包惠僧等中共一大代表和恽代英、郭沫若等是实际上的主事人。黄埔军校武汉分校招生消息传出，全国青年欣喜万分。徐楚光自然更加兴奋，因为他品学兼优，所以得到本县一位开明绅士的保荐和资助，以优异成绩一举中榜。

开学典礼的隆重场面和来的致辞人——孙中山先生的夫人宋庆龄等的激情演说，让身穿军装的徐楚光心潮澎湃。而共产党员出身的总政治教官恽代英的革命政治课，更让徐楚光陶醉其中。他如饥似渴地吮吸着知识与革命的道理。

然而，革命形势并非像黄埔军校里徐楚光感受的那样激情与光明，却正好相反。由于蒋介石背叛革命，于1927年在南京和上海分别发动了四一〇惨案、四一二反革命政变，全国随即陷入一片混乱。国民党反动派举着屠刀，到处抓捕和屠杀共产党人，顿时处处血流成河……

武汉的政治形势复杂而多变，不一会儿武汉的国民党中央下令开除蒋介石的党籍并免去他的所有兼职，可没过几天，蒋介石又策动他的部队企图推翻武汉国民政府。以叶挺将军为代表的正义之师粉碎了蒋介石的阴谋。然而，此时的武汉城内，“拥蒋”和“反蒋”双方呈势均力敌之状，谁也不退让。

革命的特殊关头，年仅18岁的徐楚光选择加入中国共产党，他是秘密加入的，组织上希望他留在国民党军队从事更重要的任务。

在1928年到1933年这6年间，徐楚光的老家鄂东地区不断爆发农民武装起义。党派徐楚光返乡领导农民自卫队，将他们组织起来，目的是一边抵抗当地的国民党军队，同时拖住蒋介石对鄂豫边、豫东南、皖西三块苏区革命根据地的“围剿”。军校出身的徐楚光，年轻帅气又有能力，所以他回到家乡后很快成为当地革命武装的军事骨干和领导者。他随革命武装曾转战多地，后到鄂豫皖边区根据地担任连长。

1929年秋，党组织又派遣徐楚光打入敌军内部。他先后担任国民党蕲水县自卫大队中队长、罗田县自卫大队副队长。徐楚光打入敌军内部后，利用敌人内部矛盾，破坏敌人的军事行动，支援了鄂豫皖边区红军的反“围剿”斗争。

1932年秋，随着形势的变化，徐楚光离开国民党罗田县自卫大队，到国民党驻军罗田县的袁启生部担任团司令部少校参谋。

“好兄弟！就留在我身边，谁敢动你先过我这一关！”袁启生是曾任黄埔军校副校长李济深的学生，对徐楚光十分欣赏，又加上同为黄埔校友，很快两人交情深笃，志同道合。此时正值蒋介石带着几十万大军从各个方向“围剿”苏区红军。徐楚光带着组织交付的使命，成功策反袁启生部。

不多时，国民党在鄂东的“剿匪”要员朱怀冰嗅到徐楚光与袁启生的“共党”与“同党”的味道，于是调转“围剿”苏区红军的枪口，开始对准袁启生部，并展开对徐楚光的抓捕……

“这回他们对付的是我们两人，所以我也保不了你了！必须马上撤！”袁启生给了徐楚光一个广州的联络地址，然后以母病重为由，连夜离开了部队。徐楚光知道形势已经十分险恶，不得不撤离袁启生部。

他秘密潜回自己的家乡蕲水，在好友家避了十几天。面对亲人和好友们一番番“识时务者为俊杰”的相劝，徐楚光笑笑，不做任何解释，只是等到夜深人静时，他挥笔吟诗道：

为国为民志已存，感谢诸君一片心。
历史窗前均可见，征战自古归几人？

20多岁的军人出身的徐楚光，写下这首抒发自己远大理想和坚定信仰的诗篇后，便挥泪离开了自己的家乡，去往南边风云迭起的粤桂大地。回首向故宅瞥一眼时，他看到了寒风中站立的抱着孩子的妻子…

他的眼睛里再次闪动着泪花：什么时候能把你们带在身边该有多好啊！

从考上黄埔军校时第一次离乡到现在再次离开家乡，两次离别故乡的时间相隔6年多，当年的“热血少年”徐楚光，此时已经成为具有很强军事素质与指挥能力的青年才俊。

根据组织要求，徐楚光很快通过蕲水县同乡、曾任国民党鄂豫游击司令而后调任国民党桂系第四集团军第三路军第三师第八旅旅长汪以南的关系，在其所属部队任连长。不久又通过蕲水同乡关系，在第四集团军第十八军任营长。在蒋介石发动反革命政变之后，特别是1931年九一八事变及上海淞沪抗战之后，国民党军队内的新旧军阀之间的矛盾日益突显，互不服气，拼拼杀杀，闹个不停。徐楚光对此形势，颇有洞察力，同时在等待组织的指令，准备投入新的战斗。

“利用你与故交袁启生的关系，尽快进入李济深部，协助他们从事反蒋抗日之大业。”组织的命令来了，徐楚光随即南下广州找到旧交袁启生。

“太好了！你能来，李济深校长也一定特别高兴！我们一起辅助他干大业吧！”袁启生拥抱一别数月的好朋友，无比兴奋。

此时，李济深因多年反对蒋介石而不断被排斥于国民党正规军的待遇之外，而且处处受到蒋介石的防备与暗算。为了摆脱蒋介石和国民党反动势力的挤压，实现抗日的民族复兴大业，李济深借着所属部队靠近香港的便利，常派亲信袁启生往来于港粤之间。

“眼下大乱当前，我们急需人才，欢迎你这样有志向的青年才俊！”李济深第一眼就对徐楚光颇有好感，便让徐楚光暂时留在香港，与袁启生一起协助他发展中华民族革命同盟的筹组工作。

这是又一次让徐楚光的目光看得更远、更广的机会。在香港，徐楚光很快又结识了一批同仁志士，其中有被中共中央派往香港从事统战工作的宣侠父。这位黄埔军校一期毕业生，曾是中共中央特科负责人之一，那时他化名为“杨永清”，是中共秘密情报人员，多次化名，是打入敌营的高级“专员”。此时他在香港，做的也是统战与情报工作。徐楚光对这位情报战线的前辈，有一见如故之感。尤其是他们两人共同熟悉一个朋友——西北军梁冠英部参谋谢庆云，于是话语之间更投机了。

同在香港，徐楚光与宣侠父心照不宣地默认着共同的使命。

1935年7月，李济深致力组建的中华民族革命同盟在香港成立。又一面南方的抗日旗帜树了起来。10月，中国共产党发表了《为抗日救国告全体同胞书》，提出停止内战一致对外、建立抗日民族统一战线的号召，李济深的中华民族革命同盟积极响应。与此同时，李济深的同盟利用黄埔军校和他个人的各种关系，正在组建一支以第十九路军为核心的抗日军，并且很快组成了集团军新编第三师。这个时候，徐楚光又见到了老乡、推荐他进入桂系部队的汪以南，他也来到李济深部。几个鄂东老乡相聚在一起。因汪以南深得李济深的欣赏与信任，李济深委任他为新编第三师师长。

“你来我处任参谋长如何？”汪以南对徐楚光一向看好，这回便如此邀请这位“小老乡”。

“决不辜负师座看重。”徐楚光行一个军礼，让汪以南开怀大笑。

新编第三师的官兵大部分是桂系旧部人员，对如何教育和提高这支部队的素质，参谋长徐楚光亲自制订训练与教育计划，把政治工作放在重要位置，于是部队官兵的军事训练热情和抗日斗志日益高涨，素质迅速获得提高。李济深对此大为满意。

1936年9月，蒋介石在各方的调停下，与桂系李宗仁、白崇禧“谈和”成功。然而桂系内部在徐楚光、汪以南等反蒋志士的努力下，把蒋介石假抗日、真“围剿”红军、喜欢打内战的阴谋揭露得体无完肤，赢得了广大桂系官兵的赞赏，也为日后原本就与蒋介石集团不合的桂系分裂国民党埋下了重要的伏笔。

这一年年底，震惊中外的西安事变发生之后，组织命令徐楚光赴孙殿英部从事统战工作。在孙部，徐楚光很快与由周恩来派遣的靖任秋接上线，共同担负起了动员孙殿英部抗日的大任。孙殿英素有“狐狸”之称，做事从来都为自己的“小九九”盘算，对抗日也是如此。

蒋介石一直想把孙部调离“老窝”，但苦于没有足够充分的理由。“抗日”是个大理由，这回孙殿英有苦不敢大叫了。

“我兵源少，要扩兵。”姓孙的还是有一套对付老蒋的手段的：你让我抗战，我不妨多扩张些队伍。于是蒋介石批准其成立新的教导队。

孙殿英亲自任教导队大队长，具体事务全部交给了靖任秋。而徐楚光则任教育长，此时他已经改名为“徐祖芳”。

在两位共产党员领导下的教导大队，从教育内容到训练方法，采取的都是我党我军的方法，队伍迅速成长。这也让国民党警觉起来，立即有人向上面报告孙殿英部的教导大队有“共党嫌疑”，且令孙殿英彻查。

孙殿英招架不住，不得不亲自去教导大队视察。获令的靖任秋和徐楚光早已做好充分准备，等待接受孙殿英前来检阅。

这一天，在洛阳郊区的宜阳县三乡镇教导大队操场上，列队整齐的学员们在凛冽寒风之中，个个精神抖擞，那整齐的步伐、威武的军姿、响亮的口号声，让孙殿英大为感动与感慨：“谁说我老孙没有正规军？这就是！这就是我的‘黄埔军校’学生队！”

“谁敢解散这支队伍，我老孙跟他急！”孙殿英大喜，又悄悄问徐楚光，“我想保这支队伍，怎么个应付‘上面’的彻查？”

徐楚光直言道：“现在是国共合作时期，我等办学培养抗日军事骨干，为的是共谋抗日大业，对此上峰也早有备案，我们这是明人不做暗事。他们为何说我们‘赤化’？这不是欲加之罪，何患无辞吗！”

孙殿英连连点头，骂道：“混蛋，他们是借机整我老孙！”回头又对徐楚光说，“你就按你的意思，出个公文，婉转地向上面应付几条就是！你们这支队伍嘛，必须保留，好好保留！”

孙殿英真的看上了徐楚光他们训练出来的教导大队，专门亲自跟一战区司令长官的上峰面告此事。

蒋介石无奈，把这教导大队一事弄成僵局，但大招仍在这位“抗战总司令”手中：1939年春，蒋介石以国防部的名义，一纸命令将已经改编为第五军的孙殿英部从山西晋城调至河南林县。孙殿英任第五军军长兼第四师师长，靖任秋任第四师副师长。

教导大队怎么办？孙殿英与靖任秋、徐楚光商量的结果是：由徐楚光带着，留在山西，以保孙殿英部实力。

这是一副特别的重担。一支无依无靠的1300多人的部队，能独立生存和战斗吗？这时，中共领导的抗大一分校落地在教导大队的附近，于是就有多达千人投奔到抗大那边去了。

“你是回娘家来！欢迎欢迎！”抗大领导对徐楚光带领的学员们来到革命队伍，大为欢迎。这就让一直在敌营工作的徐楚光的简历里有了一个“正面”的职务：中国人民抗日军事政治大学一分校参谋教官。

敌强我弱感时艰，国事蜩螗莫等闲。
死里求生风雨里，待看红日照人间。

1940年春，蒋介石调国民党冀察战区第九十七军朱怀冰部进攻八路军总部所在的太行山地区。为摸清敌方军事部署，延安和八路军总部考虑需要派一名经验丰富、具备直接进入朱怀冰部条件的人员担此重任。总部参谋处认为徐楚光最合适。除了黄埔军校毕业生身份外，徐楚光与朱怀冰部的参谋主任杨梓诚是老乡和同学关系。

“老同学，你怎么到这儿来了？！”杨梓诚对徐楚光的突然出现，感到又惊又喜。徐楚光把肚子里早已准备好的一番话如此这般地说了一通，令杨梓诚大为同情。“你就留在这儿吧！毕竟时下局势很乱，楚光兄又是黄埔军校的高才生，哪能连口饭都没有得吃嘛！”

杨梓诚于是带着徐楚光驱车在前线阵地转了一大圈，让其“开开眼界”。徐楚光是黄埔军校科班出身，又有带兵实战经验，很快将看到的一切默默记在心里。离开朱怀冰部，徐楚光就到了八路军总部。

1940年3月5日凌晨，当朱怀冰部还在睡梦之中，八路军三路纵队在邓小平的指挥下，一举突破朱部的前线阵地，直逼其军部。节节败退的朱怀冰部，带着3000余人的残部逃窜到林县以南，结果又被等候在此的另一支八路军部队阻击，朱怀冰部全线溃败。此次战役经3天激战，八路军歼敌近万，其中生俘7000余人。毛泽东对此役高度评价：“打朱怀冰是华北根据地的一个决战。”

从敌方第一线获取情报的徐楚光功不可没。

1941年，是世界自二战发生以来最为动荡不安的一年，因为这一年德国向苏联发动全面进攻，苏德大战将何去何从，决定着整个世界的未来命运。东方战场上，日本发动对美国的珍珠港事件，导致太平洋战争爆发。重庆国民党政府宣传全面对日宣战。局势发展之快，出乎所有人的意料。中共中央决定谨慎地向敌后和汪伪统治区派遣情报人员，为日后参加正面战场的抗战做准备。

派谁去？徐楚光肯定是合适的人选。

在第一轮挑选中，八路军总部的情报处就想到了徐楚光。"此次远派，任务特殊，而且要做好长期潜伏的准备，所以不能告诉任何人，包括家人……"组织这样找徐楚光谈话。

徐楚光一时陷入痛苦：他第一次远离家乡到南方时，与老家第一任妻子和儿子挥泪告别，后来家人一直没有他音讯，徐氏族长以徐楚光有"赤匪"之嫌，欺负他妻儿。因为不知丈夫死活，徐楚光的妻子被族长逼迫改嫁异乡，于1942年抑郁而亡。其儿子则长期流离失所。现在他的妻子叫时海峰，是1939年在孙殿英部工作时被组织批准结婚的女共产党员，对徐楚光十分崇敬，在共同的革命事业中成为伴侣。而且此次徐楚光到敌伪区工作时，他与时海峰的儿子也还小……怎么办？徐楚光的内心又一次痛了：此次到何处、何时回到妻儿身边是个没有答案的问题，更何况徐楚光心里是有准备的——他知道从事敌营和敌后的情报工作，随时都会有生命危险。

他长长地叹了一口气，临走时给妻子时海峰写了一封告别短信，大意是，见到此信，他已离开原部，今后不能联系，一定要自己照顾好自己和他们的儿子。

徐楚光这次的派遣，纪律太严密了，妻子时海峰无数次向组织询问，但没有任何结果，得到的总是四个字："去向不明。"如此含糊其词，对时海峰的情感杀伤力实在太大。1944年，时海峰已赴苏北任中共阜宁区委书记，她把儿子寄养在一个苏北老乡家，改名为姜恩铭。时海峰因为得不到组织上对丈夫的结论，以为他叛变了，于是提出离婚，在苏北解放区再婚。新中国成立后，时海峰才知道自己的丈夫徐楚光牺牲在雨花台，她悲痛欲绝，于1952年病逝。

徐楚光并不知道这后来的事。然而当他再次离开第二任妻儿时，他似乎感觉到了他未来的命运，那一刻，再刚强的男子汉也会在心中流泪……然而因为革命需要，他必须收拾起个人的私情，乔装打扮成一个自满自足、春风得意的商人，一路南下，来到南京城，开始他敌营情报生涯中新的战斗。

到南京之前，徐楚光的第一站是先打入汪伪国民党武昌党部。在从汉口到南京的江轮上，他认识了汪精卫伪政府的国民党中央宣传部国际局一名叫陈斐章的人，两人似乎一见如故。在江轮到南京下关停泊时，这位陈斐章先生竟然对徐楚光有些不舍，邀请他到家里坐坐。

情报工作出身的徐楚光对南京人生地不熟，这样的机会自然必须抓住。"仁兄高看，弟必登门求见。"徐楚光彬彬有礼。

陈斐章夫人也姓徐，与徐楚光相识后，认了"本家兄弟"。一段时间后两人熟了，徐楚光向陈斐章有意诉说自己想"弃商从政"，找条"更好的活路"。

"好呀，你一身军事本领，知识渊博，以后肯定混得比我好。"陈斐章真的把徐楚光当自己人了，将自己看得到的国民党文件等都拿给徐楚光"见识"……他哪里知道，眼前的这位新朋友是中共情报"老手"了！

这是徐楚光在南京第一个落脚点和情报来源。但这仅仅是开端，他在向更大、更重要的目标进发。

事实上，我们的情报人员到敌后获取情报并非像电视剧和电影里说的那么容易，即便像徐楚光这样身经百战的情报高手，有时到了人生地不熟的地方，能够打入敌人内部、弄到有价值的情报也非一时半会儿，或者像小说里所描绘的那么简单。不过，有时候也确实，你只要有心就可能有收获。

徐楚光到南京后住在一家旅店里，因为他是以生意人身份出现在公众视野的，所以不住旅店就不怎么像是做生意的。住在旅店就有旅店里的乱七八糟的故事发生：有一日，一位声称“生意人”的房客，口头上又不时地说自己“领兵战场”一类的话，徐楚光敏感地意识到此房客不一般，于是有意套近乎。果然，有一次他见这房客为一两天住宿费之事嚷嚷起来，徐楚光看准机会，连连称“算了算了，出门都不容易，老板你也做做善人，别一本正经了，这兄弟手头可能有点紧，不就是一两天的房租嘛！我来我来……”说着就帮房客将两天的房费付了。

“这、这……让兄弟我都不好意思了嘛！”

徐楚光的这一小招，让这位房客感动得不知如何是好。从此一有空，他就跟徐楚光聊上了。

原来此人是国民党第三战区司令部军官，叫罗讷，现在以退役跑单帮做生意的身份住在南京，实际上他是国民党第三战区情报部门派到南京的情报员，负责收集日军情报，真名叫张铁平。徐楚光这时也告诉他，自己是黄埔军校毕业生，因为在军界跟长官关系搞得不好，一气之下出了军界圈，现在以做生意为生。

两个情报人员在一起，时间一长，就彼此心照不宣，相互帮忙。罗讷不幸患了一场大病，徐楚光为他跑前跑后，让罗讷感动不已，从此两人结为把兄弟。

“大哥，今后我就是你的人了，你只管吩咐便是……”罗讷病好后这样对徐楚光说。根据一段时间考察，徐楚光认为罗讷真心抗战，人又比较可靠，对国民党早已不满，于是就将其发展为自己的秘密情报人员。

与此同时，徐楚光又在另外战线发展了两名重要的情报员：一位是南京公交车司机厉仁杰；一位是南京名噪一时的洪帮帮主朱亚雄。别小看这些社会上的“三教九流”人物，他们与汪伪政府和日本军队之间有着各种关系，所收集的情报自然十分重要。徐楚光通过上面这些人，组织成立了“华中铁道护路队”，明里是保护铁路安全，实际上是他开辟的一条秘密交通线。

由于徐楚光有一块黄埔军校毕业生的金字招牌，加上他广交朋友，所以很快在汪伪政府的军事机构谋了几个职务：伪中央军校上校战术教官、军委会政治部情报局上校秘书兼中央感化院上校政治教官、军委参赞武官、军委会陆军部上校科长等。

如此热门的职务，加上徐楚光形象英俊潇洒，为人热情诚恳，谈吐风趣幽默，办事精明强干，所以他很快就在南京官场混得八面玲珑。在这种情况下，徐楚光立即向八路军总部的情报部门做了汇报，组织根据徐楚光的情况，将他的秘密情报联系线交给了中共华中局和新四军军部领导。徐楚光第一次在南京与华中局和新四军情报部领导见面，其人正是中共中央情报部门的老领导者之一潘汉年派出的副部长徐雪寒。

“立足是第一步，前面的路会更艰难。有什么困难，我们会随时配合你的。”徐雪寒带去了潘汉年部长的指令。

徐楚光向组织保证：“坚决执行好命令！”

之后的日子，徐楚光利用汪伪军校教官和军委会任职等身份，暗中不断发展军界和伪政府方面的情报人员，这样通过各种蛛丝马迹，将汪伪政府的军事情报源源不断地汇总起来，形成十分有价值的重要情报。

1943年12月底至1944年1月底，汪伪政府和其军事部门对驻苏北伪军部队的建制和布防做了重大调整。而徐楚光因为发展了多名重要的情报人员，他们很快将汪伪的军事布置图弄到了手。徐楚光得手如此重要情报后，连夜绘制简易布防图并附以文字说明，随后将其缝制在自己的棉衣夹层里。

这一次他要亲自将情报送出南京城，平时发展的情报眼线帮助他准备了“特别通行证”，之后一路上的情节跟小说和电影里差不多，不过还要精彩和惊险得多！

这份汪伪的军事布防情报，为新四军打击侵略者和汪伪军事行动起到了重要作用。

“日寇和汪伪政府的封锁已经严重影响到我新四军和抗日队伍的物资供给与生存，必须打开他们的封锁线，建立我们自己的供应线！”华中局和新四军总部给徐楚光下达了新的指示。

徐楚光真是一个神奇的地下特工，只要组织一声命令，他总能完成任务。不久，在他的努力下，老“黄埔”关系再度发挥作用，他发展的情报队员很快承包了扬州“猪只税务局”，通过这条秘密渠道，撕开了汪伪政府封锁线的一道缺口，为新四军供给提供了一条特别通道……徐楚光借机通过情报线人员，成立了“华中铁道南京护路总队”，切切实实地起到了保护秘密交通供应线的作用。

进入1945年后，抗日形势越来越好。在日本帝国主义即将灭亡之际，徐楚光开始通过汪伪军队中将、伪苏北绥署驻南京办事处主任洪侠的关系，秘密将老搭档地下情报人员乐伟平调到其手下任职，其实是为了建立一支“捣汪地下军”。通过一番艰苦努力，他们成功策反了汪伪的警卫第三师离开南京，为在中国大地上彻底消灭日本侵略军和扫除汉奸汪伪政府，做了铺路石。

策反汪伪警卫第三师的整个工作都是在徐楚光的领导下进行的。这支数千人的队伍后来被带出南京后，新四军军部将其整编为华中独立第一军，由钟健魂任军长，徐楚光任副政委兼参谋长和第二师政委。1945年8月15日在延安的《解放日报》以大篇幅报道了这一事件。

1945年8月，日本投降，举国欢庆。但好景不长，国民党反动集团开始与共产党和人民武装力量抢地盘，然后是全面拉开了打内战的架势，吃掉共产党的“胃口”日益显现，蒋介石的反动本质再一次暴露无遗。

“你的任务，还是到敌营执行策反工作。”已任中共华中分局联络部第三工作委员会主任的徐楚光，再次接受中央命令，负责京（南京）、沪、杭地区的情报和策反任务。

徐楚光考虑再三，认为自己在南京已经很难潜伏，所以决定把秘密工作点设在上海。

1946年5月，徐楚光化名王祖训，乔装成阔少，带着打扮成仆人的交通员小吕，一起离开解放区，一路往上海方向走……

这期间，他在镇江歇脚——其实是给当地情报人员交代任务。之后他们再乘火车往上海走。这时徐楚光的名字又成了徐祖芳，身份是大盐商。

徐楚光这回住在今山西路与南京路相交不远的上海南京饭店。他第一个找的是自己的大舅子朱鸿年。两人多年不见，在交谈中徐楚光感觉大舅子思想偏于进步，于是亮出了自己的真实身份。朱鸿年受过高等教育，是个有理想的人，经徐楚光一番动员教育，同意做他的情报员。

为了便于工作，徐楚光需要有固定和安全的住所。几天后，他找到了抗战时结交的一位可靠的朋友，在九江路开绸庄的老板胡蓄存帮忙。胡老板很仗义，最后在宝华里为徐楚光找了个租金优惠的房子。徐楚光将这里作为指挥京、沪、杭地区情报和策反工作的主要场所，而他自己会见重要客人，则在南京饭店的临时客房。由于在沪、宁两地的熟人太多，徐楚光只能依靠晚上时间，乔装之后才能较方便地外出，所以他是一个真正意义上的“伪装者”——电视剧《伪装者》中许多故事情节也是从徐楚光的谍报经历中截取的。

在解放战争全面爆发之后，敌我双方对物资供应都很重视，从某种意义上讲，后勤供给关系到战争的成败。而国民党占领的上海的物资供应则影响到整个长三角和苏北解放区的南下部队，所以党中央希望徐楚光开辟至关重要的“第二战场”——物资供应：把上海的成品物资运出来，再把解放区的农产品卖给上海商人换钱……要完成如此重任，必须建立一个拥有完整体系的地下交通线。

徐楚光接受任务后，迅速组织和动员起各种老关系，这中间最重要的是做通那些关卡上的国民党要员。而国民党的要员中有识时务者，也有顽固分子。怎么办？徐楚光脑子聪明，灵光一现，告诉手下的情报人员：走其“夫人”路线，即专找那些管关卡的官员的太太，通常如此这般的“利益”一谈，大多数便能成功。“枕边风”一吹，那些顽固不化的国民党关卡要员就会给徐楚光等做流通工作的“生意人”开绿灯。于是解放区和敌占区的物资按照我党我军的需要，源源不断地通过秘密的和公开的交通渠道，运送到两地，确保了我人民解放军在战场推进的同时，后勤物资同步推进，有效地保障了解放全中国的步伐。

还有一项更重要的任务是，必须尽可能地策反国民党正规军起义，这是加速推进全国解放、减少敌我双方伤亡最根本的举措。

“成功策反一个团、一个师，甚至更大的单位，就是对解放全国最大的贡献，比我率领一个兵团的司令还要有功嘞！”中共华东局副书记陈毅这样说。

徐楚光后来之所以让国民党恨之入骨，就是因为他策反了好几个国民党的重要军事骨干队伍和高级将领。成功策反国民党军统南京站站长周镐，是徐楚光完成的众多策反任务中的一例。周镐后来为我党我军解放全国、策反原来的国民党党友与军界要员做出了重要贡献，最后也成为被蒋介石杀害的雨花台烈士。

徐楚光通过正义的力量和策反的艺术，不仅将一名国民党军统的高级特务策反过来，使其成为共产党队伍中的一员，而且还做出了杰出贡献，这从一个方面彰显了徐楚光在情报战线上杰出的工作能力和工作艺术。

周镐，1910年1月21日生，湖北省罗田县人。1927年中学毕业，次年入桂系第四集团军随营军校学习，该校后改为中央军校武汉分校，周镐为第7期学生，是比徐楚光小两届的校友。徐楚光正是利用这一点，从而使两位完全在不同轨道上行走的人，最后不仅走在一起，而且并肩战斗。这当然是后话。

为了考查周镐的档案与经历，我求教过雨花台烈士纪念馆专家，他们是这样介绍的：

1935年，周镐进入国民党军统，先后任武汉站站员、广东税警总团查缉股组长、暂编第八师谍报队少校队长、军统广东督察、重庆军统局督察室第一科上校科长等职。1943年，国民党汪伪政府与日军公开勾结，周镐受军统局委派，携带电台到南京任军统南京潜伏站站长，担负军统局与周佛海等大汉奸之间的秘密联络和策反伪军的工作，公开身份是汪伪军委会少将科长。周镐利用这一职务之便，与孙良诚、张岚峰、吴化文、郝鹏举等部伪军建立了关系。

1945年日本无条件投降之后，蒋介石为抢夺抗战胜利果实，8月12日便任命大汉奸周佛海为国民党政府军事委员会京沪行动总队总指挥，周镐为南京指挥。14日，又任命汉奸任援道为南京先遣军司令，负责南京、苏州一带的治安。8月16日，周镐在南京宣布成立国民政府军事委员会京沪行动总队南京指挥部，接管了汪伪几家报社、银行和几所大仓库。17日，周镐又通过《建国日报》发布解散汪伪政府的声明，当晚派武装部队封锁南京各港口、车站等交通道口，通令汪伪军、警、宪负责人到指挥部报到，并开始在城内搜捕汉奸。伪陆军部部长萧叔宣被捕时受伤死亡，伪考试院院长陈群畏罪自杀，一时引起南京日伪军政界的恐慌。

周镐的抢先行动，触犯了国民党其他派系的利益，于是国民党内部斗争的矛头即刻便转向了周镐本人，军统局、蒋介石不断收到“周镐贪污”等内容的报告。周镐宣布成立的南京接管指挥部才行使两天权力就垮台了，他本人也被戴笠扣押在上海监狱。直到1946年3月，戴笠因飞机失事身亡，周镐才算获释，但军统局仍不给他安排工作。面对现实和个人的处境，周镐对国民党彻底心灰意冷了。

就在这个时候，徐楚光出现了。

两人并非初识。早在抗战时期，徐楚光在南京从事地下情报工作时，就结识了周镐这位老乡兼黄埔校友，建立了良好的友谊，并对周镐展开了因势利导的策反工作。两位谍报工作高手相交，各自心知肚明，周镐不时给徐楚光提供日伪情况和地下工作的帮助。此次周镐受冤获释后，一天，徐楚光专程从上海乔装打扮来到位于南京二条巷焦园5号的周镐家，与他进行了开诚布公的恳谈，希望周镐为中国人民的解放事业工作。经过深思，十分了解共产党的周镐欣然答应，并向徐楚光提出参加共产党的要求。徐楚光立即向中共华中分局副书记、华中军区副政委谭震林做了汇报。华中分局、华中军区领导邓子恢、谭震林亲自签署委任周镐为京（南京）、沪、徐、杭特派员，同时批准周镐为中国共产党特别党员。所谓“特别党员”，就是那些从事秘密工作又暂时不要办理任何入党手续的党员同志。

8月13日，周镐秘密来到上海，接受了徐楚光专门为其拟定的工作计划：请华中分局拨活动经费1000万元（或食盐1000担）；请以陈毅的名义颁委周镐为京、沪人民自卫军司令；周镐的活动区域为南京、上海、徐州、安庆等地。这个计划被一个在抗战胜利后秘密投靠军统的原中共华中分局三工委京（南京）、镇（镇江）特派员刘蕴章（曾任伪海军政训处长）得知，他立刻密报了保密局，保密局随即令其六处对周镐进行秘密监视。

周镐为掩护工作，向保密局提出到上海静安寺搞佛教训练团。经毛人凤同意，保密局任命他为少将直属组组长。周镐利用这一身份，经常往来于南京与上海之间。

11月下旬，徐楚光在上海再次约见特工人员，周、刘等依约赴沪，刘蕴章很快又将这次会面的情况报告了保密局。按预定的工作计划，周镐将在28日往宿迁孙良诚驻地进行策反。28日，扯絮般的大雪漫天而下，周镐只好推迟行程。上午9时许，突然有五六人闯入周家对他说："毛先生（毛人凤）请你谈话。"

周镐预感"东窗事发"，只好"硬颈而行"，到宁海路19号（保密局看守所）即被扣押。徐楚光得知周镐被捕，立即撤回解放区，并切断了与可疑人员的一切联系。不久，他奉命率三工委主要成员去湘、鄂、赣地区从事武装斗争，原三工委的工作由副主任郭润身负责，归属华中分局第六工作委员会领导。

周镐被捕后，拒不承认在政治上与徐楚光有任何联系，保密局六处只好将此案转给报案的二处："希即转原报人将该周镐与徐楚光接洽参加奸伪后被邀任京、沪人民自卫军司令之经过事实连同佐证一并报核。"刘蕴章找不到接头人，无法提供新的情报，周案便拖了下来。两三个月后，案子移交给与周镐有一定私交的法官王鹤皋办理，经王鹤皋从中斡旋，周镐于1947年春节前夕由二处副处长黄逸公等保出，仍到上海佛教训练团任职。

3月，周镐与郭润身接上关系，并要求继续做孙良诚部的策反工作。这时六工委为便于开展工作，在徐州建立了联络站，对外招牌是中鲁汽车运输公司。在宿迁设分公司，栗群任站长（即总经理），还通过周镐的介绍，在孙良诚部队挂副官名。

这年夏天，周镐奉蒋介石之令，到宿迁调查孙良诚通新四军的事。他趁机做孙良诚的工作。蒋介石的怀疑使孙良诚十分恐慌，求周镐帮忙，并痛哭流涕地表示同意起义，但提出要1500两黄金作为高级军官家属的转移费。7月，周镐回宁后一面替孙良诚敷衍，一面立即向郭润身汇报。郭润身与栗群立即到苏北解放区向陈丕显、欧阳惠林请示，并由华中工委请示华东局。9月下旬，华东局来电，同意拨给黄金500两和棉花、烟土等物资做起义经费。郭、栗两人因国民党军队封锁交界区，直至12月初才走出解放区。

9月，徐楚光在武汉不幸被捕，年底被押到南京宁海路19号。面对敌人的酷刑和利诱，徐楚光始终坚守党的秘密，否认自己与周镐在政治上有联系。

10月，周镐再次奉蒋介石之命到孙部调查孙良诚私通李济深的事。周镐继续做争取孙良诚的工作，回南京后仍替孙良诚掩饰过关。

10月30日，因徐楚光的政治交通员吕祥瑞在郑州被捕叛变，供出周镐、栗群与徐楚光有联系，周镐不幸再次入狱。他深知这次绝非年前可比，初入狱的三日，茶饭不思，思想斗争很激烈。后来终于想开了，心想大不了是一死。所幸吕祥瑞不认识周镐，不知周镐所担任的工作，周案便无法继续深入。

1948年年初，栗群从解放区回来，刚到家即被逮捕。敌人用酷刑逼他供出与周镐、徐楚光的关系，栗群坚持自己是做汽车生意的说法。在与周镐的对证中，敌人也没得到丝毫证据。

敌人找不到周镐与共产党有来往的证据，便于1948年元月将周案交给王鹤皋办理。周镐的妻子利用在军统中的关系，终于使周镐死里逃生，于3月被保出狱。栗群也同时获释。

周镐、栗群出狱后与郭润身恢复了联系。

4月，原三工委秘书罗纳在湖北被捕叛变，供出他所知的名单、文件和活动经费存放地点。名单中有周镐、唐生明等。这时周镐好友黄逸公正在武汉，并对此不以为意。黄逸公回南京后不久的一天晚上，在闲聊中将此事告诉周镐，要他注意应付一下，最好去向毛人凤说清楚。周镐听后，心里暗暗吃惊，但仍与黄逸公聊了半天，回家后立即叫妻子收拾行装，连夜通知栗群来商量对策，第二天便与妻子悄悄乘火车离开南京，先到宿迁孙良诚部，然后与郭润身等六工委成员撤到苏北六分区驻地谢河，受到六分区政委吴觉的欢迎和接待。

到解放区的周镐，好似一只挣脱出笼子的鸟儿，心情舒畅，欢快无比。

9月初，陈丕显接到华东局的指示，命令周镐去做策反孙良诚的工作。29日，周镐到达目的地后，致函陈丕显，汇报工作情况以及自己准备与孙良诚、王清瀚（镜波）公开洽谈起义的计划。

10月5日，陈丕显转达周镐：孙部尚未成熟，起义宜缓不宜急。当天，周镐给孙良诚写信，晓以利害，望孙反戈。这时国民党七十二师全部集结睢宁，有向宿迁进犯的迹象，国民党国防部正通令缉拿周镐，国防部二厅有30人左右，在睢宁、高作一带寻访，缉捕周镐。面对险恶的形势，周镐泰然处之，并频频修书致孙良诚等，敦促他们率部起义。

1948年9月，我军发动了辽沈战役，这标志着中国人民解放军已由战略进攻转入战略决战阶段。国民党政府已濒临崩溃。为防止杂牌军叛逃，蒋介石对其部下，特别是杂牌军将领频频封官许愿，以笼络人心。

10月，蒋介石任命孙良诚为第一绥靖区副司令兼一百零七军军长，孙良诚属下军官均升一级，收编孙部，给钱给武器弹药。孙良诚受宠若惊，不再谈起义之事。周镐只好带人返回谢河，只留栗群等二人原地等待时机。周镐为孙良诚的执迷不悟深感痛心，他在日记中写道："殊不知加官进爵，即送进坟墓之时。"

11月6日，淮海战役拉开战幕。8日，陈丕显电示周镐立即前往孙部争取其起义，最低限度也得中立。11日又来电，希望能让孙部于此时起义。周镐接电后，率人火速向睢宁进发。孙部于12日向徐州方向奔逃，当周镐等赶到时，他的一个师已在双沟被我军包围。周镐和栗群冒着生命危险进入孙部，将孙良诚带到我军指挥部。在兵临城下的情况下，孙良诚亲笔签署了令他所属各部放下武器的命令。同时，王清翰（一〇七军副军长兼二六〇师师长，中共秘密党员）配合周镐的行动，软禁了军部和二六〇师的师、团级军官。13日，孙部5000余人放下武器。周镐为接收孙良诚部队和大家一起忙了两天两夜，一共获各种枪支4000多支、子弹30多万发，炮67门，汽车23辆，骡马80余匹。11月19日，陈丕显托人转告周镐，希望他与孙良诚、王清翰再策动刘汝明起义。

不料，假装投诚的孙良诚贼心不死，趁机向刘汝明求救。他私下对前去送信的亲信副官尹燕俊说，这封信是被迫写的，定要亲手交给刘汝明，请他设法搭救。在我军不断取得胜利的大好形势下，周镐过分相信了私交的感化力，对敌人的顽固、狡诈失去了必要的警惕，轻信了孙良诚的欺骗言行，从而导致对刘汝明部诈降的错误判断。

12月1日，从刘汝明部归来的尹燕俊带回刘汝明同意与我方洽谈起义的信，周镐深信不疑。

周镐一面派尹燕俊再与刘汝明联系，一面写信向曹荻秋、陈丕显汇报，并建议做好接收刘部的准备工作。

1949年元月4日，尹燕俊带了刘汝明的代表、刘部特务团团长刘铁军（刘汝明之子）回来，向周镐提出，请我方人员立即到刘防区内的蚌埠市研究起义电稿。周镐向曹荻秋汇报获得同意后，决定立即动身。5日，周镐、孙良诚、王清翰等一行13人进入刘部防区内的淮南田家庵车站，当即被早已埋伏好的刘部特务武装扣押，周镐被上了绑。

翌日，周镐等人即被押送至南京。1949年春节前后，南京一些报纸刊登了孙良诚骗来共产党重要人物，官复原职的消息。蒋介石对周镐参加共产党、策动国军起义又恨又怕，下令“就地枪决”。周镐在没有进行任何审讯的情况下，被秘密杀害于宁海路19号国防部保密局看守所。据他女儿说，与其父亲周镐同行的7人“均被活埋于雨花台”。

“父亲死时年仅40岁。”她说。

周镐从一名军统特务到为解放全中国立下卓著功勋的功臣，最终成为一名无产阶级革命战士，这中间，徐楚光起到了根本性的引路人的作用。1966年，中华人民共和国内务部向周镐的家属颁发了“光荣纪念证”，表彰他为人民解放事业做出的贡献。周镐的故事，现今在雨花台烈士纪念馆也常被人传颂。

话说徐楚光，在他完成对周镐的策反后，中共中央根据局势的变化，决定调徐楚光等一批情报人员到湘鄂豫地区组织秘密武装力量，以牵制国民党兵力。为此，徐楚光化名王祖文，携第三任妻子朱健平与他们的儿女，从解放区辗转到上海，再经武汉，最后抵达长沙，开始从事湘鄂豫地区的秘密武装筹建工作。很快，一支名为“湘鄂民主联军”的人民武装拉起了旗帜，成铁侠任司令员，徐楚光为政委。湘鄂民主联军建立之后，1947年9月底，徐楚光根据湘鄂特委会议决定，去位于鄂东的中共中原局领导邓小平、刘伯承处汇报请示工作。

让徐楚光没有想到的是，这回路过武汉之行，他这位名声显赫、在情报战线久经沙场的“老将”，竟然被一个蕲水老家自卫队的国民党小喽啰出卖了！而且一同被捕的还有徐楚光身边的四五位助手。

徐楚光在敌我两方的名声太大，做的情报方面的事又太多，国民党特务机关虽然逮捕了他，仍然希望他走回头的“自省”之路，所以有一段时间因为“证据”不足，将他软禁起来，并许以高官厚禄。哪知徐楚光不仅不给保密局“面子”，反而继续从事对国民党高官和军队人员进行策反的工作。本来保密局内部对徐楚光这样的人就是两种态度：恨他的，恨不得立即将其千刀万剐；“保”他的，也并非真想保他，只是为了打击对方势力而利用他。加之不断有叛徒出卖徐楚光的真实身份，蒋介石最后气得直摇头，说：“徐楚光这样的‘共谍’人员，我们自己阵营里几乎找不到第二个，他不愿为‘党国’效劳，那就是不可救药了！”

1948年10月9日，中共一代杰出谍报人员徐楚光牺牲在雨花台，时年39岁。我们现在也知道了，他的名字经常会与李克农、钱壮飞、胡底、潘汉年、阎宝航、关露、熊向晖等我党隐秘战线上的著名特工人物并列在一起。

敌军战鼓响叮咚，信陵盗符建奇功。

伤心千载秦淮河，血泪染洒雨花红。

这首诗是徐楚光在抗战期间驻南京从事地下工作时听到一位战友因猎取汪伪密码而最后光荣牺牲时所写的，今天读来，似乎也像他为自己所写的墓志铭呵！

其实，在雨花台长长的烈士名单中，我们可以找出许多与徐楚光类似的战斗在敌营中的英雄们，他们的事迹通常特别传奇，又是以前一般人所不熟悉的，这让我更动情地想在本书中将这样的烈士高高地举起，并期待人民和历史永远地记住他们——

朱克靖，另一位徐楚光式的伟大烈士。我之所以说他是“伟大烈士”，因为他在1919年就是北大高才生，1922年成为中共党员，1925年就任国民党第三军党代表兼政治部主任，也就是说，在南昌起义前，人家就已经是堂堂正规军军长级高官了！他参加了南昌起义并任第九军党代表，之后一直从事策反国民党部队的情报工作。在他被捕后，蒋介石3次亲自出面请他吃饭，“苦心”劝告朱克靖“回头”，但最后仍然没能成功。

关于朱克靖个人的经历与故事，独立地写部几十万字的传记都不是问题，然而在长城一般的“雨花烈士”鸿篇史传中，我只可能把他的英雄事迹浓缩成一块“砖”来叙述——

一般来说，国民党的特务机构“军统”与“中统”组织，想杀一个人，就像捏碎一只鸡蛋一样，根本不在话下。瞿秋白当年曾有一段时间任中共中央主要领导人，我在福建长汀到他就义的地点瞻仰过，当时他就是被一批小特务杀害的；写《可爱的中国》的方志敏，我们从小就熟悉他的事迹和这部作品，前些日子我到他老家才知道这位了不起的共产党人被抓后也是被特务们草草几枪就结束了生命！可是国民党特务机关抓到朱克靖后，连郑介民、毛人凤这样的局长级“大人物”，竟然都不敢动他一根汗毛。这是为什么？因为朱克靖实在是连蒋介石都不忍轻易动、心头不忍杀的人。

我们来看看朱克靖这位湖南伢是怎样让蒋介石又恨又惜的吧！

朱克靖于1895年出生，比同乡的毛泽东小两岁，家境跟毛泽东差不多，兄弟姐妹却有一大群：七男四女，他是最小的儿子。据说朱克靖从小也是个远近闻名的“神童”，上私塾不到一年，就能将《幼学琼林》《三字经》《百家姓》等经典熟练背诵。日后他的文学与写作能力渐长，八九岁时就能写下“建山顽石参天地，渌水芳流绘古今”这样的佳联。

后来，他在与毛泽东相近的时间里考进了长沙第一中学，毛泽东、蔡和森、李富春、蔡畅等湘籍进步青年都曾在这所中学读过书。

成绩优异的朱克靖于1919年春考上北京大学，恰遇轰轰烈烈的五四运动。任北大图书馆馆长的李大钊等教授发起的马克思学说研究会聚集了一批进步学生，朱克靖是其中之一。这年10月，朱克靖和同学好友李富春、蔡畅、李立三、汪泽楷等湘籍青年，在毛泽东等的支持与帮助下，从上海远涉重洋，踏上了留法勤工俭学之路。

1921年7月，蔡和森、周恩来、赵世炎等留学生发起建立了中国社会主义青年团旅欧支部，没多久又将其改为中国共产党旅欧支部，周恩来任总支部书记，朱克靖由蔡和森、范鸣介绍加入中国共产党，因此他是我党建党后的第一批党员之一。

这年11月，蔡和森、朱克靖等因参加抗议法国政府的活动，被遣送回国。

朱克靖再次回到北京大学，一边继续学业，一边做邮差打工谋生。此时，李大钊领导的中国共产党北京支部在这几个月已经建成，第一批党员共14人，他们是李大钊、张国焘、张申府、罗章龙、邓中夏、高君宇、范鸿劼、李梅羹、吴汝铭、朱务善、何孟雄、陈德荣、宋介、江浩。朱克靖实际上在法国就已经成为中共党员，但因回国需要重新加入北京支部，所以他在1922年正式被吸收到李大钊任书记的中国共产党北京支部中，同时加入组织的还有王德三、李国琩、安幸生、袁玉冰、于树德等。

次年，中共中央决定选送一批优秀青年党员到“十月革命”胜利地——莫斯科的东方大学学习。东方大学有一个中国班，第一批选送的中共青年党员骨干中有瞿秋白、刘少奇、彭述之、萧劲光等30多人。1923年，中共中央又选送一批优秀青年党员骨干，朱克靖在其中。这年5月，朱克靖在北大与上海先派的袁玉冰、胡越一、丁亚健三人会合，与前往莫斯科参加共产国际第五次代表大会的王荷波、刘清扬、卜世奇代表同行。去莫斯科的行程十分艰难，他们辗转了半年多，才于1923年冬天的一个早晨到达了朱克靖等向往已久的列宁工作的地方——莫斯科。

“哎呀，你们也来啦？”令朱克靖意想不到的是，一起留法的李富春、蔡畅也在东方大学。这时他才知道旅欧支部也选送了一批青年党员来此，包括陈延年、陈乔年、赵世炎、王若飞、余立亚、袁庆云、高凤、王凌汉、熊雄等12人。此时的东方大学中国班已经有数十人了！他们后来多数成为中国共产党历史上大名鼎鼎的领袖级人物和党史上经常提到的革命先烈，如叶挺、聂荣臻、罗亦农、刘伯坚、李季、穆青、李求实等。朱克靖是中国班16个学习小组中的一个组的组长。在这里，一切都是军事化的，必须自己动手。朱克靖与其他同学一样，如饥似渴地学习政治、革命道理、军事知识，他们听过斯大林等苏联革命家、军事家的课，个人知识与能力飞速提高。

1924年夏，革命导师李大钊来到莫斯科参加共产国际第五次代表大会，与他的学生和同志见面。这让朱克靖感到特别温暖与亲切，同时更加坚定了共产主义信仰。他在周记中这样写道：“做一个真实的共产主义革命者！”

何谓“真实的”共产主义革命者？朱克靖没有解释，但后来他用一生的行动，对此做了最好的诠释。

1925年，孙中山去世，国内的革命形势迅速发生巨变。这时，中共中央命令在国外留学的部分骨干先回到国内，并且把他们多数分配到了广州。先头回国的周恩来此时出任黄埔军校政治部主任，陈延年任广东区委书记。朱克靖与叶挺、李富春、聂荣臻、熊雄等十多人同一批回国。

此时的广州是国民党革命大本营，国共合作在孙中山在世时已经轰轰烈烈。为了尽快统一中国，国民党建立了军事委员会，汪精卫任主席，胡汉民、廖仲恺、朱培德、蒋介石等任委员，部队统一也做了新的编制，分成数个军。第一军由黄埔军校官兵扩充而成，蒋介石任军长，周恩来任党代表；第二军由湘军改编，谭延闿任军长，李富春任党代表；第三军由滇军改编，军长朱培德，党代表朱克靖。中共方面，在国民革命军中任职的还有第六军党代表林伯渠，同时叶挺在第四军任作战处处长、独立团团长，聂荣臻等任教官。总政治部主任由邓演达担任，郭沫若、恽代英等也在政治部任职。由此可见，朱克靖的地位此时非同一般。

滇军其实是支杂牌军，但军长朱培德十分注意重用拥有苏联红军军事与政治理论的朱克靖，两人关系甚好，所以滇军在朱克靖的调教下，很快成为一支具有较强战斗力的国民革命军。在讨伐陈炯明的南征中，第三军由于采用了朱克靖的军事指挥谋略和他所实施的红军式思想政治工作，大获胜利，尤其是在军民关系方面处理得十分令人满意，被百姓评价为“使人民感知革命军为拥护人民利益之军队，故军队到达时，人民无不欢迎与鼓舞”。

1926年，根据当时的形势，国共吹响了北伐革命的号角。蒋介石为国民革命军总司令。总政治部主任邓演达按照苏联军事专家的指令，召开战时政治工作会议，决定“战时政治工作之方针，及准备北伐应做的一切事项”。同时决定成立三个编制委员会，第一编委主席为朱克靖，周恩来为第二编委主席，恽代英为负责考试的技术委员会主席。

北伐革命军的三大对手，一是盘踞在东北和河北一带的张作霖部，35万兵力；二是中原地区与湖南、湖北地区的吴佩孚部，20万兵力；三是长三角和江西、福建等地区的孙传芳部，20万兵力。北伐军总司令部军事顾问加伦将军制定的作战方案是："伐倒吴佩孚，联络孙传芳，不理张作霖。"

浩浩荡荡的北伐革命开始，"两朱"（朱克靖、朱培德）率领的第三军负责与第二、六、八军一起，合围攻打在长沙及湖南其他地区的吴佩孚部队。蒋介石把自己的黄埔嫡系部队则放在后面，这是他一贯采用的手段——消耗他方的实力，不伤自己元气，伺机再将他方吃掉。

北伐革命军高举的是孙中山旗帜，所以各路革命军奋勇向前，势如破竹。

朱克靖所在的第三军开始并不被人看好，哪知他这位"政委"——党代表学到的是苏联红军的作战经验真谛，把群众工作放在重要位置，故每到一处，沿途百姓热烈欢迎他们。这让滇军官兵大为振奋：过去我们每到一地，就被当地百姓骂得狗血喷头，如今百姓拿吃的穿的夹道欢迎我们，真的把我们看作他们的救星了！

有了群众的支援，第三军作战越发勇猛，打得吴佩孚落花流水，在革命军中名声大振。党代表朱克靖也在军队中名噪一时，令蒋介石不得不刮目相看。

进攻南昌时，蒋介石的嫡系部队第一军第一师师长王柏龄脸面丢尽，在溃败之后一口气逃到了上海。蒋介石脸上好没有光彩，气得只好命令第三军上。朱培德其实并不想"硬碰硬"，可无奈不敢公开违抗"总司令"的命令。犹豫不决之际，朱克靖率领一队政治工作人员赶到前线，奋勇投入战斗，一路攻克顽敌，同时保存了第三军主力。事后朱培德异常感激朱克靖，说："别看我手下这些军官都已身经百战，可到了动真刀真枪时，倒不如你带领的那班青年学生啊！"

湖南到江西的几场战役下来，国民革命军第三军在朱克靖和朱培德的通力合作率领下，总兵力增至6万余人，成为革命军中战斗力最强和人数最多的队伍之一，连蒋介石都不得不感叹道：“革命事业的发展共产党人做了很大的努力，十个国民党人也不及一个共产党人的力量。”

也许蒋介石确实也看出了这一点，所以当北伐军攻下杭州、逼近上海之时，他的政治野心和反革命嘴脸便一下子暴露出来了：他相继在南京和上海发动四一〇惨案与四一二反革命政变，彻底与中国共产党撕破脸皮，暴露出代表资产阶级利益和政治野心家的嘴脸，对共产党人和革命者大开杀戒……

一时间，中国大地上黑云阵阵，腥风血雨！

与此同时，蒋介石以国民革命军总司令的名义，布告取缔革命军总政治部，电令开除邓演达、李富春、朱克靖和林伯渠等共产党人担任的各军党代表职务，并且密令相关部队逮捕上述中共高级领导干部，包括周恩来、朱克靖在内。

朱培德与朱克靖原本是第三军一对“好二朱”，可此时的朱培德已经投向了蒋介石。他设宴邀请朱克靖，说：“克靖老弟，蒋介石重兵在握，又在南京成立了国民政府，这已经是大势所趋了，你也脱离武汉政府吧，我们一起跟着老蒋走。看样子他比武汉方面的汪先生要强，人家有‘黄埔’嫡系，你也是黄埔出来的人，就继续跟他干吧，我们‘二朱’也可以重振威风嘛！”

朱克靖吃不下这顿饭。他目光炯炯地盯了朱培德好一会儿，然后说：“我是不会投向老蒋的，你这样反水，跟着他走，估计得到最后的结局是什么吗？”

朱培德长叹一声，道：“那我们只能就此分手了！”说着扬长而去。

留下的朱克靖是痛苦的，他对第三军充满感情，从某种意义上说，这支从小到大、从弱到强的北伐革命军，是他的心血。然而现在，却因蒋介石的反革命狼子野心，朱培德竟然拱手将它送到反革命阵营去了……

痛苦归痛苦，革命的路还要继续往前行。

此时，周恩来任中共中央临时常委，与中共中央负责人瞿秋白在共产国际代表的支持下，决定在南昌发动武装起义。参加起义的主力是留在江西南昌的朱克靖的老部队——第三军旧部与朱德的南昌教导团，以及贺龙领导的第二十军、叶挺率领的第十一军第二师等。起义军沿用国民革命军第二方面军番号，贺龙任起义代总指挥。所属的第十一军由叶挺担任军长，聂荣臻任党代表；第二十军由贺龙兼任军长，廖乾吾任党代表；第九军由韦杵任军长（未到任），朱德任副军长，朱克靖任党代表。起义部队总共两万余人。

1927年8月1日凌晨两点，在周恩来的指挥下，南昌城打响了武装反抗国民党反动派的第一枪——由此南昌起义这一天后来被定为中国人民解放军建军节。

朱克靖是起义领导人之一，他为中国共产党武装力量的建立做出了特殊贡献。

然而，就是这样一位为建立新中国和创建人民武装立过大功的中共高级干部，却在南昌起义失败后，颠沛流离，一面自食其力一面寻找党组织、宣传马克思主义……这是我们党的历史上唯一一位有这样经历的革命先烈。

1937年秋的一天，正走在熟悉的南昌街头的朱克靖，意外邂逅了好友叶挺。这两位莫斯科东方大学的好友、北伐革命战争和南昌起义中并肩战斗的战友，见面时的一幕实在令人感动——

“希夷！是你啊？！”

“克靖！真是你啊？”

“10年了……”

“是啊，这10年你都到哪儿去了？”

“我……”

“你……”

这两位大名鼎鼎的人物，竟然在大街上又是捶胸拥抱，又是痛哭流涕，弄得一大群看热闹的人围住了他们……

“哈哈……”他俩又大笑起来。

朱克靖回到党和人民武装的怀抱，是令党内许多人开心的事。“老朱，你既然回来了，就还是留下来同我们一起干吧！”

“一切都陌生了，我还能干啥呢？”朱克靖看看叶挺，苦笑着说。

“我们新四军正要成立一个军服务团，你来当团长。”叶挺说。

朱克靖笑笑：“不知还能不能干得了这工作……”

叶挺哈哈大笑起来：“谁不知道你朱克靖在北伐革命军里做政治工作最有一套，连老蒋暗地里也在夸你了不得呀！”

朱克靖摇摇头，说：“他？不杀我算是便宜了我哟！”

“怎么样？说定了？团长小了一点，权且先当作回归后熟悉情况吧！”叶挺说。

朱克靖点点头：“好吧，先试试吧！”

1940年，朱克靖出任新四军联络部部长，实际上就是情报部部长。

“克靖兄，请速前来，有要事相托！”有一天，朱克靖接到电报，落款是新四军军长陈毅。

朱克靖立即出发，从苏北渡江到了江南，这也是他一生中第三次过长江。当他风尘仆仆来到新四军江南指挥部时，陈毅早已在大门口等待迎接老朋友了。

“克靖兄，请你来是有重要任务呀！这事非由你出马不可……”陈毅接朱克靖进屋后便传达了中央指示，让朱克靖去争取苏北最有实力的国民党苏鲁皖辖区游击总指挥李明扬、副指挥李长江部与新四军合作。这“二李”有两三万兵力，而当时陈毅领导的新四军才三千来人，欲建立苏北抗日强大的统一战线，得先把“二李”拉到抗日战线上来。可“二李”很傲慢，不吃陈毅“好言相劝”这一套，更不理会陈毅司令员派出的谈判代表。

这可怎么办？谁能说得动“二李”？中央和陈毅突然都想到了一个人：朱克靖。

李明扬当年是北伐军第三军第九师师长，而朱克靖是第三军的党代表兼政治部主任，是他的老上级，而且当时他们交情不浅。

“就他能成！”周恩来认为朱克靖是最合适的谈判人选。

“什么？你让克靖来啊！太好了！我已经多年不见他了，想他了呀！”李明扬一听陈毅要派他的老上级朱克靖来，很是高兴。

争取李明扬，对改变新四军在江苏的抗日力量至关重要。陈毅对朱克靖亲赴泰州与李明扬谈判，抱有极大信心。于是他诗兴大发，写下了著名的《送人赴泰州谈判抗日合作》一诗：

> 停骖问我意何如？词婉情真再致书。
> 军令今当斩马谡，歧途何事泣杨朱？
> 仲连智免蹈东海，武穆冤成走传车。
> 凭君寄语强梁辈，摩擦自戕慎厥初。

可见朱克靖去与“二李”谈判在陈毅心目中的重要性。

“老朱”出山果真效果完全不一样。在与李明扬谈判的过程中，朱克靖摆事实、讲道理，更阐明了我党和新四军抗日救国的民族大义，让李明扬感佩不已，更兼是老上级亲自登门“恳请”，顿时让“二李”无地自容。最后，朱克靖与李明扬达成三点秘密协议：一是李部掩护新四军东进；二是李部在寺港口、缪湾一带借道给新四军东进，新四军东进后即将江都30里防地让给李部，李部不得摧残共产党人和革命群众；三是将来伪江苏省政府下令军队与新四军作战，李部须严守中立，今后抗敌一致行动。

“那就签字吧！”朱克靖对这个秘密协议很是满意。但在最后提出签字时，李明扬却另有一番理论：“我李某说话，从来守信用，绝不是明一套暗一套的小人。签字不好，将来这协议文字如果失落，对贵军和我都很不利。”

朱克靖立即向陈毅请示应该如何办。“可以嘛！我们要相信他！”陈毅给出的意见，让朱克靖松了一口气。他高兴地握着李明扬的手说：“天知、地知、你知、我知，一言为定！”

“一言为定。”李明扬豪爽地拥抱起老上级，而后又说，“不过我有个小小的请求……”

朱克靖以为他又变卦了，忙问：“什么？”

“在贵军经过防区时，请允许我们对空鸣阵枪，得向省里的韩主席有个交代呀！”

“哈哈……行行，这个行！”朱克靖高兴地拍着李明扬的肩膀连声夸道，“你这些年真的进步太快了！”

“明扬的每一步成长都离不开当年党代表你的栽培呀！我从来没有忘记过……”

李明扬的话，让朱克靖的热泪顿时在眼眶里转溜……

新四军成功东进，并占领黄桥，从此开辟了以黄桥为中心的根据地，这是陈毅司令员指挥新四军作战的一大关键性的战略。朱克靖与“二李”的谈判成功毫无疑问起到了重要作用。

然而，在蒋介石的怂恿下，江苏省实力人物、省主席韩德勤对陈毅领导的新四军“抢占”江苏地盘十分紧张，于是在听说新四军聚集于黄桥之后，便暗中调集力量，准备“围剿”新四军主力。当时，陈毅手下虽然有粟裕等将领，但敌我力量对比悬殊，难保不出差错。尤其是韩德勤仗着自己“地头蛇”的优势，对新四军集中在黄桥的8000多人的主力进行封锁围困。这可难住了陈毅等新四军领导，此时秋冬已近，部队寒无衣衫、军需无粮，这不等于自取灭亡吗？

打破封锁线是关键。陈毅十万火急地给正在泰州的朱克靖写了一封长信。

克靖兄：

兄九月三日出发，省军于四日晨即大举进攻。四、五两日，弟令各部退让阵地，妄图求得和平，不料进逼太甚，终在古溪、芦家桥之线，我军退避不及被迫作战。顷间省军已退去，我军与之相持于曲塘、姜堰之线。时局前途如何，专赖省方觉悟才能决定。弟于兄去后，颇念念，不知平安抵泰否？……

上述内容可见陈毅对时局的焦虑与忧心，他向朱克靖陈述了自己内心的许多救国忧民之理。最后写道：

兄赴泰晤李总指挥，能设法打破封锁，赴韩国钧、陈赓运、李守维诸先生处致意更善。守维军长八月下旬给弟一信，力生和平合作，则证明省方明大义之有道君子甚多，仅主持者别有用心耳。弟尝谓反共派的倒行逆施，恰又在反共营垒中孕育着广大的联共抗战分子，固随处可实证斯言之不谬也。秋凉跋涉，伏乞慎重，为国努力。

弟陈毅

九月八日

从陈毅信中的语言可见他与朱克靖的关系以及他对朱克靖的尊重。兄弟相称在党内本就不多见，当时陈毅是新四军军长、华东局书记，而朱克靖职务不高，陈毅是朱克靖的领导之领导，对待朱克靖却如此谦逊，可见朱克靖在军内、党内的影响力。

以蒋介石为首的国民党反动集团在日本侵略军疯狂肆虐之时，竟依然不忘灭掉共产党、新四军。尽管陈毅等我方将领真诚呼吁“停止内战”，然而战车已经开动，江苏省主席韩德勤自认兵强马壮，对付陈毅几千人的新四军完全有胜利的把握，于是大兵压境，妄图将新四军消灭在黄桥一带。

这一招很毒，决定着新四军的命运。陈毅心急如焚，因为他手下其实只有五千来人的战斗部队。按照中共中央要求，在新四军陈毅部受命到苏北一带开辟抗日根据地以来，一直在“北上”和“东进”之中，几乎没有过扬眉吐气之日。刚刚在苏北黄桥站住脚，又遭国民党江苏省方的灭顶之威胁，真是命悬一线！

韩德勤派出26个团3万多兵力，如再加“二李”的2万人兵力，就是10倍于新四军……这一仗对新四军而言，肯定是凶多吉少。

怎么办？陈毅急，粟裕急，党中央也急呵！

朱克靖自然更急。因为他的任务是要牵制“二李”不动，同时还要做通另一位地方实力派人物陈赓运的思想工作，倘若他们能够保持中立，新四军就可免于一难。陈赓运的数千人部队距新四军黄桥根据地才25千米，自从新四军到来后，两军关系很和睦，在抗日一事上有过真诚合作。但陈赓运能不能像“二李”一样，在关键时刻保持中立，这一招棋陈毅又交给了朱克靖去下。

果然，姜还是老的辣。朱克靖出山，立即马到功成。陈赓运对朱克靖不仅敬且佩服。双方就此事很快达成共识且不细说。

那么“二李”到底是否能真的遵守口头的“君子协议”，这可不是闹着玩的，它决定着新四军全军的命运，更重要的是关系到我党确定的抗战战略大业。所以遵照陈毅的指令，朱克靖需要在韩德勤进攻黄桥时，坐镇“二李”处，以确保他们的“中立”。

这一步太关键，且对新四军的命运至关重要……

老上级来得真及时！李明扬对朱克靖的再次到来十分欢迎，并立即将一份材料递给朱克靖看。“哎呀，太及时、太重要了！”朱克靖接过来一看，是韩德勤下达的“进攻黄桥的作战命令”！

“多谢师广兄！”师广是李明扬的字号，朱克靖拿到这份作战命令，代表新四军和陈毅对李明扬感激不已。

但是，还有一大悬念让具体指挥战役的粟裕颇为担心，即新四军在与国民党江苏省军方决战时，日军会不会借机出动，与国民党联手一起灭掉我新四军。所以粟裕向陈毅提出两点请求：一是必须确保“二李”和陈赓运不能上来跟着向我新四军“捅刀子”，这样才能最大限度地集中兵力跟韩部决战；二是坚守黄桥是个艰难之事，可能伤亡很大，陈毅将军必须亲自向各部交代任务。

陈毅爽朗地回答：“这个时候，我肯定是要伸出脖子把所有的困难后果全部绑在自己身上的嘛！你粟裕同志放开手脚干！韩德勤不是说要把我们新四军赶到长江里去喝水吗？我们就要告诉他，新四军在黄桥待着不走了！一直等到打败日本小鬼子！”

一切准备就绪，就等韩德勤的军队来犯。而新四军这方面实际上有两个战场：一是粟裕指挥的主力正面抗击敌人；二是朱克靖孤军守在“二李”和陈赓运两支部队中，死死地盯着他们保持“中立”。

粟裕出手，韩德勤的几万部队被打得落花流水，一万多人就此被消灭掉了！

朱克靖在“二李”那里，一面与李明扬不停“碰杯”，一面不停地向陈赓运电话“问候”……如此这般，最后陈毅哈哈大笑，因为他领导的新四军取得了“黄桥大捷”！

由国民党挑起的“黄桥战役”，最终以新四军胜利，国民党第八十九军（韩德勤部）全军覆灭、军长李守维溺毙于黄桥东北的水沟为结局。

“辛苦辛苦！克靖兄辛苦了！”陈毅再见到朱克靖时，急步上前紧握对方双手，连连如此说。

朱克靖则半开玩笑半正经道：“真辛苦的是你们打仗的。我呢，若你们没打赢的话，那就是‘昔为座上客，今为阶下囚’了！”

黄桥一战，改变了新四军和整个抗战力量的格局。这个时候，其实“二李”和陈赓运等部的心理活动又多了：他们害怕日益强大起来的新四军会在哪一天“吃掉”他们……

“看来啊，还得请克靖兄去消除他们的疑虑，否则我们苏北抗战一盘棋总会下得别别扭扭的。”陈毅又来找朱克靖。

“义不容辞。”朱克靖再次穿梭于“二李”与陈赓运等地方势力之间，一次次去化解对方的疑虑，直到苏北抗日参议会成立，抗日统一战线建立完备。朱克靖被选举为该参议会副议长。从此苏北抗战根据地稳定，为全中国的抗战和新四军在“皖南事变”后重振山河发挥了历史性的作用。刘少奇、陈毅、粟裕、曾山、黄克诚、叶飞、惠浴宇、朱克靖等成了这一根据地的主要领导者。而朱克靖的角色从未改变过——打入敌营和联络各界抗日有生力量的人民统一战线的“跑腿者”。

苏北的抗日统一战线如此生机勃勃，让身在延安的中共中央和毛泽东甚为高兴。毛泽东这样评价陈毅部：“你的统战方针和统战工作是正确的，以后盼将这类材料随时电告我们；同时告新四军各部，使他们照样办。”又夸陈毅是“天才的统一战线的执行者”。

一个是毛泽东统战工作的“执行者”，一个是陈毅统战工作的“跑腿者”，不管是什么角色吧，朱克靖尽心尽力所获得的成果在中共战争史上留下了不可磨灭的一笔……

随着以黄桥为中心的抗日根据地的建立，根据“皖南事变”后陈毅出任新四军代军长、刘少奇任政委的新格局，中央决定成立苏中区委，下辖三个地委，朱克靖与叶飞为第三地委负责人，管辖范围为泰州、泰兴、靖江、如西等地。作为“专员”，朱克靖的工作成绩有目共睹，尤其在统战工作和群众工作方面，尤为突出。所以在1943年春泰兴召开的参政会上，各区的议长们携锦旗向分区首长敬献，献给朱克靖的那面锦旗上是这四个字——“民主保姆”。

在抗战前方，统一战线、全民团结，共同对付侵略者是多么重要的工作啊！朱克靖能够获得“民主保姆”之褒奖，是一种怎样的崇高荣誉！或许在我们党的历史上和党的干部中，还没有第二个人获此殊荣。

朱克靖感恩人民和同仁与同志们对他的信任和肯定。他在奔赴苏北一个新战场的途中，面对日本侵略者仍旧疯狂肆虐作恶的祖国大地和各地燃起的抗日烽火，心中的悲愤与战斗豪情一起勃然而生，于是写下了这样的诗篇：

七载驱倭溅血痕，剧怜焦土万家村。
衔枚夜袭惊残吠，策马宵征见晓星。
尺地争回常百战，一声杀敌九天闻。
莫谓重光无底事，须凭群力任贤能。

此次与他同行的新四军干部谢克西，把朱克靖的这首诗记了下来，后来此诗在新四军中广为流传。数十年后，有人访问当年的新四军老战士，他们很多人能够脱口背诵出朱克靖的这首诗。“朱克靖是我们新四军中的大知识分子，大家都知道他，文学和文字功底很深，我们多多少少受过他的影响。”中国新四军研究会原会长、解放军总后勤部原政委、我的老首长周克玉曾经这样说过。

苏北的抗日战争到后期，敌我的战斗异常惨烈。此时能否争取更多的汪伪政府军队一起抗日是一招重要战术，所以朱克靖的工作就是穿梭在敌、我、友之间，虽然十分危险，但又无人能够替代。因而陈毅司令员常拍着他的肩膀说：“我们离不开克靖兄的一双腿啊！”确实如此，有些战果是在战场上如何拼杀也换不来的，而朱克靖凭借他的腿力、心力和耐力，将它们一一收入新四军的“战果包”中。

新四军干部们颂扬朱克靖“是个了不起的人”，“为人正直，博学强记，诗词歌赋，中外历史，无所不通”，他坦然地向组织和同事敞开心扉，直言相待。这一点，让陈毅特别喜欢，两人还时常交流诗作，纵论山河和时局。

有陈毅支持，朱克靖总被委以最艰巨的任务，而他又一次次没有辜负组织和新四军指挥部交付的重任，为新四军在苏北地区创造了一个又一个“苦难辉煌”。

1944年，抗战处于最艰苦时期，拉锯式的战场上，敌我双方僵持不下。这时策反一个伪武装，就意味着可以更多地消灭日寇生力军。朱克靖在这个时期，呕心沥血，单枪匹马，深入敌营与友军之间，完成了对李长江部和施亚夫部的策反任务，让日寇和国民党反动集团恨得咬牙切齿，却又无可奈何。

抗日战争结束后，新四军随即北上进入山东。陈毅继续任军长兼山东野战军司令员，粟裕为副司令员，朱克靖则任山东军区政治部联络部部长，对外称秘书长。

此时的蒋介石，还未等国家恢复元气，就开始策划“灭共”的战略。中共中央警觉地意识到国民党的意图，迅速筹划重新布局，并要求各部做好建立全国解放的全国阵营的统一战线。

朱克靖又被委派到华东野战军（此时新四军陈毅部已经改为此部队）的对手——国民党新编第六路军，去对该部总司令郝鹏举做策反工作。

郝鹏举，河南人，青年时期跟随冯玉祥，军事上有一套，脾气暴躁，乃反复无常之人。他曾经是冯玉祥的传令员，却在蒋介石镇压冯玉祥时，投靠了蒋介石，任其嫡系胡宗南部参谋长。抗战结束之后，郝鹏举被蒋介石任命为驻守徐州的第六军总司令，让其牵制陈毅部队南下。在这种情况下，搬掉郝鹏举这块“石头”，对我军解放全中国尤为重要，所以中共中央要求陈毅部做好对郝鹏举的策反工作。

“克靖啊，这个郝鹏举是个难对付的家伙，但为了大局，我们还是得去碰碰运气！”陈毅对老伙计说。这既是命令，又是一种兄弟间的请求。

“没说的。为了解放全中国，我去。”朱克靖爽快地接受了重任。

“千万要注意安全！”陈毅对老友反复叮咛道。

朱克靖去了，去了郝鹏举部，也将他请到陈毅这边。而陈毅司令员也很会“招待”，并亲自派一个骑兵连，护送郝鹏举返回原地。陈毅后来说：“我就要郝鹏举在大白天这样神气活现地回去，可以引起顾祝同他们对他的怀疑……”

陈毅深谋远虑。

1946年1月9日，郝鹏举率4个师、1个特种兵纵队共3万多人，在台儿庄宣布起义。他还特意给延安的毛泽东、重庆的蒋介石以及宋庆龄、冯玉祥等发了自己起义的通电。

如此举动，震惊全国。他郝鹏举也是风光一时。当然，他能顺利起义，朱克靖功不可没。

随即，陈毅派朱克靖带领一批干部进驻郝鹏举部，帮助整顿和改编起义部队。不久，陈毅又亲自带着夫人及政治部主任舒同等高级干部，从临沂专程来到莒县郝鹏举的总部，慰问刚改编成“华中民主联军”的郝部起义官兵。

陈毅讲话，郝鹏举致辞，官兵同饮，鞭炮齐鸣，可谓其乐融融。

有民主人士悄悄提醒陈毅：郝鹏举此人，不可多信。

陈毅点点头，说：“我有朱克靖在。”意思十分清楚，郝鹏举这样“难缠”的人，到了朱克靖之手，也能迎刃而解。

关于郝鹏举到底是否真心拥护共产党、投诚我军，这在驻守郝鹏举部的我军政工人员中已有很多议论了，朱克靖不是没有听到，也同样忧心忡忡。1946年农历除夕之夜的聚会上，大家又议论起此事，因为内战当前，深入虎穴的人随时都可能有牺牲的危险，谁不对此有所顾虑？

果不其然，春节一过，郝部的起义队伍出现了异常：“朱部长，今天晚上郝鹏举可能有什么特别的行动啊！”

这消息来得突然，根本没有给朱克靖和与他一起来的政工干部们一点防备和撤离的可能。果不其然，晚上，郝鹏举派警卫人员去请朱克靖等人来“面谈配合作战问题”。

这一招毒呵！他想借工作之名，将朱克靖及我方一行人员一网打尽。

为了争取最后的一分可能性，朱克靖决定单刀赴会。他悄悄吩咐妻子几句后，带着4名警卫来到郝鹏举所在的总部院子。哪料到刚进房间，一帮预先埋伏在此的特务营士兵便一拥而上，将朱克靖的4名警卫一一刺死。

“你们要干什么？”朱克靖怒不可遏，可又有何用？

因为朱克靖向妻子交代在先，所以刘述周等20位我方政工干部得以逃脱魔掌，而朱克靖的妻子及两个女儿全部被抓。郝鹏举知道此举必令自己面临陈毅领导的我华东野战军的惩治，赶忙押着朱克靖一家人等往陇海路南逃逸……同时，郝鹏举命令自己的部队向南进发，急行军100多里。由于原本的起义部队仓促而行，随军家属等根本没有准备，于是乱成一片。叛军的行为震惊我方，陈毅和华东野战军及当地百姓都对郝鹏举恨之入骨，中共莒县县委发动县大队、区中队和广大民兵，将郝部的留守人员与家属一一扣押。

“不行！必须放了他们，他们是无罪的。有罪的是郝鹏举，有责任的是我！”身陷囹圄的朱克靖这时依然出面据理力争，所以最后郝部的留守人员和家属都获释了。

朱克靖的家属不愿离开他，这让朱克靖内心痛苦万分。他知道自己此番被捕，只要郝鹏举将他交给蒋介石，便肯定没有好结果。所以朱克靖装作对妻子大怒，在烟盒上留下一首诀别诗后，将妻女猛力一推，道：“我命令你们——马上离开这儿！”

我生君所依，我死君何栖；
良侣须自择，儿女当教齐。

妻子携着女儿，一路默念着他那首写在烟盒上的诀别诗，一路啼泣不止……

郝鹏举以为自己“还军于国”，能让蒋介石重新看好他，哪知他到徐州去见陈诚和薛岳时，人家告诉他，他的所谓“新任的42集团军总司令”其实只是个番号而已。郝鹏举大呼“上当”，可为时已晚矣。

1947年2月，华东野战军第二纵队司令员韦国清、政委张震带着陈毅等全体华东野战军官兵对这名叛军首领的仇恨，一举歼灭了郝部。

“哎呀，韦司令呀！郝某我小人一个，实在无奈，完全是被蒋介石所逼……”被俘虏的郝鹏举跪在华东野战军首长面前还想要赖，可已无人理会。

无耻的郝鹏举还要求面见陈毅。结果陈毅扔给他一首刚刚在愤怒中写下的诗作，道：“你不是也很喜欢写诗吗？拿去念念吧！”

> 教尔做人不做人，教尔不苟竟狗苟。
> 而今俯首尔就擒，仍自教尔分人狗。

郝鹏举一边念着陈毅的诗，一边哭泣着骂自己是“狗”。而他确实是条出卖良心跟在蒋介石后面的狗。

绝望中的郝鹏举还在想着寻求活命之道。一日夜晚，他借小便之际，逃窜进树林，企图逃跑，结果被押解他的士兵一梭子冲锋枪子弹射中，即刻倒毙在地，结束了罪恶的一生。

朱克靖呢？朱克靖已经早早地被郝鹏举押到了陈诚那里，随后又被用专机、专车押到了国民党苏州监狱。不几日，又被押解到南京。

朱克靖到南京，也算是蒋介石看重的大事件。所以次日的《和平日报》上就发表了“陈毅政治部秘书长朱克靖昨解抵首都”的新闻。

在南京，在国民党的领导层中，认识朱克靖的人可不是一个两个，而且都是大人物，因为他们中许多人在当年北伐战争时曾与朱克靖并肩战斗过，许多人还是朱克靖任党代表的国民革命军第三军的官兵。多年不见，他们的“战友”与“老上级”竟然被押解到南京成了阶下囚，相关新闻自然更加“热闹”起来。

因为朱克靖身份特殊，又是北伐革命军的重要人物，国民党内谁也不敢动他，唯有蒋介石亲口说话才行。

“你们都劝过了？他还是那么死心塌地地跟共产党走？”蒋介石不得不亲自出面相劝了。

据说，蒋介石内心也是十分看重朱克靖的，所以一次又一次地出面设宴请朱克靖吃饭。下面是赵勤轩、康青星合著的《朱克靖传》一书中有关蒋介石“三请朱克靖赴宴”的描述：

> ……大员们劝说无效，蒋介石委员长亲自出马，三次请朱克靖在总统府吃饭，要朱克靖回到党国的怀抱。每次去总统府赴宴，保密局特务要朱克靖脱去囚服，换上便装，由保密局副局长毛人凤陪同，乘专车前往。
>
> 蒋介石见了朱克靖，作出热情的姿态，一口一个“老朱同志”：“老朱同志，你受苦了！”
>
> 朱克靖不卑不亢，微笑说：“蒋先生，南昌一别，20年不见了。”
>
> “是啊，当年北伐军进攻南昌之战，你们第三军是有功劳的。”
>
> “那时总司令亲到前线督师。”
>
> 落座之后，蒋介石故意问：“怎么共军连你这样高级将领都保不住，被俘虏了？”
>
> 朱克靖正色说：“蒋先生，我不是在战场被俘的，是郝鹏举叛变，把我骗到他的办公室，将我绑架作为礼物献给南京的。怎么郝鹏举没向蒋先生报告吗？”
>
> 蒋介石说：“郝鹏举要见我，我才不见这个反复无常的汉奸。

现在不用我枪毙他，陈毅已将他的部队消灭，他也成了俘虏。”

“这也是善有善报，恶有恶报吧。”

“不去说他。看守所的伙食还好吗？”

“这要问毛局长。”

毛人凤忙插话说：“现在物价飞涨，看守所伙食补贴有限。”

蒋介石说：“我不是交代你们要优待老朱同志吗？”

“我们对老朱同志是很优待的。”

朱克靖说：“毛局长说得不错，对我从没有像对其他人那样动刑。”

蒋介石“唉，唉”了两声，说：“看守所没有好吃的，我这里有。尝尝南京的鸭血粉丝汤，很有名的。”

朱克靖吃了半碗，说：“很好吃，不过我不习惯吃带血的东西，爱吃羊肉，很想吃西北的羊肉泡馍。”

“你尝尝南京板鸭，比泡馍好吃。”

朱克靖转移话题：“报纸上说，山东前线国军李仙洲集团在马陵道失利？”

蒋介石生气地说：“都怪陈诚指挥失当，王耀武失职，李仙洲无能！陈毅、粟裕指挥共军用佯动突击来欺骗国军，使李仙洲摸不定共军主力所在。而共军能集中兵力，攻击国军弱点。”

朱克靖说：“马陵道孙膑庞涓斗智，自古兵不厌诈，这是常识啊。”

蒋介石说：“国军有些将领就是连常识都不懂。不过没有关系，我已派顾祝同为陆军总司令取代陈诚进驻徐州，由汤恩伯担任主攻。陈毅两战之后，元气大伤，钻进沂蒙山，以山大王战术与我周旋。我们就在沂蒙山区打掉陈粟主力，把他们一扫而光！”

朱克靖说：“我在报纸上看到新闻说：汤恩伯指挥第一兵团八个整编师向沂水、坦埠方向进攻，雄师北指，气吞沂蒙。不过依我之见，顾祝同、汤恩伯决（绝）非陈毅、粟裕的对手。”

蒋介石很有兴趣：“你不妨说说看。”

朱克靖侃侃而谈：“整个抗战期间，我和陈毅、粟裕都在一起。据我观察，陈毅文韬武略，气度恢弘（宏），运筹帷幄，有统帅之才；粟裕是中共后起之秀，指挥若定，战术高超，经常面对地图思考，计划周密，善于调动对方，集中兵力打歼灭战，是常胜将军。国军中似无出其右者。”

蒋介石片刻不说话，接着叹道：“我也搞不明白，为什么周恩来、叶剑英、陈毅、粟裕这些人才，还有你和叶挺，都到共产党那边去。”

“人各有志，信仰使然。”

“听说你在新四军才是个什么团长，太委屈了！”

“蒋先生在庐山号召国民人无分老幼，地无分南北，守土有责，要以必死之决心，抵抗暴日之侵略。我到新四军就是为了抗日救国，尽一个中国人的责任，只要对抗战有益，做什么工作都可以，官衔更无所谓。”

蒋介石点了头，说：“老朱同志，你到我这里来吧！帮帮我，我不会亏待你。贺衷寒、刘斐北伐时官衔比你低，现在都是中将，我保证你不低于他们。你如不愿在军队，可以再回江西省当个省长副省长。”

“蒋先生的好意我心领了，不过我耻于做郝鹏举那种人。”

宴请结束，蒋介石说：“你再考虑考虑，早日解脱牢狱之苦，我们再谈。毛局长，你陪老朱同志去看戏。”

毛人凤是个戏迷，乐得陪朱克靖去戏院看戏。

正如朱克靖所预料的，顾祝同、汤恩伯不是陈毅、粟裕的对手。国民党军整编第七十四师是蒋介石多次嘉奖的模范军，师长张灵甫自恃装备精良，不可一世。经孟良崮西麓，向坦埠以南华野第九纵队阵地进攻。陈毅、粟裕指挥华东野战军专拣硬的打，消灭第七十四师于孟良崮，师长张灵甫被击毙。

华东野战军为配合刘邓大军南下，于7月分兵，后来急躁轻敌，几个仗没打好，山东大部分失守。

蒋介石第二次接朱克靖去吃饭。

蒋介石踌躇满志地说："现在国军在战场上节节胜利，像赶鸭子一样打得陈粟共军到处跑。"

朱克靖说："我从报纸看到，整编第七十四师在孟良崮作战失利，师长张灵甫战死。我说过顾祝同、汤恩伯不是陈毅、粟裕的对手。"

蒋介石叹道："这是国军空前的大损失，是最可痛心最可惋惜的一件大事。"接着说，"不过我亲自到徐州召开作战会议总结经验教训。现在山东战场局面已经扭转，共军失败大局已定。"

朱克靖起立，严正地说："蒋先生，抗日战争胜利后本应和平建国，恢复国力，改善民生。现在内战连连，受害的是国家，遭难的是百姓。国家满目疮痍，老百姓在水深火热之中，政治领袖何以安心？克靖呼吁蒋先生停止内战，实行民主，建设国家。"

蒋介石愠怒地说："我也不愿打内战。可是卧榻之侧，岂容猛虎酣睡？我不消灭共产党，共产党早晚要消灭我。你回去好好反省！"

第三次请朱克靖吃饭，酒过三巡，菜过五味，蒋介石问："反省得怎么样了？"

朱克靖坦然自若地说："我有两个生命，一个是肉体生命，一个是政治生命。我虽跨党从事革命，但我是为共产党打天下。现在我已成阶下囚，我宁愿牺牲我的肉体生命。我为共产主义理想奋斗了大半生，我不能牺牲我的政治生命。"

蒋介石叹道："你不听我的劝告，你将后悔莫及。"

朱克靖反问蒋介石："如果蒋先生处于我目前的境遇，你将如何选择？”

蒋介石无奈地说：“我肯定和你一样，忠实于我的政治生命，保持晚节。好吧，你我这是最后一次谈话了。”

最后一次请吃饭时，蒋介石还授意毛人凤制造一个骗局。由毛人凤、叶翔之和看守所特务管森保阴谋策划假记者招待会，找几个特务冒充报社记者，准备在朱克靖穿着西装来到时，突然给朱克靖拍照，把朱克靖的照片配以“欢迎中共朱克靖将军回归党国怀抱”的说明，刊登在《中央日报》上，造成朱克靖投降的既成事实。朱克靖一到现场，就觉察出敌人的阴谋，他机警地以手掩面，躲避拍照，使国民党特务头子的阴谋破产。

我查了一下历史档案和当年报刊，蒋介石确实很给朱克靖“面子”，然而共产党人的朱克靖并没有给蒋介石面子。因此，在1947年深秋的一天，当人民解放军势如破竹地攻下国民党占领区之时，心情不佳的蒋介石对保密局郑介民说了句很无奈的话：“朱克靖是个人才，既然他不买我的账，拒绝为党国效力，那也不能留给共产党，你们就成全他吧！”

一代军事天才，我党我军杰出的领导人，20年战斗在敌营的朱克靖于1947年11月7日，被特务们秘密杀害于预先停留在看守所大门口的救护车上。刽子手们是用绳子将其绞杀的，之后又将他的尸体掩埋在雨花台的荒野……

将军的肉体和生命虽然被消灭了，但他的灵魂和精神却一直在雨花台的峰峦上飘荡着。

此身早许国，被卖作楚囚。
壮士非无泪，不为断头流！
一颗为民心，万古终不眠。
身心献党国，一死何足愁！

这首《古风》是朱克靖在狱中所写，八句诗真切地道出了他忠诚于共产主义事业的赤子情怀，读来令人泣泪。

晋夫是又一位让我放不下笔的人物。因为晋夫的牺牲，为我们党保护了一位总书记——胡耀邦同志曾经说过这样的话：晋夫同志是为我而牺牲的。

解放战争中后期，我人民解放军徐向前部在解放太原战役中，为了保护人民利益，尽量不破坏太原古城，于是准备派胡耀邦前往太原与阎锡山进行谈判。后来经徐向前考虑，改由纵队参谋处处长晋夫带着一名参谋去，将纵队政治部主任胡耀邦留在部队。这样，晋夫就被临时调去与阎锡山部的起义军长黄樵松接头。没想到效忠蒋介石反共的阎锡山和国民党特务已经发现黄樵松要起义的情报，结果晋夫他们一到太原，就立刻被城边的国民党哨兵抓捕，后来被阎锡山派专机送到南京，最后被蒋介石下令枪毙。

晋夫是解放战争时期、太原解放前我军自打入敌营至牺牲时间最短的一位烈士。这个结果是谁也没有意料到的。但作为军人，服从命令、随时准备牺牲，是晋夫生前就知道的。在改派他前往敌营进行谈判时，胡耀邦与他有过一段这样的对话：

“晋夫同志，组织考虑来考虑去，认为派你去执行这个任务比较合适。这个任务要同敌人斗智斗勇，十分艰巨，可能有牺牲生命的危险……”胡耀邦跟晋夫说。

晋夫很冷静但又非常坚定地回答道：“坚决完成任务！作为一名共产党员，只要是党的需要，牺牲自己的生命也甘心！”

他去了，而且真的牺牲了。在南京关押与接受“审讯”时，国民党特务机关用尽手段，要让晋夫屈膝投降，但他始终刚强地挺着胸膛回答道：“我乃共产党员，可杀而不可辱！”

他死得伟大，死得刚烈。

晋夫牺牲于1948年11月27日，离太原解放才不到5个月。

这位被徐向前和胡耀邦等同志夸奖为“能文能武、处事果断冷静、能力强”的军事干部，仅活了31岁，这是多么短暂的生命呵！我们无法设想晋夫同志如果能够活到新中国成立后，会是怎样一位人物！

我们只知道，山西是全国抗日斗争最为激烈的地方之一，八路军总部就在那里，而晋夫就是在那里成长起来的。他是抗大学员，先是从事政工，后来改任军事参谋。结婚仅6天，他就与妻子告别，投身到了最为激烈的太原战役。阎锡山是太原的“土皇帝”，一只浑身油腻的老狐狸，又非常有实力，所以打太原是解放战争中的重要一役，也是一块难啃的硬骨头。

我军自运城战役、临汾战役、晋中战役之后，就开始准备解放太原的更大战役，原因就是阎锡山盘踞的太原不好打。首先是阎锡山经营太原的时间太久，功底不薄，他利用周围的地理优势，将太原城建成了一个能攻能守的堡垒，明堡暗道无数，城周有铁路，南北市郊有机场。守军的人数有6个军17个师，兵力达10万余人，配属各类炮火达600余门。而且阎锡山还将日军华北方面军第一军司令官澄田作为自己的“总军事顾问”。

太原战役牵一发动全局，所以中共中央高度重视，希望这一仗打得尽量少些伤亡，于是争取阎锡山部的和平起义是重要一招棋。

敌第三十军军长黄樵松在我军强大的攻势面前，表示愿意与我军接洽，谈起义之事。在这种情况下，我军才决定派重要人员前去与黄樵松接洽具体的起义准备工作。时任太原前线司令部司令员兼政委的徐向前后来这样回忆：“黄樵松经反复考虑，下决心起义。在东山战斗打响后，派出中校参谋兼谍报队长王震宇，出城与我第八纵队接洽，拟立即交出该部防守的东、北两城门，接应我军入城。兵团前委研究了这件事，认为机不可失……如果三十军起义成功，里应外合，我军便可乘势拿下太原。于是责成胡耀邦带高树勋去八纵，与王新亭、张祖谅和黄樵松的代表商谈组织起义的问题。事后，胡耀邦同志来电话，自告奋勇，要去黄樵松部组织这次起义。我说：你是政治部主任，打仗需要你，那里面的情况还没搞确实，去不得呀！另派个人去吧！结果他们决定派八纵队参谋处长晋夫和侦察参谋翟许友二同志，随三十军的联络人员进城。”

晋夫“替”胡耀邦牺牲的过程大体就是如此，因为晋夫他们一去黄樵松部，就被已经知晓了起义秘密的太原国民党防区的敌人逮捕了……也就是说，谁去都会是与晋夫一样的命运。

晋夫牺牲得突然，而像这样在新中国成立前，在从事敌营策反工作中因为种种变故而牺牲的人并非一两个，雨花台烈士中就有好几位，他们的死在我看来都是十分悲壮且伟大的。

与晋夫一同牺牲的起义将军——国民党第三十军军长黄樵松，他不是一名共产党员，他曾经有过入党的念想，但遗憾的是起义没有成功。而他对他的参谋这样说过：“如果起义了，我也想参加中国共产党，我对国民党看透了！”他甚至没有像晋夫一样光荣地在党的史册上留下名字。然而他也在黎明之前的黑暗中，被自己一直追随了几十年的国民党军队的“同党”们杀害了。

这难道不悲壮吗？

黄樵松仅仅在黎明前透了一口清新的空气而已，竟然就死在雨花台。他在临死之前给爱妻写下了长长的文字——

怡芳爱妻：

我们结婚将廿年，恩恩爱爱、家庭幸福可说是享尽了……尤其是死在我们的首都金陵，那更是难能可贵了，你想中国人要能死在这个地方的有几个？

……

芳，亲爱的，我对不起你。……

……

芳，忠实的爱妻，生死离别，是人生常态，没有什么，你万勿悲伤……

……

天寒草衰，长夜漫漫，给你一个精神热吻以志永别！来生再见……

你底（的）墅

卅七、十一、一

于南京

在新中国成立前夕牺牲的革命烈士其实有千千万万，也许正是他们的鲜血才让中华人民共和国的国旗特别的鲜艳……而我知道，他们中许多人是把最后一滴血洒在了雨花台的。

这中间，有相当一部分是与黄樵松、晋夫、朱克靖、徐楚光、周镐、吕惠生、卢志英等一样战斗在敌营的特殊勇士，他们的故事以前很少有人知道，而他们的名字几乎不为人们所听说。

在雨花台的烈士名册中，我还知道像1949年开国大典前一夜由毛泽东在中南海为其题词的胡廷俊，长期隐姓埋名的杨斌，辗转台海两岸从事秘密工作的孟琇焘，参与淮海战役中策反国民党刘汝明部失败而牺牲的谢庆云、王清瀚、祝元福，以及抗日战争中陶家齐等为国捐躯的英烈们，等等。因为本书的篇幅和创作时间有限，让我无法对他们的光辉业绩和传奇生涯一一展开生动的叙述，然而他们的名字就是一尊尊丰碑，就是一首首诗篇，我们只需去深情地仰望，只需去轻轻地吟诵，就会感到热血沸腾，仰之弥高……

这，就是雨花台革命英烈。这，就是我想奉献给大家的《雨花台》！

第十八章 那飘扬的丁香和斑斓的雨花石

在雨花台，我最喜欢两样物：一为丁香，二为雨花石。

雨花台有一片特别的花木之地，位于烈士纪念馆的东南方向，我已经爱了它近10年。在这近10年间，我的心一直与那片长得越来越茂盛的丁香树连着感情、连着惦念，而且无论我走到哪儿，一旦想起它来，顿时就能在空气中闻到它那清香的味道，一直到陶醉其中……

雨花台的丁香能如此令人心驰神往，与烈士丁香的故事有着一段不一般的情缘。

这与10年前我应重庆市有关方面之邀，写了一部真实的“红岩”作品有关。那本书叫《忠诚与背叛》。此书一经出版，不仅获得了中宣部“五个一工程”奖，而且更重要的是它也成为全党教育的参考书籍，影响了很多党员干部与广大群众及青少年学生。正是因为这本书，当时我想到了一个问题：《红岩》和“红岩”故事，它能成为重庆的一张红色“名片”，并且影响和教育了一代又一代共产党的干部和广大青少年，而我的家乡埋葬了人数几倍于红岩革命烈士的南京雨花台英烈，为什么他们的故事却没有被很好地宣传和传播呢？

作为一名作家，一名江苏籍作家，一名身任中国报告文学学会会长和领军了近20年报告文学的我，内心顿感一种无形的压力和责任，这种压力和责任一直在驱使着我。2014年春天之后，我觉得我能够抽一段时间去采写“雨花台”了，于是第一次来到南京的雨花台……

正是此行，让我与雨花台结下了不解之缘。

自然无须言说我是如何被雨花台烈士纪念馆内的一张张烈士照片和他们的事迹所感动，如何生出感佩与感慨之情的，但真正触动我内心那份脆弱情愫的是上面所说的那一片丁香树……

丁香？她就叫丁香？还是我的苏州老乡！一位从无名氏弃婴到革命者、到牺牲在雨花台的女烈士……

在一片当时并不算茂盛的丁香树前面，在雨花台烈士纪念馆工作人员的陪同下，我在一块比电脑屏幕稍大些的石碑前伫立着，并默念着上面的文字：

> 丁香（1910—1932），江苏苏州人，曾就读于苏州东吴大学，1930年4月加入中国共产主义青年团，次年转为中共党员。后到上海从事地下工作。1932年9月，被派往平、津一带秘密工作，不幸被捕，解来南京，12月牺牲于雨花台，年仅22岁。

丁香！女弃婴！苏州！1910年……这几个关键词，让我的心弦“咚”的一下震颤了：一直听母亲说，她有个小姐姐，在出生3天后就被抽大烟而败落了家业的父亲扔在了常熟城东的一条小巷子口的石桥上……会是这个丁香吗？

后来回老家时，我问母亲。母亲摇摇头，说：“不晓得，你外婆不在好多年了，她活着的话还可以问问她。”

尽管关于“丁香”是不是我的“二姨妈”这事根本无法弄清，但是从那时起，我一直在内心把雨花台的丁香烈士视为我的一个远去了的亲人，似乎在我自己的生命里有一分子“基因”与其相关。而且也正是这份想象，让我特别关注和亲近雨花台的丁香烈士。

然而丁香烈士真正打动我的则是她和她的爱情，以及与爱人后来的故事。这个故事实在太唯美，唯美到我一讲起雨花台烈士的故事，就会想要讲一讲“丁香的故事”。而更让我不曾想到的是：2014年那一次到访雨花台，竟然让我在近七八年间与这座宏伟的烈士陵园结下深厚情缘，直到成为它的“首席驻馆作家”……这虽然是后来的事，但它与前面的“丁香的故事”是关联的。

《雨花台的那片丁香……》是2014年清明节前我在《人民日报》上发表的一篇纪实体散文。没有想到的是，这篇文章发表后，产生了极大的反响，单是我个人收到的读者来信就有近百封，电话与邮件更多。而之后关于“丁香”的艺术作品也渐渐多起来，直到今天，雨花台烈士陵园的英烈教育也把“丁香的故事”很好地传播出去了。

这让我深感荣幸和骄傲。我知道，“丁香”的艺术形象还在不断升华与增多之中……

然而对我而言，我仍然会沉浸在最原始和本真的“丁香的故事”中——

说丁香烈士，可以从我家的那些“老事”说起。

我的外公姓江，是一直行走于苏州、常熟到上海之间的绸缎老板，赚了些钱，然而人到中年时又不怎么争气，在上海滩染上了抽大烟的毛病，弄得家里一贫如洗，于是只能把我那刚出生的“二姨妈”扔在了常熟城东边的一条小巷口的石桥上……“你外婆告诉我，说应该是20世纪初的头十年里的事。”我母亲多次这样对我说，因为她上面有个比她大5岁的哥哥，哥哥之上还有一位后来当了新四军游击队员的大姐，大姐与哥哥之间，还有一位就是被丢弃的“二姨妈”……“她应该比我大十几岁。”母亲说。据我母亲讲，外公有一段时间大烟抽得少了些，于是家里便添了我舅舅，也就是我母亲的哥哥。可在我母亲出生后不久，外公就因病卧床不起，一命呜呼了，我那可怜的母亲便也不得不被外婆无奈地送给了另一家人抚养，过着命运完全不同的这一生。

那个被丢弃在护城河石桥边的、我不曾谋面的“二姨妈”后来到哪儿去了，没有人知道，她也成了我母亲家族的一个永远伤痛的“谜”……

下面的叙事并非虚构的历史剧，而是雨花台烈士中的一个真实的“丁香故事”——

20世纪初的一个早春的清晨。

一位年轻、漂亮的美国女传教士出现在常熟城的晨曦里，她的步履如此轻盈和虔诚，丝丝春风吹拂着她飘逸的长衫，引来一些喝早茶的市民们的关注。

就在她踏上护城河上的那座石桥的那一刻，突然传来一阵婴儿的啼哭声，让她止住了脚步。

“Oh! My poor baby!”（喔，我可怜的宝贝！）

女传教士轻轻地抱起襁褓中的婴儿，一边举目四望，一边大声询问：“Anybody? Whose child? Whose child?”（有人吗？谁的孩子？谁的孩子？）

没有人回答她。偶尔匆匆而过的行人，越听女传教士的喊声，越躲得远远的。

无奈，她看着“哇哇”啼哭的婴儿，摇摇头，自言自语道：“Poor baby, let’s go together!”（可怜的孩子，那我们一起走吧！）

女传教士怀着悲悯之心，带走了这个弃婴，将她带到了苏州城——女传教士工作的地方。

是丝丝的春雨？还是涓涓的泪雨？当我踏进南京雨花台革命烈士陵园的那一刻，我的灵魂和思绪出现了某种幻觉……嗬，原来是一片片飞舞的花瓣贴在了我的脸上！那花瓣儿白白的，娇嫩的，滴着露珠，且散发着沁人心脾的芬芳。

“这不是白丁香吗？”我为这冷垂玲珑、千结而生的丁香花竟然不请自来感到惊喜。

“是。你看——这里有好多丁香树哩！”陵园工作人员小孙指着前面的那片鲜花盛开的丁香园，告诉了我一件更加惊人的事：“这片丁香树就是为了纪念一位叫‘白丁香’的女革命烈士，她还是你们苏州老乡呢！”

真的呀？我无法相信，然而在烈士纪念馆的展示厅里，我确实找到了一位美丽如花的“丁香”老乡的照片。那照片上的丁香，留着齐肩短发，白皙的脸蛋上，扑闪着一双大大的眼睛……尽管是张已有年头的黑白照片，但依然能让我感受到那是位魅力无穷的20世纪30年代的姑苏美女！

“这是丁香烈士唯一留在世上的照片，是20世纪80年代在她爱人的老房子里无意间寻觅到的。”小孙还告诉我，丁香和她爱人都是我的苏州老乡。

“那么巧啊？”我又一次惊诧。

“是的，在你们苏州平江区不是有一条‘丁香巷’吗？丁香就是从那个小巷来到人世的……”

嗬！我不得不再一次发出轻轻的却强烈震荡心坎的吟咏：那是一条“千结苦粗生”的小巷子，难道就是我外婆说的那个遗弃小妹的地方？

无人跟我作证。

但我知道，新中国成立后，小巷因为出了个牺牲在雨花台的革命烈士丁香，所以政府将小巷改成了“丁香巷”。我的外婆在20世纪70年代末去世，她说有个“二女儿”或许就是那个不在了的“丁香”，外婆的理由是她的另一个大女儿后来也跟着谭震林的新四军队伍，和日本人打了许多年的游击战斗。信天主教的外婆悄悄告诉我：家里人最怕女儿家出去“舞刀弄枪”，所以她自己也信了洋教。

外婆留下的故事年代已太久远，她那位丢失的“二女儿”是

> 否就是“丁香”，我无法考证。然而，故乡苏州的那条“丁香巷”却是我以前常去的小巷，而我一直并不清楚在那个小巷里竟有一位牺牲在雨花台的美丽而多情的革命烈士……

上面这段文字，是2014年我发表在《人民日报》上的那篇《雨花台的那片丁香……》开头的一段话。

后来雨花台烈士陵园管理局的赵局长和那位小孙同志向我介绍：革命烈士丁香确实是个弃婴，当年被苏州基督教监理会的牧师收养。

“太美了，像丁香一样美哟！”收养女婴的是位美籍女牧师，名叫怀特，她喜欢中国，更喜欢盛开白丁香的姑苏园林，于是她给自己起了一个“白美丽”的中文名字。

洋牧师白美丽是位精通文史和音乐的知性女士，更有一颗善良的心。弃婴由她抚养后，她给孩子起了个温馨而浪漫的名字：白丁香。丁香从此在姑苏城那条小巷内绽放出美丽的人生。

“淅淅沥沥的细雨下，小巷里飘出阵阵清淡的幽香，袭得肺润心醉。我的宝贝小丁香，你睡你醉你开心。妈咪给你弹一曲《浣溪沙》……”于是，小巷的教堂里传出古典伴洋味的抒情乐：“揉破黄金万点轻，剪成碧玉叶层层。风度精神如彦辅，太鲜明。梅蕊重重何俗甚，丁香千结苦粗生。熏透愁人千里梦，却无情。”

小巷是宁静的。宁静的小巷里总能看见一对天仙般的母女在丁香树下嬉戏和读书，那夜莺一般的笑声和朗朗的读书声，伴着姑苏的小桥流水，仿佛是幅活脱脱的天庭圣母圣女图。小丁香天生丽质，又聪慧过人，白美丽看着养女一天天长大，喜上眉梢。她专门请来老师教小丁香学英语、读《圣经》和史书、弹钢琴等。小丁香15岁时，白美丽将她送到东吴大学学习生物和代数。

自由而思想解放的大学校园，让美丽的小才女插上了理想和爱情的翅膀。当一场大革命的疾风骤雨袭来时，满怀激情的单纯的小丁香如痴如醉地倾听萧楚女关于反革命军阀统治下的中国走向何处的演讲，她热泪盈眶，从此坚信革命是拯救中国的唯一出路。后来丁香听说她所敬仰的萧楚女被国民党反动派枪杀，于是不顾养母白美丽的劝阻，挺起瘦弱的身子，跑到革命学生聚集的地方，在镰刀和锤头组成的红旗下，庄严地将理想献给了共产主义的未来——她加入了共青团，次年又转正成为一名中国共产党党员。

从此那条狭长而幽深的小巷里，总有一个美丽的身影举着“打倒帝国主义”、“打倒反动统治”的小旗子，在奔跑，在呐喊。有一天，教会的大门突然紧闭，丁香挥泪告别养育她的美籍母亲，踏上了革命道路。

“我们是老乡呵！”一天，在东吴大学校园内的小径上，丁香被一位高大英俊的男同学挡住了道。

“老乡？谁是你老乡？”丁香抬头的那一瞬，脸红了：他长得好标致啊！

“是，我祖籍苏州太仓的，后来我们家搬到了南京。我们认识一下……”他把手伸过来，又说，“我叫乐于泓，大家都叫我阿乐。”

“你就是阿乐呀？！”丁香眨巴着那双美丽的大眼睛，满面羞涩。因为她常听人说，有个叫阿乐的进步青年，不仅参加罢工闹革命勇敢，还能拉一手好二胡。

“我就是。”两只温暖的手握在一起。两颗年轻的心撞出了爱情的火花。从此，在东吴校园，在姑苏虎丘塔下，一个拥有青瓷质地的姑苏美女，与一个君子如玉的伟岸俊男，缔结连理，常形影不离地依偎在丁香树下，谈革命、谈爱情，也谈音乐与古今中外有关丁香花的诗篇。

“春夜阑，春恨切，花外子规啼月。人不见，梦难凭，红纱一点灯。偏怨别，是芳节，庭下丁香千结。宵雾散，晓霞晖，梁间双燕飞……”由于阿乐家境困难，被迫辍学，后到上海从事职业革命。这时的阿乐，每逢深夜，总将一曲曲古人的“丁香”辞赋，谱成悠长而动听的乐曲，然后通过他的二胡，借着寂静的夜光，传给远在金陵的恋人听。

“‘楼上黄昏欲望休，玉梯横绝月如钩。芭蕉不展丁香结，同向春风各自愁……’亲爱的人，其实我更爱李商隐的这首诗。吟着此诗，丁香的心早已飞向了黄浦江边。”丁香回信说。

“丁香，由于内部出了叛徒，在上海的地下组织惨遭破坏，党决定派你去……眼下形势非常严酷，你要做好各种准备。”在丁香毕业不久，党组织找她谈话。

“请组织放心，丁香不怕任何风霜侵袭！”那一天，她收拾好行李，连夜赶到了上海，紧紧地依偎在阿乐的怀里。在外滩码头上，他们牵手奔跑着、欢笑着，与江上的鸥鸟比赛朝霞下谁更美丽、谁更欢畅。

白色恐怖下的地下工作，异常艰辛和危险。早春的上海，阴冷又潮湿。阿乐去闸北区的一个工厂组织工人罢工，不想遭到反动派突然袭击，数名工人师傅在战斗中牺牲和被捕，阿乐侥幸逃脱。回到宿舍，悲愤交加的他拉了半夜二胡，直到把心爱的胡弓都给拉断了。一旁的丁香则默默地为他将一根根弓丝接上……望着穿着粉色衣裙的婀娜身姿，阿乐情不自禁地将恋人搂在怀里。

1932年4月，组织批准了丁香和阿乐的结合，两人在简陋的小屋里秘密成婚。

新婚是甜蜜的。新婚给从事地下工作的这对小夫妻带来不少方便。以后的日子里，他们借着阁楼小巢，为党组织传送情报，召集秘密会议。而丁香的钢琴、阿乐的二胡，则成了他们向同志们传递平安讯息的工具。每当丁香的《圣母颂》响起，同志们的心情是舒坦和安宁的；每当阿乐的《二泉映月》传出，同志们便警惕地远远散去。

5个月后的一个深夜，丁香在幸福地告诉爱人自己已有了3个月身孕后，便坐在钢琴前，弹奏起了一曲贝多芬的《命运》……

“亲爱的，明天你就要到北平了？什么时候回来？我有点不放心。”

阿乐抚摸着娇妻柔软的长发，摩挲着，忧心着。

妻子仰起美丽的脸庞，温情地摇摇头："我也不知道。但丁香会早些回来，为了你，也为了他……"她轻轻地抚摸腹部。

那一夜，阿乐长久地吻着丁香的唇，仿佛要把妻子的香味永远地留在身边。

丁香走了，走了后再也没有回来。

卑鄙的叛徒把刚到北平的丁香出卖了。敌人的枪口对准丁香美丽的后背——她被捕了。

"小姐这么年轻，这么美丽，连名字都是芳香的，而且还是大学生，为什么一定要为共产党卖命呢？"敌人以种种理由诱劝她。

丁香告诉他们："因为共产党是为劳苦大众服务的，他们要推翻你们这些反动统治者。"

"可你也是由教会养大的，听说还是吃白米饭长大的嘛！"

"但我的血管里流淌的也是穷苦人的血。"

"你知道，人的生命不可能有两次。当花朵飘落在地上后，就永远不可能再有芳香了。"

"革命者只求一次有意义的生命绽放，要杀要毙，别再啰唆了！"丁香昂起高傲的头颅，说。

无果又无招的敌人只得将丁香押至南京，将她作为"共党要犯"关进铁牢。不日，又秘密将她杀害于雨花台。

这年丁香才22岁，有3个月的身孕。

"丁香！我的丁香！"12月3日，这个日子对身在上海的阿乐来说，如晴天霹雳，他悲痛欲绝。当从事地下工作的同志将噩耗告诉他后，阿乐的泪水变成了滔滔的黄浦江水。那一夜小阁楼上的二胡一夜未停，一曲悲情如泣的《祭丁香》，撼落了苍天一场冬雨……

"我要去南京，去找我的爱人——"阿乐发疯似的号叫着。

"太危险了！不能去……"同志们劝他。

“不！绝不！死也要去！死了就跟她埋在一起！”没人劝得了他。

他完全不再是自己所能控制的。

次日，阿乐冒着巨大的风险，只身来到南京雨花台。他披着蓑衣，伫立在大雨中，跪伏在血迹未干的丁香就义的泥地上，紧握双拳，向苍天发誓：“情眷眷，唯将不息斗争，兼人劳作，鞠躬尽瘁，偿汝遗愿！”

“……愁肠岂异丁香结？因离别，故国音书绝。想佳人花下，对明月春风，恨应同。”失去年轻美丽的妻子丁香后，阿乐并没有倒下，他把对敌人的仇恨化作战斗的豪情。之后，阿乐被派到青岛任共青团山东临时工委宣传部部长。在艰难的岁月里，他把对妻子的怀念，化作对敌人的仇恨……

1935年，阿乐遭敌人逮捕，被关进国民党监狱。两年后的1937年4月21日，他被押至南京晓庄的“首都反省院”。

在敌人的“反省院”里，阿乐与关押在那里的共产党人和革命志士们并肩与敌人展开特殊战斗。为了抗议国民党反动政府不抵抗日本侵略者的行径，阿乐和难友们在狱中借着“放风”的机会，进行了一场抗议当局的音乐会。阿乐凭借他高超的二胡技艺，给难友们鼓劲。他的二胡像战斗的冲锋号角，震撼了监狱。阿乐后来这样回忆当年的情景：“我面前仿佛站着在冰天雪地浴血抗战的战士们和脚上拖着沉重铁镣、关在黑牢里受苦难煎熬的同志们！我低着头，噙住两眶子泪水，全神贯注地听着琴弦上吐出的苍凉悲壮的颤音。抑扬婉转的琴声浮动在晚晴的草坪上，每个音符都触动着难友们的心弦，大家在肃穆无声中被深深地感染了。我拉完最后一个音符便站了起来，提议大家一起唱《义勇军进行曲》。大家要求我教唱，我虽从来没有教过唱歌，可还是清清嗓子，挥着手，领着大家唱：‘起来！不愿做奴隶的人们……’我一遍一遍地教大家唱，群情激奋，越唱越来劲，连‘反省院’的‘导师’们和院方人员都被这威武雄壮、气势磅礴的歌声所吸引，纷纷出来观赏……”

阿乐的这一表现，感动了当时狱中的许多同志，其中有在新中国成立后任沈阳某师范大学校长的佟汝功，当天在狱中专门为阿乐的表现写下一首题为《胡琴曲》的长诗：

东海少年挺不群，指间微动生风云。江州司马嗟已逝，请君侧听胡琴吟。初闻涧底发幽鸣，冷冷一派秋泉清。满座屏息声不动，耳中只有胡琴声。忽觉风雷拔地起，鱼龙悲唱惊涛里。天马行空不可追，长飚一逝三千里。此是中华大国魂，江河泻出哀弦底……

九一八事变揭开了中国抗日战争和国共第二次合作的序幕。

在周恩来亲自干涉和关怀下，1937年9月底，阿乐和难友们终于被当局释放。重新回到革命队伍的阿乐，一直随彭雪枫领导的新四军第四师转战江南大地。然而在枪林弹雨下的阿乐，始终不减对牺牲的爱人丁香的思恋之情，且越是解放战争节节胜利时，阿乐的这份思妻之情就变得越发强烈。他一有空，就独自坐在一个地方，用他的二胡拉起自编自吟的一首首“丁香曲”，那情那意，无不让人感叹和感动。数年过去，朝朝夕夕如此，一生驰骋疆场的血性将军彭雪枫也为阿乐的爱妻深情所感染，写下了平生少有的一首自由体诗：一个单薄的朋友，十年前失去了他的爱人……如今啊，何所寄托，寄托在琴声里头……

解放全中国的大军由北到南地在推进。阿乐是其中的一员。

在渡江战役的先头部队中，有阿乐的身影。他一手拿枪，一手握着二胡，走在硝烟弥漫的战火之中。那时，“打倒蒋介石，解放全中国”的口号与人民解放军的排山倒海之势融合在一起，汇合成势不可挡的洪流，在滚滚翻卷。

南京解放仅两个多月后的1949年7月5日，人们看到《新华日报》

第四版一篇题为《我们只有前进》的报道中，出现了阿乐（全名叫“乐于泓”）用雨花台革命烈士的史实鼓舞战士前进的内容：

> 阿乐同志说：“我的老婆，也是死在此地的。她参加革命，她对工作特别努力，因此被捕，从北平解送到这里，酷刑拷问，但她什么也没说，最后在雨花台被枪毙。她已有三个月的身孕了，孩子是无罪的，但魔鬼们也不放松她——一枪打入她的头脑，她跌倒了，又一枪打在她的肚子上，那可怜的孩子！从肚子里流出来……”
>
> 大家哭了，四围静寂得一丝声息也没有，只有悲哀和愤怒、愤怒和悲哀。我们又用口号的声浪来继续这个会！
>
> “到西南去，活捉蒋介石来算血账！”“向革命的死难烈士学习！”

解放大军的洪流向上海、向福建、向广东奔涌，之后又迅速向中国西南奔涌——

1951年，当南京雨花台革命烈士陵园的奠基仪式在致敬的礼炮声中举行时，阿乐正在雪域高原的进藏部队的行军队伍中。那时，他已经是中国人民解放军第十八军宣传部部长。为丁香守身18年的阿乐，让他的战友和首长们发愁：他到底还想不想成家了？

没有人敢去触碰阿乐那颗伤痛的心。但意外的事却这样发生了——有一天，阿乐兴奋地跑跳着告诉自己的几位好同事：“我要娶她为妻！娶她为妻！”

“你？没有疯吧？”战友们看着阿乐从未有过的疯狂劲，以为他精神出了问题。

“我没事！真的没事。”阿乐笑着拉起同事的手，跑到军部通讯报道科，指着一位姑娘，说：“你们看，她长得像不像我的丁香？”

同事们惊喜地发现：真的很像呵！

这个与丁香长相十分相近的女兵叫时钟曼。阿乐为英勇就义的爱妻守身18年的忠贞爱情故事，十八军上上下下无人不晓。当时钟曼得知自己的首长要向自己求婚的消息后，那颗芬芳的心一下颤动了……

“当时我在十八军宣传部，负责宣传报道。阿乐当时在我们部队已经是个名人了，我和不少姑娘都听说过他和丁香的故事。”后来时钟曼回忆当年她与阿乐的姻缘时这样说，“他18年不娶，这样的男人真是太重感情了。有时看着他瘦高的单薄的背影，不知道为什么，我竟然总会产生一种怜惜之情……”

时钟曼对第一次与阿乐见面的时间和情景记忆犹新：“1950年10月26日那天，部队开大会，我担任速记。阿乐看到我后一愣，很异样地问我叫什么名字。当时我只觉得他那天很怪异，可并不知道他为何如此。”

其实，那天阿乐看见时钟曼后太吃惊了：她怎么长得跟丁香一样啊？他把这事告诉了战友，也被军长张国华知道了。

“既然你见到了‘丁香’，这回一定得成全你了！”张国华军长也十分高兴。他亲自去做媒，而且非常顺利。

“阿乐是个好同志，重感情。你跟他没错。”军长出面了，时钟曼还能说啥？更何况，她本来就有些暗暗喜欢阿乐这位首长。

1954年5月，阿乐与比自己小23岁的钟曼结成伴侣。结婚后，他们的家中始终摆放着一盆五彩的雨花石和一枝丁香。

阿乐后来转业到地方，先后任西藏工委办公室主任、新华社西藏分社社长。后又因工作需要举家迁到了安徽、东北，且与钟曼有了宝贝女儿。当妻子问他给女儿起什么名字时，阿乐的目光一下停留在桌上那盆插浸在雨花石里的丁香花……末后，他说：“就叫丁香吧！”

“乐——丁香。好，我闺女长大后一定也会像丁香那样美丽芬芳，更要学她为革命事业英勇献身的无私无畏精神。”妻子钟曼深情地依偎在丈夫那宽阔的肩膀上，感受着一个男人的崇高而至纯的爱慰。

“苏小西陵踏月回，香车白马引郎来。当年剩绾同心结，此日春风为剪开。”妻子善解人意，常为夫君朗诵他喜爱的“丁香”诗篇，并且在每年12月3日丁香的殉难日，专门为丈夫备一瓶好酒，取出二胡，让他独自尽情地抒发对已在天国的爱人丁香的思念。

年复一年，阿乐对丁香的思念之情愈加浓烈。当年因为地下工作的特殊性，他手上没有留下一张丁香的照片，于是阿乐根据自己的印象，自绘了一张丁香像，挂在家里的客厅墙上。“墙上的丁香阿姨，跟我妈妈年轻时的照片一模一样……”女儿乐丁香这么说。其实，在阿乐的眼里，丁香就是妻子，妻子就是丁香，烈士妻子丁香和现实中的妻子钟曼就是这样相似相近，更令阿乐情深意长。

1982年，在丁香牺牲50周年的日子，阿乐带着女儿乐丁香来到雨花台，在丁香就义旁的一条小路边，亲手种下一棵丁香树。之后，陵园的工作人员和参观的人在听说了阿乐和丁香的爱情故事后，感动之余，也跟着栽种起一棵棵丁香树，后来便连成了我们今天所看到的一片丁香林……那丁香每逢春季，便会绽放出白色的花朵，散发出阵阵清香。阿乐自从在雨花台种下那棵丁香树后，每年清明节都要带着妻儿前来雨花台给丁香祭奠。

“行程前，他都要理发，整装一新。”妻子和女儿这么说。

1989年，阿乐最后一次来到雨花台，这年他81岁。久病的阿乐自知来日无多，看着自己种下的丁香树枝繁叶茂，不由得声泪俱下。定神片刻后，他端坐在丁香树下，接过女儿递来的二胡，只见他高昂的头颅猛然一低，那执弦的手臂顷刻间左右开弓，二胡顿时传出如歌如泣的万千思恋之情，让无数游人驻足拭泪……

1992年，阿乐在沈阳病逝。次年，妻子钟曼带着女儿，捧着丈夫的骨灰，在绵绵春雨中来到雨花台，将阿乐的骨灰和灵魂一起埋在了那片丁香林下。

“丁香花叶是苦的，可她的花是香的。而作为女人，丁香阿姨其实很幸福，一则她是为建立我们今天的新中国而献身牺牲的，二则她获得了一个男人一生的至贞至爱。”阿乐的女儿乐丁香，现在每年都会在清明节的时候来到雨花台吊唁她的父亲和与她同名的丁香烈士。每当有人问起她父亲与丁香的爱情故事时，她总这样说。

雨花台的丁香树如今已成片成林，那条悠长飘香的“丁香路”也成为一景。参观者每每步入烈士陵园，总要在此驻足留影。而烈士丁香的革命事迹和她与阿乐的爱情故事，则更像一曲经典歌谣，在人们的口中广为流传……

在此我要补充一句话：当年丁香被弃时，她亲生父母给她的襁褓里留下一张纸条，上面写着孩子的生辰——“宣统二年庚戌年二月十五午时出生”。这个时间，与我母亲记忆里她二姐被丢弃的时间一致，所以……所以让我有了丁香烈士与我未曾谋面的“二姨妈”之间的联想和联系。

一切都有可能。一切皆在梦想和现实之中并存着。在那个年代，多少家庭因为种种原因将孩子丢弃在冰冷的桥头与路边，甚至是垃圾箱内……

烈士丁香和革命者阿乐之间的一世爱情，是真实的。他们用各自的一生忠贞行动，最终也实现了他们在结婚时的共同承诺：为了革命事业，无论你活着还是牺牲了，我都将永远、永远地守护在你身边，直到共产主义！

其实丁香烈士的故事只是我的一次“偶遇”及一篇短文所引发的一个唯美的经典红色传奇故事。而我知道，像丁香这样的故事在数以万计的雨花台烈士中还有很多，只是我们还没有发现和挖掘到而已……但我知道，这些年来，因为雨花台烈士陵园和专家们特别重视挖掘和注意整理收集烈士后人的传承故事，因此，每年会有许多从各地自发到雨花台瞻仰的烈士后人，他们向烈士纪念馆讲述我们从未听说过的烈士与烈士亲人之间的传奇故事，而正是这样如潺潺流水般的亲情与革命情，让雨花台烈士精神不断在神州大地上传承与散播着，并成为一道时代风景线。

我们现在到雨花台烈士陵园，可以看到的已经不再是一片丁香林了，还能看到更多的玫瑰、牡丹、桃花甚至许多叫不上名字的名贵花卉，当然更多的是大片大片的苍柏与翠竹……

其实，从新中国成立之初的1949年开始，中央人民政府和江苏省、南京市人民政府对雨花台这块革命烈士洒尽鲜血的地方，一直高度重视，认真规划，在第一份方案中就定下了“庄严宏大”这个目标，几十年来始终未变，并一直沿着这一方向不断对其进行完善和扩建。从1952年5月1日起，在雨花台主峰，第一次竖起的纪念碑上，就用紫钢铸造了由毛泽东手书的“死难烈士万岁”的字样；到1983年6月，邓小平为雨花台题写“雨花台烈士纪念碑”；再到2014年12月，习近平总书记在视察江苏时指出，在雨花台留下姓名的烈士就有1519名，他们的事迹展示了共产党人的崇高理想信念、高尚道德情操、为民牺牲的大无畏精神。习近平总书记希望江苏“要注意用好用活丰富的党史资源，使之成为激励人民不断开拓前进的强大精神力量”。

雨花台烈士陵园，堪称中国革命烈士陵园的一大宏伟建筑与朝圣先烈的神圣之地。

而在这一块土地上，除了对先烈们的怀念之情和对丁香的特别钟爱外，我还格外珍爱雨花台独一无二的雨花石。记得第一次到雨花台时，馆里的同志赠送了我一盆雨花石，这盆雨花石如今一直放在我北京的家中。每一次外出时，最让我揪心的就是它了！怕时间一长，干了水。

雨花石是不能干水的，浸在水中的它异常美丽，就像美丽的仙子，一旦上了舞台，那种娇美会让人心醉……

南京雨花石是一种天然之物，属于典型的河流沉积作用下所形成的砾石，赋存于距今约2300万年至260万年之间的新近纪雨花台组砂砾层中。广义的雨花石是指硅质岩、石英岩、砂岩、白云岩、文石、玛瑙、水晶等可供观赏的砾石。其色彩和花纹美丽，浑圆度高。它不需要雕琢，置于清水中就可以呈现斑斓的生命之丽。因为它的独特之美和灵性，自古以来，雨花石就被文人墨客所喜爱，慢慢地也就在民间和史书上流传了诸多“雨花传说”。

相传在南朝梁武帝时，高僧云光法师在南京石子岗（即今雨花台）高座寺上讲经说法。突然有一天，他在讲诵《涅槃经》时，天降暴雨，雨水冲刷出无数山岗上的砾石来，那些砾石经雨水冲洗之后，愈发奇妙，当雨过天晴时，它们一颗颗皆五彩缤纷、晶莹剔透，惹得人心花怒放，爱不释手！当大家议论纷纷时，云光法师释此石为“天女赐花”，这似乎是吉祥征兆。后来他把这喜讯呈报给了梁武帝，说这是太平盛世之吉兆，是上天给予的恩赐。梁武帝听后大喜，连说“正合朕意”。后人将此事载入宋史中，所以就有了“雨花说法”这一典故。

自古以来，雨花台就是南京著名的风景名胜区。

百年前，中国共产党在上海成立，泱泱中华从此掀开了历史新篇章。大革命风起云涌，神州大地凯旋新曲豪歌，却换来反动阶级的诛伐屠杀。从20世纪20年代开始，雨花台成为反动阶级屠杀共产党人和革命者的屠场，英烈的鲜血从此染红了雨花台山冈……

雨花有石凝鲜血，养以清泉岂惮劳！

郭沫若先生的诗句，形象地说出了雨花台后来的象征意义。据雨花台革命烈士纪念馆的研究专家介绍，在雨花台牺牲的革命者数以万计，他们来自全国20多个省份，这同南京曾经是国民党首都有关，敌人会把全国各地抓捕的重要革命者抓到首都来杀害。而自革命者与共产党人为了新中国英勇献身于此后，这里便成了革命烈士的安魂地，也是胜利后的新中国一代又一代人的朝圣之地。

从战争中走来的著名作家艾煊曾在新中国成立之前来过雨花台，

写下了《殉难者的圣地》一文：

> ……太阳如火，（雨花台）山谷里更蒸人。我们在这山坳里没胫的荒草丛中默默地肃立良久。多年前，我们在学习党史时，早已知道在这里牺牲的党的许多领导人的姓名。但当时，我默立在雨花台下烈士就义的地方，在我的面前活灵活现地出现的，却不是这些我虽早已知名、但却从未见过面的领导同志。默立时，在我面前形象十分鲜明地出现的，却是我在别的地方，在许多不同战场上牺牲的那些熟悉的战友。仿佛觉得郡些同志全都是在这雨花台下就义似的。
>
> ……
>
> 在长达二十二年的时间内，十万烈士就义过的这一小块山谷里，遍地是野草，松软的浮土，粗沙和卵石。我弯腰随手拣了一大把鲜艳的雨花石，也随手把散露在地面上的烈士骸骨，用手扒开浮土，掩埋下去……

今天的雨花台已经再也看不到当年艾煊先生所见的“散露在地面上的烈士骸骨”了，所能见到的都是遮天蔽日的郁郁葱葱的绿荫，还有小心翼翼、努力苦心才可能挖得见的雨花石。时代变了，新中国也变得强大而无限美丽。然而，不变的唯有山冈下沉默不言的烈士们，以及色彩依旧斑斓的雨花石。

山冈是永远沉默的。但与烈士的信仰相通者，站在雨花台的山冈上，会感觉山冈是燃烧的、涌动的，如熊熊的火焰，如奔腾的岩浆在跳动……那是烈士的心脏和灵魂在跃起与跳动，与共同信仰者一起，讨论昨天、庆祝今天、欢呼未来。

那一刻，你会感到神圣和庄严。

那一刻，你会感到责任和使命。

雨花台不是一座普通的山冈，它是一座“主义”的祭坛，是一个信仰的圣地。你合上双目，会感觉无数英烈在伸着双手向你期待，期待你接过他们用鲜血染红的旗帜，并向你呐喊着“前进！”、“前进！”的口号……

雨花台的雨花石，也非普通的砾石，它是烈士的一颗颗闪耀着理想的、永远在跳跃的心脏。这样的心脏，你用同样的理想与信仰去呵护它，它就会永远、永远地闪光。

我因此格外珍爱雨花石，每天抚摸和观赏它，就像珍爱自己的生命一样。看着它的斑斓，就像看到一位位为我们创造今天幸福的生活、建立伟大的国家的那些烈士们的容颜，就像能聆听到他们的心跳……

这是一种享受，一种陶冶，更是一种激励和鞭策。

呵，飘扬的丁香与斑斓的雨花石，你们让我的心与灵在信仰与理想的天堂中不断升腾、不断升华，直到永恒……

后记
致敬烈士

《雨花台》一书是我十年前就有愿望想写成的一部作品：这是因为我在十年前的一个特殊机缘下创作了一部《忠诚与背叛》，该书是第一次以真实的“红岩”革命历史背景和革命先烈事迹为素材所创作的作品。《忠诚与背叛》出版后先后多次被中组部推荐为全党与党性学习教育相关活动的读物，我本人也应邀到党政机关、军队、厂矿、学校及企事业单位等讲课多达上百场。我记忆犹新的是当时有十几个省、市、自治区领导推荐该书在其所在地区干部中进行广泛深入的学习，令人欣慰与感慨。值得一提的是中共宁夏回族自治区党委和主要领导要求全自治区干部学习《忠诚与背叛》长达半年多，而且每人还撰写读书体会，在《宁夏日报》上择优刊发，并从优秀文章中汇编出版的图书就有上、下两册。

从重庆“红岩”走出之后，我一直在想：故乡的南京雨花台革命烈士纪念地所埋葬的烈士人数及身份远比“红岩”烈士要多得多和重要得多，为什么就没有一本让全国人民都能熟知和传播的文学作品呢？于是这一份情愫从此让我与“雨花台”结下了不解之缘，也从那个时候我已经记不得到底去过南京雨花台多少次！

我总觉得，一个国家和一个民族的发展与崛起，有的人是用一生的努力与奋斗在为此做贡献，而有的人可能就是用了很短的几年、几个月甚至几天为之贡献。然而后者往往是用短暂的生命在为一个国家和一个民族的生存与发展，或者说为了其他多数人的幸福与安宁，毫不犹豫地献出自己宝贵的东西——生命。他们就是躺在纪念碑基底下的先烈……

先烈的死，悲壮而伟大，崇高而无私，是人类生命最闪光和最崇高的表现。我一直认为，自己并非纯粹和彻底的“共产主义战士”，但当我每一次来到烈士纪念地、走进纪念馆，去触摸和倾听先烈们无声的生命诉说时，我觉得自己的热血会沸腾，灵魂也会纯洁起来，精神变得崇高博大。这是为什么？因为是烈士们的生命在激荡着我的血液、荡涤我的心灵、燃烧着我的灵魂……这种感受是真切的而非虚伪的、唯物的而非宗教的。所谓“教育”和“教化”，事实上就是能够产生实实在在的作用。我自己有体会，也看到了别人也有这样的感受。

第一次到雨花台采访，就被“丁香”的故事所感动，于是给《人民日报》写了篇《雨花台的那片丁香……》，不想这些年“丁香”故事成为许多文艺的“脚本”，雨花英烈的传播度也随之迅速加温。当然这与后来中央和江苏省、南京市等各级不断加强雨花英烈宣传有关。而作为南京雨花台烈士纪念馆“驻馆首席作家”，自然我应该多做些、做得更好些，这个任务理所当然地压在心头。

也许雨花台的烈士们一直在等待着历史的一声特别的呼唤，我的《雨花台》创作时间又“耽搁”了几年。干什么去了？我和我的国家一起迎来了改革开放40周年和新中国成立70周年的“大日子”，因为受邀到上海写《浦东史诗》和《革命者》。但这一“意外”，却让我对雨花英烈有了全新而更深刻的了解与挖掘——因为牺牲在南京雨花台的烈士有近半是从建党地和当年中共中央机关所在地、江苏省委所在地的上海押解而去的。南京雨花台的烈士数以万计，而重要的烈士很多是从上海被敌人抓捕押解到当时的国民党反动政府的“首都”南京来的，因此雨花英烈的许多经历或主要经历都是在上海发生的，我在上海写反映中共地下工作时期的战斗和烈士事迹的《革命者》的过程中，让我对最初的中共党史反复进行了多次、多层面的学习。这过程的材料与史实准备，恰恰是为日后创作这部《雨花台》做了不可或缺的前期工作。

2019年、2020年，江苏省南京市和雨花台烈士陵园管理局的领导对雨花英烈和“雨花英烈精神”的宣传越来越重视，这也为我创作《雨花台》提供了重要推力，尤其是中共南京市委宣传部、雨花台烈士陵园管理局等单位领导一次次的盛邀和叮嘱，让我有了为迎接建党一百周年必须在2021年年初完成这部重要作品的创作决心。2020年是个特别的年份，新冠肺炎疫情一波又一波地袭来，影响了整个世界的脚步……然而可以这么说，我和南京雨花台烈士陵园管理局的领导、专家和纪念馆的工作人员，几乎没有影响过《雨花台》创作推进的每一个环节。在此我特别感谢中共江苏省委常委、南京市委书记韩立明；中共南京市委常委、宣传部部长陈勇；雨花台烈士陵园管理局党委书记、局长赵永艳，文物博物馆处处长闻慧斌，雨花英烈研究院院长向媛华；南京出版传媒集团（南京出版社）党委书记、董事长项晓宁，集团总经理、南京出版社社长卢海鸣。两年间，与赵永艳局长的短信和微信联系，如果把它们连接起来，估计是一条很壮观的“信息跑道”。这里还要特别感谢雨花台烈士陵园管理局青年学者胡卓然的帮助，他是在资料和出版准备方面帮助我最多的一位同志，很多次看到他工作到深夜两三点离开单位时所发出的手机信息，令人感怀。然而，如果说一个“谢”字，我想最重要和不可忘却的是致谢与致敬，应当是那些牺牲的烈士，是他们用生命换来了今天、换来了今天的中国，自然也换来了我们可以在非常宁静和安逸的日子里去书写以往的历史，并从中获得灵魂与精神上的无限滋养。可以这样说：没有烈士们昨天的生命闪光，就没有今天我们国家和民族的闪光，自然也不会有我们这些人现在的美好生活与欣欣向荣的未来。

《雨花台》所写到的烈士多达300余人、所涉及各方面历史人物1000多人。这在我的40余年创作中从未有过。实际上这是一次很艰难的创作历程，更何况许多英烈事迹多多少少已有传播。如何把雨花英烈事迹更好地展现给广大读者，成为大家了解历史、了解党史、了解革命史的重要范本，同时又希望在书中更多地“放”进那些不为人所熟知的烈士，这其实是一次颇有“高难度”的创作过程。我想这个过程可以说的话足够另写几万字的“创作谈”，但是在此仅说主要一句：力图让鲜为人知的事获得呈现，力图让公众熟知的事更真实、精彩、生动、深刻呈现，这是我的创作“主线”。烈士的事迹不是单向和独立的，他们的血迹与足迹是融入历史洪流的，因此我的书写就是尽可能地让人物跟历史风云走、让人物的精神随信仰行。我曾说过一句话：要让党史和革命史“立”起来、“活”起来，意思是它必须让今天和当代人能够对它有亲近感、触摸感，抵达人们的情感世界和灵魂深处，只有这样才能实现“以史为镜”、“以史为鉴”、“以史正人”和“以史育心”等目的。雨花英烈的共同点，是他们对理想信仰的虔诚与执着、始终以天下苍生幸福为念，为了共产主义事业，他们的担当是以牺牲生命为代价，因此烈士精神的可贵之处胜于黄金、重于泰山，永远成为激励民族奋进的动力。我们当以跪式的姿态致敬烈士，让每一个人活得更有价值，更多一点色彩。

这是我写《雨花台》的基本愿望。

2014—2021年于上海、南京、北京完稿

参考书目

1. 何建明．革命者[M]．上海：上海文艺出版社，2019.

2. 沈建中．陈独秀在上海[M]．北京：中共党史出版社，2018.

3. 中共上海市委党史研究室．刘少奇在上海[M]．北京：中共党史出版社，2018.

4. 中共上海市委党史研究室．周恩来在上海[M]．上海：上海人民出版社，1998.

5. 中国社会科学院现代史研究室，中国革命博物馆党史研究室．中国现代革命史资料丛刊：“一大”前后（一）[M]．北京：人民出版社，1985.

6. 萧三．革命烈士诗抄[M]．北京：中国青年出版社，2011.

7. 中共江苏省委党史工作办公室，中共南京市委党史工作办公室，雨花台烈士陵园管理局．雨花魂[M]．北京：中共党史出版社，2015.

8. 上海市龙华烈士陵园（龙华烈士纪念馆）．党旗下的心声：著名革命英烈遗言、遗诗、遗文选[M]．上海：上海教育出版社，2006.

9. 中共上海市委党史研究室．1921—1933：中共中央在上海[M]．北京：中共党史出版社，2006.

10. 石川祯浩．中国共产党成立史[M]．北京：中国社会科学出版社，2006.

11. 中共南京市委党史工作办公室．中共南京历史资料丛书：中国共产党南京历史大事记（1919—1949）[M]．北京：中央文献出版社，2015.

12. 中共上海市委党史研究室.上海党史资料汇编·土地革命战争时期（上）[M].上海：上海书店出版社，2018.

13. 南京市雨花台烈士陵园管理局.雨花台烈士陵园志[M].南京：南京出版社，2019.

14. 中共上海市委党史研究室，上海市龙华烈士陵园.浦江丰碑——上海英烈故事[M].上海：上海教育出版社，2009.

15. 王杏芬.青春缪伯英[M].长沙：湖南人民出版社，2017.

16. 中共江苏省委党史工作办公室，中共南京市委党史工作办公室.重温激情岁月——革命者口述历史[M].北京：中共党史出版社，2003.

17. 刘锐.陶行知传[M].北京：北京时代华文书局，2016.

18. 雨花台烈士陵园管理局.初心永恒：雨花英烈话语解读[M].南京：南京出版社，2018.

19. 雨花台烈士陵园管理局.雨花英烈文集[M].南京：南京出版社，2016.

20. 雨花台红色文化研究院，雨花台烈士陵园管理局.雨花英烈近亲属口述史[M].南京：南京出版社，2019.

21. 雨花台烈士陵园管理局.雨花英烈日记[M].南京：南京出版社，2017.

22. 雨花台烈士陵园管理局.雨花英烈诗词[M].南京：南京出版社，2017.

23. 雨花台烈士陵园管理局.雨花英烈家书[M].南京：南京出版社，2016.

24. 雨花台烈士陵园管理局.雨花英烈家书2[M].南京：南京出版社，2017.

25. 雨花台烈士陵园管理局.雨花英烈狱中斗争[M].南京：南京出版社，2018.

26. 周冠军 . 雨花台烈士传丛书：骆何民传[M]. 南京：江苏人民出版社，2017.

27. 赵勤轩，康青星 . 雨花台烈士传丛书：朱克靖传[M]. 南京：江苏人民出版社，2016.

28. 王平 . 雨花台烈士传丛书：徐楚光传[M]. 南京：江苏人民出版社，2016.

29. 张晓阳，孙繁勋 . 雨花台烈士传丛书：洪灵菲传[M]. 南京：江苏人民出版社，2016.

30. 王辅一，张学亮 . 雨花台烈士传丛书：周子昆传[M]. 南京：江苏人民出版社，2018.

31. 张辉 . 雨花台烈士传丛书：高文华传[M]. 南京：江苏人民出版社，2016.

32. 周燕，刘品玉，杨洪 . 雨花台烈士传丛书：任天石传[M]. 南京：江苏人民出版社，2016.

33. 胡卓然 . 雨花台烈士传丛书：晋夫传[M]. 南京：江苏人民出版社，2019.

34.《朱杏南传》编写组 . 雨花台烈士传丛书：朱杏南传[M]. 南京：江苏人民出版社，2018.

35. 刘江波 . 雨花台烈士传丛书：李得钊传[M]. 南京：江苏人民出版社，2017.

36. 施昌旺，王敏林 . 雨花台烈士传丛书：吕惠生传[M]. 南京：江苏人民出版社，2010.

37. 吕胜梅 . 雨花台烈士传丛书：卢志英传[M]. 南京：江苏人民出版社，2016.

38. 董恒峰 . 雨花台烈士传丛书：袁国平传[M]. 南京：江苏人民出版社，2016.

39. 陈惠萍，聂红琴 . 雨花台烈士传丛书：史砚芬传[M]. 南京：江苏人民出版社，2020.

40. 杜秀娟.雨花台烈士传丛书：罗登贤传[M].南京：江苏人民出版社，2020.

41. 张国强.雨花台烈士传丛书：侯绍裘传[M].南京：江苏人民出版社，2016.

42. 赵瑱.雨花台烈士传丛书：陈君起传[M].南京：江苏人民出版社，2016.

43. 问增飞.雨花台烈士传丛书：许金元传[M].南京：江苏人民出版社，2017.

44. 陆亚.雨花台烈士传丛书：刘重民传[M].南京：江苏人民出版社，2017.

45. 刘功成.雨花台烈士传丛书：邓中夏传[M].南京：江苏人民出版社，2016.

46. 肖振才.雨花台烈士传丛书：孙津川传[M].南京：江苏人民出版社，2019.

47. 王延光，闻慧斌.雨花台烈士传丛书：晓庄十烈士传[M].南京：江苏人民出版社，2016.

48. 闻慧斌.雨花台烈士传丛书：共舞台案烈士传[M].南京：江苏人民出版社，2019.

49. 胡卓然.雨花台烈士传丛书：谢文锦传[M].南京：江苏人民出版社，2016.

50. 阳毅，黄莺，金本毅.雨花台烈士传丛书：谭寿林传[M].南京：江苏人民出版社，2020.

51. 洪欣.雨花台烈士传丛书：李耘生传[M].南京：江苏人民出版社，2016.

52. 梁成琛，王庆猛.雨花台烈士传丛书：贺瑞麟传[M].南京：江苏人民出版社，2016.

53. 李琳琳. 雨花台烈士传丛书：何宝珍传[M]. 南京：江苏人民出版社，2017.

54. 王伟，官小娜，吕永明. 雨花台烈士传丛书：许包野传[M]. 南京：江苏人民出版社，2016.

55. 周敏. 雨花台烈士传丛书：张应春传[M]. 南京：江苏人民出版社，2016.

56. 虞建安，李兆娟，汪旭东. 雨花台烈士传丛书：恽代英传[M]. 南京：江苏人民出版社，2016.

57. 龙华烈士纪念馆. 英烈与纪念馆研究（第15辑）[M]. 上海：上海教育出版社，2017.

58. 中共上海市委党史研究室. 潘汉年在上海[M]. 上海：上海人民出版社，1995.

59. 南京市人民政府新闻办公室. 雨花英烈精神：扬帆的信仰[M]. 北京：外文出版社，2019.

60. 中共上海市委党史研究室，上海市民政局. 上海英烈传（第七卷）[M]. 上海：上海翻译出版公司，1991.

61. 中共上海市委党史研究室. 毛泽东在上海[M]. 北京：中共党史出版社，1991.

62. 任建树. 陈独秀传：从秀才到总书记[M]. 上海：上海人民出版社，1997.

63. 任建树，张铨. 五卅运动简史[M]. 上海：上海人民出版社，1985.

64. 王华斌. 黄炎培传[M]. 济南：山东文艺出版社，1992.

65. 唐纯良. 李立三传[M]. 哈尔滨：黑龙江人民出版社，1984.

66. 中央档案馆，中国革命博物馆，中共中央党校出版社. 恽代英日记[M]. 北京：中共中央党校出版社，1981.

67. 邓中夏. 邓中夏文集[M]. 北京：人民出版社，1983.

图书在版编目（CIP）数据

雨花台／何建明著．—北京：大有书局，2022.6
（何建明红色三部曲）
ISBN 978-7-80772-086-7

Ⅰ．①雨… Ⅱ．①何… Ⅲ．①纪实文学－中国－当代
Ⅳ．①125

中国版本图书馆CIP数据核字(2022)第084267号

书　　名	雨花台 YUHUATAI
著　　者	何建明
责任编辑	叶敏娟
装帧设计	罗　洪
责任校对	李盛博
责任印制	袁浩宇
出版发行	大有书局 （北京市海淀区长春桥路6号　100089）
综 合 办	（010）68929273
发 行 部	（010）68922366
经　　销	新华书店
印　　刷	中煤（北京）印务有限公司
版　　次	2022年6月北京第1版
印　　次	2022年6月北京第1次印刷
开　　本	170毫米×240毫米　1/16
印　　张	38.5
字　　数	516千字
定　　价	78.00元

本书如有印装问题，可联系调换，联系电话：（010）68928974